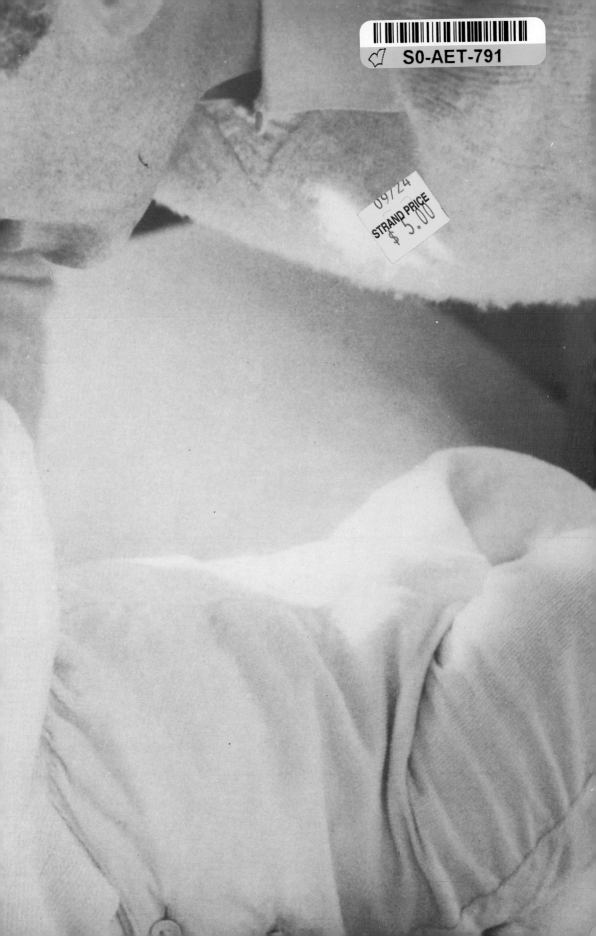

J'élève
mon enfant

Laurence Pernoud

J'élève mon enfant

ouvrage couronné par l'Académie de Médecine

PRÉFACE DU PROFESSEUR ROBERT DEBRÉ
de l'Académie des Sciences et de l'Académie de Médecine

Édition 1988

Pierre Horay Éditeur, 22 *bis* passage Dauphine, 75006 Paris

I.S.B.N. 2-7058-0184-7

Sommaire

CHAPITRE 3
La vie d'un enfant

CHAPITRE 4
La santé de A à Z

CHAPITRE 5
Le petit monde de votre enfant

CHAPITRE 6
L'éducation silencieuse

CHAPITRE 7
Mémento pratique

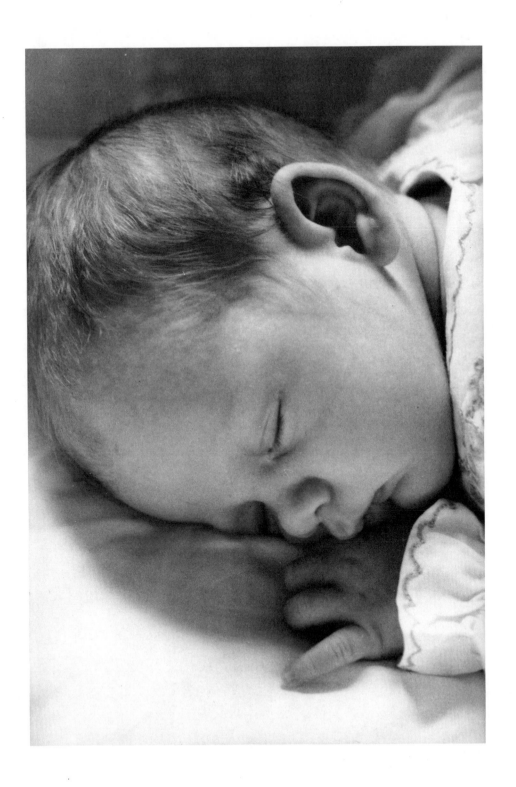

Je suis heureuse de vous présenter cette nouvelle édition embellie pour vous.

Chaque année, le texte de J'élève mon enfant *est soigneusement revu, et augmenté si nécessaire. Cette année, outre ce travail régulier qui permet d'offrir, en permanence, aux lecteurs un livre riche d'expérience et à jour des nouveautés, nous avons ajouté de nombreuses photos.*

Ce « nous » désigne l'équipe qui depuis des années travaille à ce livre : Agnès Grison, Danielle Rapoport, Isabella Morel, Jacqueline Sarda, noms que connaissent déjà ceux qui ont lu la préface de J'attends un enfant.

Pour J'élève mon enfant, *il faut y ajouter le nom de Jacques Boisse, pédiatre, ancien chef de clinique de la faculté de médecine de Paris, chef de service à l'hôpital de Coulommiers. Sans lui, d'ailleurs,* J'élève mon enfant *ne serait pas né car c'est avec Jacques Boisse que nous avons conçu et réalisé la toute première édition.*

A l'équipe des « permanents » s'ajoutent des personnalités consultées sur des points particuliers : Bianka Zazzo et le docteur Guy Vermeil à propos de l'école, René Zazzo au sujet des jumeaux, le docteur Daniel Kipman, psychanalyste, sur la sexualité infantile, le docteur T. Berry Brazelton sur les « compétences » du bébé et les interactions, le docteur Étienne Herbinet sur l'éveil sensoriel de nouveau-né, le docteur Gisèle Riboulet-Delmas, du Centre anti-poisons, à propos des intoxications, le professeur Hubert Montagner pour ses recherches sur le jeune enfant ; enfin le Professeur Bernard Lévèque, du Centre d'information et de rencontre pour la prévention des accidents d'enfants (C.I.R.P.A.E.).

Et comme pour J'attends un enfant, *tout notre travail est soutenu par les lettres que nous recevons tous les jours. Nous ne pouvons nous passer de travailler avec des spécialistes, nous pouvons encore moins nous passer de ce courrier qui nous apporte encouragements, suggestions, et parfois des critiques. Ce courrier nous fait vivre au contact quotidien des préoccupations et besoins des lecteurs. Les dizaines de milliers de lettres reçues depuis la première édition représentent une expérience irremplaçable.*

Nous répondons à chacune de ces lettres individuellement. Mais sur un point je voudrais répondre collectivement car la question revient régulièrement dans le courrier.

« *Pourquoi ne changez-vous pas le titre :* Nous élevons notre enfant, *au lieu de le mettre au singulier ?* » *Parce que si* J'élève mon enfant *est toujours vrai,* Nous élevons notre enfant *serait parfois faux. Dans une famille sur dix, il n'y a qu'un seul parent pour élever les enfants et chaque année le nombre des parents divorcés augmente.*

J'espère, bien sûr, que chaque chapitre de ce livre vous sera utile, mais je voudrais vous signaler le plus important, « Le petit monde de votre enfant ». Ce qui, au début, rend parfois difficile la communication avec un enfant, c'est de ne pas comprendre ses réactions, de ne pas savoir ce qu'il éprouve. Ce chapitre essaie précisément de décrire les réactions d'un bébé, ce qui se passe dans la tête d'un enfant au cours des premières années. Ce chapitre, je l'ai écrit avec tendresse : cet éveil de l'intelligence et du cœur reste toujours pour moi un sujet d'émerveillement ; d'ailleurs vous allez le voir vous-même : c'est passionnant de découvrir un enfant jour après jour.

Je voudrais enfin vous dire ceci.

Vous allez être pris par mille tâches matérielles qui vous demanderont d'autant plus de temps qu'elles seront nouvelles pour vous s'il s'agit de votre premier enfant.

Mais une fois que ce nouveau-né sera bien installé dans la maison et dans votre vie, que vos gestes seront devenus routiniers, que vous serez habiles à donner le bain, à préparer un biberon, à écouter sans inquiétude les pleurs, à voir sans angoisse grimper une fièvre, il faudrait que vous vous laissiez aller à profiter de cet enfant.

Profiter ? Le mot peut vous choquer concernant un enfant. Le français, pourtant si riche en nuances, n'a pas de terme équivalent au mot anglais qui traduit bien ce que je voudrais suggérer : enjoy, *prendre de la joie.*

Est-ce nécessaire de rappeler qu'il faut profiter de la présence de ses enfants ? Je le crois. J'ai rencontré bien des parents qui élevaient parfaitement leurs enfants, mais sans cesse affairés à quelque tâche pour eux, ne semblaient jamais prendre le temps de profiter de leur présence.

La maternité et la paternité impliquent une notion de devoir. Et le devoir s'accommode mal, pour certains, de l'idée de s'asseoir à côté de son enfant sans rien faire, pour le regarder vivre, l'écouter, lui chanter une chanson ou lui montrer un livre. C'est cela profiter de son enfant, c'est éviter le plus possible de lui dire : « Je suis occupé » alors qu'il vous demande de venir. Pour-

tant souvent il serait facile de renoncer ou d'ajourner ce qui vous en empêche. Profiter, c'est se donner le plaisir de faire une promenade avec son enfant, de découvrir avec lui une musique, un livre, un musée, un pays.

Profiter c'est aussi renoncer à l'idée que les parents doivent toujours faire faire quelque chose d'utile à leurs enfants : après l'école les devoirs, après les devoirs de l'ordre dans la chambre. Jouer ou rire avec eux n'est pas du temps perdu ! Profiter, si vous en avez pris l'habitude, c'est mille autres choses, vous saurez bien les découvrir.

Je vous entends : « Un enfant c'est des nuits blanches, des soucis, du travail, souvent la course pour l'emmener à la crèche, la course pour le reprendre. »

Tout cela est vrai, mais il y a des moments de bonheur qui font oublier les contrariétés, les inquiétudes, même les angoisses. Profitez-en au maximum, pleinement, sans réticence. C'est en étant avec votre enfant que peu à peu vous le découvrirez, qu'il en sera heureux et vous par lui.

Les années vont s'écouler plus vite que vous ne l'imaginez. Il ne faudrait pas qu'un jour vous regrettiez d'avoir laissé passer l'enfance.

L. P.

Préface

de la première édition

*F*aut-il une fois encore insister sur un des caractères de notre époque : l'obligation de répandre les connaissances, de satisfaire le besoin ressenti dans tous les milieux d'une information rigoureusement exacte sur les acquisitions de la science ?

Faut-il répéter que peu à peu tout devient objet de science et que l'établissement des lois naturelles à tous les phénomènes fait entrer dans notre champ d'examen, et soumettre aux méthodes rationnelles jusqu'aux pleurs du nourrisson, son sourire provoqué par sa mère et l'amour de l'enfant pour son ours en peluche ?

L'un des éléments fondamentaux pour la bonne démarche de notre esprit est l'observation. Développer le goût, le sens, le plaisir, la rigueur de l'observation est une tâche essentielle de l'éducation. On doit donc apprendre à regarder, à bien voir et, ajoutons-le, à voir froidement la scène qui se déroule, c'est-à-dire à ne pas exagérer avec complaisance tel geste et négliger tel autre, à garder la maîtrise de soi pour que l'émotion ne trouble pas les facultés d'observation Il faut aussi apprendre à comparer ce qui arrive avec le souvenir d'un épisode passé afin d'en saisir les différences et les ressemblances. On ne saurait trop insister sur l'importance de cette discipline de l'esprit. L'école a pour tâche d'en développer l'usage chez chaque enfant. L'adolescent et l'adulte devront continuer cet effort au cours de leur vie.

La jeune mère a, plus que quiconque, besoin de savoir observer son enfant. Rien n'est plus enrichissant pour elle et pour lui que la contemplation attentive, entourée par les effluves de l'amour réciproque d'un enfant par sa mère et aussi d'une mère par son enfant.

Ici intervient un facteur important où les livres d'information pour les mères, comme celui qu'on va lire, trouvent leur place : apprendre à distinguer l'important de l'accessoire. Pour retenir l'essentiel, la mère doit être instruite, bien orientée, sans cependant que ses connaissances estompent l'impartialité de son observation. Je crois qu'une mère ayant lu ou consulté l'ouvrage de Madame Laurence Pernoud sera prête à observer par elle-même dans de bonnes conditions l'enfant qu'elle élève.

C'est guidé par les remarques d'une mère bonne observatrice que le médecin dirige son examen et établit son diagnostic. Négliger les remarques d'une mère, voire les mépriser, comme pourraient le faire certains docteurs, est une lourde faute. Il faut répéter aux étudiants en pédiatrie cette formule : « Faites attention. Écoutez le récit de la mère, car la mère a toujours raison. » Une mère bonne observatrice est une chance précieuse pour son enfant et un précieux bienfait pour le médecin, appelé au chevet du petit homme sain ou malade.

Madame Laurence Pernoud triomphe d'une grande difficulté : celle que pose tout essai d'explication claire pour le public des faits de la biologie et des problèmes de la médecine. Son ouvrage parvient à éviter à la mère certaines inquiétudes inutiles et des angoisses injustifiées, à empêcher aussi que se développe une fausse sécurité, qui risquerait d'être fâcheuse, tant sont sages les conseils donnés et répétés, les appels à la prudence... et au médecin. Par ailleurs on pourrait redouter qu'en apprenant les règles de leur conduite, les mères perdent quelque peu ce précieux instinct qui dirige leur comportement. Cette objection mérite d'être retenue... et puis rejetée.

Amour maternel, instinct maternel, nous évoquons ces mots si chargés de sens pour indiquer combien sont efficaces ces mères instinctives qui sentent, devinent, comprennent, agissent, menées par leurs émotions et leurs impulsions et qui savent si bien s'instruire toutes seules en regardant et soignant leur enfant.

De même que les études sur le régime alimentaire de l'enfant nous ont conduits à tenir le plus grand compte de ses goûts, de ses appétits électifs et à rendre au tout-petit et aussi au plus grand certaines libertés qu'on lui avait ravies, de même, après avoir lu attentivement et assimilé tant de connaissances sur la manière de « gouverner » l'enfance — comme on disait autrefois — la mère finit par aller où son instinct la pousse. Je ne crois donc pas, tant est fort cet instinct, que les connaissances scientifiques la fassent dévier ou hésiter. A la vérité, la connaissance se mêle à l'instinct, le perfectionne et, si l'on peut dire, l'affermit. La mère, hésitante pour sa conduite, sera aidée par une bonne instruction pour prendre la juste décision.

Le manuel de Madame Laurence Pernoud est un excellent ouvrage, un livre de chevet pour les jeunes femmes qui le liront et le reliront et en même temps un dictionnaire qu'elles consulteront souvent. Il mérite largement le grand succès qu'on peut lui promettre.

Professeur Robert Debré
de l'Académie des Sciences
et de l'Académie de Médecine

Post-scriptum de l'auteur. Vis-à-vis du Professeur Debré j'éprouve une double dette de reconnaissance. Lorsque je lui demandai de vouloir bien préfacer mon livre, non seulement il ne lui vint pas à l'idée de refuser parce que j'étais une femme (pourtant en 1965 le fait était encore un lourd handicap dans le domaine de la vulgarisation médicale), pas plus de refuser parce que je n'étais pas médecin. Il savait les avis dont je m'étais entourée, et que chaque virgule avait été soigneusement revue. Dans ces conditions, m'avait même dit Robert Debré, il est préférable que l'auteur soit une femme, et une mère, qui puisse, avec toute sa sensibilité, s'adresser aux parents, connaissant leurs questions et parlant leur langage.

J'entends encore Robert Debré me dire au téléphone : « La préface est prête, lisez-la, mais si elle ne vous convient pas sur un point, nous en reparlerons. »

Il avait la modestie des gens de valeur ; il vous répondait par retour du courrier ; ne vous faisait jamais attendre ; vous accueillait comme si vous étiez une amie de toujours. C'est pourquoi, même si les mentalités changent et que nos idées évoluent — aujourd'hui par exemple, le Professeur Debré aurait certainement fait une plus grande place au père —, je ne saurais supprimer d'une nouvelle édition le texte dont j'ai été si fière lorsque je l'ai reçu.

Un enfant entre dans votre vie

CHAPITRE 1

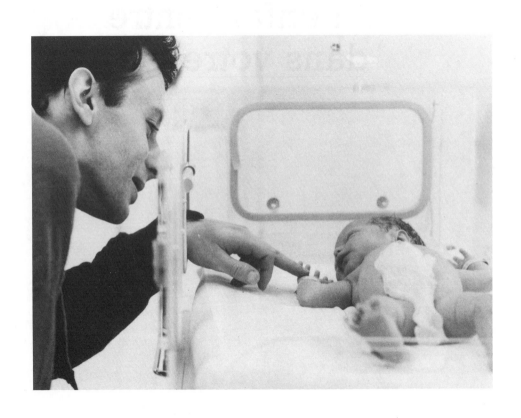

Un enfant est entré dans votre vie et soudain tout change.

A vrai dire depuis neuf mois vos projets tournaient autour de l'attente, mais aujourd'hui le nouveau-né dans la maison va réellement bousculer vos jours, vos nuits, votre humeur, et susciter des inquiétudes. Il pleure, pourquoi ? Il dort si profondément, est-ce normal ? Il s'agite, a-t-il faim ?

Faire connaissance avec le bébé, comprendre ses mimiques, chercher ce qu'il ressent, savoir s'il reconnaît ceux qui l'entourent, deviner ses besoins : adoption réciproque, adaptation lente et passionnante, quête au jour le jour que vous ferez l'un et l'autre avec émerveillement et dont nous vous parlerons plus loin.

Mais dans l'immédiat, le premier effet de l'arrivée de cet enfant dans votre vie, ce sont surtout des tâches concrètes et des questions pratiques. L'allaiter à sa demande ou à vos heures ? Lui préparer un biberon, mais de combien de grammes ? Et le bain ? Et les sorties ?

Au début, tout est à apprendre si cet enfant est le premier.

On dit qu'aujourd'hui les pères se chargent aussi de ces tâches. Ce n'est pas toujours le cas. Au début c'est surtout la mère qui est en scène, c'est donc à elle que nous nous adressons d'abord ; si le père participe, tant mieux, et dans ce cas tout ce qui est dit pour la mère s'adresse aussi à lui.

Des moments privilégiés

Cet enfant que vous avez souhaité, vous voulez, maintenant qu'il est là, jour après jour faire plus ample connaissance avec lui. Or comme au début il dort au moins 20 heures sur 24, vous n'aurez de vrais contacts avec lui que lorsqu'il sera réveillé, lorsque vous le nourrirez, lui ferez sa toilette, ou le sortirez. Les tétées, le bain, les sorties, au lieu d'être des tâches monotones par leur répétition, deviendront alors des moments privilégiés de rencontre entre vous et votre enfant où, à travers chaque geste, vous vous découvrirez. Ces rencontres seront aussi l'occasion de suivre les progrès faits par le bébé — ils sont très rapides —, d'observer les changements de mine ou d'humeur, reflets de la santé.

Pour la mère, le plaisir de la découverte ne se révèle parfois que peu à peu. Pour le nouveau-né, il est immédiat ; les gestes, le contact de la peau de sa mère, sa chaleur, sa voix sont pour lui plus qu'un plaisir, un besoin : il naît, il a faim, mais avant toute nourriture, ce qu'il cherche en arrivant au monde, c'est d'abord que des bras l'entourent. Il a besoin du contact avec sa mère comme le petit chaton a besoin que sa mère le lèche. Et ce besoin d'attachement précède même le besoin de nourriture, c'est une observation faite aussi bien par les éthologistes, ces spécialistes du comportement de l'animal et de l'homme, que par les psychologues et les psychanalystes.

Si vous avez le temps et la curiosité de lire un livre court et passionnant (écrit il y a déjà quelques années mais toujours très actuel) *, vous y verrez comment, sûr d'être aimé, l'enfant aura toutes les audaces et grâce à cet attachement un jour arrivera à se détacher. Mais ceci est une autre histoire. Pour l'instant ce nouveau-né vous veut près de lui.

Je pense que, sachant que vos soins quotidiens vont apporter à votre enfant le contact et les caresses dont il a besoin, ces soins prendront pour vous un autre sens. Parlez à votre bébé en le changeant, en lui faisant sa toilette, il s'habituera à votre voix et très vite la reconnaîtra. Et c'est ainsi que vous commencerez ce dialogue qui va durer des années.

Seule en face de votre enfant

Au retour de la maternité, la première fois que vous vous trouverez seule dans la maison en face de votre enfant, vous aurez peut-être un moment d'inquiétude, loin de la puéricultrice qui pouvait vous conseiller, et sans votre mari qui pourrait vous rassurer car dans la journée il ne sera vraisemblablement pas là.

Alors, vous douterez de votre habileté à répéter ces gestes appris à la maternité. C'est normal, chaque mère devant son premier enfant se sent maladroite et comme intimidée.

Dites-vous alors que le bain n'a pas d'importance si vous n'avez pas envie de le donner, que le biberon peut être bu tiède ou en retard ; ce qui importe pour le moment c'est que vous vous habituiez à cette présence, que vous fassiez connaissance avec votre enfant, qu'il vous sente près de lui, détendue. L'angoisse inquiète les bébés ; on pense même que ces fameuses coliques de 6 heures du soir pour lesquelles on cherche encore une explication (et dont je vous parle plus loin) peuvent être dues à la nervosité de l'entourage.

Pour mieux faire connaissance avec votre enfant, déshabillez-le, massez-le comme le font en Inde les mères avec leurs nouveau-nés, le long de la colonne vertébrale, en remontant le long des jambes, derrière la nuque, etc., parlez-lui doucement, vous verrez comme il en sera heureux et comme cela vous détendra.

Lorsque le repas sera terminé, ne remettez pas votre enfant dans son berceau sans l'avoir gardé un bon moment près de vous. Même si d'autres occupations vous appellent dans la maison, oubliez-les, rien n'est plus important pour le moment que d'établir ce contact, cette confiance qui vous rassureront tous les deux.

* *L'Attachement*, publié en 1974 par Delachaux et Niestlé (et réédité en 1980), est un « colloque épistolaire », selon le terme de ses auteurs, organisé et présenté par René Zazzo.

En écrivant ces lignes, j'ai conscience des regrets qu'elles pourront donner aux parents de prématurés qui sont obligés de laisser leur enfant dans une couveuse. C'est pourquoi, dans un nombre croissant de maternités, des dispositions sont prises pour qu'ils puissent venir régulièrement voir leur bébé, le toucher pour qu'il sente leurs mains, lui parler pour qu'il entende leur voix et ainsi le lien n'est pas rompu. Et même plus, les parents peuvent donner le biberon et changer le bébé. Ce n'est pas encore possible dans toutes les maternités, mais peu à peu ces nouvelles habitudes se répandent. On a enfin découvert que les parents n'apportaient pas plus de microbes que le personnel soignant.

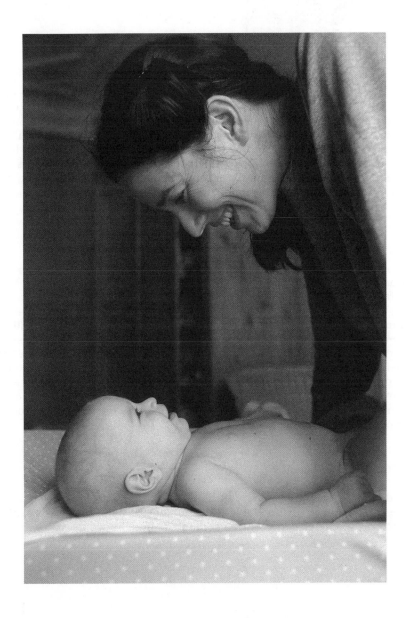

Le bien-être
de votre enfant

Dans ce chapitre, vous allez voir comment laver, changer, habiller votre bébé (le nourrir, qui est certes un des premiers soucis, nous lui consacrons un chapitre tout entier, le suivant) ; mais tout d'abord sachez comment le tenir en vous occupant de lui. Le bébé n'est pas aussi fragile qu'on le croit en général, mais il faut au début prendre quelques précautions pour qu'il se sente à l'aise. Que vous le teniez droit, comme sur le dessin, ou horizontalement, vous soutiendrez toujours sa tête : jusqu'à 3-4 mois, elle est ballante. Un enfant bien tenu, c'est un enfant net, propre, mais c'est aussi un enfant confortable, un enfant bien soutenu.

La toilette

La tradition veut qu'on ne baigne pas le bébé tant que la plaie ombilicale n'est pas parfaitement cicatrisée *. On soigne la plaie, on change les couches à chaque tétée et, une fois par jour, on fait à l'enfant une toilette complète. En réalité, il n'y a aucun inconvénient à baigner l'enfant un peu plus tôt, dès le retour de la maternité. Le bain n'est pas seulement le meilleur moyen de laver le bébé mais surtout une merveilleuse occasion pour lui de se décontracter, de se déplier, de s'étirer, ce qu'il ne fait pas encore facilement dans son lit. On peut baigner le bébé même si le cordon ombilical n'est pas tombé, à condition qu'il n'y ait pas d'infection, et que la baignoire de l'enfant soit parfaitement propre et strictement réservée à cet usage. D'ailleurs aujourd'hui, dans la plupart des maternités, le bébé est baigné dès la naissance.

Les produits de toilette

Pour donner le bain, vous pouvez utiliser soit une baignoire spéciale pour bébé, soit une bassine posée sur une table, soit simplement un lavabo, mais seulement les premières semaines car le lavabo sera vite trop petit.

---

* Vous trouverez au chap. 4 *La santé de A à Z*, à l'article *Nouveau-né*, un portrait détaillé du nouveau-né, comportant des conseils pratiques.

En plus de la baignoire, ayez une petite cuvette double en matière plastique pour laver votre bébé lorsque vous le changerez.

Vous aurez besoin en outre pour sa toilette des objets et produits suivants :
- thermomètre de bains ;
- boîte pour mettre le coton ;
- boîte de talc ;
- savon pur sans parfum ni colorant : le plus sain (et le plus économique), le savon de Marseille ; d'une manière générale, pour les produits de toilette, choisissez les plus courants, ce sont souvent les meilleurs ;

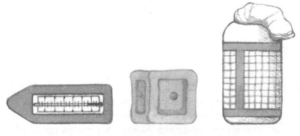

- huile pour bébés (type huile d'amandes douces) ou lotion-crème ;
- vaseline stérile ;
- pommade pour le siège ;
- petits flacons : alcool à 60°, éosine à l'eau 1 ou 2 % ;
- sérum physiologique. C'est à dessein que nous ne mentionnons pas l'eau de Cologne ; il est préférable de ne pas frictionner un bébé avec de l'alcool même faible. Mais il existe de l'eau de Cologne glycérinée sans alcool ;

- deux ou trois gants de toilette en tissu très doux : le tissu éponge irrite la peau fragile des nouveau-nés. Les gants de toilette sont plus propres que les éponges car on peut les faire bouillir ;
- deux serviettes éponge assez grandes pour envelopper votre enfant lorsqu'il sort de son bain, ou un burnous de bain en éponge ;

- une paire de petits ciseaux spéciaux pour couper les ongles. Et si vous voulez acheter dès maintenant une brosse à cheveux, prenez-la en soie et pas en nylon.
- Il est bon d'avoir en plus un thermomètre médical personnel pour le bébé.

Utile :
- un petit panier doublé de tissu plastique où vous mettrez tous les objets nécessaires à la toilette de votre enfant et ses vêtements propres ;
- un pèse-bébé que vous louerez chez le pharmacien. Une prise de poids régulière pendant les premiers mois est le meilleur indice de la bonne santé de l'enfant. Si vous avez une balance, vous pourrez donc mieux surveiller son poids.

Pour les prématurés, un pèse-bébé est indispensable. Signalons qu'un hamac peut être adapté sur certaines balances de ménage qui se transforment ainsi en pèse-bébé.

Soins et changes

Soins de la plaie ombilicale. A la naissance, le médecin coupe le cordon ombilical et le ligature ; le demi-centimètre qui reste attaché au bébé met environ sept jours à se dessécher ; en tombant il laisse une petite plaie, l'ombilic ou nombril, qui met quelques jours à se cicatriser : pendant 24 ou 48 heures cette plaie est humide et suinte un peu, mais, au bout d'une semaine maximum, elle est parfaitement sèche. En attendant, il importe d'en prendre un grand soin, sinon la plaie ombilicale est la porte ouverte aux infections ; elle doit être recouverte d'un pansement, changé tous les jours. Nettoyez-la doucement à l'eau bouillie ou à l'alcool, puis recouvrez-la d'une compresse de gaze stérile sur laquelle vous mettrez un produit antiseptique (mercurochrome non alcoolisé ou éosine à l'eau 1 %). La compresse sera maintenue par un sparadrap spécial.

Tout suintement prolongé, toute rougeur de la plaie et autour de la plaie, toute cicatrisation longue à se faire doivent être signalés au médecin.

Le change six fois par jour. Au début, pour nettoyer le derrière de votre bébé il vaut mieux se servir d'huile d'amandes douces ou d'une huile spéciale pour bébés, ou encore d'un lait de toilette. Avec du coton hydrophile et en tenant le bébé comme indiqué fig. 1, p. 30, nettoyez avec soin le derrière et les cuisses pour ôter toute saleté.

La peau du nouveau-né est fragile, seule une grande propreté peut la préserver de l'irritation, premier pas vers l'infection. Plus tard, vous pourrez lui laver le derrière à l'eau tiède et au savon gras, mais dès que vous remarquerez la moindre rougeur, vous reviendrez au nettoyage à l'huile d'amandes douces ou au lait à base de lanoline et, si le derrière est irrité, vous mettrez une pommade antiseptique et cicatrisante (voir aussi au chap. 4, l'article *Peau : Erythème fessier*). Lorsque le bébé a le derrière sec et propre, talquez-le très légèrement avec une poudre stérile, spéciale pour bébés. Quant à la manière de changer, regardez les figures p. 34, 36 et 37.

Lorsque vous changez votre bébé, ne jetez pas les selles sans les regarder : elles jouent un grand rôle dans la vie d'un bébé. Comme vous vous en rendrez d'ailleurs vite compte vous-même, elles sont le baromètre de sa santé ; leur consistance, leur nombre, leur odeur, leur couleur sont autant d'indications sur la manière dont le bébé digère, indications qui vous guideront dans la façon de préparer les biberons ou les menus de l'enfant et qui seront utiles au médecin pour le cas où le bébé serait malade (voir au chapitre 2 comment doivent être les selles du bébé nourri au sein et celles du bébé nourri au biberon).

Une fois par jour la toilette complète. Si vous avez décidé d'attendre quelques jours pour donner à votre bébé son premier bain, vous pourrez cependant lui faire une toilette complète ; sa peau est pleine de petits plis, elle est mince et fragile, la sueur, le frottement peuvent l'irriter. Préparez sur la table à langer tout ce qui est nécessaire pour ne pas vous arrêter au milieu de la toilette en laissant le bébé tout nu : talc, habits, couches propres, etc. Nettoyez le derrière et refaites le pansement de la plaie ombilicale, comme indiqué plus haut ; passez sur tout le corps du bébé un coton imbibé de lait à base de lanoline ou d'une lotion spéciale pour bébés ; puis, essuyez avec soin la peau ; talquez, et habillez votre bébé (figures 9 et suivantes). Ensuite, faites la toilette du visage (figures p. 35).

Le bain : à quel moment le donner ? Quand le bébé est petit, l'expérience prouve que le meilleur moment, c'est au début de la matinée ; mais lorsqu'il commence à se traîner partout, on lui donne en général son bain en fin de journée afin qu'il soit propre avant de se coucher.

Le bain fait du bien à l'enfant, mais c'est aussi une occasion de voir si tout va bien : en baignant votre enfant, en le voyant tout nu, vous pouvez avoir le regard attiré par une rougeur, par un gonflement suspect ou par une attitude anormale.

Et si c'est le père qui donne le bain, il aura l'occasion de faire plus ample connaissance avec son enfant dans des circonstances très agréables : le bain, pour le bébé, c'est un peu la fête, c'est gai, ça remue, ça fait du bruit.

Le premier jour, et surtout pour le premier enfant, vous aurez certainement peur de mettre votre bébé dans l'eau. Mais rassurez-vous, toutes les mamans font la même expérience, très vite vous prendrez à donner le bain autant de plaisir que le bébé lui-même à le prendre.

Pour que tout se passe bien :
- préparez avec soin et placez à portée de main tout ce qu'il faut pour le bain (voir les figures des pages suivantes) ;
- si vous le pouvez, donnez le premier bain en présence d'un tiers qui vous passera la serviette oubliée, le cas échéant ;
- au début mettez peu d'eau dans la baignoire et n'y mettez jamais l'eau chaude en premier : si par hasard vous oubliiez l'eau froide, votre bébé risquerait d'être brûlé ; cette précaution évite beaucoup d'accidents.
- tant que vous n'êtes pas très sûre de votre « technique », procédez comme indiqué aux fig. 3 et 4 (p. 31) : savonnez l'enfant *avant* de le mettre dans l'eau, puis ôtez soigneusement tout savon sur vos mains, ainsi vous tiendrez votre bébé fermement ;
- au début, vous aurez hâte de sortir le bébé de l'eau ; après, tout en le soutenant, laissez-le gigoter, il sera ravi et ce sera excellent pour sa santé et son bien-être.

Comment
je donne le bain

Je vérifie qu'il fait assez chaud dans la pièce où je donne le bain : il doit y avoir au moins 20°. Si c'est nécessaire, je mets le linge éponge à chauffer sur le radiateur puis je prépare tout ce qu'il faut pour le bain : le matelas à langer recouvert d'une serviette éponge sur laquelle je pose une couche ; la boîte de talc, celle de coton, le savon, les gants de toilette, la brosse, etc. Je prépare aussi tout ce qu'il faut pour habiller Bébé : brassières, changes, etc. Puis je fais couler le bain : d'abord l'eau froide, puis l'eau chaude.

Avec un thermomètre, je vérifie le mélange qui doit être à 37°, même un peu plus car pendant que je déshabille Bébé, l'eau aura le temps de refroidir. Et tant que je pèse encore Bébé, je vérifie que la balance est prête, c'est-à-dire graduée au poids de la veille. Avant de commencer, je me lave les mains avec soin (et je garde toujours les ongles bien courts).

Très important. Quand le bébé est sur une table (ou sur la commode), ne le lâchez jamais ; ayez toujours une main posée sur lui. Il suffit d'une seconde où vous avez le dos tourné pour que le bébé tombe.

1. *J'ôte les couches puis, tenant de la main gauche les jambes du bébé, je nettoie son derrière d'abord avec un coton mouillé que je jette, puis avec la couche : le derrière de l'enfant doit être bien nettoyé avant le bain pour que l'eau ne soit pas salie. J'ôte les brassières.*

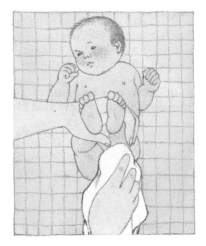

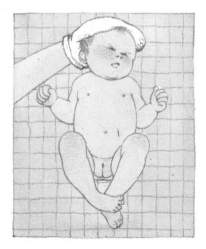

2. *Maintenant, je savonne le bébé, d'abord le corps puis les cheveux. Pour cela, je me sers, au début, d'un gant de toilette bien doux, et lorsque je suis devenu habile, je savonne directement avec la main. C'est plus agréable pour le bébé d'ailleurs. N'ayez pas peur de savonner la tête, la fontanelle n'est pas fragile : la peau est fine mais cache une membrane robuste qui supporte parfaitement une pression normale.*

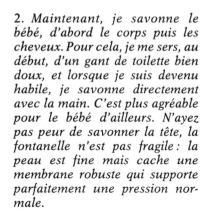

3. *Avant de plonger le bébé dans l'eau, je rince ma main pleine de savon, je vérifie la température de l'eau, avec le coude qui est un point très sensible de la peau. Cette deuxième vérification n'est pas inutile, elle évite à la personne pressée, qui a oublié de prendre la température de l'eau avec un thermomètre, de plonger l'enfant dans l'eau trop chaude ou trop froide.*

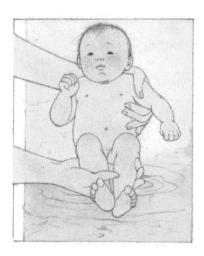

4. *Je soulève le bébé en passant ma main gauche sous la nuque et ma main droite sous les chevilles, et le mets doucement dans l'eau.*

5. *Maintenant, de la main gau-che, je tiens ferme le bébé, et de la droite je le rince, sans oublier les cheveux et le derrière des oreilles.*

6. *Je mets le bébé sur le ventre pour le rincer soigneusement de tous les côtés. (A faire au bout de quelques jours.) Dès que je suis bien habitué à tenir le bébé dans l'eau et qu'il aime son bain, je le laisse gigoter quelques minutes.*

7. *Je sors le bébé du bain en le tenant comme tout à l'heure (voir fig. 4) et le pose sur la serviette éponge après avoir ôté la couche sur laquelle j'avais savonné le bébé. J'essuie très soigneusement le bébé en commençant par les cheveux pour qu'il ne prenne pas froid, j'essuie bien tous les plis, sous les bras, à l'aine, aux cuis-ses, aux genoux, etc.*

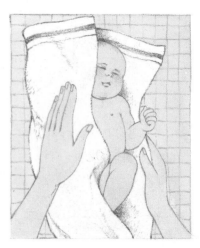

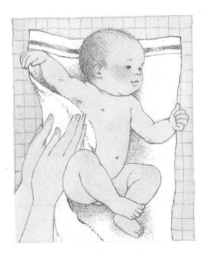

8. *Pour sécher, je tapote sans frictionner. Lorsque la peau est vraiment sèche, je la talque en étalant bien la poudre, pour que nulle part elle ne forme de petits tas. Je pèse l'enfant. Puis comme il est tout heureux d'être propre, je le laisse un peu gigoter tout nu.*

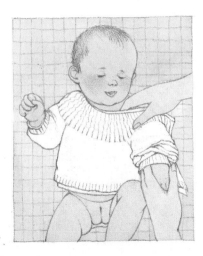

9. *Maintenant je l'habille. Je lui mets d'abord les deux brassières, celle en toile fine et celle en laine, que j'ai pris soin d'enfiler l'une dans l'autre avant le bain.*

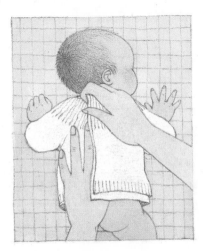

10. *Je retourne l'enfant pour croiser les brassières dans le dos.*

Le change complet

1. *Bébé étant couché sur le dos, passez le change complet entre ses jambes.*

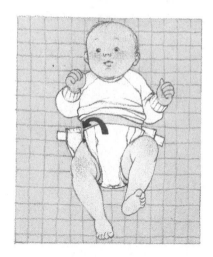

2. *Fixez les deux parties du change avec l'adhésif.*

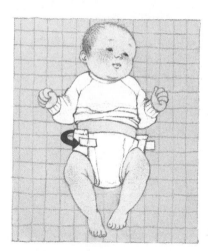

3. *Mettez Bébé sur le ventre pour rentrer le haut du change afin d'éviter les « fuites ».*

Si votre bébé se mouille beaucoup la nuit, ajoutez une couche simple à l'intérieur du change complet.

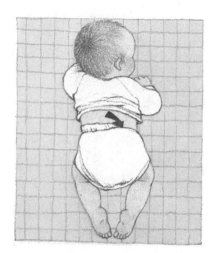

Il arrive qu'un enfant ne supporte pas les changes complets, c'est pourquoi nous indiquons plus loin comment mettre les couches traditionnelles.

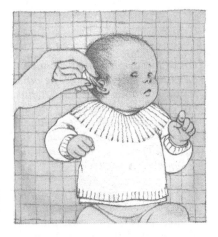

Pour finir
sa toilette

Toilette du visage. *Une fois le bébé habillé, je fais la toilette de son visage : je passe sur sa figure un coton imbibé d'eau tiède, de lait adoucissant à la lanoline ou d'eau de rose.*
Les oreilles, je les nettoie avec un morceau de coton que je roule avec les doigts. Je nettoie le pavillon, la partie externe, mais pas le fond : le conduit interne de l'oreille est fragile et fonctionne par « autonettoiement » — il se nettoie de lui-même par les petits poils qui poussent la cire au dehors. Ainsi, l'usage des bâtonnets est inutile, et même dangereux. La peau derrière l'oreille se fendille parfois. J'y mets alors de la vaseline ordinaire.

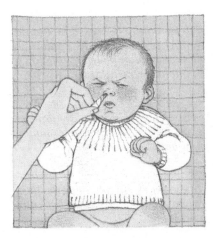

Nez. *Je le nettoie également avec du coton mouillé, et en prenant les mêmes précautions, c'est-à-dire que je nettoie les narines, sans les « ramoner ». Là aussi de minuscules petits poils repoussent à l'extérieur mucosités et poussières.*

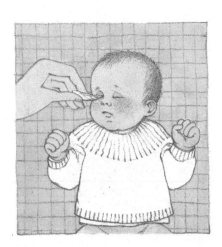

Yeux. *Pour les nettoyer, je passe sur les cils un coton imbibé de sérum physiologique en allant de l'angle interne de l'œil vers l'angle externe.*
Voilà le bébé propre, net, joli pour le coup de brosse final.

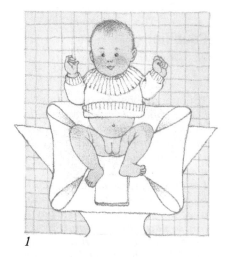

1

2

Et si vous lui mettez des couches

On se sert de plus en plus souvent de changes complets, ou de pointes en plastique plus des couches en cellulose. Mais les couches sont encore utilisées, notamment pour des questions de budget. Là, il faut un petit tour de main. Voici comment les mettre.

1. *Sur une pointe en plastique, posez une couche les 4 angles repliés, puis une couche pliée en long, et en 3 (ou une couche de cellulose).*

2. *Remontez la brassière. Repliez entre les jambes de l'enfant la couche coton pliée en long (ou la couche de cellulose).*

3. *Repliez le coin gauche de la couche, puis le droit. Remontez le bas de la couche entre les jambes du bébé.*

4. *Pour refermer la pointe plastique, faites un pli dans le haut, rabattez les 2 côtés sur le ventre, nouez-les.*

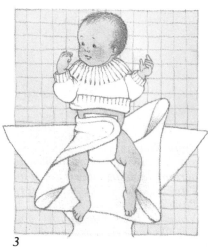

3

4

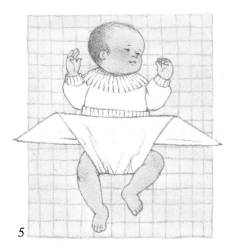

5. *Passez entre les 2 jambes le bas de la pointe. Faites un pli en haut. Passez les 2 côtés sous le dos.*

6. *Les extrémités de la pointe en plastique sont nouées dans le dos. Rabattez la brassière sur les couches, et fermez-la.*

Et pour finir, suivant la saison, culotte en laine, en coton, grenouillère...

Et si vous lui mettez un lange

Le lange est peu utilisé, mais il peut rendre service dans certaines circonstances (voir page 47). Voici comment le mettre. 1er *temps : je rabats le lange sur le côté gauche comme indiqué.* 2e *temps : je rabats l'autre partie du lange sur le côté droit, et fixe le lange avec une grosse épingle de sûreté que je mets à la hauteur de la taille, tête dirigée vers le bas ; ou bien je le ferme avec du velcro.*
Ne serrez pas trop le lange : vérifiez que vous pouvez passer l'index entre le corps du bébé et le lange.

Quelques questions
sur la toilette et le bain

1. Faut-il faire une toilette spéciale au petit garçon ? Oui, assez souvent si le geste est facile et ne le fait pas pleurer. Profitez du bain pour faire cette toilette : tirez avec précaution le prépuce * en arrière pour découvrir le gland que vous laverez rapidement à l'eau.
Et les petites filles, leur toilette locale sera faite avec grand soin dans les moindres replis : nettoyez avec un coton mouillé d'avant en arrière (dans l'autre sens, vous risqueriez de ramener en avant des matières).

2. Bébé a peur de l'eau, faut-il insister pour lui donner son bain ? Oui, mais assurez-vous d'abord que l'eau n'est pas trop chaude. Encouragez votre bébé en lui parlant doucement. Au bout de quelques jours l'enfant sera habitué, et ne voudra plus sortir de l'eau.

3. Faut-il baigner un enfant tous les jours ? Oui, cela en vaut certainement la peine, non seulement pour l'hygiène, mais aussi pour la détente que le bain procure : les enfants aiment beaucoup l'eau.

4. Quand peut-on mettre un bébé dans la grande baignoire ? Pas avant qu'il sache très bien rester assis. Mettez au fond de la baignoire un tapis antidérapant pour éviter les glissades parfois dangereuses (rayon hydrothérapie des grands magasins). Cela dit, *ne laissez jamais un enfant seul*, si bien soit-il installé dans la baignoire. Il peut se noyer dans 15 cm d'eau, ou ouvrir le robinet d'eau chaude.

5. Faut-il laver les cheveux du bébé tous les jours ? Oui, pour éviter la formation des croûtes car le cuir chevelu du petit bébé est très gras. S'il y avait quand même des croûtes, le soir les enduire d'huile d'amandes douces ou de vaseline ; le lendemain, savonnage habituel, mais suivi d'un rinçage très soigneux. A partir de 3-4 mois, il suffit de laver les cheveux tous les deux ou trois jours. Se servir d'un shampooing spécial pour bébé, qui ne pique pas les yeux.

6. La fontanelle est-elle fragile ? Les os du crâne du bébé ne sont pas soudés ; il reste entre eux des espaces vides. On les appelle fontanelles. Il y a six fontanelles, mais une seule est visible, la fontanelle antérieure, la plus grande. C'est un losange de 3 à 4 centimètres, qui se trouve au sommet du crâne, en arrière du front. A cet endroit, le crâne est souple et élastique. Quand l'enfant crie ou tousse, on voit la peau se tendre. La fontanelle rétrécira peu à peu ; elle aura complètement disparu entre le huitième et le dix-huitième mois.
Elle a l'air bien fragile, cette fontanelle. Pourtant, n'ayez pas peur quand vous laverez votre bébé : elle est plus robuste qu'elle n'en a l'air.

7. Faut-il couper les ongles ? Sauf si le bébé se griffe, il ne faut pas les couper avant un mois, c'est-à-dire lorsqu'ils sont bien formés. Si le bébé bouge trop, on peut lui couper les ongles lorsqu'il dort.

---

* Repli de peau qui recouvre le gland ou extrémité de la verge.

8. Faut-il nettoyer les dents du bébé ? Quand les dents sont sorties, on peut les nettoyer une fois par semaine avec un coton monté sur un bâtonnet — ou un linge doux — mouillé de sérum physiologique, ou d'eau bicarbonatée (1 cuillère à café de bicarbonate de soude dans un verre d'eau).

A 3 ans *, l'enfant est en âge de se brosser les dents. Offrez-lui sa première brosse. Lavez-vous les dents devant lui. A vous voir faire, il voudra vous imiter. Bien sûr, il s'en tirera mal, et il ne faut pas trop compter sur l'efficacité du brossage avant 5 ans. Mais ce sera à vous de le compléter et ce sera l'occasion d'inspecter les dents, à la recherche des points noirs, signes de caries.

Sachez que le brossage est au moins aussi important que le dentifrice : il faut se brosser soigneusement les dents, de haut en bas, devant et derrière, pour bien faire pendant deux minutes.

Quant à l'action préventive du fluor sur la carie dentaire, qui a été si longtemps discutée, on admet aujourd'hui qu'elle n'est plus discutable. Aussi l'utilisation des dentifrices fluorés se répand-elle de plus en plus. En plus maintenant, le médecin prescrit du fluor dès le premier mois.

A partir de 3 ans également, il serait raisonnable d'emmener votre enfant une fois par an chez le dentiste, même si vous n'avez rien remarqué d'anormal.

Peu de parents suivent ce conseil et c'est dommage : une dent malade c'est non seulement désagréable sur le plan local, mais cela peut avoir sur la santé les répercussions les plus diverses — et parfois graves — allant du manque d'appétit à une altération de l'état général parfois accompagnée d'un état fébrile continu qu'apparemment rien n'explique.

Et l'on peut dire que d'une manière générale les gens prennent peu de soins de leurs dents. D'ailleurs la carie dentaire est après le rhume la maladie la plus répandue dans le monde.

Cela dit, pour que votre enfant ait de bonnes dents, il faudra dès qu'il aura l'âge de mastiquer lui donner des aliments pour exercer sa mastication. Ce qui veut dire : ne pas le condamner aux purées, aux bouillies, aux aliments qui fondent dans la bouche ; lui donner du pain un peu rassis, craquant, bien cuit ; lui faire croquer des pommes, etc.

Ce qui fait du mal aux dents. Nous vous le redirons plus loin, mais dans ce domaine il n'est pas inutile de se répéter : *les bonbons et sucreries diverses sont les ennemis des dents de vos enfants* ; ils collent aux dents, et laissent séjourner entre elles des dépôts acides qui sont la principale cause de la carie dentaire. Les sucreries sont particulièrement nocives si elles sont données entre les repas. Le maximum de nocivité est atteint par le bonbon donné le soir au coucher. (Lisez également l'article *Carie dentaire*, chapitre 4.)

9. Faut-il faire faire de la gymnastique au bébé ? ** Après le bain, vous pouvez faire faire au bébé quelques mouvements de flexion-extension des jambes qui aideront le ventre à se muscler : bébé sur le dos, mettez une main sur le ventre, de l'autre levez les jambes à la verticale puis rabaissez-les et ainsi plusieurs fois de suite. Mais faites cela comme un jeu qui amusera l'enfant : n'adoptez pas une méthode, ne

---

* Certaines lectrices me signalent que leurs enfants se brossent les dents plus tôt. Cela se passe souvent dans les familles où le dernier imite les aînés.
** Sur ce sujet, on pourra lire *L'éveil du tout-petit*, de Jeanine Lévy. Éditions du Seuil.

vous transformez pas en monitrice d'éducation physique. Sa gymnastique, votre enfant la fera lui-même en gigotant, en se déplaçant ; il suffit de favoriser ses mouvements. Après le bain, avant de le rhabiller, laissez-le se donner de l'exercice et regardez-le faire, vous verrez vous-même comme il sera content.

La layette

La manière et le moment d'acheter le trousseau sont révélateurs d'une personnalité. Certains achètent tout avant, d'autres attendent la naissance par superstition ; certains achètent nettement pour un garçon, d'autres pour une fille ; certains choisissent la tradition, qui renaît, du bleu ou du rose, d'autres préfèrent l'orange ou le vert.

Mais quels que soient les choix, ces achats sont affectifs, on voit le bébé, on l'imagine, on est attendri.

Bras dessus, bras dessous, le jeune couple qui choisit la layette — pour le premier enfant, les achats se font à deux — le fait solennellement, comme on accomplit un acte important *.

Mais avant d'entrer dans un magasin, il faut penser — sous peine de trop acheter — aux besoins de l'enfant.

■ *Au début, votre enfant va grandir et grossir très vite.* Le poids et la taille d'un enfant changent si vite que l'on divise les six premiers mois en deux tailles : de la naissance à 3 mois et de 3 à 6 mois. Certaines marques proposent même une taille plus petite, appelée « naissance » et qui correspond au premier mois.

Pour faire vos achats, tenez donc bien compte de la croissance d'un bébé. Puis, ayez peu de vêtements de la première taille. Votre enfant les portera très peu puisqu'en trois mois il grandira de 10 centimètres, autant qu'au cours des neuf mois qui suivront. Et si vous tenez à avoir tout de suite une layette complète, achetez dès le début les vêtements deuxième taille que votre bébé mettra à quelques semaines, et portera jusqu'à 7 mois environ.

Par ailleurs, avant de faire vos achats, sachez que la manière d'indiquer les tailles n'est pas la même dans toutes les marques et pour tous les vêtements. Le plus souvent, les âges sont indiqués.

Mais certaines fois, ce sont les tailles (la taille 1 va jusqu'à 6 mois, la taille 2 jusqu'à 1 an, la taille 3 jusqu'à 2 ans). Quant aux robes et manteaux, ils sont *en général* marqués en centimètres, 35 pour 6 mois, 40 pour 1 an, 45 pour 2 ans.

■ *Votre enfant doit être assez couvert.* Au cours des premières semaines et des premiers mois, il sera très sensible au froid et aux changements de température. Ainsi, qu'il naisse en été ou en hiver, prévoyez des lainages.

■ *Il faut que l'enfant soit à son aise* et que vous n'ayez pas de peine à lui enfiler ses brassières. Aussi, achetez celles-ci suffisamment amples. Et de toute façon, ne

---

* Ces pages sur la layette sont destinées aux parents qui en achetant ce livre n'ont pas encore préparé ce qui sera nécessaire pour leur bébé. Je suis obligée d'y reprendre certaines indications que j'ai données dans *J'attends un enfant.* Les lecteurs qui les ont déjà lues voudront bien m'en excuser.

comptez pas trop mettre un vêtement (brassière ou pull) qui s'enfile par la tête à un nourrisson : il n'aime pas ça.

■ *La peau d'un bébé est sensible*. Certains en particulier ne supportent pas les tissus synthétiques. Pour cette raison il vaut mieux choisir pour la brassière du dessous du pur coton, et pour celle du dessus de la pure laine.

■ *Un bébé est sensible à l'infection :* tout ce qui l'entoure doit être propre. Ayez suffisamment de vêtements faciles à laver, afin de pouvoir en changer souvent.

■ *Autant qu'à son confort, pensez à la sécurité de votre enfant :* pas de rubans pour serrer les brassières à la hauteur du cou, il pourrait tirer dessus et s'étrangler. Ayez des brassières qui croisent suffisamment dans le dos pour éviter d'avoir à les fermer par des épingles de sûreté. Vous pouvez aussi choisir des brassières qui se boutonnent ou bien qui se ferment avec du velcro.

Reste la question de la quantité : combien de brassières, de culottes ou de grenouillères ? Dans *La layette de base* (page 44), j'indique ce qui me semble un minimum raisonnable, mais cette layette, il faudra évidemment l'adapter à la saison où naîtra l'enfant et à la région que vous habitez. Vous pourrez y ajouter un petit peignoir de bain, avec capuchon, très pratique pour essuyer la tête du bébé. Vous pourrez également acheter un nid d'ange en lainage, rhovyl ou nylon mate-

NH

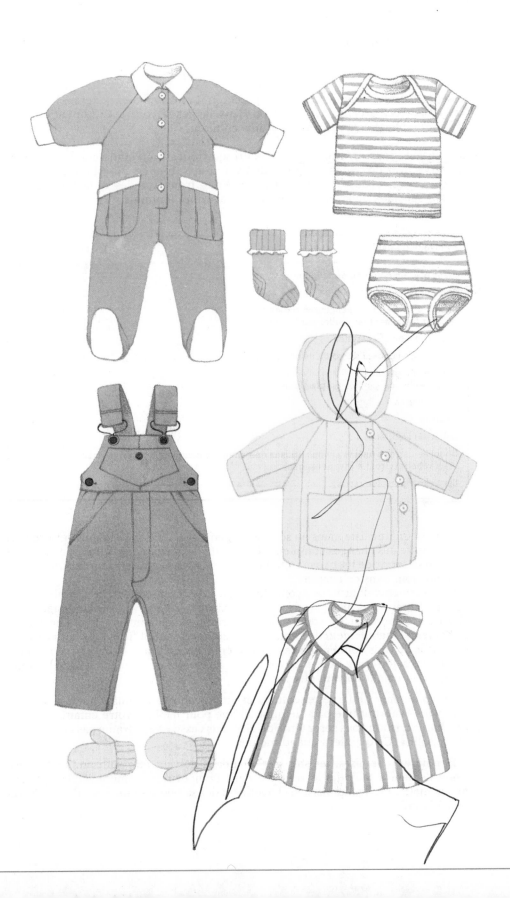

lassé, très pratique pour les sorties parce qu'il enveloppe parfaitement le bébé. Vous ajouterez à cette layette un ou deux langes si vous avez l'intention d'en utiliser, quoique cela se fasse de moins en moins.

Ce que vous pourrez faire vous-même. Presque tout si vous aimez coudre, tricoter, et si vous avez du temps : peignoir de bain, draps ; tout ce qui est en laine : brassières, vestes, chaussons, bonnets, etc. Vous trouverez des modèles dans les albums spéciaux de layette, ou dans les magazines féminins.

La layette de base	0-3 mois	3-6 mois
Brassières en coton ou en toile fine	3	3
Brassières de laine	3	3
Vestes de laine (à emmanchures raglan pour pouvoir facilement les enfiler sur la brassière)	1	1
Chaussons ou chaussettes	4	4
Culottes de laine ou de coton selon la saison	2	3
Culottes de plastique ou un sachet de pointes en plastique	2	2
Grenouillères	2	2
Pyjamas	2	2
Robes ou salopettes	2	2
Couches carrées (même si vous utilisez des changes complets, elles vous serviront à divers usages)	12	
Serviettes (pour les repas)		6

Ce n'est qu'une liste, mais on se pose en général certaines questions : utilise-t-on tout de suite des changes complets ? La culotte de plastique est-elle déconseillée ? Peut-on se servir de tissus synthétiques ? etc. Toutes ces questions sont traitées un peu plus loin dans ce chapitre.

Les vêtements dont nous avons donné la liste, éventuellement complétée par quelques brassières plus grandes, vous serviront tant que votre bébé restera couché dans son berceau. Lorsqu'il se mettra à ramper dans son parc, vous l'habillerez autrement. L'habillement de l'enfant qui marche est simplifié et plus fantaisiste. Il est inutile de vous donner une liste des vêtements nécessaires à cet âge. Vous ferez vos achats selon votre budget et vos goûts. Rappelez-vous seulement que les vêtements d'un enfant doivent être :

- *faciles à enfiler :* de larges encolures et emmanchures (emmanchures américaines) vous éviteront une bataille quotidienne pour habiller votre enfant ;
- *peu fragiles,* sinon vous serez tenté de dire sans cesse « ne te traîne pas par terre, tu vas te salir ». Ce qu'il fera quand même.

Brassières, chemises, tee-shirts et chandails doivent être suffisamment longs, sinon l'enfant a toujours le ventre à l'air. Pour éviter cet inconvénient, il vaut mieux mettre des pantalons avec bavette ou des salopettes que des culottes s'arrêtant à la taille.

Le landau

Il n'y a pas de commune mesure entre l'achat d'une brassière et celui d'un landau. Pourtant, dès le début, avant même que naisse le bébé, on se voit le promener et on rêve de lui acheter un landau. Est-ce utile, est-ce raisonnable ?

Avoir un landau est bien utile. Votre bébé y fera toutes ses promenades, été comme hiver. De plus, à la belle saison, si vous avez un jardin, votre enfant pourra y dormir. Mais le landau est un objet cher et encombrant, c'est pourquoi on m'a parfois reproché de le conseiller.

C'est vrai que dans certaines villes il n'y a pas de trottoirs (dans la vieille ville d'Auxerre par exemple) ; c'est vrai que dans d'autres villes les trottoirs sont livrés aux voitures et que les piétons sont obligés de marcher sur la chaussée (à Paris, dans certains quartiers par exemple) ; c'est vrai que dans ces conditions pour promener un enfant dans un landau, il faut faire des tours et des détours, se faufiler entre les voitures, ou se faire houspiller par les gens pressés.

Cela ne me contraindra quand même pas à dire qu'un bébé est mieux dans une poussette-canne où on le met maintenant beaucoup trop jeune. La poussette-canne est plus pratique pour les parents, mais l'enfant, lorsqu'il est petit, est bien plus à l'aise dans un landau (je vous en parle plus en détails p. 162).

Que faire ? Il y a encore des villes où l'on peut circuler. Donc chaque fois que possible, je vous conseille le landau. Mais à part exception, il faut renoncer au superbe landau anglais, haut sur roues, profonde nacelle et l'air altier. Les temps changent, mais il y a aujourd'hui des landaus plus petits, confortables et bien suspendus. Question finances, un landau peut servir à trois ou quatre familles, c'est vraiment l'objet qu'on se prête.

Évitez les capotes doublées de blanc : elles sont trop éblouissantes pour les yeux d'un bébé lorsqu'il y a du soleil. La garniture intérieure est la même que celle d'un lit : un matelas, une alèze, deux draps, une ou deux couvertures suivant la saison, plus un oreiller en crin. Pour l'été, n'oubliez pas une moustiquaire.

Et le sac porte-bébé ? Puis-je vous dire tout simplement que la question m'embarrasse. Les parents, c'est visible, sont heureux de porter ainsi leur bébé, de sentir sa chaleur, de lui communiquer la leur. Evidemment, c'est la solution à bien des problèmes de déplacement. Et je sais que dans bien des cas les parents ne peuvent pas faire autrement, en particulier lorsqu'il faut emmener Bébé à la crèche ou chez sa nourrice, si le trajet est long ou s'il faut prendre un moyen de transport. J'ai reçu plusieurs lettres à ce sujet.

Et le bébé ? Affectivement il devrait se sentir bien également : le contact, on l'a assez dit ici même, est bon pour lui. Mais j'ai souvent vu des bébés recroquevillés dans leur sac et la tête branlante, qui ne semblaient pas à l'aise. J'ai donc demandé à des pédiatres ce qu'ils pensaient du sac porte-bébé. Plusieurs m'ont répondu que tant que l'enfant ne pouvait pas correctement tenir la tête, ils déconseillaient le sac.

Il est raisonnable de conclure qu'il ne faut pas en abuser, l'adopter pour de petits trajets, ne pas y laisser l'enfant trop longtemps.

De la tête aux pieds : quelques détails

Les couches. En quelques années, la question des couches a complètement changé à cause de l'apparition successive des couches à jeter, puis des changes complets. Avant on n'utilisait les changes complets que pour des dépannages. Aujourd'hui, beaucoup de parents s'en servent tout le temps malgré leur prix plus élevé. Les changes sont d'ailleurs utilisés dans la plupart des maternités, et en général les bébés les supportent bien.

L'autre formule, moins onéreuse, consiste à utiliser une pointe de plastique qui peut servir plusieurs fois et une couche à jeter. Cette couche est en général en cellulose, mais certains enfants ne la supportent pas. On leur met alors une couche en coton hydrophile.

Troisième formule : les couches traditionnelles en tissu (voir comment les mettre p. 36). Elles sont utilisées en général quand l'enfant a de l'érythème fessier, la couche en tissu étant ce qu'il y a de plus doux pour sa peau, ou bien pour des raisons de budget, car c'est la solution la plus économique.

Les culottes ou pointes en plastique. Certains bébés supportent mal les culottes en plastique, il faut donc les utiliser en prenant certaines précautions :

Les supprimer à la moindre irritation.

Veiller à ce que la culotte ne soit pas serrée aux cuisses.

Avoir des culottes de rechange afin de ne pas remettre une culotte mouillée au bébé.

Enfin, changer le bébé souvent, c'est-à-dire au moins à chaque tétée, et même entre les tétées s'il a l'air mal à l'aise.

Les culottes en plastique peuvent être remplacées par des pointes en plastique très léger, qui se lavent un certain nombre de fois et se jettent ensuite.

Lange ou culotte ? Aujourd'hui, on ne met pratiquement plus de lange, et dès le premier jour, les bébés portent une grenouillère ou une robe, et la nuit un pyjama. Cela dit, il y a quand même différents éléments à prendre en considération pour savoir comment habiller un enfant : la saison, la température, le poids du bébé. Si votre enfant naît en hiver et que votre logement n'est pas bien chauffé, vous n'hésiterez pas à mettre quand même un lange, au besoin la nuit, et cela d'autant plus facilement que l'enfant sera de petit poids : en effet, ce qu'il faut éviter, c'est que le nouveau-né ne prenne froid. (Comment langer un enfant est expliqué par le texte et par l'image au début de ce chapitre.)

A la maternité, comment l'enfant sera-t-il habillé ? Si vous accouchez à l'hôpital, tout le linge de l'enfant sera fourni. Vous n'aurez donc qu'à apporter les vêtements qu'il mettra le jour de la sortie. Dans une clinique, on vous aura donné, au moment de votre inscription, la liste du trousseau à apporter.

Coton ou synthétique ? Les mêmes précautions sont à prendre que celles qui sont indiquées pour les culottes en plastique. Parfois, l'épiderme délicat du bébé ne supporte pas les textiles synthétiques. Acrylique, tergal, crylor, polyester, courtelle, etc., provoquent en effet chez certains bébés des rougeurs, de l'urticaire, surtout en été. C'est pourquoi il est recommandé de ne pas mettre de tissus en matière synthétique directement sur la peau d'un bébé, de ne pas les utiliser avant 3 ou 4 mois, enfin, de s'en servir avec précaution, c'est-à-dire sans insister dès qu'apparaît une réaction. L'allergie n'est pas une question d'âge. Si un enfant n'a pas supporté telle matière à six mois, il en sera de même un an plus tard. En outre, les tissus en matière synthétique, à part le rhovyl, ne procurent pas la chaleur de la laine.

Pour ces raisons, il semble plus simple et plus raisonnable d'acheter des articles en coton ou en laine pour la layette du bébé et de réserver le synthétique pour les pantalons, manteaux, robes, jupes, que l'enfant portera plus tard.

L'entretien du linge.

Coton. Lavage dans une machine : c'est évidemment la solution la plus pratique. Lavage à la main : savon de Marseille ou en paillettes ; toujours bien rincer. Et si on tient à mettre de l'eau de Javel, très bien rincer. Lorsque vous le pouvez, profitez du soleil pour faire sécher : il désinfecte.

Lainages. Si vous les lavez à la main, vous prendrez les précautions d'usage pour qu'ils ne feutrent ni ne rétrécissent. Nous vous les rappelons : laver à l'eau tiède, presser les lainages entre les mains, ne pas les tordre, ni les frotter. Rincer, deux fois, trois fois, dans une eau à même température que l'eau de lavage. Rouler les lainages dans une serviette (ou bien les essorer dans la machine), faire sécher à plat. Si nécessaire repasser, légèrement humides, avec une patte-mouille ou un fer à vapeur.

Pour déjaunir les lainages blancs, employer, de temps en temps, un produit spécial (il existe plusieurs marques).

Culottes ou pointes en plastique. Les laver souvent pour éviter toute odeur. En avoir suffisamment pour leur laisser le temps de bien sécher. Si possible, les étendre au soleil qui désinfecte et déjaunit le plastique.

Ni trop serré... Il faut faire attention que les ceintures élastiques ne soient pas trop serrées, et surtout se trouvent à la place normale de la taille, c'est-à-dire entre le haut des hanches et le bas des côtes. Une ceinture trop serrée et trop haute comprime le thorax et empêche l'enfant de respirer à fond. Les bretelles sont plus pratiques que les ceintures, que ce soit pour les jupes ou les pantalons.

...ni trop couvert. Contre le froid et le chaud, le petit bébé est désarmé. Vous allez comprendre pourquoi : quand nous, adultes, avons froid, nous frissonnons. C'est un moyen qu'emploie notre corps pour se réchauffer. Le nouveau-né, lui, ne possède pas encore ce réflexe. Quand nous avons froid, notre température n'en reste pas moins stable : 37°, car nous possédons un système de régulation thermique, thermostat si perfectionné que nous pouvons passer d'un appartement surchauffé à une température de moins 10° sans que notre température interne en soit sensiblement modifiée. Mais le thermostat du nouveau-né n'est pas bien réglé : son corps suit les variations de la température extérieure. Et ce n'est pas tout : devant la température extérieure, le nourrisson est encore handicapé d'une autre manière. La surface de sa peau, par rapport à son poids, est trois fois plus importante que la nôtre. Il est donc trois fois plus exposé au froid et à la chaleur. Si l'on ajoute que le nourrisson a peu de graisse sous la peau — la graisse joue le rôle d'isolant — et qu'il remue à peine, on aura une idée du danger que représente le froid pour un petit enfant.

Contre la chaleur, le bébé est un peu mieux protégé. Il transpire (mal au début, puis de mieux en mieux) et la transpiration sert à rafraîchir la surface du corps. Il a une autre défense : une accélération de la respiration qui augmente les échanges au niveau des alvéoles pulmonaires, il fait comme le chien qui halète lorsqu'il a trop chaud.

Mais la chaleur représente une vraie menace pour le nourrisson : la déshydratation. Le bébé qui transpire perd ses réserves en eau. Or ces réserves sont minimes, et elles sont d'autant plus précieuses que le nourrisson a des besoins en eau beaucoup plus importants, en proportion, que les nôtres : 10 à 15 % de son poids, contre 2 à 4 % chez l'adulte. Il est d'ailleurs à remarquer que son alimentation est exclusivement liquide. C'est dire si le moindre déficit en eau prend chez le bébé un caractère dramatique. (Le problème se pose notamment en cas de vomissements et de diarrhées, comme vous le verrez à ces articles au chapitre 4.) Et cette importance vitale de l'eau pour le nourrisson explique que les « coups de chaleur » soient fréquents.

Dans la pratique, les bébés trop couverts sont beaucoup plus nombreux que ceux qui ne le sont pas assez. En effet, de peur qu'un enfant ne prenne froid, on rajoute une brassière. C'est pourquoi il y a presque autant de coups de chaleur en hiver qu'en été (voyez l'article *Coup de chaleur* au chapitre 4). Sans aller si loin, la transpiration peut provoquer chez le bébé des éruptions (voyez l'article *Peau* au chapitre 4).

Attention ! Si vous tâtez les mains d'un bébé trop couvert, elles vous paraîtront peut-être fraîches. Cela ne veut rien dire : souvent, chez le bébé, les mains sont plus froides que le corps.

S'il fait très chaud, ne mettez à votre bébé qu'une brassière en coton et une couche, et même ne craignez pas de le laisser nu. Surtout, pensez à lui donner à boire. Ayez un biberon d'eau tout prêt et offrez-le lui de temps en temps. Si la chaleur est accablante, faites-lui des compresses humides et fraîches sur la tête.

Éviter de trop couvrir un enfant est valable aussi bien lorsqu'il est plus âgé ;

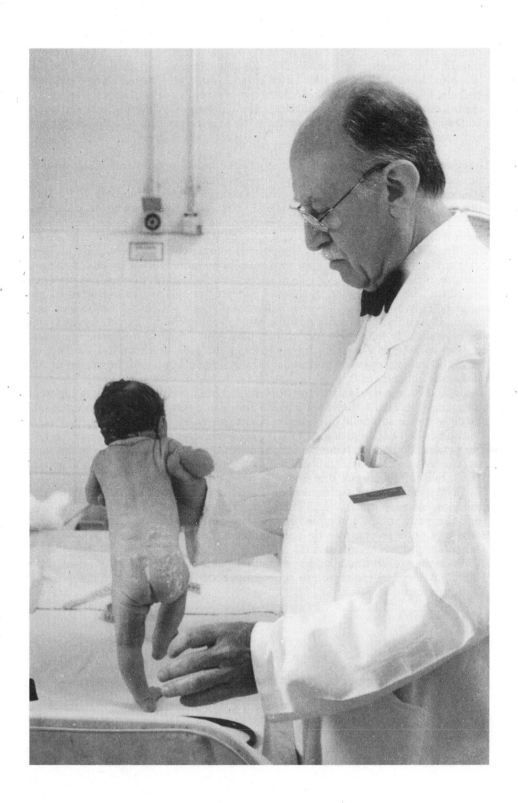

dehors s'il est trop couvert et qu'il court, il transpire, ôte son chandail et prend froid. Et à la maison, trop couvert dans un appartement trop chaud, il se fatigue.

En plus, lorsque vous habillez votre enfant, rappelez-vous que, d'une manière générale, les enfants sont moins frileux que les adultes et remuent davantage.

Enfin, dernière remarque importante : un manteau usagé est moins chaud qu'un manteau neuf. Pensez-y si votre enfant porte le manteau que son aîné a déjà mis deux ans.

Les chaussures. Il n'est pas utile de mettre des chaussures à un enfant tant qu'il ne marche pas. Mais quand il marchera, quelles chaussures choisir ?

On va sans doute vous proposer des chaussures qui *soutiennent* la voûte plantaire, qui *tiennent* la cheville, etc. Mais si vous observez un enfant qui s'exerce à marcher, vous verrez qu'il se sert de ses doigts de pied, qu'il cherche la meilleure position du pied pour être bien campé, que, ce faisant, il forme les muscles de ses chevilles, en un mot que la nature a pourvu à tout sans avoir besoin de soutien.

Achetez donc les chaussures les plus souples possible, afin de ne pas contrarier la nature. (Au chapitre 5, de *12 à 18 mois,* je parle de l'apprentissage de la marche.)

C'est un faux calcul hélas, de vouloir acheter des chaussures trop grandes par mesure d'économie. Dans des chaussures trop grandes, l'enfant tombe plus facilement. Il prend une mauvaise posture. Mieux vaut prendre des chaussures moins chères, mais à la taille de votre enfant, c'est-à-dire dont la longueur intérieure dépasse seulement d'un centimètre le bout du gros orteil quand l'enfant est debout. Et choisissez-les de préférence à bout large et rond pour laisser les orteils fonctionner librement.

Évitez, si vous le pouvez, de faire porter les chaussures d'un frère ou d'une sœur aînée ; leur précédent propriétaire leur a donné une certaine forme. Il n'est pas dit que cette forme soit celle qui convienne aux pieds du cadet.

Les pieds de l'enfant grandissent vite ; ces premières chaussures seront bientôt trop petites. Vous devez vous assurer souvent qu'il y est à l'aise, et, quand vous constaterez que le gros orteil touche le bout (l'enfant étant debout), il faudra malheureusement acheter une nouvelle paire de chaussures...

A la maison, s'il fait suffisamment chaud et s'il ne risque pas de se blesser (attention aux échardes), que l'enfant marche pieds nus. Être directement en contact avec le sol est bon pour l'enfant, tant pour la prise de conscience de son corps que pour le contrôle de son équilibre. Les adultes eux aussi aiment se déchausser et marcher pieds nus.

Une dernière recommandation : ne mettez pas à votre enfant (au moins jusqu'à 3-4 ans), d'une manière régulière et prolongée, des petites bottes en caoutchouc. Ces bottes font transpirer.

La chambre du bébé

Que vous ayez la possibilité de transformer une pièce de votre appartement ou que vous consacriez à votre enfant un coin dans une pièce, il faut que vous pensiez suffisamment tôt à installer l'une ou l'autre. Si vous avez des peintures à y faire, laissez-leur le temps de bien sécher. On ne peut mettre un nouveau-né dans une pièce sentant encore la peinture fraîche sans risque de l'intoxiquer.

Si vous pouvez consacrer une chambre au bébé, voici quelques conseils pour l'installer.

Pensez à l'époque où votre enfant sera dans son parc, se traînera à quatre pattes on commencera à marcher. Il faut qu'il puisse y jouer sans crainte de se cogner à des coins de table trop aigus, que les murs ne soient pas fragiles, les rideaux non plus, qu'il puisse se traîner par terre sans crainte de s'enfoncer des échardes dans les mains ou les genoux. Tout ce qui se trouve dans sa chambre doit être solide, lavable, sans danger, pratique et propre.

Les murs. Mettez-y soit un papier peint lavable soit une peinture lavable au moins jusqu'à un mètre de haut : les enfants découvrent rapidement qu'on peut crayonner aussi sur les murs.

Les couleurs. Cherchez à réaliser entre les murs, le plafond et le sol une harmonie de couleurs discrète, reposante et unie. C'est fatigant pour les yeux d'un enfant de voir autour de lui des murs entièrement recouverts de dessins ou de petits sujets. Vous réserverez les couleurs vives et les dessins pour les rideaux. Une solution intermédiaire : posez le papier à motifs sur un mur ou deux, et peignez les autres dans un ton uni assorti.

Les rideaux. Ils doivent être suffisamment opaques pour que votre bébé ne soit pas réveillé trop tôt.

Les meubles. Le plus important sera bien entendu le lit ou le berceau, que vous aurez pris soin de bien choisir puisque votre enfant y passera la plus grande partie de son temps pendant les premiers mois (voir plus loin).

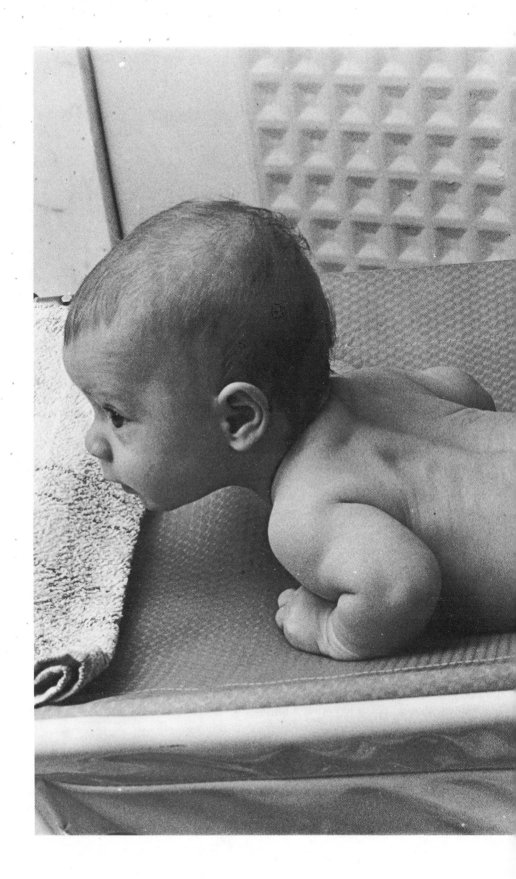

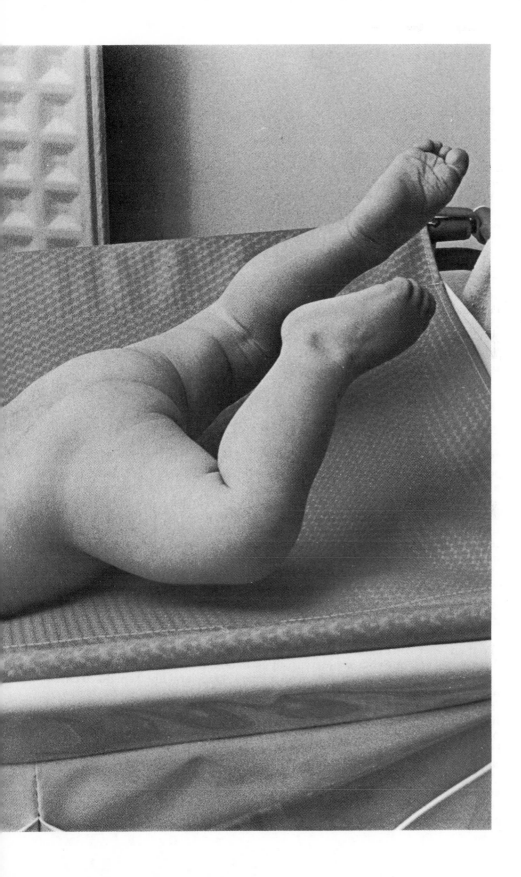

Pour changer votre enfant, vous avez plusieurs possibilités.

Il existe des meubles à langer spécialement conçus pour cet usage. Ces meubles comportent une planche qui se rabat comme dans un secrétaire et sur laquelle on pose l'enfant, une place pour la cuvette, une autre pour les accessoires de toilette, des tiroirs pour les couches, etc. Malheureusement ces meubles sont chers et ne servent pas longtemps.

Vous pouvez utiliser tout simplement une commode. Dans les tiroirs, vous rangerez les vêtements de votre bébé. Pour éviter de salir le dessus de la commode, vous le recouvrirez d'un tissu en matière plastique. Et pour poser le bébé quand vous le changerez, préparez un coussin assez grand rempli de crin que vous glisserez dans une enveloppe de plastique, ou achetez un matelas à langer. Il existe un modèle pratique à bords incurvés.

N'oubliez pas de prévoir une bonne lumière pour éclairer le meuble sur lequel vos changerez votre bébé.

Pendant les premiers mois, vous n'aurez besoin dans cette chambre que d'un lit et d'un meuble pour changer votre bébé.

Si vous allaitez votre enfant, vous aurez besoin d'une petit fauteuil crapaud ou d'une chaise basse : vous y serez plus à l'aise qu'assise sur une chaise de hauteur normale.

Son coin

Si vous ne disposez pas d'une chambre pour votre enfant, réservez-lui un coin spécial dans une pièce. Vous y réunirez ce dont il a besoin : lit, meuble à langer, balance, etc. Installez ce coin dans la chambre la plus tranquille. Votre enfant aura besoin de calme les premiers mois. Isolez son coin si possible par un paravent. Si dans la journée le bébé doit dormir dans votre chambre, il vaut mieux pour la nuit que vous rouliez son lit dans une autre pièce ; votre sommeil et le sien seront meilleurs. Et à ce sujet, lisez aussi les pages 156 et 157 qui parlent précisément de l'enfant qui dort dans la chambre de ses parents.

Le berceau, le lit

Pour coucher votre enfant, vous aurez le choix entre le classique berceau taille 90 cm sur 40 cm, que vous achèterez tout garni ou que vous garnirez vous-même, et un vrai petit lit — longueur 1,20 m ou même 1,40 m, largeur 60 cm ou 70 cm — en bois ou en rotin.

Si vous n'avez pas déjà un lit ou un berceau, et que vous hésitez à acheter l'un plutôt que l'autre, nous vous conseillons le lit. Dans un berceau, le bébé ne peut dormir que quelques mois ; dans un lit, il peut rester jusqu'à 2 ou même 3 ans, mais si vous avez la possibilité qu'on vous prête un berceau, ne le refusez pas ! De tout temps, les berceaux ont bercé les bébés, et cela leur plaît beaucoup.

Une solution intermédiaire : le lit en toile monté sur tube métallique, qui est économique, facile à transporter et à laver, mais qui sert moins longtemps.

Quelle que soit la solution que vous adoptiez, choisissez un lit ou un berceau qui soit :

■ *d'un entretien aisé* : s'il est en bois laqué, vous le savonnerez facilement ; s'il est entièrement garni de tissu, il faut que la garniture soit détachable et facile à laver ;

■ *stable*, pour que votre enfant ne risque pas de le renverser en remuant ;

■ enfin qu'il comporte une capote ou un rideau léger monté sur une flèche, pour que votre bébé soit à l'abri des mouches, des courants d'air et d'une lumière trop forte.

Et si vous décidez d'avoir tout de suite un vrai lit, achetez-le avec de hauts barreaux (lit anglais) : votre bébé ne pourra pas tomber, et même s'il est couché sur le ventre, à travers les barreaux il pourra voir tout ce qui se passe autour de lui.

La literie

Dans les lits d'enfant, il n'y a pas de sommier, le matelas est posé directement sur un simple châssis de bois. Vous avez le choix entre le matelas de crin végétal, ou le matelas à ressorts, plus cher mais qui a l'avantage de ne pas se déformer.

On trouve également dans le commerce des matelas avec enveloppe de plastique : les pédiatres ne les recommandent pas. Ils sont moins sains que les matelas en coutil, car ils font transpirer. En outre, comme la matière plastique est glissante, les draps ne tiennent pas bien.

Pour protéger le matelas, il y a deux solutions : l'alèze molletonnée en coton imperméabilisé, douce, pratique, qui est confortable et qui peut bouillir, ou l'alèze en caoutchouc, que l'on recouvre d'un molleton et d'un drap de dessous.

<u>L'oreiller.</u> Si vous couchez votre bébé sur le ventre, vous ne lui mettrez pas d'oreiller.

Si vous couchez votre bébé sur le côté, vous pourrez lui mettre un oreiller, mais il vaudra mieux placer cet oreiller sous le matelas plutôt que dessus : un oreiller, surtout lorsqu'il est mou, est dangereux pour le bébé : les nouveau-nés y enfoncent leur figure et risquent de s'étouffer.

<u>Les draps.</u> Vous aurez besoin de deux ou trois draps de dessus en toile fine. Ces jolis draps, vous pouvez facilement les faire vous-même, et sans grosse dépense. Choisissez du tissu de coton de bonne qualité, mais léger à cause du lavage. Piquez au bord du drap blanc, soit un galon brodé, soit une ganse de couleur. Ou sur du vichy quadrillé, qui fait de jolis draps, mettez un gros croquet blanc.

Trois ou quatre draps de dessous, moins élégants, que vous pourrez couper dans des draps usagés. (Il faut plus de draps de dessous, car il faut les changer plus souvent.)

La taille des draps dépend évidemment de celle du lit ou du berceau. A titre d'indication, pour un berceau il faut des draps de 80 × 115, et pour un lit des draps de 110 × 150.

A signaler, parce que très pratique, le drap housse qui s'emboîte sur le matelas et ne bouge plus (d'ailleurs facile à faire soi-même).

<u>La couverture.</u> Une bonne couverture de laine, assez grande pour qu'elle serve longtemps. Au début, vous pourrez la mettre en double.

Si votre bébé a tendance à se découvrir, mettez-lui un « surpyjama » : en tissu chaud, il se met par-dessus l'autre pyjama. Vous en verrez des modèles dans les magasins spécialisés ou les grands magasins.

Attention : votre enfant doit avoir chaud dans son lit et être bien couvert. Ce n'est pas une raison pour accumuler sur lui plusieurs couvertures, qui pèseraient trop lourd sur son corps et le gêneraient. C'est pourquoi vous avez intérêt à acheter une couverture de laine de très bonne qualité qui soit suffisamment chaude tout en étant légère.

Nous déconseillons la couette, dangereuse quand le bébé est devenu assez grand pour la tirer sur sa tête, et qui, en outre, est trop chaude.

En ce qui concerne la bouillotte, finalement il vaut mieux y renoncer, car même en prenant des précautions, les statistiques montrent que les accidents restent nombreux.

Si votre enfant doit naître en été, prévoyez une moustiquaire.

Une chambre saine

Je ne vous ferai pas l'injure de vous expliquer qu'une chambre saine c'est avant tout une chambre propre, et qu'il faut ôter la poussière autour du nouveau-né. Bien sûr.

Mais les microbes et la maladie n'arrivent pas que de la saleté. Peuvent les amener les animaux, les personnes, les objets.

Animaux. Les chats et les chiens peuvent passer leurs puces, d'où irritation, grattage, infection ; les chiens, des larves de tænia (beaucoup de chiens ont le ver solitaire) ; les chats, la maladie des griffes du chat (voir chap. 4) ; les oiseaux et perroquets, la psittacose ; les mouches, quantité de germes ; les moustiques et tous les insectes qui piquent peuvent transmettre des maladies (voir chap. 4) et leurs piqûres amener irritation, grattage, infection, fièvre. En outre les poils et plumes (lit, édredon...) d'animaux peuvent causer des réactions allergiques chez les sujets prédisposés (voir au chapitre 4 : *Allergie, Asthme, Eczéma*).

Vraiment, tant que l'enfant est encore un bébé, il ne faut pas d'animaux dans la chambre. Et, en été, il est prudent de mettre une moustiquaire à la fenêtre ou autour du lit de l'enfant.

Personnes. Elles peuvent transmettre des microbes au bébé soit en posant près de lui leur manteau qui, dans la rue, a côtoyé quantité de gens, soit en s'approchant du bébé si elles ont un rhume ou une grippe, ou, plus grave, la tuberculose.

Les cavités nasales sont le réservoir essentiel des porteurs de germes, c'est pourquoi une personne enrhumée ne devrait s'approcher du bébé que protégée par un masque : simplement en parlant, en toussant, en se mouchant, elle peut contaminer l'enfant.

Par mesure d'hygiène, la personne qui s'occupe du nouveau-né devrait mettre une blouse propre spécialement réservée aux soins de l'enfant. Certaines lectrices ont trouvé cette précaution excessive. Peut-être ; en tout cas une précaution ne l'est pas, c'est d'avoir les ongles coupés courts, et de se laver les mains chaque fois qu'on s'occupe d'un nouveau-né. Enfin, lorsqu'on engage une aide pour s'occuper d'un nouveau-né, on doit toujours exiger d'elle un certificat médical (voir page 504).

Objets. Le livre d'occasion, le petit bibelot de la foire aux puces ou simplement le jouet du grand frère malade peuvent rendre à son tour malade ce bébé qui aime tout porter à sa bouche. Il est particulièrement important de mettre le petit enfant à l'abri des microbes car si le corps humain dispose de certains mécanismes de défense contre les mauvais microbes, encore faut-il que ces mécanismes fonctionnent. Or leur mise en route est plus ou moins longue et délicate. Aussi le bébé est-il d'autant plus vulnérable aux atteintes des microbes qu'il est plus petit : il y a plus de décès pendant le premier mois de la vie que pendant les onze autres mois de la première année, et la première année de l'enfance est la plus meurtrière. Parmi ces microbes, le plus redoutable pour le nouveau-né est le staphylocoque : une personne ayant un furoncle ne devrait jamais s'occuper d'un nouveau-né.

Une chambre saine, c'est aussi :
- une chambre où il y a peu de bruit ; le bruit perturbe le nourrisson à un tel point que certains chercheurs se sont demandé si la croissance ne pouvait pas en être retardée. Baissez les appareils de radio, de télévision, les électrophones ;
- une chambre chauffée le jour à 20°, pas plus, dont l'atmosphère est régulièrement humidifiée et dont la nuit les radiateurs sont éteints ; le bébé ne prendra pas froid si vous le couvrez en conséquence. Pour humidifier l'atmosphère, vous pouvez mettre soit un appareil électrique spécial, mais assez coûteux, soit des saturateurs aux radiateurs, soit une simple cuvette remplie d'eau ;
- une chambre régulièrement aérée.

Faut-il ouvrir la fenêtre la nuit ?
- Oui, si le cubage d'air est insuffisant (la chambre est petite, le plafond est très bas, l'enfant dort avec un frère ou une sœur). Mais il ne faut pas que l'air arrive directement sur la figure de l'enfant : entre la fenêtre et lui, tirez un rideau ou mettez un paravent. Il n'est pas nécessaire, d'ailleurs, d'ouvrir en grand la fenêtre, mais juste assez pour que l'air de la chambre se renouvelle.
- Non, s'il fait très froid, s'il y a beaucoup de vent ou du brouillard, et si votre appartement est au rez-de-chaussée sur la rue (à cause des gaz d'échappement des voitures).

Pour suivre la croissance :
le poids et la taille

Pour suivre la croissance et pour juger si elle se poursuit normalement, il faut peser régulièrement son enfant et le mesurer. Les chiffres obtenus sont reportés sur une feuille spéciale. Ils permettent de tracer la courbe de croissance en poids et en taille de l'enfant. Comment tracer cette courbe pratiquement, et comment l'interpréter ?

La courbe de poids

A la maternité, vous avez peut-être reçu une feuille de croissance type. Sinon, demandez-en une au pharmacien. En fait il y a des feuilles de pesée pour les 26 premières semaines, ou pour les 12 premiers mois, il y a des feuilles couvrant plusieurs années, mais pour toutes ces feuilles le principe reste le même. Signalons par ailleurs qu'il y a des courbes pour filles et des courbes pour garçons. Si votre pharmacien n'a pas de courbe de poids, écrivez-moi (en me précisant s'il s'agit d'une fille ou d'un garçon) et je vous en enverrai une. Regardons ensemble la feuille reproduite ci-contre (fig. 1) :
Dans le sens horizontal, sont indiqués les âges.
Dans le sens vertical, vous pouvez lire les poids : 3 kg, 5, 7, etc.
Pesez votre enfant, puis tracez deux lignes droites : l'une horizontale passant par le poids de l'enfant, l'autre verticale passant par son âge. Ces deux lignes vont se couper en un point. Ce point indiquera donc le poids de l'enfant à un âge donné.
Chaque fois que vous pèserez votre enfant, vous referez de même. Et chaque fois vous rejoindrez les points obtenus. C'est ainsi que vous verrez peu à peu se dessiner sur la feuille la courbe de croissance (en poids) de votre enfant.
Comment savoir si cette courbe est normale ? Tout dépend de l'endroit où elle se trouve, et de la forme qu'elle a.
Revenons au modèle de feuille (fig. 1) : vous y remarquerez une partie grisée, et au milieu une ligne M *.
Les courbes de la plupart des enfants français s'inscrivent *dans la partie grisée.*
Mais parmi tous ces enfants, il y en a de plus lourds, de plus légers, et d'autres qui ont un poids moyen.
Ceux qui ont un poids moyen ont une courbe semblable à la courbe M. Les plus lourds suivent la limite supérieure du grisé, les plus légers la limite inférieure. Et,

---

* Dans les courbes de croissance en poids, données par les pharmaciens pour les premières semaines, il y a juste la partie grisée — ou rose — mais non la ligne M.

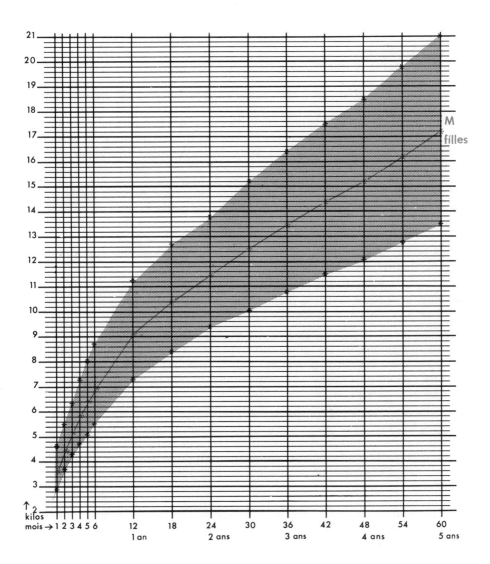

Fig. 1. Il y a des courbes de croissance pour le poids, d'autres pour la taille, il y en a pour les filles, d'autres pour les garçons (comme vous pouvez le constater d'après les tableaux des pages suivantes, poids et taille des garçons et des filles diffèrent légèrement). Mais toutes ces courbes ont le même aspect : au centre une ligne M, la ligne de la moyenne. De chaque côté de cette ligne, une partie grisée, sur laquelle s'inscrivent les poids et taille de 95 % des enfants normaux. La courbe que nous avons choisie à titre d'exemple est celle de la croissance en poids des filles, de la naissance à 5 ans. *Courbe établie d'après M. Sempé et G. Pédron (étude du Centre international de l'enfance).*

entre ces deux limites, vont s'inscrire toutes les variantes possibles, à 100 g ou à quelques kilos près *.

On peut ainsi faire une remarque importante :

Entre des enfants parfaitement normaux, il y a, aux mêmes âges, des différences de poids considérables.

Regardez sur la figure 1 le poids des filles de 1 an : la moyenne pèse 9,2 kg, les plus lourdes 11,2 kg, les plus légères 7,2 kg. 4 kg d'écart à 1 an, c'est beaucoup. Il n'y a donc pas pour un âge donné un poids idéal, mais une « zone idéale ». Je pense que cette constatation est de nature à rassurer les mères qui s'inquiètent lorsque leur bébé pèse 300 g de moins que le bébé de leur amie.

Il n'en reste pas moins qu'une très grande différence de poids ou de taille par rapport à la moyenne doit conduire à consulter le médecin pour un bilan complet de la croissance.

Mais revenons à votre enfant et à sa courbe de poids. Plusieurs éventualités peuvent se présenter :

■ La courbe se superpose à la courbe moyenne, ou reste au voisinage de la courbe moyenne, en suivant la même inclinaison qu'elle : votre enfant a une croissance conforme à la moyenne de son âge.

■ Sa courbe est *au-dessus* ou *au-dessous* (fig. 2) de la courbe moyenne, mais elle reste dans la zone normale, et surtout sa pente est régulièrement ascendante, et reste parallèle à la courbe moyenne : tout va bien. Simplement, votre enfant est peut-être un peu plus gros ou un peu moins gros que la moyenne, mais sa croissance est régulière et parfaitement normale.

■ Troisième éventualité : la courbe de poids se « casse », elle dévie. Elle peut s'infléchir vers le haut : tant mieux pendant un certain temps surtout si l'enfant qui accélère ainsi sa croissance était de petit poids et rattrape son « retard » ; mais attention : si cette tendance s'accentue au point de sortir par le haut de la zone normale (fig. 3) l'enfant est probablement surnourri ; il convient de revoir son régime.

La courbe peut surtout s'infléchir vers le bas (comme également sur la fig. 3). Cela peut se faire brusquement, à l'occasion d'une maladie aiguë avec vomissement et diarrhée, ou se faire progressivement, traduisant une croissance ralentie ou arrêtée du fait d'un régime insuffisant ou d'une maladie cachée. Il faudra faire examiner cet enfant sans trop tarder.

Mais attention, ce n'est qu'une déviation importante et rapide de la courbe qui devra vous alerter ; non pas les variations minimes, ni un plafonnement passager, fréquents d'un jour à l'autre chez le nourrisson. (Il n'est d'ailleurs pas nécessaire de peser un bébé tous les jours.) De plus, avant de s'inquiéter, il est bon de voir si la courbe de poids est en rapport avec la courbe de taille. Ceci est surtout valable pour les poids élevés : il y a des enfants dont le poids semble excessif mais qui ont une taille également plus élevée que la moyenne.

---

* Ces chiffres sont le résultat de mensurations qui ont été faites sur un grand nombre d'enfants français par le Centre d'étude sur la croissance et le développement de l'enfant, dépendant du Centre international de l'enfance.

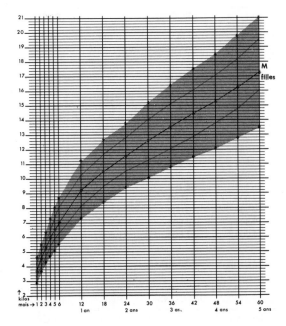

Fig. 2 Voici les courbes de poids de deux enfants parfaitement normaux mais dont l'un est un peu plus lourd que la moyenne, l'autre un peu plus léger.

Fig. 3 Voici deux exemples de dévia- tions. Dans le premier cas, la courbe indique un gain de poids très rapide et anormal ; dans le deuxième cas, au contraire, il y a amaigrissement subit et important. Ces deux cas nécessitent de montrer l'enfant au médecin.

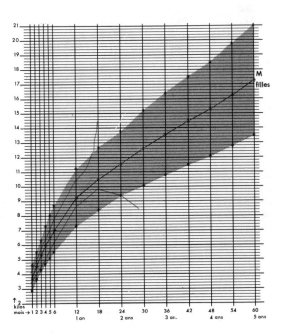

GARÇONS			**POIDS**	FILLES		
Limite inférieure	M moyenne	Limite supérieure	AGE	Limite inférieure	M moyenne	Limite supérieure
3,000	4,000	5,000	1 mois	2,850	3,750	4,650
3,750	4,850	5,950	2 mois	3,700	4,600	5,500
4,550	5,750	6,950	3 mois	4,350	5,350	6,350
5,150	6,450	7,750	4 mois	4,700	6,000	7,300
5,500	7,000	8,500	5 mois	5,150	6,600	8,050
6,050	7,600	9,150	6 mois	5,550	7,150	8,750
7,650	9,750	11,850	1 an	7,250	9,250	11,250
8,750	11,200	13,650	18 mois	8,400	10,550	12,700
9,800	12,200	14,600	2 ans	9,400	11,600	13,800
10,650	13,250	15,850	2 ans 1/2	10,050	12,650	15,250
11,400	14,150	16,900	3 ans	10,800	13,600	16,400
12,000	15,000	18,000	3 ans 1/2	11,500	14,500	17,500
12,600	16,000	19,400	4 ans	12,100	15,300	18,500
13,500	16,900	20,300	4 ans 1/2	12,800	16,300	19,800
14,000	17,800	21,600	5 ans	13,500	17,300	21,100
		en kilos et grammes				

GARÇONS			**TAILLE**	FILLES		
Limite inférieure	M moyenne	Limite supérieure	AGE	Limite inférieure	M moyenne	Limite supérieure
49,2	53,2	57,2	1 mois	48,5	52,5	65,5
52,2	57	61,8	2 mois	51,9	55,9	59,9
55,0	60	65,0	3 mois	54,5	58,3	62,1
57,5	62,3	67,1	4 mois	57,0	61,0	65,0
59,7	64,5	69,3	5 mois	58,9	63,1	67,3
61,8	66,4	71	6 mois	60,6	65,0	69,4
69,7	74,3	79,9	1 an	67,8	72,6	77,4
75,1	80,5	85,9	18 mois	73,2	79,0	84,8
79,9	85,7	91,5	2 ans	78,1	84,3	90,5
84,0	90,4	96,8	2 ans 1/2	82,7	88,9	95,1
87,3	94,3	101,3	3 ans	86,4	92,8	99,2
90,6	98	105,4	3 ans 1/2	89,4	96,0	102,6
93,4	101,2	109,0	4 ans	92,6	99,8	107,0
96,3	104,5	112,7	4 ans 1/2	95,4	103,0	110,6
99,1	107,5	115,9	5 ans	98,5	106,5	114,5
		en centimètres et millimètres				

Comme vous le remarquerez, les poids — comme les tailles — ne sont indiqués sur ces tableaux qu'à partir d'un mois. Voici la raison : à la naissance il y a également autour de la moyenne de larges variations de poids. Mais pour apprécier l'état de santé d'un enfant au moment où il naît, on ne peut pas tenir compte seulement de son poids bien que ce soit un élément très important. Il y a d'autres facteurs à prendre en considération : est-il né à terme ou non, quel est son tonus, ses réflexes sont-ils bons, etc. (Lire à ce sujet au chapitre 4 les articles *Prématurés* et *Apgar*).

Vous voyez donc l'intérêt de tracer la courbe de poids d'un enfant, la manière de lire cette courbe, et les indications que vous pouvez en retirer.

D'abord, vous pouvez constater que, pour juger de la bonne santé d'un enfant, il ne suffit pas seulement de connaître son poids un certain jour, il faut aussi connaître les poids des semaines, des mois ou des années qui précèdent.

Ensuite, vous voyez comme il est risqué, pour surveiller la croissance de son enfant, de se reporter aux tableaux classiques qui donnent pour chaque âge un seul chiffre, lequel est un chiffre moyen, alors qu'en réalité, autour de ce chiffre moyen, il y a de si grandes variations chez des enfants parfaitement normaux.

Ces tableaux classiques étant cause de beaucoup de souci pour les parents dont l'enfant n'a pas exactement le poids (ou la taille) indiqués, nous préférons publier un tableau à trois chiffres : le chiffre du milieu donne le poids ou la taille pour l'âge indiqué, le chiffre de gauche le poids ou la taille normaux minimaux et le chiffre de droite le poids ou la taille normaux maximaux. J'insiste sur le mot « normaux ».

Mais un simple tableau ne rend pas compte de l'aspect dynamique de la croissance. Pour en donner l'idée, il faut la courbe dont nous avons parlé peu plus haut. On y voit l'enfant se lançant dans la vie sur une certaine orbite qu'il ne quittera plus. C'est si vrai que lorsqu'un enfant maigrit, par exemple parce qu'il a été malade, une fois qu'il est guéri, sa courbe se redresse, et il se remet sur son orbite !

Ce n'est d'ailleurs pas le premier jour que l'enfant s'inscrit sur sa courbe : avant de prendre son élan, il recule, maigrit, perd presque le 10e de son poids, qu'il retrouve vers le 10e jour, et c'est à partir de ce moment-là que se fait le vrai démarrage.

Au début, c'est un démarrage en flèche. Regardez d'ailleurs la forme de la courbe : elle grimpe comme une fusée qui s'arrache du sol. L'enfant prend 750 g par mois les trois premiers mois, 600 g les trois mois suivants, 450 à partir du sixième. En tout plus de 6 kilos dans l'année ! A partir de 2 ans, il prend sa vitesse de croisière : 1 à 2 kilos par an.

Je vous ai parlé un peu longuement de cette courbe de poids. Mais vous avez vu comme elle est utile pour suivre la croissance d'un enfant. C'est pourquoi si vous ne tracez pas de courbe, notez au moins régulièrement sur le carnet de santé de l'enfant les chiffres de poids. Ainsi le jour où votre enfant aura un problème de santé, le médecin pourra facilement reconstituer la courbe.

Faut-il souvent peser un enfant ? Assez souvent au cours des premières semaines ou premiers mois, pour s'assurer que l'enfant démarre bien et qu'il a une alimentation correcte, mais il n'est pas nécessaire comme le croient beaucoup de mères, de peser un enfant bien portant tous les jours. (Sauf par exemple si on veut mettre en train un allaitement maternel.)

Voici ce qui est raisonnable : pendant le premier mois, pesez le bébé 3 fois par semaine, puis 2, puis 1 ; ensuite une fois par semaine jusqu'à 6 mois, puis une fois par mois. Dans la pratique d'ailleurs, les parents pèsent régulièrement le bébé au début, mais passé un an, leur zèle s'effrite... Après un an, je vous conseille de peser votre enfant au moins une fois par trimestre entre 1 an et 2 ans et, après 2 ans, au moins deux fois dans l'année : à Noël et au début des grandes vacances, c'est une habitude à prendre.

Comment peser le bébé ? Tout nu bien sûr, et toujours à la même heure. Le plus pratique : avant le bain. Vous pouvez mettre une serviette ou une couche sur le plateau de la balance, car le bébé pleure au contact du plastique ou du métal froid, et il est alors plus difficile de le peser.

Trois précautions à prendre pour que la balance reste bien réglée, une fois la tare faite : ne pas la changer de place ou sinon refaire la tare ; la pesée terminée, ramener la balance à zéro ; entre les pesées, bloquer la balance.

La courbe de taille

Pour suivre la croissance d'un enfant, il faut aussi faire sa courbe de taille. En fait, cette courbe de taille est encore plus utile que celle du poids. Mais, en pratique, les parents mesurent rarement leur enfant lorsqu'il est petit car ce n'est pas facile : il faut que le corps, et les jambes notamment, soient bien à plat. En général, c'est le médecin qui mesure l'enfant lors des visites. Mais dès que l'enfant peut se tenir debout et bien droit, vous pouvez prendre l'habitude de le mesurer régulièrement pour pouvoir tracer sa courbe, par exemple deux fois par an, au début des grandes vacances et à Noël, comme pour le poids.

La courbe de taille présente les mêmes caractéristiques que la courbe de poids : tout ce que nous avons dit à propos de la courbe de poids et de son interprétation, est valable pour la courbe de taille.

Les dents

Il y a une grande diversité dans la date et dans l'ordre de percée des dents de lait. En particulier, les nourrissons au sein percent leurs dents plus tôt que les autres : certains commencent même à 3 mois. En outre, les dents sortent plus tôt chez les enfants à la silhouette élancée (longilignes) que chez les enfants à la silhouette arrondie (brévilignes). Et il est tout à fait fréquent que des nourrissons parfaitement bien portants n'aient leur première dent que vers 8 ou 9 mois ou même plus tard.

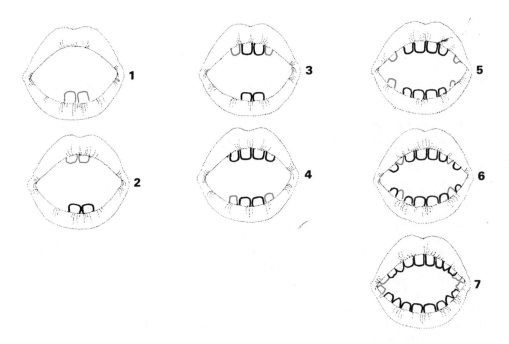

Cela dit, voici dans quel ordre et à quels âges apparaissent en général les dents.

Les premières sont généralement les incisives centrales inférieures, puis les supérieures (fig. 1 et 2).

Entre 6 mois et 12 mois — en principe — elles vont être suivies par deux incisives latérales : en tout 8 dents (fig. 3 et 4) ;

de 12 à 18 mois : les 4 premières petites molaires (fig. 5) ;

de 12 à 24 mois : les 4 canines (fig. 6) ;

de 24 à 30 mois : les 4 secondes petites molaires (fig. 7).

Ainsi, de 6 mois à 2 ans et demi en principe auront percé 20 dents « de lait » ou dents temporaires.

Pour les troubles de la percée dentaire, voyez au chapitre 4 : *Dents*. Pour les soins à donner aux dents, voyez au début de ce chapitre : *Quelques questions sur la toilette et le bain*.

La sucette. Il y a quelques années parut un livre * qui fit du bruit. Ce livre voulait démontrer qu'en puériculture il y avait des modes, et avait choisi comme exemple typique la sucette : une génération était pour, la suivante contre, et ainsi depuis toujours.

Aujourd'hui, on est résolument pour ; la sucette est devenue énorme, défigurant les plus jolis bébés, cachant leur bouche, et la faisant ressembler. plutôt à un... groin. C'est dommage. Et comble de laideur, certains fabricants se sont mis à

---

* *L'art d'accommoder les bébés*, G. Delaisi de Parseval et S. Lallemand, éditions du Seuil.

décorer leurs sucettes de personnages de Mickey ou autres Schtroumpfs. Pauvres bébés...

C'est vrai que je n'ai jamais été tellement partisane de la sucette : elle tombe par terre, ramasse la poussière, fait saliver, gêne la digestion... et aussi pour une autre raison moins évoquée, mais que l'on peut facilement constater : l'enfant ne fait plus ni sourire, ni gazouillis, il est comme verrouillé : « suce et tais-toi... » Pour moi, la sucette fait penser à une muselière.

Je conviens cependant que la sucette peut rendre service à certains moments, pour certains bébés, à certains âges.

Lorsqu'un bébé souffre de coliques et pleure à fendre l'âme, la sucette peut le soulager. Lorsqu'il a de la peine à dormir ou à se rendormir, la sucette peut l'aider à trouver le sommeil ; certains bébés de caractère inquiet ont plus besoin de sucer que d'autres. A cet âge où de la bouche viennent tous les plaisirs, la sucette peut apporter des moments de détente.

Ces exemples se situent les premiers mois : la vie de l'enfant n'est pas encore bien organisée, il a peu de distraction, il n'est guère autonome. Lorsque l'enfant aura des intérêts ailleurs, lorsqu'il jouera, il ne pensera plus à la sucette. Ce n'est pas parce qu'on la lui aura donnée petit bébé, qu'il la réclamera longtemps. Pas plus que si les premiers mois on prend dans ses bras le bébé qui pleure, on ne sera condamné à le porter jusqu'à l'âge de l'école.

Conclusion, il y a un bon usage de la sucette :
ne pas croire qu'elle fait partie du trousseau de base de bébé ;
si on tient absolument à en acheter une, la réserver pour les cas cités plus haut.

Tout rapport avec l'enfant demande souplesse et tolérance, la sucette est un bon exemple.

Bien nourrir votre enfant

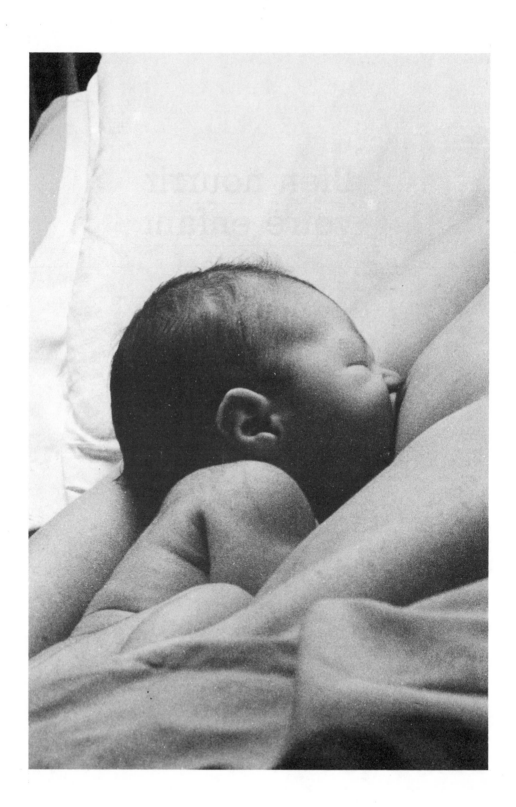

CHAPITRE 2

L'allaitement maternel

Vaut-il mieux allaiter son enfant ou lui donner des biberons ? J'ai toujours été pour l'allaitement maternel, je l'ai défendu avec conviction, mais souvent avec difficultés, car pendant longtemps les opposants ont été plus nombreux que les partisans. Ces dernières années, la tendance s'est inversée ; dans les journaux, les livres, la plupart des maternités, on conseille aux mères d'allaiter. Le résultat : il y a une majorité de mères qui allaitent leur bébé, au moins au début. Je m'en réjouis bien sûr et cela me facilite la tâche pour vous dire les bienfaits de l'allaitement maternel. Mais je sais que des mères ne veulent ou ne peuvent allaiter, je vous donnerai donc les arguments de ceux qui pensent qu'on peut se passer de cet allaitement. Ainsi vous pourrez prendre votre décision en connaissance de cause et choisir librement.

Arguments pour l'allaitement maternel

Le lait maternel est un aliment naturel, complet et parfaitement adapté aux besoins de l'enfant. Il est facile à digérer et les intolérances à ce lait n'existent pratiquement pas, à l'exception de quelques càs rares d'intolérance au lactose (sucre contenu dans le lait). De plus, il est toujours à la bonne température, celle du corps.
Avec le lait maternel, l'enfant ne risque pas d'allergie aux protéines que contient le lait.
Le fer que ce lait contient est bien absorbé.
Il protège l'enfant contre certaines infections en lui apportant les anticorps maternels. Il assure ainsi une protection naturelle au cours des premières semaines de la vie. Il est par ailleurs aseptique et n'apporte pas de microbes à l'enfant.
C'est très agréable d'allaiter : les tétées sont des moments heureux et pour la mère et pour l'enfant.
C'est pratique : pas de biberons à laver, stériliser, préparer. Et économique.
L'allaitement favorise entre la mère et l'enfant l'établissement de liens affectifs profonds.
Il est enfin profitable à la mère et favorise le retour à la normale de l'appareil génital : il y a une connexion étroite entre les glandes mammaires et l'utérus.

Lorsque l'enfant tète, il déclenche un réflexe qui provoque des contractions utérines. Celles-ci aident l'utérus à revenir à ses dimensions normales.

Arguments pour l'allaitement artificiel

■ La supériorité du lait maternel s'est atténuée depuis les progrès réalisés dans la fabrication des laits industriels ; en outre, leur composition peut varier en fonction des besoins et de la nature de chaque enfant.

■ L'allaitement maternel n'est pas toujours facile quand la sécrétion lactée est insuffisante, et l'expérience montre que dans notre civilisation moderne les femmes ne sont pas toujours de bonnes nourrices.

■ L'allaitement maternel n'est pas toujours compatible avec une reprise rapide de la vie normale ou d'une activité professionnelle. Il constitue une source supplémentaire de fatigue après l'accouchement. Enfin, l'apparition plus tardive du retour de couches peut gêner la mise en œuvre rapide d'un moyen de contraception.

■ Les liens psychologiques entre la mère et l'enfant dépendent vraisemblablement plus de la présence maternelle que de l'allaitement proprement dit.

Réponses à 3 questions

L'allaitement abîme-t-il la poitrine ? Beaucoup de jeunes mères posent la question. Je vais les décevoir : honnêtement, je ne peux répondre ni oui, ni non.

Pour certains médecins, ce n'est pas l'allaitement, mais la grossesse qui peut abîmer la poitrine, puisqu'elle provoque une augmentation suivie d'une diminution des glandes mammaires. En empêchant la brusque diminution de ces glandes, l'allaitement serait même plutôt bénéfique. Pour la même raison, arrêter la montée de lait sans précautions suffisantes peut abîmer la poitrine.

Ce qui peut également l'abîmer, c'est de trop manger, d'avoir un régime engraissant (pâtisseries, etc.), ce qui est le cas chez beaucoup de femmes qui croient que plus elles mangeront « riche », meilleur sera leur lait. C'est alors le poids de la graisse qui fait tomber les seins. Mais si l'on porte un bon soutien-gorge et si l'on a une alimentation équilibrée, on a les meilleures chances de retrouver sa poitrine d'avant la grossesse.

Cela dit, il y a des tissus (des chairs) plus fermes que d'autres. Certaines femmes ayant allaité plusieurs enfants gardent une poitrine parfaite. D'autres ont des seins tombants et vergeturés sans avoir jamais allaité. Et puis il y a la gymnastique faite avant l'accouchement et le sport (la natation en particulier) qui contribuent à la fermeté des muscles soutenant les seins.

En conclusion, il est vraiment impossible d'établir un lien de cause à effet entre allaitement et poitrine abîmée.

Comment la femme qui travaille peut-elle allaiter ? Sans difficulté pendant les dix premières semaines puisque c'est la durée actuelle du congé postnatal.

Après, la plupart des mères sèvrent leur bébé, mais plusieurs lectrices m'ont signalé qu'elles continuaient à donner une tétée le matin et une le soir le plus lontemps possible.

L'idéal serait que les mères puissent obtenir que l'allongement du congé de maternité prévu pour le troisième enfant soit également possible pour les deux premiers.

Allaitement et nouvelle grossesse. Les règles ne reviennent parfois qu'à la fin de l'allaitement, mais une ovulation peut survenir avant ce retour de règles ; on ne peut donc jamais être sûr qu'un rapport sexuel avant le retour de couches ne sera pas suivi de grossesse. Mais il est prudent de demander au médecin son avis sur le meilleur moyen de contraception pour les premières semaines : tous ne sont pas applicables pendant cette période (j'en ai parlé en détail dans *J'attends un enfant*).

Comment choisir ?

Il arrive parfois que le choix soit imposé par des motifs d'ordre médical, car il existe des contre-indications à l'allaitement maternel.

Certaines raisons tiennent à la mère :
- maladies générales, aiguës ou chroniques ;
- prise de médicaments (par exemple médicaments du système nerveux) ;
- causes locales, tels les seins ombiliqués : le mamelon ne fait pas saillie et ne peut être saisi par l'enfant.

D'autres tiennent à l'enfant :
- malformations des lèvres ou du palais (bec-de-lièvre).

Dans tous les autres cas, le choix reste possible entre allaitement maternel et allaitement artificiel.

Pour le prématuré, le lait maternel est très conseillé.

Vous ne désirez pas allaiter ? Ne vous forcez pas à tout prix à le faire. Il fat pas que ce soit une corvée, que cet enfant qui vient de naître commence sa vie en vous créant des contraintes. Pour l'enfant, il vaut mieux lui donner un biberon avec affection, que le sein avec répugnance : téter est un plaisir pour lui, ne lui gâtez pas ce plaisir en le nourrissant à contre-cœur. Mais, si vous n'allaitez pas, donnez vous-même le biberon, au moins pendant les premières semaines. Plus encore que l'allaitement, ou au moins autant, ce qui compte pour le bébé, c'est d'avoir établi avec sa mère un lien étroit dès le départ.

Vous désirez allaiter ? Tant mieux, d'ailleurs vous n'êtes pas la seule, on revient à l'allaitement maternel. Les mamans qui ont vingt ans aujourd'hui sont pour et elles désirent allaiter leur enfant, alors que leur mère donnait souvent le biberon, pour une raison très simple d'ailleurs : les laits industriels étaient à cette époque enfin bien au point.

Mais vous serez peut-être dans une maternité qui n'encourage pas l'allaitement maternel, il faudra alors tenir bon contre certaines résistances. Ne vous découra-gez pas, et tenez bon aussi contre vous-même, car les débuts exigent patience, persévérance et volonté. Il faut dire que le résultat en vaut la peine.

Souvent les mères se découragent et abandonnent alors que si elles étaient soutenues, elles reprendraient confiance en elles-mêmes et pourraient être d'excellentes nourrices. Voici d'ailleurs l'adresse de la Leche League qui aide les femmes qui veulent allaiter. C'est une association (d'origine américaine) qui dans le monde entier s'est donné pour tâche la défense et la promotion de l'allaitement maternel : *Leche League*, B.P. 18. 78620 L'Étang-la-Ville. Tél. 39.58.45.84. Et, je vous signale aussi l'association *Solidarilait* qui fonctionne sur le même principe que la *Leche League*. S'adresser au *Lactarium* de Paris, 26, bd Brune, 75014 Paris. Tél. 40.44.70.70.

Même si, après cette lecture, vous avez de la peine à prendre une décision, je vous conseille de commencer à allaiter, quitte à vous arrêter rapidement, ce qui sera toujours possible. En revanche, si vous avez commencé à donner le biberon, vous ne pourrez pas vous mettre à allaiter quinze jours plus tard.

Les débuts de l'allaitement

Pour donner le sein, choisissez un endroit calme sans trop d'allées et venues autour de vous. C'est pour l'enfant un instant privilégié, où il se détend, où il se libère de ses tensions. Dans cette sécurité, il s'épanouit, son intelligence s'éveille et les circonstances extérieures favoriseront cet épanouissement : le calme, éventuellement même la pénombre si l'enfant est distrait.

Et maintenant, voici comment vous y prendre.

Commencez par vous laver soigneusement les mains : ce qui touche les seins doit être bien propre. Puis, passez sur les bouts de seins un coton imbibé soit d'eau bouillie, soit de sérum physiologique.

Ensuite installez-vous bien, c'est essentiel. La maman mal installée se fatigue anormalement. Comme elle ne sait pas que c'est parce qu'elle n'a pas mis sous son coude un coussin, ou sous ses pieds un petit tabouret, elle rend l'allaitement responsable de sa fatigue et attend avec impatience qu'il se termine. Et les tétées deviennent autant d'épreuves.

Vous pouvez très bien allaiter allongée : tournez-vous simplement sur le côté et posez le bébé à côté de vous. Si vous allaitez assise dans votre lit, mettez un — ou, si nécessaire, deux — coussins sous votre coude, de manière que le bébé ait son visage près de votre sein, sans que vous ayez besoin de vous pencher vers lui.

Lorsque vous allaitez étant assise, sachez que votre confort dépendra du siège dans lequel vous vous assiérez. Le but à atteindre, pour être à l'aise, est d'amener le visage du bébé le plus près possible de votre poitrine afin de ne pas être obligée de vous pencher en avant pour lui mettre le sein dans la bouche, ce qui est très fatigant. Il suffit pour cela de vous asseoir sur une chaise basse et de vous appuyer au dossier. Ainsi, placé sur les genoux de sa maman, l'enfant aura la tête dans le creux de son coude, et sans effort le visage tout près de son sein. Essayez, vous verrez.

La deuxième condition pour être à l'aise, c'est que ce bras, au creux duquel l'enfant pose sa tête, soit soutenu : sinon il se fatiguera vite. Pour cela, il suffit qu'il y ait à la chaise des accoudoirs. Un fauteuil crapaud ou l'angle d'un canapé feront aussi l'affaire ; et, si nécessaire, rajoutez sous votre coude un coussin. Regardez les dessins de cette page. Vous pouvez aussi vous mettre dans un fauteuil ordinaire avec accoudoir mais posez les pieds sur un petit tabouret.

bonne position   mauvaise position

L'enfant est placé en position semi-verticale ; sa tête repose au milieu de votre bras et elle est plus haute que ses pieds, sinon il téterait mal. Voyez le premier dessin. La joue de votre enfant se trouve contre votre sein. Alors, au contact de cette peau douce, lorsque votre bébé sent l'odeur du lait, il remue les lèvres et ouvre la bouche comme s'il cherchait le sein, comme s'il voulait téter. C'est le premier et spectaculaire réflexe du nouveau-né. Instinctivement, dès les premières heures, il se tourne vers le sein de sa mère pour peu qu'on le place vers lui. Mais pour qu'il le saisisse, au début il faudra l'aider.

Entre le deuxième et le troisième doigt de votre main libre, saisissez le bout de votre sein et glissez-le dans la bouche de l'enfant (assurez-vous que votre bout de sein se place bien sur la langue du bébé, et non dessous). Vous pouvez même appuyer un peu sur le sein pour que le lait sorte. En général, à ce moment-là, l'enfant se met à téter... comme s'il l'avait fait toute sa vie. Ce deuxième réflexe est aussi présent à la naissance. En fait, il l'est parfois même avant. Certains enfants naissent ayant déjà sucé leur pouce. Cela se voit au fait qu'ils ont le doigt tout rouge (et pendant la grossesse, on voit parfois lors d'une échographie, le bébé sucer son pouce).

Avec le pouce et le deuxième doigt, pensez à comprimer le sein pour dégager le nez de l'enfant : il faut qu'il puisse respirer, sinon il n'arrivera pas à téter.

Au début de la tétée, l'enfant suce très vigoureusement ; à la fin, il s'endort repu, satisfait. Mais si, lorsqu'il a fini de boire, il suçotte et mordille le sein, arrêtez-le. Il avalerait de l'air, ce qui le ferait vomir, et ramollirait les bouts de seins, d'où risque de crevasses.

Au début, la tétée dure entre 5 et 10 minutes.

Si le bébé ne lâche pas facilement le sein, pour lui ouvrir la bouche sans le brusquer, abaissez tout doucement son menton ou pincez-lui légèrement le nez.

La tétée terminée, prenez l'enfant dans vos bras en le tenant bien droit, faites-lui faire un renvoi. S'il n'y arrive pas naturellement, tapotez-le légèrement dans le dos, car on ne doit pas recoucher un bébé sans qu'il se soit libéré de l'air avalé en tétant. En effet, si, une fois recouché, il se mettait sur le dos et régurgitait, le lait pourrait obstruer les bronches et entraîner un état d'asphyxie aiguë ou des troubles broncho-pulmonaires plus ou moins graves. C'est une des raisons pour lesquelles on a tellement insisté à un moment donné pour coucher les enfants sur le ventre (voir page 157 les pour et les contre de cette position).

Si, après la tétée, le bébé rejette un peu de lait, ne vous inquiétez pas : cette régurgitation est normale. Le bébé en fait souvent car chez lui le *cardia*, c'est-à-dire le système de fermeture qui se trouve entre l'estomac et l'œsophage, ne fonctionne pas encore très bien. D'ailleurs ne croyez pas que l'enfant rejette une partie importante de ce qu'il a bu : il élimine le surplus. Avant de prendre l'enfant pour qu'il fasse ce renvoi, ayez soin de mettre une couche sur votre épaule. Puis, changez-le, en le remuant le moins possible.

Après la tétée, lavez de nouveau les bouts de seins avec de l'eau bouillie, ou du sérum physiologique, séchez soigneusement, et placez une compresse stérile et sèche sur les mamelons, ou simplement un mouchoir de toile fine que vous aurez bien repassé.

Renouvelez la compresse si elle est humide. A signaler : les coussinets stériles en vente en pharmacie.

Tel est le scénario classique d'une tétée. Mais les premiers jours, les choses ne se passent pas exactement de cette manière. D'abord il peut y avoir divers incidents, décrits plus loin : je vous dirai comment y remédier. Puis les premières tétées sont courtes : cinq à six minutes au maximum, alors que, par la suite, elles dureront de quinze à vingt minutes. C'est normal : il faut moins de temps pour boire 10 grammes (à deux jours) que 100 grammes (à un mois). D'ailleurs, au début, les seins ne contiennent pas encore du lait, mais un liquide — le colostrum — épais, jaune, très riche en protéines et en anticorps, pauvre en graisses que le bébé ne digérerait pas bien les premiers jours. Ce colostrum est un aliment de transition entre le sang qui l'a nourri avant la naissance et le lait, c'est ce qui fait sa valeur particulière.

Ce n'est que le troisième ou le quatrième jour, parfois même plus tard, que le lait monte dans les seins. Peu à peu, les seins se remplissent, gonflent, deviennent pleins et fermes, se tendent et sont douloureux. Mais, si la sécrétion du lait est déclenchée par une hormone (la prolactine), elle est stimulée par la succion : pour que les glandes mammaires fonctionnent régulièrement, il faut que l'enfant tète. C'est pourquoi on n'attend pas la montée laiteuse proprement dite pour faire téter le bébé. En général, on met l'enfant au sein le plus tôt possible après l'accouchement.

Soins des seins. Lorsqu'on allaite, il faut prendre des précautions pour éviter les crevasses. D'abord parce que ces petites fentes de la peau des mamelons sont douloureuses ; ensuite parce qu'elles peuvent s'infecter et provoquer un abcès, c'est-à-dire de la fièvre, des ganglions, l'interruption de l'allaitement, etc.

Pour éviter les crevasses, voici ce qu'il faut faire :
■ d'abord, éviter les tétées trop longues : à la fin le bébé mâchonne le mamelon sans plus rien boire ;
■ puis il faut entourer la tétée d'une hygiène rigoureuse ; tout ce qui est en contact avec les seins doit être propre, c'est essentiel. Je vous en ai déjà parlé plus haut ;

■ enfin, il est préférable de porter un soutien-gorge en coton, les tissus synthétiques favorisant souvent les crevasses.

L'engorgement des seins, lorsqu'une maman a trop de lait, peut provoquer un abcès. En cas d'engorgement, une seule solution : bien vider les seins.

Enfin, dernière recommandation pour éviter les abcès : ne pas prendre froid ; quand on allaite, il est prudent de se couvrir suffisamment.

Comment vider les seins ? Lorsque c'est pour soulager, par exemple en cas d'engorgement, il y a deux manières de procéder : à la main, ou, méthode inattendue mais efficace, se mettre sous une douche chaude, ce qui favorise l'écoulement du lait.

En revanche, dans les cas où il est nécessaire de tirer le lait pour le donner au bébé, il n'y a guère qu'une solution, c'est le tire-lait électrique (à louer dans une pharmacie).

En résumé pour éviter crevasses et abcès,
suivez ces cinq conseils :
hygiène rigoureuse, tétées courtes, tétées fréquentes,
bien vider les seins, ne pas prendre froid.

Incidents possibles
des premières tétées

Les bouts de seins sont petits, peu saillants. L'enfant a de la peine à les saisir : ils se « formeront » au fur et à mesure des tétées. Mais on peut mettre au début sur le sein une tétine en caoutchouc qui permet à l'enfant de téter. On peut aussi avoir recours au tire-lait. Les massages faits avant l'accouchement pour préparer les seins sont inefficaces. Le seul massage efficace est celui des lèvres du bébé.

L'enfant ne peut pas téter. Il n'en a pas la force, parce qu'il est trop faible (cas notamment du prématuré). Comme il a tout particulièrement besoin du lait de sa maman pour se fortifier, on tire le lait et on le donne au bébé au biberon ou à la cuillère.

Il ne peut pas téter parce qu'il a une malformation (bec-de-lièvre ou fente palatine) ou une infection comme le muguet qui lui fait mal : on tire le lait, et on le donne au biberon (il existe des tétines spéciales), ou à la cuillère.

L'enfant ne veut pas téter. Il est né à terme, mais il est somnolent et n'a pas l'air d'avoir faim. Ce cas n'est pas fréquent, mais, lorsqu'il se présente, il ne sert à rien de vouloir stimuler l'enfant par diverses manœuvres ; vous pouvez plutôt essayer une petite recette utilisée dans certains services de pédiatrie : quelques gouttes de café sur la langue. Cela marche souvent bien. L'enfant se « réveille » au bout de deux ou trois jours, et tète normalement. En attendant, pour que la sécrétion lactée se fasse, il faut stimuler les seins en les vidant au même rythme que les tétées.

La montée laiteuse tarde à se faire ou bien elle est très lente et insuffisante.
■ Tout d'abord ne pas se faire de souci car il y a un rapport certain entre état d'esprit

et sécrétion du lait, spécialement pendant les premières semaines où la sécrétion de lait est encore irrégulière : plus la mère se fait de souci, moins le lait a de chances d'arriver, cela devrait être connu de l'entourage. Et l'influence de l'état d'esprit est si directe que, pour certains médecins, vouloir forcer une mère qui n'en a pas le désir, à allaiter, c'est courir à l'échec certain ; au contraire, pour celle qui veut allaiter, tous les espoirs sont permis.

■ D'autre part, se rappeler que la fatigue retarde, diminue ou empêche la lactation. En ce moment, vous avez besoin de repos.

■ Ensuite, se souvenir qu'il n'y a que deux moyens réellement efficaces pour stimuler la lactation : mettre l'enfant régulièrement au sein des deux côtés ; après chaque tétée, bien vider les seins également des deux côtés.

■ Enfin, attendre le plus longtemps possible pour compléter l'allaitement au sein : le biberon est plus facile à prendre, l'enfant risque de s'y habituer et de refuser le sein, ce qui arrêterait définitivement une lactation déjà difficile. Si la croissance du bébé l'exige, le médecin conseillera peut-être de compléter l'allaitement maternel avec du lait concentré donné à la cuillère. Et s'il était nécessaire de compléter par un biberon, choisissez une tétine à petit trou pour que le lait ne vienne pas trop facilement ni trop vite.

Lorsqu'une maman prend toutes ces précautions, il est rare qu'elle ne soit pas capable de nourrir au moins en partie son enfant. Et pourtant, au bout de cinq à dix jours d'essais infructueux, bien des mamans abandonnent, ce qui est dommage, car on peut voir des montées laiteuses très lentes ne se faire régulièrement qu'au bout de quinze jours, voire même trois semaines.

Si au bout de trois semaines vous avez vraiment trop peu de lait, renoncez à allaiter votre enfant.

Il arrive que pour certains bébés fragiles, la moindre goutte de lait maternel soit importante. Et dans ce cas, même si la maman fournit moins du tiers de la ration, le peu qu'elle lui donnera peut être important pour sa santé.

Ajoutons enfin que, même avec des petits seins, une maman peut être une très bonne nourrice. Seins abondants et abondance de lait ne sont pas synonymes.

Le lait s'écoule par un sein lorsque le bébé tète l'autre : ne vous inquiétez pas, c'est normal et très fréquent.

L'enfant a le hoquet. C'est également normal. Si le hoquet dure, donnez-lui un peu d'eau au biberon, ou remettez-le à téter ; et... réconfortez-le en lui parlant gentiment jusqu'à ce que ça passe.

La montée laiteuse est douloureuse. Parce que vous avez trop de lait et que vos seins sont engorgés. Pour vous soulager, le moyen le plus sûr est le suivant : mettre pendant 15 mn des compresses d'eau bouillie chaude alcoolisée ou des compresses tièdes d'Antiphlogistine ; puis vider les seins. Recommencer plusieurs fois dans la journée. On conseille parfois des applications de glace, mais, même dans ce cas, il faut tirer le lait. Si c'est la tétée elle-même qui est douloureuse, là encore tirez le lait et mettez-le dans un biberon, mais videz bien les seins, ce qui vous soulagera.

L'engorgement des seins est un incident passager, mais pour éviter un abcès, il est très important de bien vider les seins. C'est pourquoi j'insiste beaucoup sur ce point.

L'enfant vorace. Certains bébés sont si pressés de boire qu'ils tètent avec voracité. Dans leur hâte, ils avalent autant d'air que de lait, ils s'étouffent, éternuent, toussent, puis, en faisant leur renvoi, rejettent beaucoup de lait. Dans ce cas, essayez d'arrêter le bébé une ou deux fois au cours de la tétée pour lui faire faire un renvoi.

Vous avez du lait mais vous ne pouvez nourrir. Comment le faire passer ? Voir au paragraphe *Sevrage brusque.*

Faut-il peser l'enfant après chaque tétée ? Ce serait bien excessif ; normalement, un enfant boit à chaque tétée ce qui lui est nécessaire, ni plus ni moins. Et même s'il buvait un petit peu trop, ce ne serait pas grave : boire trop de lait maternel ne présente pas du tout les mêmes inconvénients digestifs que boire trop de lait de vache.

Bien entendu, si la surveillance du poids (dont je vous parle p. 58) montre que l'enfant ne grossit pas régulièrement, à ce moment-là, on pourra peser temporairement l'enfant après quelques tétées pour s'assurer que sa ration est suffisante. Les quantités de lait qu'un enfant est supposé boire de un jour à 3 mois sont indiquées p. 93. Elles sont les mêmes, que l'enfant soit nourri au lait de vache ou au lait maternel.

Signalons que très fréquemment, au retour de la maternité, vers le 8e-10e jour, la quantité de lait maternel diminue pendant 2-3 jours : il ne faut pas s'inquiéter, c'est absolument normal. En plus, à ce moment-là, le lait qui était jaune devient blanc bleuté, presque aqueux, ce qui aussi est parfaitement normal, et ne signifie pas du tout qu'il soit moins riche ; au contraire, il contient plus de graisses.

Faut-il changer l'enfant avant ou après la tétée ? Avant, disent les uns, l'enfant est plus confortable pour téter ; si on le change après, on le remue et on risque de le faire vomir. Après, disent les autres, il sera plus confortable pour dormir, car dès qu'il a bu il a souvent une selle.

Personnellement, j'opte pour *après*, mais pour une autre raison. En général le bébé est très impatient de boire ; il réclame la tétée à cor et à cri. Le changer dans ces conditions est un supplice pour lui et une performance pour les parents.

Un sein ou les deux ? Pendant les quinze premiers jours, jusqu'à ce que la sécrétion lactée soit bien établie, il faut donner les deux seins sans aucun doute. Après chaque tétée, les vider complètement pour que la montée laiteuse se fasse bien.

Par la suite, si la maman a assez de lait et qu'elle peut nourrir son enfant avec un seul sein, il vaudra mieux alterner les seins à chaque tétée.

Après la tétée, elle s'assurera que le sein est parfaitement vide. Ce système a un avantage : il laisse un sein au repos à chaque tétée, ce qui diminue les risques de crevasses.

Lorsque la maman a peu de lait, il faut donner les deux seins à chaque fois, et s'assurer après chaque tétée que les deux seins sont bien vides. Commencer chaque fois par un sein différent. Pour ne pas se tromper, fixer une petite épingle de nourrice à la bretelle du soutien-gorge : elle vous indiquera de quel côté vous devez commencer.

Si la maman a trop de lait, laisser le bébé téter un sein complètement, et soulager l'autre sein en le vidant.

■ *Le meilleur sein* : il arrive qu'un sein soit meilleur que l'autre ; dans ce cas, si vous allaitez chaque fois des deux, commencez par le moins « bon » : au début de la tétée, l'enfant tète avec vigueur, cela stimulera ce sein.

Durée de la tétée. En général, les mamans ont tendance à laisser téter les enfants trop longtemps. La durée moyenne d'une tétée ne devrait pas excéder vingt minutes maximum. Les neuf dixièmes de sa ration, le bébé les prend en cinq minutes. Mais on doit quand même le laisser téter plus longtemps, pour qu'il puisse, en plus de sa faim, satisfaire son besoin de téter. L'enfant s'interrompt, rêve, s'amuse ? Tant mieux : ces moments sont pour lui des moments de bonheur parfait. Il est heureux, et en même temps il fait des progrès immenses : il vous découvre, et il découvre le monde à travers vous.

Les horaires des tétées

Horaire fixe ou à la demande ? La question de l'horaire a fait couler beaucoup d'encre. Est-ce à la maman ou au bébé de fixer l'horaire des tétées ? Autrement dit, doit-on d'avance décider que le bébé prendra ses repas à 6 heures, 9 heures, 15 heures, 18 heures, 21 heures, ou doit-on nourrir le bébé à la demande, c'est-à-dire chaque fois qu'il en exprimera le désir ?

A une certaine époque, par respect pour les principes, les mamans laissaient pleurer l'enfant plutôt que de donner la têtée avant le quatrième top. Des médecins ont vu dans cette rigidité l'origine de certaines anorexies.

Puis on s'est heureusement rendu compte que dans le domaine alimentaire, comme dans les autres, chaque enfant a son rythme : tel digère vite et a besoin de repas fréquents, tel digère lentement et s'accommode de repas plus espacés.

Faut-il alors conseiller aux mères d'adopter l'allaitement à la demande ? Il n'y a pas de risques de suralimentation car de toute manière le bébé prendra ce qu'il veut ; en outre le lait maternel se digère très vite. Mais sur le plan pratique cela peut poser des problèmes : nourrir un enfant à la demande c'est vraiment être à sa disposition, tout au moins les premières semaines ; en effet, au début l'enfant demande souvent et irrégulièrement, mais au bout de quelques semaines, il demandera à des heures plus régulières, dans la majorité des cas, à des intervalles rarement inférieurs à une heure et demie-deux heures.

L'allaitement à la demande suppose donc une mère suffisamment disponible.

La mère peu disponible devra trouver un intermédiaire entre l'horaire rigide et l'allaitement à la demande, ce qu'on peut appeler l'horaire souple : la maman adopte un horaire mais qui a surtout pour but de lui servir de repère, et elle tient compte des désirs de l'enfant pour l'appliquer, c'est-à-dire qu'elle adoptera cet horaire mais avec, par exemple, des écarts assez larges avant et après l'heure.

Faut-il donner une tétée la nuit ? Dès le moment où on admet le principe de l'allaitement à la demande, ou de l'horaire souple, il est évident qu'on est amené à donner cette tétée que pratiquement tous les enfants réclament. C'est certes fatigant pour les parents, mais moins que d'entendre l'enfant pleurer, et sachez dès maintenant que lorsqu'il aura 5 ou 6 semaines, le bébé ne réclamera plus la nuit. Comme pour les autres problèmes alimentaires du nourrisson, c'est une question de temps et de patience.

Combien de temps allaiter ?

Comme je vous le disais au début du chapitre, il y a un net retour vers l'allaitement maternel et la durée pendant laquelle les femmes allaitent s'alllonge. Hier, pour encourager les mères (et moi-même je le faisais ici), on leur disait : « Allaitez, mais dès trois mois vous pouvez sevrer le bébé. » Aujourd'hui, spontanément, les mères allaitent facilement jusqu'à 4 mois, parfois même plus. Combien de temps allez-vous donc nourrir votre bébé ? Cela dépend vraiment de vous, de votre bébé, du temps dont vous disposez, du lait que vous avez. Même si vous n'allaitez que 15 jours, déjà votre bébé y trouvera son compte. Vous pouvez allaiter un mois, deux mois, ou plus, sachez seulement qu'à partir de 6 mois, la composition du lait change : il s'appauvrit. Et sachez aussi, si vous avez envie de continuer à allaiter votre enfant assez longtemps, mais que vous ne voulez pas lui donner toutes les tétées, que vous pourrez peu à peu introduire des aliments variés, ce n'est pas du tout incompatible avec l'allaitement maternel. Quels aliments ? Voyez pages 100 et suivantes, tout est indiqué pour chaque âge.

Le régime de la maman
qui allaite

Il faut mener, à peu de choses près, la même vie que pendant la grossesse, éviter la fatigue, dormir le plus possible, ne pas pratiquer de sports violents, mais marcher tous les jours ; avoir une vie calme ; d'ailleurs, vous ne pourrez guère mener une vie différente, pendant les premières semaines tout au moins, car vous sentirez vous-même un grand besoin de repos.

Continuez à suivre le même régime alimentaire (aliments variés, très frais, nourrissants mais faciles à digérer), mais mangez un peu plus. Enceinte, il vous fallait 2 500 calories, aujourd'hui il vous en faut 3 000. C'est normal puisque vous devez fournir à votre enfant, dès le 15e jour, près de 500 g de lait.

Où trouver ces calories supplémentaires ?

— En faisant un solide petit déjeuner, à l'anglaise si possible (avec œufs, céréales, etc.) et un goûter confortable.

— En ajoutant à votre régime habituel du lait, des laitages, des fromages, c'est-à-dire des aliments riches en calcium et en phosphore dont votre enfant a le plus grand besoin (notez à ce sujet que les fromages à pâte cuite tels que gruyère et hollande sont beaucoup plus riches en calcium que les fromages fermentés type camembert, brie, roquefort) ; des aliments contenant des protéines (œufs, poisson, viande) ; des fruits pour leurs vitamines ; des légumes pour leurs sels minéraux.

Mais il ne vous faut pas seulement davantage de calories, il vous faut aussi davantage de liquides, davantage d'eau. Le lait que vous donnez à votre bébé contient 90 % d'eau. Il faut donc que vous buviez environ 3 litres de liquide par jour dont 1 de lait, si vous le supportez. Si vous avez tendance à grossir, buvez du lait écrémé.

Enfin, si vous allaitez, voici ce qu'il faut éviter :
- les aliments qui donnent un goût désagréable au lait (chou-fleur, asperges, céleri, ail, oignon) ;
- les médicaments sans prescription du médecin. Certains peuvent soit tarir la sécrétion lactée soit, en passant dans le lait, être éventuellement nocifs à l'enfant. A signaler parmi eux les tranquillisants, les somnifères, les analgésiques — médicaments contre la douleur — et les hormones ;
- les excès de café, l'alcool et le tabac ;
- en cas de constipation, ne pas prendre de laxatifs qui dérangeraient l'enfant, mais des légumes, des fruits, du miel, des salades assaisonnées à l'huile d'olive.

En revanche, certaines épices ou certains aromates comme le curry, le cumin, le fenouil, donnent un excellent goût au lait et favorisent ainsi la succion du bébé, et donc la lactation *.

Y a-t-il vraiment des produits qui peuvent augmenter la sécrétion du lait ? Franchement, cela dépend des femmes. Certaines boivent des litres de bière (sans alcool) sans résultat. D'autres prennent des produits à base de malt qui sont efficaces. Le médecin vous conseillera. Ce qui est certain, c'est que la fatigue ne favorise pas la sécrétion lactée. Si vous le pouvez, reposez-vous avant et après la tétée, un bon quart d'heure. Surtout au début.

Votre enfant est-il assez nourri ?

Comment le savoir ? En le regardant, en le pesant, en regardant ses selles.

---

* V. Barrois-Larouze, dans le Concours médical, n° 106-37.

Aspect et comportement du bébé. L'enfant nourri au sein a la peau rose, marbrée, la chair ferme. Après la tétée, il a l'air rassasié et satisfait. Il dort bien.

Poids. Sa courbe doit sensiblement se rapprocher de la courbe moyenne (voir le chapitre 1). Et, pour cela, il doit grossir d'environ 25 à 30 g par jour les trois premiers mois, 20 à 25 g par jour les trois mois suivants. Au début, on pèse l'enfant tous les jours pour voir si l'allaitement démarre bien. Quand on s'en est assuré, la pesée quotidienne devient inutile : il suffit de peser l'enfant trois fois par semaine.

Selles. Chez le bébé nourri au sein, les selles sont couleur jaune d'or ; elles verdissent à l'air ; elles ont l'aspect d'œufs brouillés, une odeur non fétide de lait aigri ; il y en a trois à six par jour ; au début, une par tétée ; de deux à trois par jour entre 3 et 6 mois, une par jour au-delà. Consistance ordinaire : semi-liquide. Mais, même lorsque les selles sont franchement liquides, s'il n'y a pas de signes tels que perte de poids, il ne faut pas s'inquiéter : le bébé nourri au sein a une diarrhée normale, appelée *diarrhée prandiale* (c'est-à-dire qui suit les repas). La constipation est rare chez l'enfant nourri au sein. Lorsqu'on la constate, elle est presque toujours due à un déséquilibre du régime de la maman, parfois à une ration insuffisante ou à un défaut d'hydratation de l'enfant.

Le bébé dont l'aspect, le comportement, les selles et le poids correspondent à ceux décrits ci-dessus est un bébé bien nourri. Si, en revanche, le bébé a l'air d'avoir encore faim après la tétée — il cherche le sein, il tète dans le vide, il pleure —, s'il a de la peine à s'endormir, s'il se réveille au bout d'une heure ou deux, surtout s'il ne prend pas assez de poids, c'est qu'il est sous-alimenté. Dans ce cas, il a probablement aussi des vomissements et des coliques, provoqués par l'air qu'il avale en essayant de boire davantage.

Lorsqu'on constate qu'un enfant est sous-alimenté, on conclut souvent un peu trop vite que le lait de la maman n'est pas assez nourrissant : c'est rare ; ou qu'il ne convient pas au bébé : c'est rarissime.

La raison la plus simple et la plus fréquente, c'est que la maman n'a pas assez de lait ; pour le vérifier, il suffit, pendant deux ou trois jours, de peser les tétées, mais *toutes* les tétées, car il y a de grandes différences de l'une à l'autre. Si les pesées révèlent qu'effectivement le poids total de lait pris dans la journée est inférieur à la moyenne, il faut le compléter par du lait industriel (voir plus loin les modalités de l'allaitement mixte). Si le poids total de la journée est normal, c'est que le lait n'est pas assez nourrissant : il faut également le compléter.

Parfois, l'enfant est suralimenté, mais c'est rare chez le bébé nourri au sein, car, même si sa maman a beaucoup plus de lait qu'il ne lui en faut, l'enfant s'arrête de téter lorsqu'il n'a plus faim.

Les autres questions
que vous vous posez

Mon lait ne convient pas au bébé. C'est un cas rarissime, vous l'avez vu. Pratiquement, on peut dire qu'il n'y a pas d'intolérance au lait de la mère.

Le bébé est constipé. Voyez chapitre 4 à l'article *Constipation*.

Doit-on donner des vitamines au bébé nourri au sein ? L'enfant nourri par sa mère a toutes les vitamines nécessaires, sauf la vitamine D. On en donne dès les premiers jours. Le médecin indiquera les quantités.

J'ai trop de lait. Un lactarium — centre de collecte du lait maternel — sera heureux de le recevoir. En donnant votre lait, vous augmenterez peut-être les chances de survie d'un bébé fragile ou prématuré. Il y a en France plusieurs lactariums *. La plupart de ces centres ont tellement besoin de lait maternel qu'on vient même le prendre à domicile sur un simple coup de téléphone.

Si vous désirez diminuer la sécrétion du lait, donnez un peu des deux seins à chaque tétée, et pour ne pas tacher vos robes, ayez dans votre soutien-gorge des compresses stériles.

Bébé a soif. Puis-je sans inconvénient lui donner un peu d'eau ? Oui, bien sûr. Quelle quantité lui donner ? De 10 à 15 grammes suivant son âge. De toute manière l'enfant ne prendra que ce qu'il voudra. Faire boire avec une tétine à petits trous. Quelle eau choisir ? Voyez p. 91.

Bébé tète si énergiquement qu'il a une ampoule à la lèvre supérieure. Ce n'est rien. Passez un peu de vaseline sur l'ampoule.

J'ai des crevasses. Si la tétée est douloureuse mais supportable, continuez à nourrir votre bébé, mais raccourcissez la durée de la tétée. Ce sera peut-être plus facile de faire téter l'enfant par l'intermédiaire d'un bout de sein en caoutchouc ou d'un tire-lait électrique que vous trouverez chez le pharmacien.

Continuez à nourrir avec l'autre sein si possible. De toute manière consultez le médecin : il vous indiquera un produit à appliquer localement après chaque tétée. Redoublez les soins de propreté avant et après la tétée ; une crevasse, je vous l'ai déjà dit, c'est la porte ouverte à l'abcès. Si vous avez mal à l'intérieur du sein, si vous avez de la fièvre, même sans attendre d'avoir consulté le médecin, suspendez l'allaitement par crainte d'un abcès qui pourrait infecter l'enfant.

J'ai un abcès au sein. L'abcès se manifeste par de la fièvre, des douleurs dans le sein, puis sous le bras. Le médecin que vous consulterez vous indiquera le traitement à suivre, mais sachez que, si l'on peut continuer à nourrir même avec des crevasses, en cas d'abcès, il faut arrêter immédiatement l'allaitement du côté malade. Un abcès, c'est une infection à staphylocoques. Si elle est transmise à l'enfant, elle peut provoquer chez lui des infections graves (foyer pulmonaire, pleurésie, diarrhée, impétigo, etc.).

Grâce aux antibiotiques, l'abcès cède en général rapidement. En attendant, on peut tirer le lait pour essayer de maintenir la sécrétion, mais il faut bien dire que, souvent, après un abcès, la sécrétion est tarie du côté malade. On ne peut plus alors nourrir que d'un seul sein.

* Bois-Guillaume, Bordeaux, Brest, Cherbourg, Clermont-Ferrand, Dijon, Évreux, Lille, Lyon, Marmande, Montpellier, Mulhouse, Nantes, Orléans, Paris, Saint-Étienne, Strasbourg, Tours, Versailles. Pour tous renseignements, s'adresser à l'Institut de puériculture, Centre de coordination des lactariums, 26 boulevard Brune, Paris 14e. Tél. : 45-39-22-15. A titre d'indication, le prix d'achat d'un litre de lait maternel varie, suivant la région, de 28 à 30 F à l'heure où nous écrivons.

Allaiter me fatigue. L'allaitement ne devrait pas vous fatiguer. Êtes-vous bien installée pour donner les tétées ? Avez-vous un régime suffisamment riche ? Si oui, et si vous êtes quand même fatiguée, lorsque la lactation sera bien établie, remplacez une tétée par un biberon, celle de fin d'après-midi par exemple, c'est souvent la tétée la moins abondante ; et, si nécessaire, remplacez une seconde tétée. Si, malgré tout, allaiter vous cause une fatigue excessive, avant d'envisager le sevrage, parlez-en au médecin.

Puis-je continuer d'allaiter en cas de retour de couches ? Certainement, car même si vous vous sentez un peu fatiguée par la réapparition des règles, votre lait garde toutes ses qualités. Si vous avez l'impression d'en avoir un peu moins (il y a parfois une baisse transitoire de quantité), complétez par un lait industriel. Voyez plus loin comment, au paragraphe *Allaitement mixte*.

Maladies. Consultez le médecin, il n'y a pas de réponse standard. Dans certains cas, on peut continuer à allaiter, par exemple en cas de rhume. Mais il faut porter un masque, et se laver les mains avant de s'occuper du bébé.

Dans d'autres cas, il faut arrêter et vider les seins régulièrement pour pouvoir reprendre l'allaitement après la guérison. Mais pour certaines maladies graves, il faut sevrer définitivement l'enfant.

Est-il vrai qu'on peut analyser le lait ? Oui, mais pour que le résultat ait une valeur, il faut procéder ainsi :
- faire deux analyses à quelques jours d'intervalle ;
- analyser un mélange de laits prélevés : au début de la première tétée, au milieu de la troisième, à la fin de la sixième, car suivant les tétées, la composition du lait varie.

Vous comprendrez donc qu'une analyse de lait ne se fasse qu'exceptionnellement.

Vous cessez d'allaiter : le sevrage

Avant de commencer le sevrage, c'est-à-dire la suppression de l'allaitement maternel, n'oubliez pas qu'il y a certaines contre-indications : grosse chaleur, percée d'une dent, épidémie sont autant de conditions qui risquent de rendre l'enfant plus fragile, moins en forme pour un changement d'alimentation, qui exige de la part de son organisme un effort d'adaptation.

Pour ces raisons, ne décidez pas seule de commencer le sevrage : parlez-en au médecin ou, au centre de P.M.I., à la puéricultrice.

Vous avez décidé de sevrer votre bébé, comment procéder ? Sachez tout d'abord que le sevrage doit être progressif ; sevrer brutalement peut provoquer des troubles digestifs et affectifs chez le bébé, et créer une gêne pour la maman.

Pratiquement, en combien de jour sevrer ? Cela dépend du lait que vous avez, et du temps pendant lequel vous désirez allaiter partiellement.
- Vous avez peu de lait, vous êtes pressée de sevrer : remplacez chaque jour une tétée par un biberon.

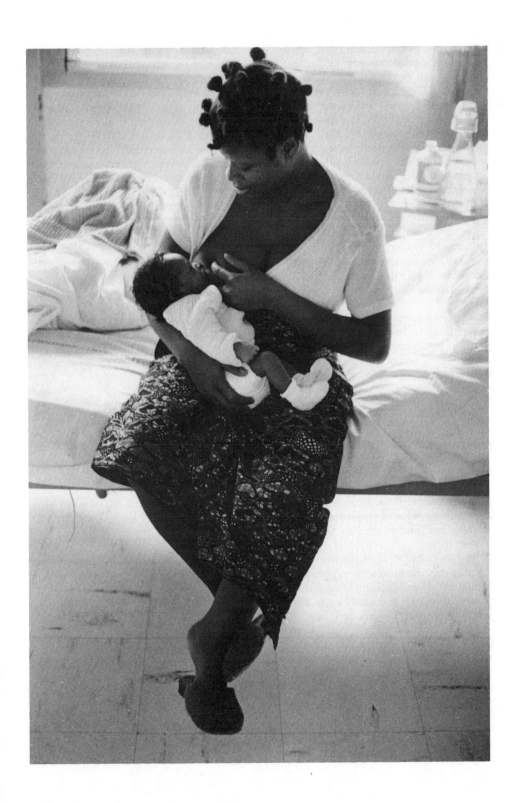

■ Vous n'êtes pas spécialement pressée ? Consacrez deux semaines au sevrage en procédant de la manière suivante : un jour sur deux, supprimez une tétée, en commençant par les tétées du milieu de la journée, et en finissant par celle du matin et celle du soir. Ainsi, le sevrage prendra une quinzaine de jours.

■ Vous voulez sevrer, mais vous avez encore beaucoup de lait : pour éviter les seins engorgés et douloureux, vous pouvez soit remplacer en dix ou quinze jours cinq tétées par cinq biberons, puis continuer à allaiter à la sixième tétée, le matin, pendant trois ou quatre semaines ; soit laisser passer quatre ou même cinq jours entre chaque suppression nouvelle de tétée. Ainsi le sevrage prendra presque un mois. C'est long, mais préférable à un sevrage rapide qui, chez une maman qui a beaucoup de lait, risque de poser des problèmes, l'arrêt de la lactation se faisant lentement. Pour l'aider, suivez les indications du médecin.

Au moment du sevrage, avec quel lait nourrir le bébé ? Lait de vache frais ou industriel ? Il vaut mieux le lait industriel, il y a trop de différences entre le lait maternel et le lait de vache frais. Pour la préparation des biberons, voir la deuxième partie de ce chapitre : *L'enfant nourri au biberon*. Les quantités à donner dépendront évidemment de l'âge du bébé.

Précautions spéciales. Le sevrage n'est pas seulement un changement de lait : dans la vie affective de l'enfant c'est un événement important. C'est pourquoi je vous en parle aussi au chapitre 5. Au moment du sevrage, n'ajoutez pas un autre changement à la vie de votre bébé, tel que voyage, séparation ou déménagement : ce serait trop à la fois.

Le sevrage brusqué (en cas de maladie, d'absence, etc.). Si les seins sont très douloureux, mettez une vessie de glace, buvez le moins possible, prenez sur avis du médecin un purgatif salin, et, si nécessaire, un traitement hormonal qui coupera votre montée de lait. En ce qui concerne le bébé, soyez attentive à ce qu'il soit entouré de beaucoup de tendresse. Psychologiquement le sevrage brusqué est une épreuve qui peut laisser des traces (voyez page 344).

Sevrage momentané. Lorsqu'une maman est obligée d'arrêter l'allaitement pendant quelques jours (maladie, déplacement, etc.) : pour que la sécrétion lactée ne s'arrête pas, elle doit vider ses seins six fois par jour.

A ne pas oublier. Lorsque vous aurez sevré votre enfant, il faudra penser à lui donner des vitamines en supplément comme on en donne au bébé nourri au lait industriel. Il existe dans le commerce des préparations contenant toutes les vitamines utiles. Le médecin vous conseillera pour les quantités. Il vous indiquera aussi de donner des jus de fruits.

Soins après le sevrage. Quand vous n'allaiterez plus, vous soignerez ainsi vos seins : douches froides tous les jours avec, si vous en possédez, un rotostar qui envoie sur la poitrine un jet rotatif, et culture physique exerçant les muscles qui soutiennent les seins. Je vous signale en outre que la natation est un excellent sport pour la poitrine.

Pour l'alimentation de l'enfant après le sevrage, s'il a moins de 3 mois, se reporter à la deuxième partie de ce chapitre : *L'enfant nourri au biberon* ; s'il a plus de 3 mois, à la troisième partie du même chapitre : *L'alimentation variée*.

L'enfant nourri
au biberon

Au début, c'est le plus souvent la mère qui donne le biberon, au moins pendant les premiers mois. C'est le moment privilégié entre tous, où dans ses bras l'enfant retrouve la chaleur, la tendresse, l'intimité dont il a tant besoin, où la mère et l'enfant se font mutuellement plaisir. Mais notre époque, de par les circonstances de la vie moderne, a découvert que le père pouvait aussi bien remplir toutes les tâches auprès du bébé, en particulier lui donner un biberon ; c'est une des choses qu'il fait d'ailleurs le plus volontiers, et dont il s'acquitte fort bien, même si au

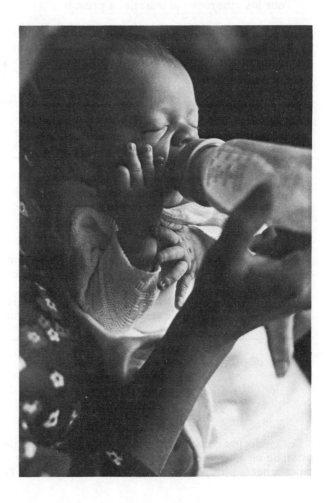

début la mère se fait un peu de souci sur l'habileté... Le plaisir là aussi est mutuel, et tout avantage et pour le père et pour l'enfant.

Vous donnerez le biberon dans une pièce calme. Si l'enfant ne s'intéresse pas à la nourriture, s'il est distrait ou agité, faites la pénombre dans la pièce. Au contraire, si le bébé a tendance à s'endormir, faites un peu plus de lumière.

Vous consulterez régulièrement le médecin au sujet du régime de votre enfant. En particulier, il est bon de retourner voir le médecin au cours du premier mois pour revoir le régime donné à la sortie de la maternité. C'est bien plus nécessaire que dans le cas du bébé nourri au sein. L'enfant qui tète sa maman prend la quantité qui lui convient d'un lait exactement adapté à son organisme. Pour le bébé nourri au biberon, il est nécessaire d'être conseillé : il faut d'abord choisir le lait, voir comment l'enfant l'accepte — il y a parfois des incidents —, il faut éventuellement changer les rations, etc., toutes choses qu'une maman inexpérimentée hésite à faire seule.

Pour les biberons : le matériel à prévoir

■ Un stérilisateur pour biberons à panier métallique pouvant contenir 7 biberons à la fois ; plus, parfois, un petit, très utile pour l'eau sucrée et les jus de fruits. Mais un fait-tout peut aussi bien faire l'affaire, à condition que vous le réserviez pour la stérilisation. Après, il vous servira dans votre cuisine courante ;

■ 7 biberons gradués en verre incassable genre Pyrex à large goulot pour pouvoir facilement les nettoyer ;

■ 7 protège-tétines ; 7 tétines : il existe plusieurs modèles, le plus pratique est celui qui comporte une fente, vous vérifierez qu'il s'adapte bien au goulot des biberons ;

■ une brosse longue appelée goupillon pour nettoyer les biberons.

Lorsqu'on stérilise à froid (voir p. 90), il faut un bac de stérilisation et un produit spécial vendu en pharmacie.

Vous rendront également service :

■ un thermos à biberon ;

■ un chauffe-biberon électrique ;

■ un mixer, car il permet en un minimum de temps d'obtenir une bouillie sans grumeaux, un maximum de finesse pour les purées, la viande, le poisson, etc. Il y a des mixers à tous les prix ; le modèle le plus simple suffit. Par la suite, vous pourrez acheter différents accessoires qui vous rendront de grands services pour la cuisine familiale.

Quel lait donner ?

Les médecins conseillent le lait maternisé à presque tous les bébés : la composition de ce genre de lait, préparé à partir du lait de vache, a été étudiée pour se rapprocher le plus possible de celle du lait de femme. On recommande l'utilisation du lait maternisé premier âge durant les 6 premiers mois. Ensuite on utilise un lait deuxième âge (c'est le lait de suite).

Mais il convient de rappeler que, par rapport au lait de femme, le lait maternisé présente des différences importantes ; comme tout lait artificiel, il manque en particulier d'anticorps protecteurs contre les infections. Signalons également que les laits maternisés premier âge ne sont pas toujours bien supportés : selles molles, coliques, courbe de poids irrégulière, faim non calmée. Dans ces cas, le médecin pourra conseiller d'autres types de lait : lait non maternisé, lait homogénéisé, lait concentré sucré, etc. Si le bébé pose un problème digestif particulier (voir au chapitre 4 : *Diarrhée chronique*), si une intolérance ou une allergie est suspectée, le médecin conseillera un lait spécial de régime. Il en existe de différentes sortes : sans lactose, sans saccharose, avec des protéines déjà dégradées.

Mais pourquoi donne-t-on presque toujours du lait de vache en conserve au lieu de lait de vache frais ? Parce que tous ces laits sont faciles d'emploi, exempts de germes, et parce que, grâce à quelques modifications physiques ou chimiques, ils sont rendus très digestes. Aussi, dans la pratique, le lait de vache frais n'est guère conseillé avant l'âge de 8-10 mois.

Comment préparer les biberons ?

Lorsqu'on prépare un biberon, il y a quelques précautions à prendre, car le lait qu'on donne à l'enfant doit être exempt de germes et facile à digérer.

L'enfant qui arrive au monde sait faire bien des choses : respirer, téter, digérer ; mais il ne sait pas encore se défendre contre les microbes. Or, on le nourrit pendant quelques mois, et exclusivement, d'un aliment que les microbes affectionnent particulièrement : le lait ; ils s'y reproduisent à une vitesse vertigineuse. Il faut donc avant tout stériliser le lait pour que les microbes n'envahissent pas l'organisme du bébé.

Lorsqu'on donne un lait industriel, la stérilisation est déjà faite, c'est un gros avantage. Pour stériliser le lait de vache frais, il faut procéder comme indiqué plus loin.

Mais attention ! Un lait stérile, qu'il sorte d'une boîte ou d'une casserole, doit être placé dans des biberons stériles. Sinon, c'est peine perdue : verser du lait sain dans un biberon mal lavé équivaut à l'ensemencer de nouveau avec des centaines de milliers de germes. Il faut donc, même lorsqu'on donne à l'enfant un lait industriel, stériliser les biberons. C'est la première précaution à prendre.

La seconde, c'est de rendre plus digeste le lait, car les premiers mois, le tube digestif du bébé est délicat. Pour améliorer la digestibilité du lait de vache, il faut soit lui faire subir des modifications importantes selon des procédés industriels (ce qui est le cas du lait maternisé par exemple), soit, si on l'utilise frais dans les premiers mois, le couper d'eau et le sucrer.

La confection des biberons va donc comporter deux opérations : d'une part la stérilisation des biberons, des tétines, de tout ce qui est en contact avec le lait, d'autre part la préparation du lait lui-même.

Voici comment vous allez vous y prendre.

Stérilisation

Avant de stériliser les biberons, il faut les nettoyer ainsi que les tétines et les protège-tétines.

Biberons : brosser soigneusement l'intérieur avec le goupillon et de l'eau tiède additionnée de savon de Marseille (pas de poudre de lessive). Rincer abondamment et plusieurs fois.

Protège-tétines : les frotter, les rincer.

Tétines : les retourner comme un doigt de gant, et, lorsqu'elles sont propres, s'assurer que les trous ne sont pas bouchés.

Une précaution utile : lorsque la tétée est terminée, rincer le biberon et le remplir d'eau, rincer également la tétine et les protège-tétines. Sinon, le lait séché colle et rend le nettoyage ultérieur plus difficile.

Stérilisation à chaud. Les biberons sont propres, remplissez-les d'eau, sinon ils flotteraient dans le stérilisateur ; fermez-les avec les tétines et les protège-tétines, placez-les dans le porte-bouteilles, et celui-ci dans le stérilisateur ; remplissez-le d'eau jusqu'au niveau de l'eau contenue dans les biberons. Surveillez le moment où l'eau commence à bouillir, puis comptez vingt minutes d'ébullition pour réaliser une bonne stérilisation. Laissez les biberons fermés dans le stérilisateur jusqu'à la tétée. Cela fait, vous avez vos biberons stériles, autant de tétines, prêts pour les repas de la journée. Vous les utiliserez au fur et à mesure de vos besoins, mais, en prenant bien sûr certaines précautions afin de ne pas souiller ce que vous avez stérilisé. Par exemple, les tétines, vous les saisirez avec des mains propres, par la collerette et non par le bout.

Stérilisation à froid. On tend à utiliser de plus en plus, actuellement, le stérilisation à froid, qui ne présente pas d'inconvénients et qui est d'une grande simplicité d'emploi. Pour cette stérilisation on se sert d'un bac de stérilisation et d'un produit vendu en pharmacie, qui se présente soit sous forme liquide, soit sous forme de comprimés. On remplit le bac d'eau froide, on ajoute le produit, on met les biberons dans l'eau, on referme le bac et on laisse tremper (au moins 1 h 1/2). Pour se servir des biberons ainsi stérilisés, on les égoutte et on les rince soigneusement. Des détails peuvent être différents d'un produit à l'autre mais le principe est le même. Certaines mères hésitent à utiliser cette méthode car elles sont rebutées par la légère odeur du produit. Qu'elles se rassurent, il n'y a pas de risque.

Vous avez vu qu'il fallait stériliser les biberons. Mais que faire lorsqu'un enfant commence à boire du jus d'orange ? Faut-il stériliser le couteau qui coupera l'orange, le presse-citron, la cuillère qui servira à donner le jus ? Non, ce n'est pas possible ; mais il faut ébouillanter les ustensiles qui servent à préparer un aliment pour le bébé, et les essuyer avec un linge réservé à cet usage.

D'une manière générale, il faut comprendre les nécessités et les limites de la stérilisation. Cette nécessité ne doit pas devenir une obsession. (J'ai connu une jeune femme qui mettait un masque pour préparer les biberons !) Mais cette stérilisation doit s'accompagner de certaines précautions, sans quoi elle est inutile. Par exemple, il faut commencer par se laver les mains et se brosser les ongles avant de préparer les repas du bébé. L'enfant doit avoir son matériel à lui, gardé dans un endroit propre, à l'abri de la poussière, et recouvert d'un linge que l'on change régulièrement.

Tout ce qui peut être souillé doit être mis à l'abri de l'air. Exemple : la bouteille d'eau ou la boîte de lait. Cela dit, lorsque l'enfant commence à manger à la cuillère et à grignoter des croûtes de pain, il n'est plus nécessaire de stériliser les biberons. Il suffit de les laver, de les rincer soigneusement et de les faire bouillir de temps en temps.

Préparation du lait

Voici maintenant comment préparer le lait. Pratiquement il s'agit presque toujours de lait en poudre. Nous indiquons quand même la préparation pour les laits homogénéisés et concentrés sucrés, car ils sont encore utilisés. Dans tous les cas, le lait doit être reconstitué avec de l'eau.

Quelle eau choisir ? L'habitude est de donner à l'enfant de l'eau minérale, faiblement minéralisée, et bien sûr, non gazeuse, comme Volvic, par exemple. Je vous recommande aussi l'eau du Mont Roucous, pure et légère, et utilisée dans de nombreux services de pédiatrie, ainsi que pour les prématurés. Vous la trouverez dans certaines pharmacies et grandes surfaces.

Mais aujourd'hui dans les villes l'eau est bien contrôlée bactériologiquement ; donc si, un jour, vous manquez d'eau minérale, rien ne s'oppose à ce que vous utilisiez l'eau du robinet même sans la faire bouillir ; son seul inconvénient, c'est d'avoir peut-être un goût un peu prononcé.

En revanche, à la campagne, où le contrôle est souvent moins bien fait, il faut être prudent : il vaut mieux donner de l'eau minérale et surtout pas d'eau de puits ; l'eau de puits, même bouillie, peut contenir des nitrites, toxiques pour le bébé.

Lait en poudre. Le lait en poudre se vend avec une mesure qui, pleine à ras-bord, mais sans être bombée, contient 5 g de poudre. Pour reconstituer le lait, il faut ajouter à 30 g d'eau une mesure de lait en poudre, soit 5 g *.

Il est important de respecter cette proportion pour éviter une concentration trop élevée de lait. Cela veut dire qu'à 30 g d'eau, vous ajouterez une mesure de lait, à 40 g une mesure 1/3, à 50 g une mesure 2/3, à 60 g 2 mesures et ainsi de suite.

Pratiquement : mettez dans un biberon stérile l'eau nécessaire, faites tiédir au bain-marie — la poudre se dissout mieux que dans l'eau froide — ajoutez le nombre de mesures de lait correspondant à la quantité d'eau ; fermez le biberon et secouez. S'il y a quand même des grumeaux, secouez de nouveau. Remettez quelques secondes le biberon au bain-marie pour que le lait soit à la température convenable, environ 37°. Vérifiez la température du lait en en versant un peu sur l'intérieur du poignet.

Bien sûr vous pouvez préparer d'avance les biberons de la journée, mais il faut les garder au frais, même en hiver, et recouverts de leurs protège-tétines.

Le lait en poudre est sucré. Lorsqu'une boîte n'a pas été ouverte, elle peut se conserver plusieurs mois (une date limite d'utilisation est indiquée sur la boîte). Ouverte, la boîte se conserve une quinzaine de jours dans un endroit sec ; après, le lait devient rance et inutilisable.

* Attention ! ne faites pas bonne mesure de lait : vous donneriez au bébé un lait trop concentré. Par exemple, en tassant le lait dans la mesurette, cela reviendrait à augmenter de 2 grammes la dose.

Lait concentré sucré. Il n'est que rarement utilisé de nos jours, car de préparation plus difficile et imprécise. De plus, il expose le nourrisson a être surnourri et constipé. Mais pour le cas où vous seriez amené à utiliser du lait concentré sucré, voici comment le préparer.

Pour reconstituer le lait concentré, il faut ajouter à une cuillerée contenant 5 g, la quantité d'eau nécessaire pour obtenir 40 g de liquide. Le premier mois, le lait doit être plus coupé. Il faut mettre une cuillerée à café pour faire 50 g de lait.

Recommandations particulières pour le lait concentré sucré : n'achetez pas une boîte qui vous paraît bosselée. Les tubes sont d'un emploi plus commode.

Si le lait sent le rance, s'il a une couleur rosée ou bleutée, cela peut arriver, ne pas l'utiliser.

Lait homogénéisé (ou lait concentré non sucré, type lait Gloria). Le principe de préparation est un peu différent de celui du lait en poudre. On commence par reconstituer le lait de vache en ajoutant à une partie de lait homogénéisé une partie égale d'eau. Par exemple, 40 g d'eau plus 40 g de lait égalent 80 g de lait entier.

Puis, à partir de ce lait entier, on procède au coupage et au sucrage correspondant à l'âge de l'enfant, comme s'il s'agissait de lait de vache frais. Voir à ce sujet le paragraphe *Biberon au lait de vache.*

Pour les rations suivant l'âge et le poids, reportez-vous au tableau qui se trouve un peu plus loin.

La conservation du lait homogénéisé dure plusieurs années lorsque la boîte n'a pas été ouverte. Une boîte ouverte ne se garde pas plus de vingt-quatre heures : le lait homogénéisé, même au réfrigérateur, tourne comme le lait de vache ordinaire.

Biberon au lait de vache. Aujourd'hui le lait de vache frais n'est guère utilisé avant le second semestre, âge auquel l'enfant a en général une alimentation diversifiée. Le lait ne représente alors plus la totalité de son alimentation. Il n'en boit que le matin et pour le goûter.

Le lait de vache frais doit être stérilisé et coupé.

Stérilisation. Même si vous achetez du lait dit « pasteurisé », il faut le stériliser. Le seul lait de vache qu'il ne soit pas nécessaire de stériliser est le lait dit de longue conservation qui est stérilisé. Non ouvert, il peut se garder des mois ; la date limite de conservation est d'ailleurs toujours indiquée. Entre le lait stérilisé et le lait pasteurisé, les pédiatres conseillent plus volontiers le lait pasteurisé qui a subi moins de modifications.

Pour stériliser le lait, il faut le faire bouillir. Mais attention ! Lorsque le lait « monte », il est à 85°. Pour qu'il soit à 100°, seule température capable de tuer les germes, il faut crever la peau qui recouvre le lait et laisser bouillir à gros bouillons avec un anti-monte-lait pendant plusieurs minutes. Le lait ainsi bouilli doit être refroidi, puis conservé couvert dans un endroit frais, et consommé dans les 24 heures.

Coupage. Le lait frais ne peut être utilisé pur avant 6 à 8 mois. Pour le couper, c'est très simple : vous mettez au fond du biberon 30 g d'eau et vous ajoutez le lait jusqu'à obtenir le volume correspondant à l'âge de l'enfant.

Sucrage. On sucre en général à 5 %, c'est-à-dire en mettant 5 g de sucre pour 100 g de liquide (un morceau n° 3 pèse 7 g, n° 4,5 g et une cuillerée à café de sucre pèse environ 5 g). Ne pas dépasser cette dose.

Peut-on sucrer avec du miel ? Oui, mais pas d'une manière régulière car le miel peut provoquer de la diarrhée (c'est d'ailleurs pourquoi on l'utilise chez le nourrisson constipé).

Laits de régime. Pour les divers laits de régime qui ne peuvent être donnés au bébé que sur indication du médecin, le mode de préparation et les proportions sont indiqués sur la boîte.

Horaires et rations

Pour l'allaitement au sein, les horaires peuvent être très souples car le lait maternel est facile et rapide à digérer. Mais le lait de vache —qu'il soit en poudre ou frais — est long à digérer : trois heures contre une heure et demie pour le lait maternel. C'est pourquoi l'alimentation au biberon implique un certain horaire : les repas doivent être séparés par environ trois heures ou trois heures et demie.

Cependant, depuis l'introduction du lait maternisé, on peut envisager de nourrir à la demande l'enfant qui prend des biberons, car le lait maternisé se digère aussi rapidement que le lait maternel. Je vous renvoie donc à l'allaitement au sein pour ce qui concerne les horaires. Voyez également cette même page pour la tétée de nuit.

Voilà pour la question horaires, nous allons maintenant voir de plus près les rations qu'il est courant de donner à un bébé selon son âge. Mais avant de vous donner des chiffres, je voudrais vous mettre en garde contre une tendance fréquente, qui est de suralimenter son enfant, en pensant qu'il sera plus beau. La santé ne se mesure pas au nombre de kilos, et surtout il y a une grande possibilité pour qu'un bébé gros demeure un gros enfant puis un gros adulte, d'où la formule « gros un jour, gros toujours ».

Je vous signale que pour ne pas suralimenter un enfant, il faut en particulier éviter d'ajouter systématiquement du sucre : à un lait déjà sucré, au jus d'orange, et plus tard dans beaucoup de plats, sous prétexte qu'un enfant aime le sucré.

Combien donner au bébé ? Dans le tableau ci-dessous, vous trouverez les doses de lait qui sont en général conseillées pour chaque âge à un bébé de poids moyen.

Le 1er jour	Début de l'alimentation lactée.		
2e jour	6 biberons de 10 grammes	=	60 grammes
3e jour	6 "	20 "	120 grammes
4e jour	6 "	30 "	180 grammes
5e jour	6 "	40 "	240 grammes
6e jour	6 "	50 "	300 grammes
7e jour	6 "	60 "	360 grammes
8e jour	6 "	70 "	420 grammes
Entre 8 et 15 jours	6 "	70 "	420 grammes
A 15 jours	6 "	80 "	480 grammes
A 3 semaines	6 "	90 "	540 grammes
A 1 mois	6 "	100 "	600 grammes
A 2 mois	6 "	110 "	660 grammes
A 3 mois	5 "	160 "	800 grammes
A 3 mois 1/2	5 "	160 (ou 180)	800 grammes

Important. Ces chiffres ne sont donnés qu'à titre d'indication : ils ont une rigidité qui ne correspond pas à la nature. A certains bébés il faut plus, à d'autres moins. Le médecin indiquera les rations nécessaires à votre enfant, étant donné son âge, son poids, sa constitution. Votre enfant aura aussi son mot à dire : il est souvent le meilleur juge de ses besoins.

Comment donner le biberon

L'heure de la tétée est arrivée. Lavez-vous bien les mains. Puis, préparez le biberon comme indiqué plus haut pour chaque lait. Si vous venez de faire ce biberon, il est probablement à la bonne température. Si vous l'avez sorti du réfrigérateur, vous le réchaufferez au bain-marie. Ensuite, assurez-vous que le biberon est à la bonne température en faisant couler quelques gouttes sur la face intérieure de votre avant-bras ; ce faisant, vous vérifiez en même temps que la tétine coule bien. Parfois le trou est trop large, parfois il est trop étroit ; parfois il est bouché. Parfois le lait ne coule pas parce qu'il n'y a pas de passage pour l'air : il ne faut pas visser le bouchon à fond.

Installez-vous dans une chaise ou un fauteuil bas avec des accoudoirs, pour être plus à l'aise. Placez le bébé au creux de votre bras et en position assez verticale. Puis mettez la tétine dans sa bouche ; vous verrez : il saura tout de suite téter. Tenez le biberon de telle sorte que la tétine soit toujours pleine de lait, sinon le bébé avalerait de l'air, et faites attention de ne pas appuyer la tétine contre son nez, sinon il ne pourrait pas respirer. Si vous voyez que la tétine s'aplatit, dévissez légèrement le bouchon pour qu'un peu d'air entre dans la bouteille : la tétine reprendra aussitôt sa forme.

Comment s'assurer que l'enfant tète bien ? En vérifiant que des petites bulles montent dans le biberon. C'est pratique : on se rend ainsi tout de suite compte s'il n'y a pas un grumeau par exemple qui empêche l'enfant de boire. Normalement, la tétée dure de quinze à vingt minutes. Et d'ailleurs, s'il ne tenait qu'à lui, l'enfant la prolongerait : pour lui ce moment est important, il est heureux et vous le sentirez vous-même.

Ne laissez pas un bébé boire seul son biberon, c'est dangereux. Il peut boire trop vite, s'étouffer, avaler trop d'air.

La tétée terminée, faites faire à votre bébé ses renvois, puis changez-le. Après la tétée, l'enfant nourri au biberon a fréquemment des régurgitations, c'est-à-dire qu'il rejette du lait. Ne vous inquiétez pas, mais pensez à mettre une couche sur votre épaule. Rappelez-vous que plus l'enfant boit vite, plus il a de renvois et plus il rejette de lait.

Réponses à quelques questions

Boit-il assez ? C'est certainement une des questions que se posent le plus souvent les parents d'autant que les bébés, au début de leur vie, pleurent pas mal et qu'on croit toujours que c'est de faim.

Mais boit-il assez ? C'est une question à laquelle il est peut-être difficile de répondre lorsqu'il s'agit d'un enfant nourri au biberon : car lorsqu'un enfant tète sa maman, il prend lui-même la quantité dont il a besoin — l'expérience vous enseignera d'ailleurs que, d'une manière générale, les enfants savent mieux que quiconque ce qui leur est nécessaire. Mais avec l'enfant nourri au biberon, on n'est pas sûr que les rations de lait qu'on a décidé de lui donner (parce qu'elles correspondaient théoriquement à l'âge ou au poids de l'enfant) soient adaptées à ses besoins. Au même poids pour le même âge, certains bébés ont besoin de plus de nourriture, quelquefois 1/3 en plus ; la taille aussi intervient : à poids égal, le bébé le plus long aura besoin de manger davantage. Comment, dans ces conditions, savoir si votre enfant est bien nourri ?

- S'il prend régulièrement du poids (25 à 30 g par jour les 3 premiers mois, 20 à 25 g les trois suivants, 15 g entre 6 mois et 1 an [*] ;
- si ses selles sont normales (une à deux par jour), plutôt fermes, jaune clair et grumeleuses ; mais avec le lait maternisé, les selles ressemblent à celles de l'enfant qu'on allaite, voyez page 82 ;
- s'il a bon teint et bonne mine ;

on peut raisonnablement en conclure qu'il est bien nourri. D'ailleurs, dans ce cas, il n'en réclame ni n'en laisse ; il pleure et crie peu ; il dort bien ; en un mot, il a l'air satisfait de son sort.

Mais la balance peut indiquer que l'enfant a maigri [**]. Dans ce cas, il faut en parler au médecin rapidement.

La balance peut aussi indiquer que le poids est stationnaire. En dehors de tous troubles digestifs ou autres symptômes, ne vous inquiétez pas trop vite. Chez certains enfants, le poids reste stationnaire plusieurs jours, même une semaine, puis « redémarre ». C'est d'ailleurs la raison pour laquelle certains médecins conseillent de ne peser le bébé qu'une fois par semaine. N'alertez donc pas le médecin avant huit ou dix jours, à moins bien entendu que quelque autre symptôme ne vous explique entre-temps la raison de ce poids stationnaire. Par exemple, votre bébé ne finit pas son biberon. Pourquoi ? Peut-être parce qu'il respire mal, à cause d'un rhume : le rhume guéri, les choses s'arrangeront vite. Peut-être à cause d'une otite que vous n'avez pas soupçonnée. Si l'enfant était plus grand, il vous dirait qu'il a mal à l'oreille. A son âge, il ne peut que pleurer et s'agiter (voyez, chap. 4, *Otite*) ; ou encore une affection de la bouche, le muguet (voyez ce mot) le gêne pour sucer et avaler. Il faut montrer au médecin l'enfant qui persiste à ne pas finir son biberon, car à côté de ces causes passagères, il existe de nombreuses autres causes à l'origine de l'insuffisance d'appétit (voir *Anorexie*) et de prise de poids que seul l'examen médical pourra déceler.

La balance vous indiquera peut-être aussi que le poids est inférieur ou supérieur à la moyenne : tant que la *courbe* du poids de l'enfant est parallèle à la courbe de poids type, cela n'a pas d'importance. Ce qui compte, c'est moins le poids théorique que la prise régulière de poids.

---

[*] Nous ne parlons pas ici des variations quotidiennes : un bébé n'est pas une machine ; il prend 25 grammes par jour *en moyenne*, mais cela veut souvent dire : un jour 35 grammes, un jour 15 grammes.

[**] Si, lorsque vous rentrerez de la maternité, vous constatez un léger fléchissement de la courbe de poids, vous ne vous inquiéterez pas ; pour diverses raisons, le retour à la maison s'accompagne souvent d'une période de flottement qui se traduit chez le bébé par une courbe moins belle.

Avec ces éléments — courbe de poids, selles, aspect — et en l'absence du médecin, vous pourrez apprécier vous-même si votre enfant est bien nourri, s'il « profite bien ». Mais le médecin a, lui, en plus, d'autres critères pour porter un diagnostic : il examine la fermeté des chairs, l'épaisseur du pli cutané, tous éléments qui ne sont pas perceptibles à un œil non habitué.

Les mauvaises digestions. Cela dit, la digestion de l'enfant nourri artificiellement peut poser quelques problèmes, les uns minimes, les autres plus sérieux, car le lait de vache (malgré les modifications qu'il a subies) reste parfois difficile à digérer *, et tout incident doit être signalé au médecin. Vous trouverez au chapitre 4, les articles *Vomissements, Diarrhée, Constipation, Coliques*, etc. ; mais sachez d'ores et déjà que, de ces divers troubles, celui qu'il faut prendre le plus au sérieux, c'est la diarrhée, celui qui est le plus bénin et le plus fréquent, c'est la constipation ; sachez aussi qu'il ne faut pas confondre le vomissement avec la simple régurgitation que l'enfant fait souvent en même temps que le rot ; enfin que les « coliques » vont peut-être tracasser beaucoup votre enfant, et par contre-coup vous-même, mais qu'elles ne doivent pas vous inquiéter, car elles disparaîtront habituellement après trois mois.

Fesses rouges. Bien des mères croient que les fesses rouges (érythème fessier) sont le signe d'une alimentation trop riche. C'est plutôt la conséquence de changes pas assez fréquents, de couches lavées avec un détersif, d'une éruption dentaire, d'une culotte en plastique. Lisez le paragraphe *Érythème fessier* à l'article *Peau* (chap. 4).

Recommandation importante : ne commencez pas la valse des laits. Souvent, lorsque leur bébé présente un trouble digestif ou ne grossit pas assez vite à leur gré, les mères sont tentées de changer de lait sans demander l'avis du médecin. Ce n'est pas recommandé : il est rare qu'un lait courant ne convienne pas à l'enfant, et changer de lait amène souvent à en donner un autre de composition voisine sinon identique. Il faut avant tout rechercher la cause du trouble, penser à une erreur de préparation dans les biberons (par exemple trop de poudre) ; l'enfant peut aussi vomir simplement parce qu'il boit trop vite ou avoir la diarrhée parce qu'il ne supporte pas le jus d'orange.

Nous avons vu que les laits maternisés sont parfois mal supportés, entraînant des coliques et des selles molles. Le changement pour un lait non maternisé peut alors être bénéfique. C'est seulement en cas d'intolérance aux constituants habituels du lait que le médecin prescrira un lait spécial adapté. (Voir *Diarrhée chronique*, chapitre 4.)

Hoquet, enfant qui ne veut ou ne peut pas téter, enfant vorace. Je vous ai déjà parlé de ces trois cas à propos de l'enfant nourri au sein. Pour l'enfant vorace, je vous conseille en outre une tétine à petits trous.

Faut-il donner des vitamines et du fer ? Pour couvrir tous les besoins de l'enfant, il manque au lait de vache essentiellement la vitamine D, la vitamine C et du fer.

---

* Certains bébés ne le tolèrent pas du tout. Premier signe (à signaler aussitôt) : les selles deviennent blanchâtres.

■ Le fer, l'enfant, s'il est né à terme, en a une réserve suffisante dans son organisme pour « tenir » trois mois, réserve qu'il tient de sa mère, et qu'il s'est constituée en fin de grossesse. Le lait de femme et le lait de vache n'en contiennent que de faibles quantités, très inférieures aux besoins mais le fer du lait maternel est bien assimilé par l'enfant, donc suffisant. Quant aux laits maternisés premier âge, ils sont enrichis en fer pour couvrir les besoins du bébé. Et après 3-4 mois, d'autres aliments apportent du fer (légumes, viande, etc.).

■ En revanche, la vitamine D, il importe d'en donner rapidement au bébé parce qu'elle prévient le rachitisme. Vous croyez que c'est un mal qui ne peut atteindre *votre* enfant ? Savez-vous que, contrairement à ce qu'on pourrait penser, le rachitisme existe encore dans notre pays, et dans des proportions non négligeables.

Prenez l'habitude de donner régulièrement à votre enfant une préparation contenant de la vitamine D, comme le médecin vous le prescrira, c'est-à-dire tous les jours ; elle lui est indispensable. Si vous croyez ne pas pouvoir donner régulièrement de la vitamine D à votre enfant, dites-le franchement au médecin, il prescrira des doses plus élevées à donner en une fois, tous les six mois par exemple (et faites-le inscrire sur le carnet de santé). Mais ne donnez pas des doses élevées sans prescription : il peut y avoir intoxication.

La vitamine D sera donnée mélangée au jus de fruit, ou directement à la petite cuillère. Ne la donnez pas dans un biberon chaud, elle risquerait de rester au fond.

■ Quand à la vitamine C, indispensable à la santé et dont la carence provoque chez le nourrisson des douleurs et des saignements — il crie au moindre mouvement, c'est la forme infantile du scorbut — on la donne au bébé sous forme de jus de fruits, le plus généralement d'oranges, vers 15 jours. On donne ce jus d'orange progressivement : d'abord quelques gouttes diluées dans un peu d'eau, puis une demi-cuillerée à café ; à 3 semaines, une cuillerée entière ; vers 6 semaines, 2 cuillerées ; vers 8 semaines, 4, etc. On continue à augmenter progressivement les quantités de jus d'orange et on diminue peu à peu l'eau de dilution jusqu'à la supprimer. Mais ne pas dépasser, par exemple, 3 cuillerées à soupe de jus d'orange pur à 4 mois ; puis continuer avec cette dose.

Le jus d'orange doit être préparé au moment de l'emploi mais pas d'avance. Il est donné entre deux tétées, et au début à la petite cuillère : 10 gouttes seraient perdues dans un biberon ; on glisse le liquide entre les lèvres du bébé. On peut aussi donner d'autres jus de fruits, mais en tenant compte des faits suivants : le citron, qui est aussi riche en vitamine C que l'orange, déplaît en général au bébé car il est trop acide et il faut le sucrer ; la mandarine et la tomate contiennent trois fois moins de vitamine C, il faut donc tripler les doses. Enfin, contrairement à ce que croient certaines mamans, pour le petit bébé, le jus de raisin n'est pas recommandé, il est très pauvre en vitamine C, dont il contient 4 mg pour 100 g — contre 45 mg pour 100 g dans les oranges — et très riche en sucre, ce qui peut provoquer de la diarrhée (vous trouverez plus loin la teneur en acide ascorbique — vitamine C — des fruits ordinaires).

Certains enfants ne supportent pas le jus d'orange, qui provoque chez eux de la diarrhée ; on leur donne, dans ce cas, soit une préparation pharmaceutique de vitamine C, soit d'autres jus de fruits, en particulier du jus de citron légèrement sucré.

Peut-on donner un biberon commencé ? Dix à quinze minutes après la tétée, oui. Mais il ne faut pas conserver un biberon d'une tétée sur l'autre : il risquerait d'être souillé.

Quand augmenter la ration ? Consultez dans ce chapitre le tableau des rations pour chaque âge, mais, si votre enfant a l'air prêt pour un changement plus tôt, parlez-en au médecin.

Les tétines. Il y a enfin un petit problème pratique qui tracasse souvent les parents, celui des tétines. Il y a la tétine qui coule trop vite, celle qui coule trop lentement. Comment être sûr que la tétine est convenablement percée ? Pour le savoir, renversez le biberon : il doit s'en échapper un goutte à goutte assez rapide. S'il s'en échappe franchement un jet, c'est que la tétine est trop percée. Le bébé boira trop vite, et il avalera autant d'air que de lait, ce qui le fera vomir. (Gardez les tétines trop percées pour les premières farines.) Si en revanche le débit est trop lent, l'enfant se fatiguera, et n'arrivera pas à finir son biberon. Il y a enfin le cas de la tétine normalement percée et d'où le lait ne coule pas : c'est une question d'air. Il faut que l'air entre dans le biberon. (Voyez p. 94.)

Les tétines du commerce sont percées, mais il faut les essayer avant de s'en servir car les trous sont parfois insuffisants. Pour agrandir le trou, servez-vous d'une épingle de nourrice moyenne que vous aurez préalablement chauffée sur une flamme ; puis lavez bien la tétine pour ôter le goût du caoutchouc brûlé et stérilisez-la.

Les tétines à fente réglable sont pratiques aussi bien pour les bébés voraces que pour les bébés endormis ; suivant la position de la tétine, le débit du lait est lent, moyen ou fort.

L'allaitement mixte

Il y a des cas, vous l'avez vu, où l'enfant n'a pas assez de lait de sa maman ; il faut alors lui donner en plus, à titre transitoire ou définitif, du lait industriel. C'est ce régime de deux laits que l'on appelle *l'allaitement mixte*. On peut le pratiquer de deux manières :

■ Soit en complétant chaque tétée. La mère donne le sein et pèse l'enfant avant et après. Si l'enfant n'a pas bu assez, la maman complète par un biberon. Pour les quantités à donner à chaque âge, reportez-vous au tableau des rations donné plus haut dans le chapitre : *L'enfant nourri au biberon*. Cette méthode prend du temps, mais c'est plus efficace. En tétant six fois par jour, l'enfant stimule la montée du lait. C'est pourquoi on applique surtout cette méthode au début, quand la sécrétion est lente à s'établir.

Un conseil : préparez avant la tétée un biberon que vous garderez au chaud (soit dans un chauffe-biberon, soit enveloppé dans une couche). Lorsque le bébé aura fini de téter, il sera pressé de boire son biberon.

■ Soit en alternant tétées et biberons ; on remplace complètement une ou plusieurs tétées par un biberon. Il est bien recommandé de ne pas supprimer la première tétée, la meilleure, pas non plus la dernière, pour que l'intervalle entre les tétées ne soit pas trop long.

Cette deuxième méthode est appliquée en général au bout de deux ou trois semaines, lorsqu'on sait que l'allaitement mixte devra être poursuivi.

Avec l'allaitement mixte, les selles ressemblent alternativement à celles de l'enfant nourri au sein et à celles de l'enfant nourri au lait industriel : c'est normal, ne vous inquiétez donc pas de ce changement d'aspect.

L'allaitement mixte est en fait moins pratiqué parce que contraignant. On le recommande plutôt au moment du sevrage, comme transition, pour habituer peu à peu l'enfant au biberon.

Vers une alimentation variée

Faire un bilan de temps en temps permet d'apprécier les conséquences d'un changement. Il a suffi d'une génération pour mesurer l'intérêt de l'alimentation diversifiée : les Français ont grandi et continuent de grandir ; ils se portent plutôt mieux et la mortalité infantile a infiniment régressé ; c'est certainement dû en grande partie à cette alimentation variée que peuvent s'offrir les pays riches.

Théoriquement, le lait premier âge, puis deuxième âge, peut couvrir les besoins nutritifs d'un bébé pendant la première année. Mais on s'est également rendu compte que diversifier tôt la nourriture contribuait au développement psychomoteur de l'enfant, à son éveil, à son intelligence.

On a constaté par exemple que les enfants qui restaient trop longtemps aux farines étaient moins éveillés que ceux qui mangeaient au même âge de la viande et du poisson.

Et on peut très bien, même au-delà de 3-4 mois, poursuivre l'allaitement maternel tout en variant l'alimentation.

D'ailleurs ce ne sont pas seulement les aliments nouveaux qui peuvent avoir une incidence sur le développement de l'enfant, d'autres changements peuvent l'influencer en lui donnant un sentiment de réussite : par exemple se servir seul de sa cuillère, boire à la tasse, ou couper seul sa viande.

Comment peu à peu un enfant apprend à manger de tout

C'est le médecin qui établira avec vous le régime de votre enfant. C'est d'ailleurs un des motifs principaux de consultation au cours de la première année. Nous indiquons néanmoins, dans les pages qui suivent, le régime moyen convenant à la plupart des bébés. Cela vous donnera une idée de ce qui est en général conseillé et complètera les indications du médecin.

3 mois

Quatre biberons de lait (ou tétées), un biberon lait + farine, soit cinq repas de 160 grammes.

Trois mois, c'est l'âge où, en général, l'enfant est à cinq repas de 160 grammes, donnés toutes les trois heures et demie environ.

Trois mois, c'est aussi l'âge de la première farine. Cette bouillie, même si vous continuez à allaiter votre enfant, nous vous conseillons de la lui donner : elle lui fera le plus grand bien. Le bébé aura donc chaque jour 4 biberons de lait, ou

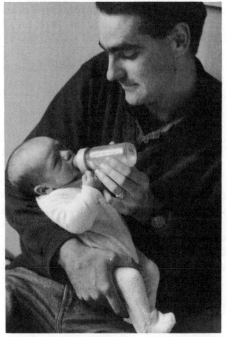

tétées, et un biberon avec de la farine qu'il vaut mieux donner le soir : avec un repas plus substantiel, l'enfant se réveillera moins tôt. Entre deux repas, vous n'oublierez pas le jus d'orange.

Comment préparer la bouillie ? Vous le verrez au paragraphe : *Recettes pour un bébé.* Quelle farine choisir ? La réponse demandant un texte d'une certaine longueur, je l'ai traitée à la p. 108 pour ne pas interrompre ici le régime du bébé de 3 mois.

Quantité : on met en général une cuillerée à café de farine, mais suivez l'avis du pédiatre.

Avec quel lait préparer la bouillie ? On peut la préparer avec le lait habituel de l'enfant. Cependant si l'enfant est bien portant, et en dehors de la période d'été, on peut très bien utiliser du lait de vache frais (coupé d'eau), c'est une bonne manière d'y habituer l'enfant. Mais les biberons de lait seront préparés avec un lait industriel.

4 mois

Trois biberons de lait, un biberon lait + farine, une purée, soit cinq repas de 180 grammes.

La nouveauté des 4 mois, c'est la purée de légumes finement écrasés que l'on donne au repas du milieu de la journée. Vous verrez plus loin comment la préparer et les précautions à prendre pour l'introduire peu à peu ; cette purée peut aussi provenir d'un petit pot.

Un autre événement, c'est la cuillère : c'est en principe à cet âge qu'on commence à donner à manger à l'enfant avec une cuillère. Je dis en principe, parce que tous les enfants ne sont pas prêts pour ce changement à 4 mois ; vous essaierez un jour ou deux ; mais si votre enfant refuse, n'insistez pas, cela n'a aucune importance, et vous ferez un nouvel essai quelques jours plus tard.

Le programme de la journée est donc le suivant :
- *1er repas :* biberon de lait ;
- *2e repas :* biberon de lait ;
- *3e repas :* purée de légumes ;
- *4e repas :* biberon de lait ;
- *dernier repas :* biberon de lait avec de la farine.

Jus d'orange entre deux repas : 3 cuillerées à soupe.

Augmenter les quantités de farine : 2 cuillerées à dessert environ.

Quelle quantité de purée donner au bébé ? 170 grammes représentent cinq cuillerées à soupe, mais vous ne pouvez donner à l'enfant cette quantité dès le début. Commencez par deux cuillerées à soupe, vous augmenterez progressivement. Mais pour que votre bébé soit assez nourri, donnez-lui aussi un petit biberon de lait. A mesure que vous augmenterez la quantité de purée, vous diminuerez celle de lait. Lorsque le bébé pourra prendre toute sa ration de purée, et n'aura donc plus besoin de lait, pensez à lui donner à boire de l'eau.

5 mois

Un biberon lait + farine ; une purée (+ œuf, poisson ou viande) et un dessert ; un biberon de lait ; une soupe de légumes et un dessert ; soit quatre repas de 200 grammes environ.

A cet âge, des événements et des nouveautés importants : d'abord, l'enfant a vraiment un horaire de grand, puisqu'on le met à quatre repas *.

Puis l'enfant a droit maintenant à de l'œuf mélangé à sa purée, mais seulement le jaune, cuit dur, finement écrasé, et par petites quantités. A titre d'indication, au début, une demi-cuillerée à café ; huit jours plus tard, une cuillerée à café ; au bout d'un mois deux cuillerées à café, et cela deux fois par semaine. A 5 mois on commence aussi à donner au bébé deux fois par semaine de la viande (bœuf, poulet ou agneau) finement hachée et passée au mixer, à raison d'une ou de deux cuillerées à café deux fois par semaine. Et on donne également à 5 mois du jam-

---

* Le passage à quatre repas dépend évidemment du bébé. Nous vous signalons la règle générale, mais il est possible que le médecin, connaissant votre bébé, vous conseille d'attendre un peu plus tard pour ce changement ou, au contraire, vous ait conseillé de le faire plus tôt.

bon, débarrassé du gras et passé au mixer, qui remplace la viande de temps en temps ; mêmes quantités.

On peut ajouter à la purée une petite noisette de beurre.

Autre événement : vers 5 mois, le poisson fait son apparition sur la table du bébé ; 20 grammes de poisson non gras, une ou deux fois par semaine, mélangé à la purée de légumes comme la viande ou l'œuf.

Voilà pour le plat principal du repas de midi.

A partir de 5 mois, le bébé a aussi droit à un dessert, à midi et le soir : une demi-banane écrasée, pochée ou cuite au four. Ou 50 grammes de pomme crue râpée. Attention de bien ôter les pépins des pommes : ils risqueraient d'étouffer l'enfant, ou simplement de le surprendre, ce qui serait une occasion de refus. Vous pouvez donner aussi une purée de fruits en petit pot. Comme dessert, le bébé peut également avoir un demi-yaourt nature. Quant à la farine, on la donne maintenant le matin au lieu du soir pour pouvoir donner au dernier repas une soupe de légumes, suivie d'un dessert.

Le schéma de la journée est donc le suivant :
- *le matin* : biberon de lait + farine ;
- *à midi* : purée de légumes + œuf, viande ou poisson ; et un dessert : banane ou pomme, ou les deux mélangées, ou un demi-yaourt ;
- *au goûter* : lait ;
- *le soir* : soupe de légumes, et un dessert.
- Et entre deux repas, le jus de fruit.

6 mois

Un biberon de lait + farine, une purée + viande, œuf ou poisson, et un dessert ; un biberon de lait ; un potage aux légumes et un dessert ; soit quatre repas de 225 grammes environ.

Le schéma de la journée reste sensiblement le même, mais les quantités augmentent un peu. L'enfant mange environ 225 grammes à chaque repas au lieu de 200, en particulier 30 grammes d'aliments fournissant des protéines (viande, œufs ou poisson) au lieu de 20 (à titre d'indication, une cuillerée à soupe pleine contient 20 grammes de viande finement hachée).

Je vous donne ces chiffres à titre d'indication, mais n'oubliez pas que ce sont des moyennes.

<u>Nouveautés</u>. Un demi-petit-suisse (à 40 % de matière grasse) à alterner avec le yaourt. Le soir, le potage aux légumes passés est épaissi de floraline, de tapioca ou de semoule, et vous pouvez y ajouter 1 ou 2 cuillerées à café de gruyère râpé. Enfin vous pouvez commencer les compotes (abricots, pruneaux, etc.).

Lait : les biberons qui, jusque-là, étaient faits au lait industriel demi-écrémé, peuvent maintenant être faits au lait de vache stérilisé non coupé, sauf en période de grande chaleur, cas où on continuera à donner du lait industriel mais entier. Si vous utilisez du lait maternisé, vous pouvez continuer à le donner.

Pour la bouillie, le choix des farines s'élargit ; il y a maintenant les farines dites du deuxième âge, qui contiennent d'autres céréales que celles du premier âge ; certaines constituent même un cocktail de cinq céréales différentes (blé, riz, orge, seigle, maïs) ; il y a des farines aux fruits, d'autres aux légumes. Donc variez les farines, tant pour le goût de l'enfant que pour les éléments qu'elles contiennent. Vous pouvez donner les bouillies à la cuillère puisqu'elles sont plus épaisses : comptez deux cuillerées à soupe de farine par biberon.

A 6 mois un bébé a donc :
- *le matin :* un biberon de lait entier avec deux cuillerées à soupe de farine ;
- *à midi :* une purée + œuf, poisson, viande ou jambon, et un demi-yaourt ou un demi-petit-suisse ;
- *au goûter :* 225 grammes de lait ;
- *le soir :* soupe aux légumes, compote.

Et entre deux repas, le jus de fruit.

7 mois

Nouveautés. Le foie haché ou mixé (veau, génisse ou agneau) donné au repas de midi pour alterner avec l'œuf, le poisson ou le jambon ; le biscuit ou la biscotte qu'on écrase dans le lait de 4 heures, et le croûton de pain sur lequel l'enfant se fait les dents. Attention ! Il peut très bien tenir le croûton, mais ne le lui laissez pas hors de votre vue de peur qu'il ne le mette tout entier dans sa bouche : il ne saurait pas encore le retirer. Autre nouveauté : le roquefort ou le camembert finement écrasés.

Cela dit, le schéma des quatre repas reste le même, sauf qu'on peut donner maintenant 60 grammes d'aliments apportant des protéines, et faire la bouillie avec deux cuillerées et demie à soupe de farine. (Les quantités de farine indiquées concernent les farines simples ; pour les farines lactées, il faut augmenter les quantités ; suivez les indications du médecin, sinon celles de la boîte.)

8 mois

Nouveautés. Le veau, qu'on mélangera à la purée de légumes.

Le riz bien cuit donné avec du beurre ou du gruyère râpé au repas de midi pour accompagner la viande ou, sous forme d'entremets, le soir comme dessert [*] ; les petites pâtes, seules ou dans les potages.

Panade (voir la recette plus loin) à donner le soir de temps en temps. Comme dessert, du fromage blanc maigre.

Les quatre repas se composent donc de la manière suivante :
- *le matin :* bouillie consistante (pensez à varier les farines, pour que votre bébé ne se lasse pas) ;
- *à midi :* purée de légumes + viande (le choix est très grand : bœuf, agneau, veau, jambon, foie), œuf ou poisson, un yaourt, un petit-suisse, ou du fromage blanc maigre ;
- *au goûter :* 225 grammes de lait accompagné d'un biscuit ;

[*] Le riz est incorporé aux aliments homogénéisés donnés dès l'âge de 5 mois, ou bien le bébé en prend sous forme de farine dès l'âge de 3 mois (parfois avant), mais ici nous parlons du riz en grains.

■ *le soir :* une soupe, épaissie avec floraline, tapioca ou biscotte écrasée, et un petit peu de gruyère râpé, ou de temps à autre une panade ; et un dessert : soit fruit, soit laitage, suivant ce que vous aurez donné à midi.

Et, entre deux repas, le jus de fruit.

9 mois

Les quantités et les aliments sont les mêmes qu'à 8 mois ; mais alors que, jusqu'à maintenant, on mélangeait tout au mixer — l'artichaut, le bifteck, les pommes de terre, ce qui donnait une cuisine un peu fade et monotone — on commence à séparer les aliments les uns des autres, pour que, peu à peu, le bébé s'habitue à des goûts et à des consistances différentes. C'est important. Lorsque le bébé n'a pas été familiarisé à cet âge avec les différents goûts de viandes, de poissons, de légumes, plus tard il est difficile de lui en faire manger. (Certaines mamans vont jusqu'à mélanger l'œuf, la purée et les fruits, donnant ainsi à l'enfant un repas ni salé ni sucré. C'est tout à fait dommage pour la formation du goût de l'enfant.) Commencez par faire dans l'assiette des petits tas séparés : d'un côté la viande, de l'autre les légumes verts, dans le troisième un peu de purée de pommes de terre. Ne fût-ce qu'à l'œil, c'est une nouveauté : le bébé apprécie de voir dans une assiette un aliment vert, un brun, un blanc, au lieu d'une purée uniformément, quotidiennement verdâtre. De ce point de vue, c'est l'inconvénient des petits pots, facilement fades et dont le goût est assez uniforme.

11 mois

L'enfant commence à pouvoir mastiquer. Mais, comme pour la cuillère, il faut agir progressivement : au lieu de donner les pommes de terre en purée, écrasez-les à la fourchette, d'abord finement, puis en morceaux plus grands, suivant la manière dont l'enfant mastique et avale. Essayez aussi un petit morceau de banane, ou de camembert, c'est-à-dire un aliment qui « fond » ; la viande en morceaux, ce sera pour plus tard. Ce qu'il faut, c'est, au fur et à mesure que les dents sortent et que l'enfant sait s'en servir, passer par paliers de la cuisine au mixer à la cuisine normale. Cela prend de six à huit mois : entre 18 mois et 2 ans, un enfant doit pouvoir mâcher sans peine tous les aliments.

Lorsqu'on laisse les enfants à la purée trop longtemps, le jour où on leur propose une alimentation normale, ils la refusent et ne font pas l'effort de mastiquer. C'est ce qu'un médecin a appelé le *syndrome du mixer :* l'enfant vomit, mange avec dégoût, essaye de rejeter les morceaux qu'on veut lui faire avaler. Bien entendu comme toutes les difficultés alimentaires, celle-là aussi cède au temps, mais, dans ce domaine, il est vraiment facile de prévenir.

Le bébé aime pouvoir porter tout seul des aliments à sa bouche : il prend un morceau, le regarde, le mange, le ressort... Il fait beaucoup de saletés, mais est ravi, et peu à peu mangera de mieux en mieux.

Nouveauté. La confiture et le miel, qui, accompagnés d'un biscuit, sont donnés à 4 heures, ou comme dessert.

12 mois

L'enfant a toujours quatre repas de 225 grammes environ. Mais la bouillie qu'il prend le matin est faite avec trois cuillerées à soupe de farine et 200-225 grammes de lait, ou cinq cuillerées à soupe de farine instantanée lactée et 200-225 grammes d'eau.

Nouveautés. La cervelle, à donner pochée. Choisissez la cervelle d'un animal jeune, de l'agneau par exemple.

L'œuf entier : pour commencer incorporé à un dessert, flan ou œufs au lait ; puis poché ou à la coque. Autre nouveauté : les fruits crus en morceaux, tels que pommes, poires.

15 mois

Nouveauté. La viande coupée en petits morceaux.

A 15 mois, l'enfant est toujours à quatre repas de 225 grammes se composant ainsi :
- *le matin :* une bouillie ;
- *à midi :* une purée de légumes ou riz ou petites pâtes, un œuf, ou 50 grammes de viande, ou du poisson, un fruit cru ;
- *à 4 heures :* une tasse de lait, un biscuit avec du miel ou de la confiture ;
- *le soir :* un potage et un dessert (un flan par exemple).

18 mois

La quantité totale de nourriture augmente un peu, mais elle ne se divise plus en quatre repas à peu près égaux : maintenant, l'enfant prend un vrai petit déjeuner le matin et, à 4 heures, juste un petit goûter. Il peut avoir le même horaire que ses frères et sœurs. Autre promotion : il a droit à une tranche du rôti familial, qu'il doit, à cet âge, pouvoir mâcher sans difficulté ; prenez soin seulement de dégraisser la sauce.

Voici les quatre repas de l'enfant de 18 mois :

- *le matin* : un bol de lait avec petit déjeuner chocolaté, et des tartines de confiture ou de miel, ou alors du lait avec des céréales (corn-flakes, etc.) ;
- *à midi* (quatre plats) : un hors-d'œuvre — tomate pelée et épépinée, betterave en salade, carottes râpées —, un plat garni avec viande coupée normalement, légumes, mais non réduits en purée, un fromage (brie, roquefort, port-salut, etc.), un dessert (fruit cru) ;
- *au goûter* : une tasse de lait ou un yaourt ou un biscuit ;
- *le soir*, repas de trois plats : un potage, des pâtes, du riz ou de la semoule, un dessert et, deux fois par semaine, le plat du milieu peut être un œuf, soit coque, soit poché ou en omelette.

2 ans

L'enfant est en pleine curiosité culinaire ; il refuse couramment la purée de pommes de terre ; le poisson bouilli lui paraît fade. Il aime les cornichons, les crevettes, le saucisson et il est ravi qu'on lui donne un bon bifteck-frites. Accompagnez-le d'une salade verte accommodée à l'huile d'olives, au citron et au sel — mais prenez les feuilles les plus vertes de la salade : elles ont 30 à 40 fois plus de vitamine A que les feuilles blanches du cœur. Au lieu de donner le poisson poché, faites-le griller et accompagnez-le d'un beurre fondu avec persil et citron. Variez les fromages. En un mot, offrez à votre enfant une alimentation saine, mais qui ait du goût. Le choix est grand : à 2 ans, un enfant peut manger pratiquement de tout. Restent interdits, bien sûr, le vin et l'alcool. Sont déconseillés les ragoûts au vin ou à la crème, le gibier, etc., mais cela est évident.

Vous savez maintenant par quelles étapes l'enfant passe avant de pouvoir manger de tout, ou presque. Les étapes que je vous ai indiquées correspondent à la tendance générale. Mais certains médecins ont des méthodes un peu différentes ; il y en a qui ne donnent presque jamais de farines, passant directement du lait maternel à la purée de légumes, d'autres retardent l'introduction de la viande, d'autres l'avancent ; certains préconisent quatre repas dès 4 mois, etc. Mais surtout chaque médecin modifie son schéma suivant le type et l'état de santé du bébé auquel il a affaire : à tel enfant vorace il donnera de la viande à 4 mois ; tel enfant ne supporte pas les farines, il aura du potage à 3 mois au lieu de 5. Ne vous laissez pas impressionner par l'amie qui vous dit fièrement : « Mon enfant, lui, mange du bifteck », alors que le vôtre en est encore aux biberons de lait. Entre 3 et 12 ou 18 mois, il peut y avoir de grandes différences dans l'alimentation d'un enfant à l'autre ; à partir d'un an et demi les enfants mangent pratiquement à peu près tous la même chose. Et d'une manière générale, le second enfant a une nourriture plus variée que le premier au même âge, car il voit les aliments dans l'assiette de son aîné, et les réclame.

Ce que vous devez savoir
des différents aliments

 Les farines

Quelle farine choisir ? Au premier enfant, lorsqu'on entre dans un magasin et qu'on voit toutes les boîtes et la publicité qui les entoure, on se demande vraiment quelle farine choisir. Dans un cahier spécial du *Concours médical*, « Diététique en pédiatrie » *, on en cite 95 sortes ! Pour vous aider, je vais vous dire, dans les grandes lignes, ce qui les différencie.

Les farines se divisent d'abord en deux catégories :
- les farines toutes prêtes, ou *instantanées ;*
- les farines *à cuire.*

Il faut seulement signaler une petite différence, elle concerne le budget : les farines instantanées, demandant une fabrication plus complexe, sont plus chères. Dans les deux cas, le mode de préparation est simple, vous le trouverez dans les recettes (p. 135).

Dans ces deux catégories (instantanées ou à cuire), il y a toute la gamme des *céréales :* avoine, orge, blé, riz, etc., parfois en association. Au début le médecin donne des indications, et ensuite vous variez toute seule, sans oublier que chaque céréale a sa vertu particulière : si l'enfant est constipé, on lui donnera une farine d'orge ou d'avoine ; s'il a de la diarrhée, une farine à base de riz. D'une manière générale, les farines, sauf l'orge, ont tendance à constiper.

Il existe également des farines *aux fruits et aux légumes*, et des farines *cacaotées*, ces dernières n'étant conseillées que chez l'enfant de 8-9 mois.
Les farines dites du *1ᵉʳ âge* se donnent environ jusqu'à 6 mois, les farines du *2ᵉ âge* après 6 mois.

Instantanées ou à cuire, les farines peuvent être *lactées*. Le médecin vous donnera probablement une indication pour choisir. Signalons seulement que la farine lactée instantanée est pratique, mais s'adresse plutôt au grand nourrisson. Une recommandation : ne pas ajouter de farine lactée à un biberon de lait ; on obtient une préparation trop concentrée et trop riche en calories.

Un mot sur une catégorie de farine un peu particulière, les farines *sans gluten*. Le gluten est une protéine contenue dans les céréales. Il y a des enfants qui ne supportent pas le gluten : il provoque chez eux des troubles digestifs graves, c'est pourquoi certains médecins recommandent systématiquement des farines sans gluten pendant les premiers mois de la vie **.

* Par G. Vermeil, A.M. Dartois et M. du Fraysseix.
** Voir le mot *Gluten* au chapitre 4.

Si c'est la première fois que vous voulez acheter des farines, vous allez peut-être être un peu noyé sous ces différentes explications. Je crois cependant qu'elles sont nécessaires pour vous aider à vous y retrouver, ce que vous ferez d'ailleurs très vite.

Quelle quantité donner ? Vous pouvez regarder les indications portées sur la boîte, mais suivez surtout l'avis du médecin. Les fabricants et les mamans en général forcent les doses, alors que la tendance actuelle des médecins est de les réduire. Les farines apportent essentiellement des hydrates de carbone (sucres), donc des calories supplémentaires dont une grande partie est mise en réserve sous forme de graisses, sans profit réel pour la croissance de l'enfant.

Les farines données trop tôt, en trop grande quantité et trop longtemps peuvent provoquer des troubles intestinaux : coliques, gros ventre, constipation suivie de diarrhée — c'est la diarrhée des farineux.

D'ailleurs, on donne moins de farine. Ainsi le bébé d'aujourd'hui est en général moins gros que celui d'hier : il est de poids moyen, plutôt mince et longiligne, musclé et non dodu, ferme et tonique, vif et éveillé.

Les fruits

Les fruits, principales sources de vitamine C, jouent à ce titre un grand rôle dans l'alimentation de l'enfant et lui sont donnés très tôt. Presque tous les fruits sont bons pour lui à condition d'être mûrs, mais il y a trois fruits qui conviennent particulièrement à l'enfant, dès son plus jeune âge : l'orange, la banane et la pomme.

L'orange. C'est un des fruits les plus riches en vitamine C. C'est pourquoi, comme vous l'avez vu, dès la 2e ou 3e semaine, on donne au bébé nourri au biberon, du jus d'orange. (Aux bébés qui ne tolèrent pas le jus d'orange — cela arrive — on donne du jus de citron légèrement sucré.) *

La banane. Riche en sucre, en vitamines et contenant même des protéines **, la banane est un aliment complet ; dans certains pays elle forme la base de l'alimentation. Mais, attention ! elle n'est digeste et bien tolérée par le bébé que parfaitement mûre, c'est-à-dire lorsque sa peau est tachetée de brun. Verte, la banane contient énormément d'amidon (indigeste) ; sous l'effet du mûrissement, cet amidon se transforme en sucre. Voici des chiffres : dans une banane verte, pour une partie de sucre il y en a quinze d'amidon ; dans une banane mûre, pour seize parties de sucre, il y en a cinq d'amidon. Ne l'oubliez pas quand vous faites votre marché.

Lorsqu'on commence à donner de la banane au nourrisson vers 4-5 mois, on la cuit, même lorsqu'elle est bien mûre, soit en la mettant au four dans sa peau, soit

* Voir, au *Petit lexique diététique*, la richesse en vitamine C des principaux fruits.
** Ce mot, comme tous les autres termes techniques, est expliqué à la fin du présent chapitre au *Petit lexique diététique*.

en la pochant (sans sa peau) dans l'eau bouillante pendant quelques minutes. Puis la banane est écrasée à la fourchette en une fine purée ; au début, on y ajoute un peu d'eau ou de jus d'orange pour rendre la purée plus fluide. La banane est même donnée en cas de diarrhée car, comme la pomme, mais en moindre quantité, elle contient de la « pectine ».

La pomme. Comme la banane, elle peut être donnée au bébé dès 4 mois 1/2. La pomme est un fruit précieux : grâce à sa cellulose, elle est un remède contre la constipation ; grâce à sa pectine, elle en est un contre la diarrhée.
- *Contre la constipation.* Faites manger à votre enfant une pomme bien mûre chaque matin à son petit déjeuner. Lavez-la mais ne la pelez pas. La cellulose formera dans le gros intestin une masse qui stimulera les contractions. Lorsque l'enfant ne sait pas encore mâcher, donnez-lui la pomme râpée.
- *Contre la diarrhée.* Bien mûre, pelée, ou non, débarrassée de ses pépins et râpée, donnez-en à l'enfant toutes les heures deux bonnes cuillères à dessert ; la pectine, substance qui permet la préparation de la gelée, absorbera l'eau et les toxines.

Oranges, bananes, pommes sont les fruits du premier semestre. A partir du septième mois, on peut commencer les fruits en compote, des abricots, des pruneaux peu ou pas sucrés et finement écrasés ; signalons à ce sujet que certaines mamans croient que les pruneaux sont réservés aux enfants constipés, c'est une erreur : l'enfant qui a des selles normales peut très bien manger des pruneaux, qui sont un excellent régulateur de l'intestin. On peut donner aussi après 6 mois, et si la saison le permet, de la pulpe de fruits frais finement écrasés, car les fruits crus sont plus riches en vitamines C que les fruits cuits. Choisir des fruits qu'on pèle, comme pêches, poires. On peut aussi proposer du kiwi, très riche en vitamine C.

A partir de la deuxième année, vous pouvez donner à votre enfant pratiquement tous les fruits, crus et coupés en petits morceaux, mais il faut qu'ils soient bien mûrs. Attention ! lavez bien les fruits avant que votre enfant ne les mange. Méfiez-vous des prunes, elles sont laxatives, ne les donnez à l'enfant que par petites quantités. Les fraises provoquent parfois de l'urticaire, n'en donnez qu'une, la première fois, pour voir si l'enfant les supporte.

Les fruits existent aussi en purées homogénéisées (comme les légumes) ; sous cette forme, ils sont particulièrement appréciables en hiver, et, étant donné qu'ils sont homogénéisés, ils peuvent être donnés dès 3-4 mois. Il y a également des fruits déshydratés, présentés sous forme de flocons, paillettes ou granulés, associés ou non à des farines. Les fruits au sirop, qui peuvent être donnés à partir de la deuxième année, sont aussi très appréciables en hiver pour alterner avec les pommes, bananes et oranges, seules ressources de la saison.

Confitures : à partir d'un an mais sans en abuser, car elles sont très sucrées. Fruits secs : pour les pruneaux, voir ci-dessus. Figues et dattes, pas avant 2 ans. Noisettes et amandes, très nourrissantes : à partir de 2 ans, mais râpées, en particulier dans le petit déjeuner suisse (voyez page 140). Il est dangereux, avant l'âge de 4 ans, de donner des noisettes, cacahuètes, amandes entières, à l'enfant : il risque de s'étouffer.

Puisque les fruits sont donnés surtout pour leur richesse en vitamine C, pour conserver cette vitamine, il est important de prendre quelques précautions :

■ Ne laissez pas tremper les fruits dans l'eau : lavez-les rapidement et coupez-les avec un couteau inoxydable.

■ Le contact de l'air détruit la vitamine C ; pour cette raison il ne faut pas préparer d'avance le jus d'orange, ni couper d'avance les fruits.

■ Pour faire une compote, cuisez les fruits dans peu d'eau et pas longtemps.

■ Enfin, signalons que les citrons et oranges sont souvent traités avec des produits chimiques qui se localisent dans l'écorce. Pour extraire le jus, il ne faut donc pas utiliser d'appareil pressant le fruit entier, mais un presse-citron classique.

Les légumes

Les légumes, sources de vitamines et de sels minéraux, sont introduits dans l'alimentation du bébé vers 4 mois ; ils sont donnés en purées, en potages.

Le potage de légumes classique est à base de poireaux, carottes, pommes de terre, et quelques feuilles de salade. En été, pensez à ajouter des tomates, elles donnent du goût.

Pour les purées, commencez par les carottes, puis essayez les épinards, mais attention, comme vous le savez ils sont très laxatifs. Enfin, vous ferez de bonnes purées avec les artichauts *. Signalons que les haricots verts donnent facilement de la diarrhée. En ce qui concerne la purée de pommes de terre, donnée en général vers 5-6 mois, j'ai une petite remarque à faire : certaines mamans pour fournir plus de vitamines aux enfants, ajoutent un autre légume à la purée ; cela donne des purées au goût uniforme dont les enfants se lassent vite. Or ils aiment beaucoup la classique purée de pommes de terre bien légère, avec une noisette de beurre ; ne les privez pas de cette gourmandise.

La carotte est le légume le plus souvent donné aux bébés. C'est un aliment des plus utiles, qui se prête à de multiples emplois.

Très bien tolérée par le tube digestif, la carotte est donnée très tôt dans l'alimentation normale, sous forme de purée (pure ou mélangée à d'autres légumes). Chez l'enfant plus grand, elle peut être donnée crue, râpée ; et, à partir de 3-4 ans une carotte crue à croquer est souvent une véritable gourmandise.

Dans le traitement de la diarrhée du nourrisson, la soupe de carottes donnée en remplacement du lait pendant quelques jours reste souvent conseillée (voir p. 136).

La carotte est riche en carotène, qui se transforme en vitamine A indispensable, et substance colorée qui peut donner à la peau du nourrisson (visage, paume des mains) une teinte jaune orangé, quand on lui donne souvent des carottes. Le fait est sans conséquence et disparaît rapidement.

Les légumes de la famille des choux ne sont guère prisés des bébés ; ils sont d'ailleurs difficiles à digérer ; ne les donnez pas avant 3-4 ans. Quant aux légumes secs, lentilles, haricots, ils sont riches en protéines et en sels minéraux, en parti-

---

* Pas d'artichauts ni d'épinards cuits la veille : ils peuvent être toxiques. Pour les épinards en conserve, achetez-les ou surgelés ou en petits pots, mais pas en boîte de fer pour éviter tout risque d'oxydation. Et de toute manière, il est recommandé de jeter le jus d'épinards en conserve.

culier phosphore et fer, mais ils sont difficiles à digérer ; il ne faut pas les donner avant 18 mois au plus tôt, voire même 2 ans, et pour commencer dans les potages de légumes passés.

La betterave rouge est souvent très appréciée par les jeunes enfants. Elle peut être donnée râpée, seule ou mélangée à d'autres légumes, dès 5 ou 6 mois.

A noter : les légumes cuits doivent être conservés dans un endroit frais, sinon ils s'abîment. De toute manière, ils doivent être consommés dans les 24 heures. Enfin, sachez qu'il est normal que les selles de l'enfant qui a mangé des carottes en contiennent de petits fragments ; que les selles du bébé qui a pris des épinards soient vertes et qu'après les betteraves les selles et les urines soient rouges.

Je recommande une salade moins connue, mais à tort, car elle est d'une exceptionnelle richesse en vitamine A : le pissenlit ou dent de lion.

On croit souvent que les légumes en cuisant perdent leurs vitamines. C'est inexact, sauf pour la vitamine C qui est détruite en partie. Mais cette partie peut être réduite si l'on prend les précautions suivantes.

Après les avoir lavés, ne pas laisser tremper trop longtemps les légumes dans l'eau.

Les faire cuire dans très peu d'eau bouillante, salée ; le moins longtemps possible ; dans leur peau, par exemple pour les pommes de terre, et en entier*. Les enfants d'ailleurs aiment beaucoup les pommes de terre en robe des champs (encore plus lorsqu'elles sont cuites au four), et servies avec du beurre, mais il ne faut pas manger la peau, elle contient trop souvent des insecticides. Cela dit, les légumes ne sont pas seulement donnés pour leur richesse en vitamines et en sels minéraux, mais aussi parce qu'ils contiennent une forte proportion de cellulose, indispensable au bon fonctionnement des intestins.

 Les viandes

La viande est une des principales sources de protéines. On en donne au bébé vers 5 mois. En général, on commence par le bœuf, puis on continue par l'agneau, le jambon de Paris ou d'York, le veau et le poulet, etc. Le porc est difficile à digérer, dur à mâcher ; ne pas en donner avant 2 ans, toujours très cuit et bien dégraissé. D'une manière générale, il faut éviter pour les enfants les viandes grasses, de même qu'on évite le poisson gras.

Abats : ceux qui sont le plus souvent donnés aux enfants sont le foie — dès 7 mois —, qu'il soit de veau, d'agneau ou de génisse, la valeur nutritive est la même, et la cervelle — d'agneau ou de mouton — vers 1 an.

Aux mères qui ont l'habitude d'acheter du cheval, nous signalons qu'il ne faut pas en donner au bébé avant 8 mois, et en très petites quantités, certains enfants le tolérant mal.

---

* Par exemple, pour la pomme de terre, voici des chiffres cités par J. Lederer : par 100 grammes et crue, la pomme de terre contient 340 unités de vitamine C ; pelée et bouillie, elle n'en contient plus que 100, mais cuite dans sa peau elle en a encore 300.

Quand peut-on commencer à donner de la viande le soir ? D'une manière géné-rale, un enfant n'a pas besoin de manger de la viande deux fois par jour. Mais s'il en demande vraiment, à partir de 2 ans, on peut lui en donner de temps en temps, mais pas plus de 50 grammes.

Charcuterie : à part le jambon, les parents craignent d'en donner aux petits enfants. En fait, on peut leur donner, de temps en temps, un bon saucisson pur porc, ou de bonnes rillettes.

Le poisson

On croit en général que le poisson a une valeur alimentaire moindre que la viande, parce qu'en général il est moins gras ; mais, en ce qui concerne les pro-téines, il en apporte tout autant. Il a en plus l'avantage d'être moins cher que la viande.

Le poisson peut être donné à partir de 5-6 mois pour varier avec la viande et les œufs. Il ne doit être donné à l'enfant que s'il est très frais et maigre, à la rigueur demi-gras : colin, merlan, limande, carrelet, sole ; mais ni maquereau, ni thon, ni hareng. Exception : les sardines en conserve.

Certains enfants n'aiment pas du tout le poisson. Si c'est le cas du vôtre, rem-placez le poisson par des œufs ou de la viande.

L'œuf

C'est l'aliment complet par excellence, puisqu'il contient en substance tout ce qu'il faut pour fabriquer un être vivant. Mais il importe que l'œuf soit très frais. Vous avez vu qu'on donnait l'œuf progressivement ; en effet, certains enfants le supportent mal, donné en trop grande quantité : ils ont des troubles digestifs (diarrhée, démangeaisons, prurigo). Vous savez aussi qu'on évite le blanc avant 10 mois, car il est souvent en cause dans certaines intolérances digestives ou maladies allergiques.

La progression est en général la suivante : jaune d'œuf dur, vers 4-5 mois ; œuf dur entier : 10 mois ; œuf dans un dessert, œuf coque ou poché : 1 an ; omelette, œuf au plat : vers 15 mois, en faisant attention de les cuire dans du beurre légè-rement fondu, et pas dans un beurre fumant et indigeste. L'œuf en gelée du char-cutier : à éviter. La gelée est un véritable bouillon de culture, elle doit être consommée aussitôt faite.

Le lait

Même lorsque l'enfant a une alimentation variée, il doit continuer à boire du lait : de 200 à 300 grammes par jour après un an, et pendant toute son enfance, et à prendre des laitages (yaourts, petits-suisses, demi-sel, fromages). Les besoins en calcium du petit enfant sont considérables : seul le lait et ses dérivés peuvent les satisfaire. On peut donner le lait dans des desserts : riz, flan, crèmes, etc. Voici à titre d'indication par quoi remplacer 250 grammes de lait (en ce qui concerne l'apport de calcium) : 30 grammes de gruyère ou deux yaourts.

Lorsque l'enfant a sa ration de lait et de laitages dans la journée, il ne faut pas ajouter du lait comme boisson aux repas, sinon l'enfant serait trop nourri.

Les fromages

Ils représentent, sous un faible volume, une source très riche de sels minéraux, en particulier calcium et phosphore, dont vous connaissez la nécessité pour l'enfant. Et comme le lait, ils contiennent également des protéines et des graisses, mais sous une forme plus digeste. A ce titre, les fromages sont particulièrement utiles à partir du moment où l'enfant boit moins de lait. Comme vous l'avez vu, on commence par des fromages frais : yaourt, petit-suisse à 40 %, fromage blanc de campagne, appelé aussi fromage de régime car il contient peu de matières grasses et qu'il est très digeste. Les fromages double et triple crème, et la crème fraîche sont trop gras pour l'enfant avant 2 ou même 3 ans.

On commence la série des fromages à pâte dure et cuite par le gruyère puisqu'il peut se râper : une à deux cuillères à café dans les purées ou potages dès 6-7 mois ; port-salut, hollande, cantal : dès que l'enfant peut en manger des petits morceaux. Ces fromages à pâte dure sont particulièrement riches en calcium : environ 8 fois 1/2 plus que le camembert et le brie par exemple. Les enfants les aiment beaucoup d'ailleurs.

Les fromages fermentés à pâte molle, camembert, brie, roquefort, etc., peuvent être donnés — finement écrasés — dès 7 mois.

Les céréales

Les céréales sont riches en sels minéraux, en protéines, en vitamines B et E. Bien qu'il existe plusieurs variétés de farines, elles finissent par avoir toutes à peu près le même goût et la même consistance. Aussi est-il fréquent que le bébé, à l'âge d'un an, ne veuille plus de bouillie. Puisqu'il commence à bien savoir mâcher, donnez-lui des céréales grillées et croustillantes de blé, avoine, riz, maïs : corn-flakes, rice-krispies, sugar-puffs, etc. Mélangez, suivant le goût de l'enfant, avec du lait chaud ou froid et du sucre. Présentées ainsi, les céréales sont en général bien acceptées. Voyez aussi la recette du petit déjeuner suisse à base de flocons d'avoine, qui peut être donné dès l'âge de 18 mois, et celle du classique porridge anglais.

Les pâtes

Données de temps en temps et bien cuites, à partir de 8-9 mois, elles permettent de varier les menus. Avant, elles sont utiles sous forme de semoule fine ou en petites lettres pour épaissir un potage aux légumes.

Pain, biscuits et pâtisseries

A partir de 8 mois, on peut donner au bébé un biscuit avec sa tasse de lait à 4 heures, mais le choisir léger et de bonne qualité.

Recommandés : les boudoirs, les biscuits de Reims.

Gâteaux : ne pas donner de gâteaux ni de pâtisseries avant l'âge de 2 ans au moins, et, même à partir de cet âge, des gâteaux sans crème, surtout en été. Des enfants sont souvent intoxiqués par des gâteaux à la crème pas assez frais.

Pain : jusqu'à 18 mois utile seulement sous forme de croûte à sucer car il est difficile à digérer s'il n'est pas parfaitement mastiqué ; lui préférer les biscottes, soit telles, soit en panades. Après, en donner en tartines le matin ou à 4 heures.

Chocolat, cacao

Pas avant l'âge de 18 mois (sauf les farines cacaotées à partir de 10 mois). Par la suite on peut donner du chocolat à un enfant, sans en abuser.

Les glaces

Il est conseillé de ne pas en donner trop tôt — seulement vers 2-3 ans —, et de choisir des glaces de qualité, soit d'une bonne marque, soit fabriquées par un pâtissier ou un boulanger que vous connaissez. Les petites voitures qui circulent le long des plages ou dans les jardins publics ont beaucoup de charme, mais quelquefois il est risqué de leur acheter des glaces pour les tout-petits.

Les bonbons

Carie dentaire, anorexie (perte de l'appétit), troubles gastriques et intestinaux : tels sont quelques-uns des maux que favorise l'abus des bonbons. Particulièrement dangereux est le bonbon du soir, donné à l'enfant pour la tranquillité des parents : il est dangereux parce que le sucre qui séjournera toute la nuit entre les dents amènera rapidement des caries dentaires — on peut prédire à cet enfant que les dentistes joueront un grand rôle dans sa vie ; dangereux aussi parce que l'enfant qui s'endort avec un bonbon dans la bouche risque de l'avaler de travers : il ira dans ses voies respiratoires au lieu d'aller dans son estomac, ce qui peut être très grave.
Vous en conclurez facilement que je suis contre les bonbons et que je vous décourage d'en donner à vos enfants.

Les conserves

En dehors des aliments homogénéisés en petits pots préparés spécialement pour le nourrisson, il ne faut pas donner de conserves ; sauf les sardines, permises à partir de 9-10 mois, à condition d'ôter la peau, indigeste, et de les écraser en fine purée assaisonnée d'un jus de citron.

Les boissons

A partir du moment où l'enfant prend les repas « épais » (purée, viande, etc.), il faut penser à lui donner à boire. Pas d'eau gazeuse durant les 2 ou 3 premières années, et, bien sûr, pendant toute l'enfance, pas de boissons alcoolisées.

Les petits pots

Les petits pots sont préparés à partir de viandes, de légumes, de fruits dont la qualité est sévèrement contrôlée, et qui proviennent de producteurs n'employant aucun produit pouvant être toxique, tels qu'insecticides, engrais, etc. Ils sont, en outre, préparés dans des conditions d'hygiène très surveillées.

Les petits pots présentent un autre avantage : les aliments sont si finement broyés que le bébé peut les digérer très tôt. En plus, sous cette forme, le bébé accepte la nouveauté alors qu'il refuse souvent un aliment qui n'a pas la consistance ni le goût auxquels il est habitué.

A ce triple point de vue, tout est plus pratique avec un petit pot : une cuillerée de légume ajoutée à un biberon ne change pas vraiment ni le goût ni la consistance, l'enfant l'accepte facilement et on sait s'il tolère ce nouveau légume. Après, il est facile en donnant 2, puis 3, puis 4 cuillerées de passer par paliers de l'alimentation liquide à l'alimentation semi-solide, puis solide.

On peut ainsi introduire tous les aliments nouveaux en évitant, en plus, une longue préparation : préparer une purée de carottes, la passer au mixer pour en utiliser une cuillerée à café, c'est beaucoup de travail pour peu de chose.

Enfin, le petit pot est toujours prêt. En voyage, en vacances, le dimanche, c'est précieux.

Voilà pour les avantages. Mais il y a aussi des inconvénients.

D'abord, pour certains budgets, les petits pots sont trop chers. Puis, il faut le dire, ils sont fades : pour la plupart, les goûts se ressemblent, sauf pour les fruits. En nourrissant votre enfant exclusivement de petits pots, vous n'en ferez pas un gastronome, et surtout vous ne l'habituerez pas facilement à manger de tout plus tard.

Il faut enfin éviter de lui donner trop longtemps une nourriture exclusivement en purée sinon il refusera longtemps tout ce qui est en morceaux. (A noter qu'il existe des petits pots « junior » contenant des morceaux.)

Conclusion, les petits pots sont utiles pour introduire une alimentation variée, ils sont pratiques comme aliment occasionnel, ils permettent souvent de gagner un temps précieux, mais il ne faut pas en faire un usage exclusif, ni trop prolongé.

Attention : un petit pot ouvert doit être consommé dans les 48 heures, même s'il a été conservé au réfrigérateur.

Les aliments surgelés

De plus en plus de mères écrivent pour demander si elles peuvent donner des surgelés à leur bébé.

Si vous aimez les surgelés et que vous les utilisez pour la cuisine familiale, vous pouvez en donner au nourrisson, mais à une condition : plus encore que pour le reste de la famille, observez la date limite d'utilisation, le mode d'emploi, et en particulier, ne recongelez jamais un produit que vous avez sorti du congélateur.

Pour satisfaire les besoins de l'enfant, l'alimentation doit être variée et équilibrée

Au début, on n'a pas le choix : le bébé ne boit que du lait ; aussi les repas se ressemblent-ils tous. Pour le bébé nourri artificiellement, une seule fantaisie permise, le jus d'orange, et, en cours de trimestre, quelques grammes de farine.

Entre 3 et 10 ou 12 mois, vous l'avez vu, sans cesse de nouveaux aliments sont introduits dans l'alimentation ; et le médecin est là, consulté régulièrement, et qui vous conseille.

A un an, le choix des aliments permis est vaste, on peut s'amuser à composer de vrais menus pour le bébé. Le médecin ne donne plus que des indications générales, sans rentrer dans le détail des menus. A la mère de veiller chaque jour à ce que l'alimentation de l'enfant corresponde à ses besoins.

<u>De quoi a besoin un enfant ?</u> En quantité, toutes proportions gardées, de plus de nourriture que nous, c'est-à-dire de plus de calories *. Ce qu'il mange doit servir à couvrir différentes sortes de dépenses ; les efforts qu'il fait dès le premier jour — téter, crier, pleurer — représentent plus de 25 % de ses besoins en calories. Et ces besoins iront en s'accentuant au fur et à mesure de son développement moteur. Il lui faut aussi des calories pour le fonctionnement de son organisme, et surtout pour la croissance, qui durera vingt ans, mais qui pendant les premiers mois de la vie, est prodigieuse. En cinq mois, l'enfant double son poids de naissance ; en un an, il le triple. Mais — et ceci est important — l'organisme n'a pas seulement besoin d'une certaine quantité de calories : encore faut-il que ces calories proviennent d'aliments *variés*.

Les aliments, comme vous savez, se répartissent en plusieurs groupes selon leur richesse en protéines, graisses, sucres, sels minéraux et vitamines. Le régime de votre enfant doit comporter les uns et les autres. En quelle quantité ? Il ne servirait à rien que je vous dise : votre enfant doit avoir 2 grammes de protéines et 3 grammes de graisse par kilo de son poids, 1 200 unités de vitamine D, etc. Pour bien nourrir son enfant, on n'a quand même pas besoin d'être chimiste. Sachez seulement que le secret d'un bon régime, c'est la variété.

Chaque groupe d'aliments — viandes, poissons, œufs ; laitages ; légumes et fruits (frais et secs) ; sucres ; graisses — doit paraître sur la table de votre enfant. Vous trouverez plus loin, dans le *Petit lexique diététique*, des explications sommaires sur les divers groupes d'aliments, et ce qui distingue, par exemple, les protéines des sucres.

Mais il ne vous suffira pas d'assurer à votre enfant sa ration de protéines, de vitamines, etc. Encore faut-il varier les aliments qui fournissent les unes et les autres. Car s'il y a de nombreux aliments qui apportent des protéines, chacun d'eux a en outre une spécialité utile à l'organisme : le foie est riche en fer, la cervelle en phosphore ; et si les légumes sont d'une manière générale sources de vitamines et de sels minéraux, les uns apportent essentiellement la vitamine A, comme les carottes, les autres du fer, comme les épinards, etc. Ainsi un enfant qui

---

* Voir ce mot au *Petit lexique diététique*.

mangerait tous les jours un bifteck et des épinards aurait-il bien sa ration de protéines et de fer, mais il aurait un mauvais régime car il lui manquerait d'autres éléments nécessaires à l'organisme.

Il n'existe pas de menu complet idéal. L'idéal, c'est de varier les menus. Pour varier, le plus simple est de prévoir d'avance un petit plan pour la semaine en tenant compte de la saison, du jour du marché, des goûts de l'enfant. Par exemple, lundi, jour où les bouchers sont en général fermés sera le jour du jambon purée de pommes de terre. Mardi, tout est frais partout : foie de veau (ou de génisse ou d'agneau), artichaut ; mercredi : œuf coque, carottes ; jeudi : agneau, épinards ; vendredi : c'est par tradition le jour du poisson, servez-le avec du riz ; samedi : cervelle, haricots verts ; dimanche : bifteck et légumes de saison, qui se transformera bientôt en bifteck-frites.

Puis, autour et en fonction de ce plat principal, s'organisera le reste du programme alimentaire de la journée. D'ailleurs ce principe de la variété dans les menus est valable pour toute la famille, et si vous y pensez pour votre enfant, vous en bénéficierez tous.

Mais, ce programme, vous le composerez en ayant un deuxième souci : *l'équilibre*. Reportez-vous à notre semaine de menus pour un bébé de 12-18 mois. Le soir, le bébé prend en général un potage suivi d'un dessert. Bien équilibrer le régime de la journée, c'est choisir ce potage en fonction du repas du midi : par exemple potage aux légumes, si à midi l'enfant a eu des pommes de terre ou du riz ; au contraire, potage de flocons d'avoine, si à midi il y avait des épinards.

Voici un autre exemple : l'enfant prend le soir deux plats ; là il faut que le deuxième plat équilibre le premier : les compotes suivront le riz ou les pâtes, et le jour où l'enfant aura un potage de légumes, vous lui donnerez du riz au lait ou du flan, c'est-à-dire un dessert plus nourrissant.

Autrement dit, évitez ce genre d'erreur : dans la même journée, à midi épinards, le soir pruneaux : trop laxatif. A midi, un œuf coque, le soir un flan : trop d'œufs. Au même repas, purée suivie de riz au lait : trop de féculents. Potage aux légumes suivi de compote de fruits : trop de végétaux, etc. Pour que votre enfant ait tout ce qui lui est nécessaire, il faut suivre ce conseil : semaine variée, journées équilibrées.

Vous trouverez ci-après une « semaine variée, journées équilibrées » pour 7 à 12 mois, 12 à 18 mois, et 18 à 24 mois.

7 à 12 mois

	Déjeuner	Dîner
Lundi	Jambon Purée de carottes Yaourt	Potage aux légumes Banane pochée
Mardi	Œuf dur Épinards Camembert ou roquefort	Panade Compote de fruits
Mercredi	Foie (veau ou génisse) Purée de légumes variés (selon saison) Yaourt	Floraline + gruyère Pomme râpée
Jeudi	Bifteck haché Pommes mousseline + gruyère râpé Compote de fruits	Potage de légumes + biscotte écrasée
Vendredi	Poisson bouilli Purée de carottes Port-salut ou hollande	Peyit-suisse Semoule au lait Compote de fruits
Samedi	Agneau Purée de légumes variés Pruneaux	Potage de légumes épaissi au tapioca Banane écrasée
Dimanche	Bifteck haché Artichaut Fruits frais	Floraline Compote de fruits

12 à 18 mois

	Déjeuner	*Dîner*
Lundi	Jambon purée de pommes de terre Roquefort ou hollande Fruit	Potage de légumes Riz au lait
Mardi	Foie (veau ou génisse) Artichaut Petit-suisse Fruit	Semoule salée + gruyère Confiture et biscuit
Mercredi	Œuf coque Carottes Yaourt Banane	Potage de légumes avec petites pâtes Pomme au four
Jeudi	Agneau Épinards Camembert ou gruyère Fruits	Potage aux flocons d'avoine Compote de fruits mélangés
Vendredi	Poisson Riz Yaourt Fruit	Potage de légumes Œufs au lait
Samedi	Cervelle Haricots verts Fromage blanc Fruit	Panade Pruneaux
Dimanche	Bifteck Légumes de saison Yaourt Fruits	Potage de légumes Flan

18 à 24 mois

	Déjeuner	Dîner
Lundi	Tomates Œuf coque et riz au gruyère Petit-suisse Fruit	Potage aux carottes Semoule Fruit
Mardi	Carottes râpées Steak grillé, pommes de terre en robe des champs Fromage de Brie Fruit	Potage de légumes Pâtes Compote de fruits
Mercredi	Sardine Côte d'agneau, purée d'artichaut Yaourt Fruit	Potage à la floraline Œuf coque Miel, biscuit
Jeudi	Betterave rouge Foie, haricots verts Yaourt Banane	Potage de légumes Pâtes au beurre Flan

Vendredi	Carottes râpées
	Poisson, jardinière
	    de légumes
	Petit-suisse
	Pruneaux
		Potage à la semoule
		Artichaut (assaisonné
		    de citron, huile, sel)
		Fruit

Samedi	Poireaux (assaisonnés de citron, huile, sel) Jambon, épinards Fromage de chèvre Fruit	Potage de flocons d'avoine Omelette d'un œuf Fruits au sirop
Dimanche	Tomates Bifteck-frites Camembert Fruit	Potage de légumes Riz Crème anglaise

Les problèmes
que peut poser l'alimentation

Dans la vie d'un enfant, l'alimentation joue un grand rôle ; il est donc compréhensible qu'elle devienne une préoccupation importante des parents. Cela tourne parfois même à l'obsession : a-t-il assez mangé ? A-t-il bien digéré ? Pleure-t-il de faim, ou pleure-t-il parce que les épinards ne passent pas ? Mais pourquoi donc refuse-t-il de manger ? Ne faudrait-il pas le changer de lait ?

Ce sont autant de questions que, quotidiennement, se posent les parents. C'est pourquoi nous les avons traitées à part.

Les pleurs, avant ou après les repas, que signifient-ils ?

Les changements d'horaires, de menus, de rations : quand et comment les faire ?

Le manque d'appétit, d'où peut-il venir ?

(L'alimentation de l'enfant *malade* et du petit *convalescent* est traitée au chapitre 4, celle du bébé en *voyage* au chapitre 3.)

Pourquoi pleure-t-il ?

Au début, la grande difficulté est de savoir si les pleurs du bébé, qui semblent avoir un rapport avec la tétée, sont dus à la faim ou à une mauvaise digestion, sinon on risque de donner à manger davantage à un enfant qui digère mal, ce qui aurait pour effet de faire redoubler ses pleurs.

Comment reconnaître qu'un bébé pleure de faim ? A la *régularité* de ses pleurs : il réclame toujours un quart d'heure avant la tétée et en général tout de suite après ; à la *voracité* avec laquelle il se jette sur le sein ou le biberon ; à la vigueur de ses cris ; au *timbre particulier* de ses pleurs : vous le reconnaîtrez très vite. Lorsqu'on a acquis la certitude que l'enfant pleure de faim, on peut :
- si l'enfant est au sein, envisager l'allaitement mixte ;
- si l'enfant est au biberon, soit donner le soir 10 grammes de plus ou 20 grammes même, soit, après avis du médecin, donner des farines en petites quantités (pour le choix et les doses, voyez page 108).

Comment savoir qu'un enfant pleure parce qu'il a mal au ventre ? Il remonte ses jambes contre son ventre ; il a des gaz ; son ventre est ballonné ; quelquefois, son visage devient pâle ; enfin, il pleure généralement à heures fixes : c'est parce qu'il a des « coliques » (voyez ce mot au chap. 4).

Il peut y avoir deux autres raisons alimentaires aux pleurs du bébé :
- il a bu trop vite ; c'est surtout le cas du bébé nourri au biberon. Diminuez les trous

de la tétine, interrompez la tétée deux ou trois fois pour que l'enfant avale moins d'air ; aidez-le à faire ses renvois ;
- il a soif : on est en été, ou bien la chambre est surchauffée, ou encore l'enfant a de la fièvre. Donnez-lui à boire.

Il y a bien d'autres raisons possibles aux pleurs d'un bébé. Nous n'envisageons ici que les pleurs qui sont en rapport avec l'alimentation. Pour les autres, reportez-vous au chapitre 3, paragraphe *Il pleure*.

Comment faire accepter les changements de régime ?

Entre 3 et 12 mois, le bébé ne cesse de changer d'horaires : il passe de six à cinq, puis à quatre repas ; il change d'aliments : à peine s'est-il habitué au goût des bouillies (sucrées) qu'on lui demande de manger des épinards (salés), et du poisson ; il tétait sa maman, il faut qu'il apprenne à sucer une tétine, puis à se servir d'une cuillère, puis à boire dans une timbale.

Or, le changement peut dérouter le bébé. De plus, entre 6 mois et 12 mois, il ne cesse de percer des dents, ce qui le met souvent de fort méchante humeur, et le dispose mal à faire l'effort qu'exige cette adaptation continuelle à des nouveautés.

C'est pourquoi il y a certaines précautions à prendre pour introduire les changements ; vous les trouverez ci-dessous. Vous verrez aussi que faire lorsque le bébé refuse de changer ; cela arrive.

Quand changer ? Voyons pour commencer *quand* il faut changer. Il y a d'abord les principes généraux adoptés pour les bébés de poids moyen : mis à la naissance à six repas, ils passent à cinq repas vers 3 mois, à quatre vers 4-5 mois. Ces chiffres donnent des indications, mais ils ne conviennent pas nécessairement à tous les bébés ; nous le répétons, mais ce n'est pas inutile ; c'est le médecin, consulté régulièrement, qui verra si le bébé est prêt pour tel changement, s'il doit le devancer ou le retarder. Tel enfant sera mis à cinq repas dès 2 mois ; tel autre restera à six repas jusqu'à 5 mois. Enfin, le bébé indique souvent lui-même, par son comportement, qu'il faudrait changer quelque chose.

- Signe qu'il faut un changement : l'enfant par exemple refuse un biberon ou n'en prend que 20 grammes : c'est souvent le cas du biberon de fin d'après-midi, il faut alors supprimer un repas.

- Signes qu'il faut retarder le changement. Un exemple : le bébé suce beaucoup son pouce ; cela veut dire qu'il ne satisfait pas son besoin de téter. Supprimer déjà un repas diminuerait trop tôt les occasions de téter.

Autre exemple concernant, non le changement d'horaire, mais celui d'aliments : votre bébé a 3 mois ; il accepte mal la bouillie ; il est bien portant, mais on a vraiment l'impression qu'il aimerait autre chose. D'accord avec le médecin, vous donnerez un peu plus tôt la purée de légumes.

Comment changer ? Le grand principe pour tout changement, c'est de le faire progressivement, qu'il s'agisse d'augmenter la quantité d'un aliment déjà donné, de changer la consistance d'une bouillie, d'introduire un nouvel aliment. C'est nécessaire pour adapter le goût autant que l'estomac de l'enfant. Autrement dit, tout changement doit se faire par paliers. La manière dont la farine est peu à peu introduite dans l'alimentation de l'enfant en est un bon exemple.

Ce principe de la progression sera appliqué à tous les aliments : de l'œuf (et là tout spécialement, car certains enfants sont allergiques à l'œuf, spécialement au blanc), à la sole, en passant par la banane ou le bifteck ; on donnera successivement une demi-cuillère à café, une cuillère à café, une à entremets, enfin une cuillère à soupe. De même lorsqu'on voudra apprendre à l'enfant à mastiquer : on donnera de tout petits morceaux, puis des morceaux de plus en plus gros. Et comme ces changements sont quelquefois délicats à faire accepter, voici ce que vous pourrez faire pour les faciliter.

- Tout changement sera présenté par vous. C'est important, même si ce n'est pas vous qui donnez régulièrement les repas.
- Vous ne ferez qu'un changement à la fois ; par exemple, vous ne donnerez pas et de la viande et des haricots verts, pour la première fois le même jour. Si l'enfant digérait mal l'un ou l'autre, vous ne sauriez pas qui, de la viande ou des haricots, est le responsable.
- Vous choisirez des circonstances favorables : pas d'innovation le jour où l'enfant est fatigué ou au moment où il perce une dent.
- Donnez-lui la nouveauté au repas où il a le plus faim.
- En cas d'échec, n'insistez pas, mais ne renoncez pas pour autant. Vous referez d'autres tentatives à un moment qui vous semblera plus propice.
- Enfin, suivez le rythme de l'enfant, mais n'attendez quand même pas trop pour faire les changements.

Les changements : petits trucs pour petits problèmes. Même si vous suivez ces conseils, vous aurez peut-être des difficultés. Voici quelques petits « trucs » qui vous aideront probablement à les résoudre.

Lorsque vous commencez l'alimentation à la cuillère, choisissez-en une petite. Et ne croyez pas, si le bébé recrache, qu'il refuse ; simplement, il est étonné par cet instrument nouveau. Pour aider votre bébé, ne mettez pas les aliments sur le bout de la langue, mais bien au milieu de la bouche. Je vous rappelle de toute manière que si l'enfant refuse la cuillère, il ne faut pas insister, mais recommencer un peu plus tard.

Pour faciliter le passage du sucré au salé, lorsque vous donnerez la première purée de légumes, salez-la très peu. C'est d'ailleurs un passage qui se fait facilement chez les bébés qui n'ont pas eu une alimentation trop sucrée.

Associez l'aliment nouveau à un aliment déjà bien accepté.

Certains enfants, lors du sevrage, pleurent après avoir fini le biberon, car ils ont l'impression d'avoir bu moins. Téter le sein donne beaucoup plus de peine que de boire au biberon. Au début, prenez des tétines à petits trous pour que la tétée dure plus longtemps.

Lorsqu'il en a envie, laissez votre enfant manger seul : dès 10-11 mois, le bébé peut prendre et mettre dans sa bouche des aliments qui fondent, comme la carotte cuite ou la banane. Commencez par un ou deux morceaux, puis augmentez les doses.

Lorsqu'on supprime la bouillie du matin, et qu'on met l'enfant au vrai petit déjeuner — bol de lait et tartines —, ce petit déjeuner on le donne plus tard ; et souvent l'enfant a de la peine à s'habituer au nouvel horaire : il pleure tant qu'il n'a pas mangé. Mettez près de son lit un ou deux biscuits qu'il mangera en se réveillant ; ils lui permettront d'attendre avec le sourire sa tasse de lait et ses tartines.

Le jour où votre enfant voudra se servir de sa cuillère, choisissez, pour ce premier essai, une purée bien consistante. Mettez un bon plastique, une serviette bien enveloppante et laissez votre enfant se débrouiller seul ; il se salira sûrement, mais il n'apprendra jamais s'il n'a pas l'occasion d'essayer.

Il refuse tout changement, tout ce qui est nouveau, qu'il s'agisse de l'aliment ou de l'instrument : farine, cuillère ou artichaut. Au début, c'est normal puisque le bébé aime rarement la nouveauté. Mais, s'il continue à refuser, peut-être avez-vous voulu aller trop vite soit en sautant trop brusquement du sucré au salé, soit en passant sans transition de la purée aux aliments en morceaux, soit en forçant l'enfant à prendre cette bouillie qu'il refusait le premier jour.

Que faire ? Tout d'abord, ne pas vous énerver. La nervosité conduit à un échec certain dans l'immédiat, et représente une menace d'anorexie pour le futur. Avec calme et patience, on obtient toujours le résultat désiré. Il n'y a pas d'exemple d'enfant qui ne mange que des bouillies à l'âge d'un an sous prétexte qu'il ne veut rien d'autre. Mais pour que l'enfant franchisse les étapes, il faut que ses parents aient de la patience. Nous sortons peut-être du domaine de l'alimentation pour entrer dans celui de l'éducation, mais c'est nécessaire : sans souplesse, vous n'obtiendrez rien.

Il refuse de boire à la tasse ? Avant de donner un biberon, insistez cinq minutes. Le lendemain, le surlendemain, faites un nouvel essai, mais entre-temps laissez-lui la timbale vide. Il est à l'âge où il porte tout à sa bouche ; peu à peu il s'habituera à la forme, au contact de la timbale.

S'il refuse la bouillie un jour ou deux, le troisième, ne la présentez plus ; laissez passer dix jours pour qu'il ait eu le temps de l'oublier, puis présentez une bouillie d'un goût différent.

Il ne veut pas de la cuillère ? Vérifiez d'abord qu'en la mettant dans la bouche vous ne heurtez pas une gencive gonflée par une dent qui perce ; c'est fréquent. Puis, après une ou deux tentatives, laissez la cuillère de côté, reprenez-la quinze jours plus tard. Pour que l'enfant s'habitue plus facilement à la cuillère, certains pédiatres recommandent de s'en servir pour donner le jus d'orange ; ainsi le bébé peut s'y accoutumer progressivement dès les premières semaines.

Il refuse l'artichaut ? Là encore, il faut un délai, sinon il sera dégoûté. Lorsque, quinze jours plus tard vous ferez un nouvel essai, mettez, pour commencer, très peu d'artichaut dans beaucoup de purée.

Tant que le poids de l'enfant reste bon, les problèmes alimentaires sont sans gravité ; ils sont momentanés et finissent toujours pas s'arranger. Pour l'enfant, c'est une question d'habitude à prendre, pour les parents de patience à garder.

Il n'a pas faim

Cas d'urgence. Le refus de manger n'est pratiquement jamais un symptôme nécessitant l'appel d'urgence au médecin. Il y a pourtant un cas où cet appel est nécessaire : lorsque le refus de manger est soudain et total (le bébé ne veut même pas accepter une cuillerée de nourriture), et lorsque ce refus s'accompagne de cris revenant à intervalles réguliers, et parfois de vomissements. Dans ce cas, appelez le médecin ; il peut s'agir d'une maladie chirurgicale (hernie étranglée, invagination intestinale — voir ces mots) qu'il faudra opérer d'urgence (les présomptions seront renforcées s'il y a, en plus, du sang dans les selles).

Nous avons mis ce cas d'urgence à part ; comme vous l'avez vu il n'y a pas un moment à perdre, et lorsqu'il se présente, il n'est pas question de lire trois pages sur le manque d'appétit, si intéressantes soient-elles.

Lorsqu'une mère ne découvre pas tout de suite la cause du manque d'appétit de son enfant, elle s'inquiète. Qu'un enfant malade ne mange pas lui semble normal, mais qu'un enfant en apparence en bonne santé n'ait pas d'appétit lui semble suspect, sinon impossible, tant elle est persuadée que l'appétit d'un enfant doit être constant. Et pour peu que ce manque d'appétit se prolonge, la mère imaginera rapidement que son enfant est gravement malade.

Le manque d'appétit peut être accompagné d'autres symptômes ou rester isolé.

Le manque d'appétit s'accompagne d'autres symptômes. Lorsque votre enfant refuse de manger, il faut avant tout chercher s'il n'y a pas d'autres symptômes. Commencez par prendre sa température, puis notez tout ce qui n'est pas normal : nez qui coule, toux, éruption, diarrhée, constipation, vomissements. Chez le tout-petit : courbe du poids stationnaire, etc.

En présence de l'un de ces symptômes ou d'autres, vous consulterez le médecin. C'est lui qui cherchera la maladie responsable du manque d'appétit de votre enfant. Les plus fréquentes sont les maladies infectieuses. Toutes les infections — même la plus bénigne — la rhinopharyngite par exemple — peuvent retentir sur l'appétit de l'enfant. Chez le tout petit bébé enrhumé, le manque d'appétit s'explique en outre par des raisons mécaniques : lorsqu'il a le nez bouché, le bébé respire par la bouche, mais lorsqu'il veut téter, il a du mal à respirer, et il est gêné pour avaler ; alors il refuse de boire. L'appétit ne revient que lorsque l'infection a été découverte et soignée.

Les troubles digestifs, conséquence d'une erreur de régime, peuvent retentir sur l'appétit : l'enfant a une ration trop forte * ou insuffisante, ou bien une nourriture trop ou pas assez concentrée (voir le dosage du lait dans la préparation des biberons) ; il ne supporte plus le lait, pas la farine ; il ne tolère pas certains aliments ; il manque de vitamines, ou de fer, etc. Il n'est pas toujours facile d'établir d'emblée

---

* Cela vous surprendra, mais voici ce qui se passe : parfois, l'enfant est vorace, il réclame davantage à manger. On force la ration. Plus il pleure, plus on lui donne. Jusqu'au jour où il n'arrive plus à digérer de trop grandes quantités. Il refuse de manger. Alors la courbe de poids cesse de monter ; on s'inquiète.

le régime idéal d'un enfant. En cas de troubles digestifs, il faut modifier le régime. Ce sera l'affaire du médecin, et votre enfant retrouvera son bel appétit.

Une recommandation pressante. Si votre enfant ne veut pas manger parce qu'il a une maladie infectieuse ou que son régime ne lui convient pas, ne le forcez pas. Sa réaction est saine. La fièvre et la diarrhée diminuent souvent l'appétit. Suivez donc les indications de la nature. Lorsqu'il sera guéri, ne le forcez pas non plus à manger trop tôt, même s'il a maigri. Soyez patiente. Dès qu'il sera capable de digérer normalement, son appétit reviendra. Il mangera peut-être comme un ogre pendant une semaine ou deux.

Manque d'appétit et poussée dentaire. Votre bébé a 6, 8, 9 mois ; il pleure, il dort mal ; ses selles ne sont pas parfaites, son derrière est irrité ; il salive. Regardez ses gencives : elles sont rouges ; une dent est en train de percer. C'est peut-être pourquoi l'enfant a moins faim. L'appétit reviendra lorsque la dent sera sortie. Ne vous inquiétez donc pas, sauf si la courbe de poids baisse. Auquel cas, n'hésitez pas à consulter le médecin, qui modifiera peut-être temporairement le régime.

Le manque d'appétit est le seul symptôme. Votre enfant mange moins bien que d'habitude, c'est le seul symptôme qui vous frappe, et rien d'autre ne peut faire penser qu'il couve une maladie. Ne vous faites pas de souci. Il arrive à l'enfant ce qui vous arrive à vous-même parfois. Il a moins faim que d'habitude. Mais oui : l'appétit des enfant est variable comme celui des adultes, d'un repas à l'autre, d'un jour à l'autre. Et, comme les adultes, les enfants ont leurs préférences pour certains aliments. De plus, leurs goûts changent. Les épinards qu'ils mangeaient hier avec plaisir, ils les refusent aujourd'hui. Enfin, chez tous les enfants, l'appétit fléchit à certaines périodes ou dans certaines circonstances.

Évolution de l'appétit de la naissance à 3 ans.

■ *De la naissance à 5-6 mois :* le bébé est affamé. Il se jette sur son biberon, n'en laisse pas une goutte. On dirait qu'il met les bouchées doubles afin de grossir de huit cents grammes ou d'un kilo par mois comme on le lui demande. Il peut, sans raison apparente, refuser un biberon de temps à autre. Mais c'est rare. En revanche, il est courant que la faim diminue lorsqu'on change l'horaire des tétées, au moment du sevrage, et lorsqu'on donne la première bouillie. Après la période d'adaptation, qui peut durer quelques jours, le bébé mange normalement.

■ *De 6 mois à un an :* le bébé a encore très faim, mais il est quand même moins vorace. Il ne va d'ailleurs plus prendre que 300 grammes par jour.
   Puis surviennent certains événements qui vont lui donner des soucis, et, de temps à autre, diminuer sa faim : les premières dents sortent, qui le font souffrir. On lui donne les premiers aliments solides : mastiquer est un véritable apprentissage.

■ *De un an à 18 mois :* la croissance très rapide des premiers mois s'est stabilisée, et la faim se régularise. D'ailleurs maintenant apparaît l'appétit vrai, si l'on prend ce mot dans son sens premier : goût pour certains aliments. Comme à cet âge les menus de l'enfant sont déjà très variés, il peut choisir.
   Cette nouvelle faculté, l'appétit, l'enfant peut l'acquérir sans heurts, ou bien par sauts brusques et avec hésitation (il en est de même de toute acquisition : la mar-

che, par exemple, ne sera pas d'emblée stable et assurée). Résultat : l'enfant refuse souvent un plat, soit parce qu'il ne l'aime pas, soit simplement pour affirmer sa personnalité qui se développe tous les jours, soit encore parce qu'il a vu que cela ennuyait sa maman qu'il ne mange pas et qu'il use ainsi de son pouvoir sur elle. Ainsi chez plus de cinquante pour cent des enfants, l'appétit varie d'un repas à l'autre.

Il fléchit comme à la période précédente lors des poussées dentaires, et lorsqu'on présente un aliment nouveau. Enfin, vers la fin de cette période, commence l'éducation de la propreté. Si l'enfant n'est pas content, il refuse de manger. C'est une manière de s'opposer à ce qu'on lui demande. Il se sert parfois de cette arme.

■ *A partir de 18 mois :* l'enfant est habitué à manger de tout et souvent tout seul. On ne lui offre plus guère d'aliments nouveaux auxquels il aurait à s'adapter. Son appétit se régularise.

■ *Vers 2 ans et demi,* au moment de la grande crise de personnalité dont nous vous parlons au chapitre 6, l'enfant risque, une nouvelle fois, de refuser de manger pendant quelque temps. Évidemment, c'est la manière la plus simple d'attirer l'attention sur lui. Plutôt que d'entrer en conflit avec lui à ce propos, il faut redoubler d'attention à son égard, mais dans d'autres domaines.

Vous voilà avertie. Ne vous inquiétez donc pas si votre enfant refuse de temps à autre une bouillie ou un plat. Vous savez ce qu'il faut faire ces jours-là : ne le forcez pas à manger. Un enfant mange très exactement ce dont il a besoin. En le contraignant, vous risqueriez de prolonger ce manque d'appétit passager. Une diététicienne, Clara Davis, a fait des expériences pour prouver précisément que les enfants, dès leur plus jeune âge, se nourrissaient fort raisonnablement tout seuls. Des enfants, âgés de 10 à 18 mois, mis en présence des aliments les plus variés, se servaient de ceux qu'ils désiraient (ils les désignaient de la main, et on les leur donnait aussitôt). Certains mangeaient plusieurs œufs durs, d'autres uniquement des betteraves ; d'autres mangeaient trois fois plus que la moyenne, d'autres deux fois moins. Certains avalaient presque la ration de viande d'un travailleur de force ! Mais aucun n'était malade et tous prenaient du poids normalement. Faites donc confiance à votre enfant. Il n'a pas faim ? Laissez-le tranquille.

Il n'a pas faim : petits trucs pour petits problèmes. N'essayez pas de le faire manger, ni en le menaçant de punitions, ni en lui promettant des récompenses, ni en faisant le clown pour le distraire dans l'espoir que, pendant ce temps, il mangera sans s'en apercevoir. Lorsqu'un enfant découvre qu'en ne mangeant pas, il est capable de faire faire les pieds au mur à son père en échange d'une cuillère à soupe, il est ravi d'avoir un tel pouvoir ; il en abuse, et les repas deviennent un vrai marchandage.

Ne prolongez pas les repas au-delà d'une certaine limite (une demi-heure). Ne les fractionnez pas non plus en offrant à votre enfant à manger une demi-heure plus tard ce qu'il a refusé. Il aurait d'autant moins faim au repas suivant.

Espacez les repas au maximum. Au besoin, n'en donnez que trois par jour. Si votre enfant refuse un aliment précis, ne lui en donnez pas pendant quelques semaines.

Ne lui servez pas une assiette trop pleine.

Si c'est le matin que votre enfant n'a pas faim, donnez-lui au réveil un verrre d'eau sucrée ; c'est souvent très efficace : un quart d'heure plus tard, l'enfant a faim.

Enfin deux petits « trucs » qui donnent parfois de bons résultats : mettez-lui sa purée dans un bol de couleur ; faites-le manger avec un autre enfant, mais à condition qu'il ait le même menu. Certains bébés refusent leur bouillie quand ils voient des pommes sautées dans l'assiette de l'aîné.

Attendez avec calme que l'appétit revienne, mais avertissez le médecin : si la courbe de poids reste stationnaire plus de huit jours (dans le cas du nourrisson) ; si vous notez l'apparition d'un symptôme qui pourrait révéler une maladie à son début ; si le manque d'appétit, en dehors de tout symptôme, se prolonge au-delà d'un mois. Dans ces divers cas, le médecin prescrira des examens complémentaires. En effet, certaines maladies ne se traduisent pas toujours par des symptômes apparents, en dehors d'un manque d'appétit prolongé. Si le médecin n'a rien trouvé d'anormal et si le manque d'appétit devient un refus de s'alimenter, il s'agit probablement d'anorexie d'origine psychologique. Voyez ce mot au chapitre 4.

L'appétit capricieux. En dehors du manque d'appétit qui dure deux, trois jours mais qui disparaît en même temps que la cause qui l'avait provoqué (rhinopharyngite, percée de dents, etc.), il y a l'enfant dont l'appétit est capricieux, temporairement, parfois même longtemps, mais sans raison apparente ni décelable : il ne refuse pas de manger par principe, mais il mange irrégulièrement. A un repas, rien ou presque, au suivant, beaucoup. Il demande le sucré avant le salé. Cet enfant, il ne faut pas non plus le forcer ; son appétit finit toujours par se régulariser si l'on ne commet pas d'erreurs. Ce qui convient à un appétit capricieux ce sont des menus fantaisistes.

Un enfant que j'ai connu refusait souvent le déjeuner classique tel que : carottes râpées, rosbif, haricots verts, petit-suisse. Mais, lorsque sa mère lui proposait une tranche de saucisson, il l'acceptait et, chose curieuse, après l'avoir mangée, il réclamait le déjeuner, comme s'il lui avait fallu quelque chose pour lui ouvrir l'appétit. D'autres fois, il commençait par le yaourt et finissait pas les sardines. Certains jours, où il n'avait pris pour déjeuner qu'une banane, si on lui proposait à 4 heures un œuf sur le plat, il l'acceptait avec un plaisir évident. D'autres fois, c'était un morceau de fromage de Hollande qui lui ouvrait l'appétit, ou bien quelques crevettes. Cela dura six mois, mais, comme il avait belle mine, sa mère ne s'en inquiétait pas. Il fallait seulement faire preuve d'imagination pour le faire manger quand même.

Si votre enfant est dans ce cas, cherchez si, parmi les aliments conseillés pour son âge, il n'y en a pas que vous ayez oubliés et qui pourraient lui plaire. Surtout parmi ceux qui ont du goût. Ne craignez pas la rondelle de saucisson ou même le cornichon, et surtout donnez-lui des aliments nourrissants sous un petit volume. A partir de 18 mois, essayez le petit déjeuner suisse (voir plus loin au paragraphe *Recettes*) particulièrement nourrissant.

Et voici un petit « truc » qui m'a souvent réussi avec un appétit capricieux : les sandwiches « étrangers ». J'avais devant moi un peu de gruyère, de jambon, de fromage blanc, de salade, etc., et je disais à Emmanuel : « Je vais te faire un sandwich suisse, bouchée de pain, beurre, fromage ; maintenant, en voici un grec, bouchée de pain, fromage blanc, noix ; puis un russe, jambon, cornichon. » Emmanuel se prenait au jeu et me réclamait un sandwich américain, un espagnol, un italien. (Vous avez compris que mon fils Emmanuel avait petit appétit et comme toutes les mères, cela m'ennuyait qu'il refuse tout.)

Si vous ne trouvez pas d'aliment qui tente votre enfant, emmenez-le faire des courses avec vous dans un quartier commerçant, et c'est lui qui vous dira en voyant tel légume ou tel poisson : « J'en voudrais. » Autre truc, mais évidemment valable seulement à partir de 3-4 ans : suggérez à votre enfant d'aider à préparer un plat. S'il tourne une sauce, bat des œufs ou écrase lui-même une banane, il sera très fier et mangera « sa » cuisine.

Enfin, soyez tolérante. Si, pendant que le déjeuner se prépare, votre enfant a envie de la tranche de jambon qu'il voit, ne la refusez pas sous prétexte qu'il faut être assis à table pour manger : il risquerait de tout refuser dix minutes plus tard. J'entends d'avance certaines mamans dire que ce système, c'est l'anarchie. Non, s'il est appliqué avec bon sens et mesure ; il ne s'agit pas d'offrir à un enfant, à 2 heures, un éclair au café sous prétexte qu'il n'a pas mangé à midi, ou bien des bonbons en disant « le sucre est nourrissant, ainsi il aura au moins quelque chose dans le ventre », c'est *aux repas* qu'il faut laisser l'enfant, dont l'appétit est capricieux, manger avec fantaisie. *Entre les repas,* il ne faut rien donner.

L'atmosphère des repas. Je vous ai parlé longuement de ce que vous pouviez mettre dans l'assiette de votre enfant, il me reste à vous dire deux mots de l'atmosphère des repas.

Il est souhaitable que les repas se déroulent dans le calme et à des heures régulières. Lorsque votre enfant commencera à manger seul à la cuillère, ayez un peu de patience ; le repas sera plus long, mais ne dites pas à votre enfant toutes les deux minutes : « Vite, dépêche-toi. »

Tant que l'enfant est à son régime de bébé, il est souhaitable qu'il prenne ses repas avant ou après le reste de la famille. En effet, jusqu'à deux ans un enfant ne mange pas proprement ; lui faire sans cesse des remarques ne sert à rien car il ne les comprend pas encore ; en plus, elle lui gâchent le plaisir de manger.

Si vous voulez qu'il participe au repas familial, installez-le dans sa chaise et donnez-lui à « picorer » un morceau de fromage ou de pain.

Il a soif

Le nourrisson a souvent soif. C'est bien naturel puisque ses réserves d'eau sont minimes, alors que ses besoins sont, en proportion, bien plus importants que ceux de l'adulte : songez qu'un bébé doit boire 125 à 150 grammes d'eau par kilo de son poids et par jour. Si l'adulte buvait autant en proportion, il absorberait — dans le cas d'une personne de 70 kg — 10 litres de liquide par jour ; en réalité, 2 litres seulement sont nécessaires à l'adulte en temps normal.

Comment reconnaître qu'un nourrisson a soif ? Il crie, pleure et s'agite. S'il a très soif, son visage exprime l'angoisse. Touchez ses lèvres : elles sont sèches. Sa langue est sèche elle aussi. Montrez-lui le biberon : vous le verrez aussitôt tendre les mains ou essayer de se soulever pour s'en approcher.

Comment reconnaître qu'un bébé a suffisamment bu, et comment éviter qu'il ne boive avec excès ? Vous n'avez pas à vous faire de souci à ce sujet : le nourrisson règle exactement sa soif sur ses besoins en eau. Tant qu'il accepte de boire, c'est qu'il a besoin de boire. Dès que ses besoins en liquide sont satisfaits, il cesse de boire. Ainsi êtes-vous certaine de ne jamais vous tromper en offrant un biberon d'eau à un enfant qui pleure.

Mieux encore : la soif est élective. Si l'on présente à un nourrisson déshydraté deux biberons, l'un d'eau sucrée, un autre d'eau salée, après avoir goûté des deux, il choisit celui qui correspond au besoin de son organisme.

Quand les biberons normaux ou la soupe de légumes sont-ils insuffisants comme apport de liquide ?

■ Quand l'enfant a de la diarrhée ou des vomissements. C'est facile à comprendre : l'enfant perd du liquide ; il faut compenser cette perte par de l'eau sucrée et de l'eau salée (celle de la soupe de carottes. Voyez aussi chap. 4 les articles *Diarrhées* et *Vomissements*).

■ Quand le lait qu'on lui donne est trop concentré. Certaines mamans pensent donner une nourriture plus riche à leur enfant en augmentant la quantité de lait en poudre ou de lait concentré, sans augmenter le volume total du biberon. C'est dangereux, car cela peut entraîner des troubles.

■ Quand l'enfant a de la fièvre ; quand il est trop chaudement vêtu ; quand il fait très chaud, en été à cause du soleil, en hiver à cause du chauffage central. Dans ces trois cas, l'enfant lutte contre l'excès de chaleur par la transpiration qui épuise ses faibles réserves en eau.

Conclusion : offrez souvent de l'eau au nourrisson.

■ Quand l'enfant urine abondamment. Souvent, le fait qu'un nourrisson ait toujours soif, accepte toujours le biberon d'eau qu'on lui présente, oriente le pédiatre vers une affection comme le diabète ou une affection des reins. C'est notamment le cas lorsque le nourrisson réclame à boire la nuit alors qu'il n'a pas de fièvre, qu'il n'est pas trop vêtu et qu'il ne fait pas trop chaud.

Que donner au nourrisson ?

De l'eau pure, ou très légèrement sucrée.

Quelques préjugés

Le plus courant. « Croire que les troubles digestifs sont toujours causés par des aliments, et changer aussitôt ». Les troubles digestifs sont en réalité le plus souvent dus à une infection ou à une erreur de technique alimentaire : l'enfant est suralimenté, les repas sont trop rapprochés, etc.

« Un enfant devrait manger de tout ». Il ne faut pas mélanger diététique et éducation ; ce principe est respectable, mais son application est critiquable si elle ne peut se faire qu'au prix de luttes et de scènes.

« Le sucre calme ». On laisse l'enfant manger des bonbons, mettre 50 grammes de sucre en poudre dans son yaourt, une épaisse couche de confiture sur chaque tartine. L'enfant grossit, et s'abîme les dents.

« Il faut encore boire 500 grammes de lait par jour après deux ans ». Non ce n'est pas indispensable ; mais il faut donner des yaourts, des petits-suisses, du fromage.

« Le dessert est une récompense » Comme pour **« un enfant devrait manger de tout »**, c'est mélanger diététique et éducation. Le dessert est un des éléments de l'équilibre alimentaire. Au début, l'enfant ne fait pas de différence entre chocolat et épinards ; ce sont les parents qui présentent l'un comme une récompense, l'autre comme une obligation.

« Les viandes rouges sont plus fortifiantes que les viandes blanches, surtout lorsqu'elles sont saignantes ». Ce n'est pas exact, le veau est aussi nourrissant que le bœuf, le poulet que l'agneau. Ce qui est exact, en revanche, c'est que le bœuf et l'agneau sont plus digestes que le veau.

« Le foie de veau est meilleur que tous les autres ». Par le goût peut-être, mais il contient moitié moins de fer que les foies de génisse ou d'agneau et il coûte deux fois plus cher.

Contenances

Pour vous aider à préparer les repas de votre bébé, voici le poids correspondant aux mesures couramment employées.

Liquides

lait, eau, jus de fruit, etc.	1 cuillerée à café *	5 g
" " " "	1 cuillerée à dessert	10 g
" " " "	1 cuillerée à soupe	15 g
lait condensé	1 cuillerée à café	7 g
pour le lait en poudre	1 mesurette de la boîte	5 g

Solides (aliments non cuits)

sucre en poudre	1 cuillerée à café arasée **	5 g
" " "	1 cuillerée à soupe arasée	11 g
sucre en morceaux	n° 2 : 10 g - n° 3 : 7 g - n° 4 :	5 g
farine ordinaire, riz, pâtes	1 cuillerée à soupe	20 g
semoule, tapioca	1 cuillerée à soupe	15 g
farine ordinaire, gruyère râpé	1 cuillerée à café	5 g

Solides (aliments cuits)

purée de légumes, pulpe de fruit	1 cuillerée à soupe	35 g
jaune d'œuf dur	1 cuillerée à café	5 g
poisson, viande	1 cuillerée à soupe	20 g
beurre	une noisette	3 g

Pour les différentes farines pour bouillies, les indications sont en général données sur les boîtes. Reportez-vous à ces indications car les unes sont plus légères que les autres : 1 cuillerée à soupe de Blédine = 9 g ; 1 cuillerée à soupe de farine lactée Guigoz = 5 g.

---

* Une cuillère à café dans le langage courant est synonyme de petite cuillère, mais il ne s'agit pas de la cuillère à moka qui, elle, est encore plus petite.

** Les cuillerées s'entendent « arasées » avec une lame de couteau, c'est-à-dire ni tassées, ni bombées, ce qui est très important pour le petit bébé. *Exemple :* une cuillerée à soupe de sucre arasée = 11 g, bombée = 15 g.

Recettes
pour un bébé

Les farines, les bouillies

On n'emploie plus guère le mot bouillie, mais on en fait toujours. Voici donc quelques recettes.

Bouillie à base de farine non lactée instantanée. Dans un biberon, préparez et mesurez le lait avec les proportions correspondant à l'âge de l'enfant. Réchauffez-le au bain-marie, puis versez directement la farine dans le biberon. Secouez. Servez.

Quand la bouillie est plus épaisse et que l'enfant la prend à la cuillère, on verse le lait sur la farine dans l'assiette.

Si l'on utilise du lait de vache frais, ne pas oublier de le faire bien bouillir. Il n'est pas nécessaire de le sucrer.

Bouillie à base de farine lactée instantanée. Comme son nom l'indique, cette bouillie contient du lait, il ne faut surtout pas en rajouter. Versez directement la farine dans l'eau chaude du biberon. Secouez, la bouillie est prête.

Les farines à cuire sont moins utilisées, voici néanmoins comment on les prépare : mettez dans une casserole la quantité de farine correspondant à l'âge de l'enfant. Délayez dans un peu d'eau froide. Ajoutez le lait préparé comme habituellement. Faites cuire à feu doux jusqu'à ébullition sans cesser de remuer.

Pour habituer le bébé au goût des légumes, il est recommandé de préparer les premières bouillies avec du bouillon de légumes. C'est très simple, il suffit de procéder comme indiqué plus haut, en remplaçant le lait ou l'eau par du bouillon de légumes.

Pour les quantités de farine, voir à chaque âge et p. 108.

Préparation épaississante

Votre enfant vomit. Le médecin vous a recommandé d'épaissir les biberons. Voilà comment vous y prendre : calculez l'eau nécessaire pour tous les biberons de la journée, plus 20 à 30 grammes qui s'évaporeront en cours de cuisson. Mettez dans une casserole la poudre épaississante, que vous aurez achetée chez le pharmacien, à raison de 2 grammes pour 100 grammes d'eau ; c'est la proportion généralement conseillée ; s'il faut l'augmenter ou la diminuer, le médecin vous le dira ; puis versez l'eau froide sur cette poudre, et faites cuire en remuant 3 minutes ; mettez la préparation dans les biberons stériles, puis préparez vos biberons, comme d'habitude, au fur et à mesure des besoins.

Préparations
antidiarrhéiques

Même si elle est moins utilisée aujourd'hui comme aliment antidiarrhéique, la soupe de carottes garde ses partisans.

Soupe de carottes. Peler et couper en rondelles 500 g de carottes. Les faire cuire dans 1 litre d'eau, et dans une casserole couverte, à feu très doux, pendant une heure et demie jusqu'à ce qu'elles soient bien molles. (Bien sûr, on peut aussi utiliser une cocotte minute).
Passer au mixer ou à la moulinette avec la grille la plus fine de manière à obtenir une purée très fine. Rajouter de l'eau pour ramener à 1 litre. Ajouter 3 g de sel. Donner la soupe de carottes au biberon avec une tétine à trous assez larges. Conservez au frais et utiliser dans les 24 heures. Agiter avant de verser la soupe dans le biberon pour que le mélange eau-carottes se fasse bien.

On peut aussi faire la soupe de carottes à partir d'un petit pot (en ajoutant 50 grammes d'eau à un pot de 50 grammes de purée de carottes, on obtient un biberon de 100 grammes de soupe). Il existe également dans le commerce des préparations à base de carottes déshydratées. Je vous signale toutefois que certains médecins pensent que seules les préparations à base de carottes fraîches sont vraiment efficaces.

Purée de carottes. Lorsque la soupe de carottes est cuite (voir ci-dessus), passer les carottes au mixer, puis ajouter 1 ou 2 cuillerées à soupe de l'eau dans laquelle les carottes ont cuit et — si le médecin le permet, dans le cas où la purée de carottes est donnée à un enfant qui a de la diarrhée — un peu de beurre et de sucre.

Bouillon de carottes et riz. Procéder comme indiqué à *Soupe de carottes*, mais après une demi-heure de cuisson, ajouter 2 cuillerées à soupe de riz, et laisser cuire une heure.

Eau de riz. Dans 1 litre et demi d'eau salée froide, mettre une demi-cuillerée à café de sel et 2 grosses cuillerées à soupe de riz. A partir du moment où l'eau bout, laisser cuire à petit feu trois quarts d'heure en couvrant la casserole. Puis passer le riz dans une passoire fine, un « chinois » ou une mousseline. Recueillir l'eau de riz puis la conserver au frais mais pas plus de 24 heures.

Légumes *

Bouillon de légumes. Mettre dans 2 litres 1/2 d'eau froide une cuillerée à café de sel, 2 pommes de terre et 2 carottes épluchées et de grosseur moyenne, un navet, un poireau, 4 à 5 feuilles de salade verte ou d'épinards. Cuire 1 heure et demie à

---

* Vous ne trouverez ici que les recettes proprement dites ; sur la manière de préserver la richesse en vitamines des légumes, lisez plus haut : *Ce que vous devez savoir des différentes catégories d'aliments*, p. 108.

petit feu, et couvert. Passer le bouillon et le conserver au frais. Le bouillon de légumes peut aussi se faire dans une cocotte minute. Le temps de cuisson est alors plus court.

Le bouillon peut être utilisé comme eau de coupage de certains biberons, soit comme base de bouillie pour remplacer le lait, soit comme base de potage.

Pour faire un potage au bouillon de légumes, versez en pluie dans le bouillon chaud tapioca, floraline ou petites pâtes, à raison d'une demi-cuillerée à soupe pour 100 grammes de potage. Temps de cuisson pour la floraline, 2 minutes ; pour le tapioca et les petites pâtes, 5 minutes ; pour la semoule 15 minutes.

Attention : avant de donner au bébé du bouillon de légumes cuit la veille, goûtez-le, il tourne souvent au cours du réchauffage. De toute façon, le bouillon de légumes ne doit pas être conservé plus de 24 heures au réfrigérateur.

A partir de 2 ans, on peut rendre le bouillon de légumes plus nourrissant en y ajoutant une cuillerée à soupe de lentilles ou de pois cassés.

Potage aux légumes passés. Procédez comme indiqué à *Bouillon de légumes.* La cuisson terminée, passez les légumes à la moulinette fine ou au mixer, ajoutez du bouillon jusqu'à la consistance désirée, une noisette de beurre, et à partir de 6 mois une pincée de fromage râpé.

Purée de légumes. Cuire les légumes si possible à la vapeur pour conserver les vitamines. Les passer au mixer ou à la moulinette fine. Délayer la purée avec du lait ou de l'eau. Ajouter une noix de beurre.

Purée de légumes en boîte. Les réchauffer au bain-marie. Suivant la consistance, rajouter un peu de lait ; certains légumes s'accommodent bien de quelques gouttes de citron. Ajouter également, à partir de 5 mois, une noisette de beurre. De toute manière, goûter avant de donner à l'enfant pour qu'il n'ait pas une purée trop fade.

Viande

Voici comment préparer la viande pour un bébé : acheter un bifteck petit mais de première qualité, ou une côtelette d'agneau. Graisser un gril avec une goutte d'huile, juste ce qu'il faut pour que la viande n'attache pas. Cuire sur ce gril le bifteck ou la côtelette à point, surtout le bœuf (voir plus loin pourquoi). Oter toute partie grasse, découper la viande en morceaux, la passer à la moulinette fine ou au mixer et l'incorporer à la purée. Si vous n'avez pas de gril, vous pouvez procéder autrement : mettez la viande sur une assiette, posez-la sur une casserole d'eau qui bout, recouvrez l'assiette d'un couvercle ; la viande cuit ainsi à la vapeur sans aucune matière grasse et en 10 minutes environ. Vous pouvez encore cuire la viande dans une poêle spéciale, prévue pour cuisson sans matières grasses.

Recommandations importantes pour que le bébé mange de la viande saine.
■ Le bifteck haché n'est sain que s'il est consommé *rapidement* après avoir été haché. N'achetez donc pas de la viande déjà hachée. Choisissez un bifteck, faites-le passer à la machine *devant vous* et faites-le cuire aussitôt, c'est-à-dire qu'il ne faut pas le laisser, même au réfrigérateur, 24 heures (alors que le bifteck entier peut très bien être conservé au frais une journée).

■ Le bœuf, exactement comme le porc, peut donner le ténia s'il n'est pas assez cuit. Or, sachez qu'une viande qu'on sort du réfrigérateur pour la mettre aussitôt sur le gril, reste crue à l'intérieur, même lorsque l'extérieur est saisi. Pour que tout germe soit détruit, il faut que la viande soit bien rose même au centre.
■ Le porc, que l'on ne donne d'ailleurs qu'après 2 ans, ne doit jamais être rose.
■ Même le mouton doit être bien cuit, car il expose à la toxoplasmose, maladie donnée par un parasite microscopique, le toxoplasme.

Le foie. Le foie, si réputé en diététique, a été l'objet de vives critiques de la part des associations de consommateurs : elles disent en effet que lorsque les animaux sont traités avec des antibiotiques et des hormones, ces substances se concentrent dans le foie. Ce qu'il faut en retenir, c'est d'acheter le foie chez un boucher qui peut vous garantir de la viande provenant d'animaux non traités. Le foie se cuit sur le gril, comme un bifteck, ou dans la poêle, très légèrement graissée,et, dans les deux cas, à tout petit feu pour qu'il cuise suffisamment sans toutefois durcir. Le foie peut être également ajouté à la panade, voir ci-dessous.

La cervelle. La nettoyer à l'eau courante, puis la cuire quelques minutes à l'eau bouillante salée. La servir telle avec du beurre fondu, du persil et des pommes de terre blanches.

Bouillon de jarret de veau *. En France, on aime bien donner du bouillon de jarret de veau à un enfant, surtout quand il est un peu fatigué, car ce bouillon est très riche en protéines. Voici la recette.

Il faut préparer ce bouillon comme un pot-au-feu, c'est-à-dire mettre dans l'eau froide (1 litre et demi à 2 litres, suivant le poids de la viande) : 4 carottes, 2 poireaux, 1 petit navet, 1 oignon piqué d'un clou de girofle, 1 petit bouquet garni, 2 cuillerées à café de sel, un jarret de veau de 500 grammes à 1 kg, selon l'usage que vous en ferez après, et un os de veau. Cuire à petit feu 3 heures. Passez le bouillon, mettez-le au frais. Vous pourrez ainsi facilement dégraisser le bouillon, car la graisse en refroidissant forme une couche à la surface, qu'il suffira alors de retirer. Prenez la quantité nécessaire de bouillon (qui d'ailleurs, au frais, s'est transformé en gelée) pour le réchauffer ; épaississez avec tapioca, petites pâtes, floraline.

Quant au jarret de veau lui-même, vous le mangerez en famille, froid, assaisonné de sauce vinaigrette, ou chaud, revenu dans la cocotte avec une bonne sauce à la tomate comme un osso bucco à l'italienne. Ce bouillon peut se conserver un jour ou deux au frais ; après, il tourne. Par précaution, avant de le servir, goûtez-le.

Poisson

Pour le petit bébé, le poisson doit être poché, qu'il s'agisse de colin, de sole, de cabillaud. Mettre le poisson dans l'eau légèrement salée, et lorsque l'eau frémit

---

* Le veau a été contesté, mais il y a eu de telles protestations qu'une réglementation sévère concernant les hormones a été fixée, c'est pourquoi je maintiens cette recette.

(attention de ne pas la laisser bouillir), laissez cuire 5 à 10 minutes. Retirer de l'eau, ôter soigneusement arêtes et peau ; passer à la moulinette fine ou au mixer, et mélanger à la purée.

Un autre mode de cuisson : quand vous faites cuire les légumes du bébé, recouvrez la casserole d'une assiette, mettez-y le poisson cru et recouvrez l'assiette d'un couvercle. Le poisson cuira en même temps que les légumes et vous n'aurez plus qu'à l'assaisonner.

Lorsque l'enfant a un an, on peut lui donner le poisson sans le passer au mixer. L'assaisonner de beurre fondu, citron, persil, et le servir avec des pommes de terres blanches.

Après 2 ans on peut griller le poisson : le passer dans du lait puis de la farine, faire chauffer un peu d'huile dans une poêle ; lorsque l'huile est chaude, y mettre le poisson à cuire 5 minutes de chaque côté. Retirer la peau si nécessaire. Assaisonner d'un jus de citron. Après 3 ans, on peut servir le poisson en sauce.

Panades

Les panades ont pratiquement disparu de l'alimentation des enfants. C'est dommage car elles sont en général très appréciées.

A la biscotte. Mettre dans 1/4 de litre d'eau deux ou trois biscottes. Faire cuire 1/2 heure à petit feu. Passer à la moulinette fine ou au mixer. Ajouter un peu de sucre, une noisette de beurre et 1 ou 2 cuillerées à soupe de lait.

A la viande. Procéder comme indiqué ci-dessus, mais en même temps que les biscottes, mettre dans l'eau 25 grammes de bœuf, mouton ou foie, préalablement hachés.

A l'œuf. Faire une panade à la biscotte, comme indiqué ci-dessus. Quand elle est cuite, ajouter un demi ou un jaune d'œuf entier cru, suivant l'âge ; faire cuire le mélange doucement 2 à 3 minutes.

Quelques desserts

Crème renversée ou œufs au lait. Faire bouillir 1/4 de litre de lait avec 3 cuillerées à soupe de sucre en poudre, 1 pincée de sel, 1/4 de gousse de vanille pendant 10 minutes. Retirer du feu et laisser tiédir 15 minutes. Oter la vanille. Battre à part dans un récipient 1 œuf entier. Verser petit à petit le lait tiédi sur cet œuf. Bien mélanger. Passer le mélange à travers une passoire fine en le versant dans un moule allant au four. Cuire à four moyen 15 minutes, ou, si l'on préfère, au bain-marie.

Gateau de semoule. Faire bouillir 1/4 de litre de lait avec deux cuillerées à soupe de sucre, 1/4 de gousse de vanille. Dans ce lait bouillant, verser en pluie 1 cuillerée à soupe 1/2 ou 2 de semoule. Laisser cuire 10 minutes. Retirer la vanille. Ajouter une pincée de sel. Laisser refroidir. Incorporer un œuf à la semoule, d'abord le jaune, puis le blanc battu en neige. Verser le mélange dans un moule caramélisé. Cuire à four moyen 10 minutes.

Certains enfants n'aiment pas le goût du caramel. Dans ce cas, simplement beurrer le moule avant d'y verser la semoule. Servir froid nappé de sirop de framboise, de gelée de groseille, ou entouré d'une compote de prunes, de pruneaux, ou de fruits au sirop.

Crème anglaise. Mettre dans 1/4 de litre de lait 4 cuillerées à soupe de sucre en poudre et le quart d'une gousse de vanille. Par ailleurs, mélanger avec soin à la cuillère de bois 2 jaunes d'œuf. Verser sur ces jaunes, et sans cesser de remuer, le lait chaud. Faire épaissir le mélange à feu doux, en prenant bien soin de ne pas laisser bouillir. Quand la crème a acquis la consistance désirée, retirer du feu. Mettre la crème à refroidir, sans oublier de la recouvrir d'un couvercle.

Gâteau de riz. Mettre à bouillir 1/4 de litre de lait avec 2 cuillerées à soupe de sucre en poudre, une pincée de sel et le quart d'un bâton de vanille. Lorsque le lait aura bouilli, enlever la vanille et verser en pluie 1 cuillerée à soupe et demie de riz bien lavé. Faire cuire le riz couvert et à feu doux environ 20 minutes. Laisser refroidir, puis casser dans le riz un œuf battu. Verser le mélange dans un moule beurré et mettre à four moyen pendant 15 minutes. On peut remplacer la vanille par un zeste de citron ou d'orange. Servir froid avec des pruneaux ou de la gelée de groseille.

Deux petits déjeuners nourrissants à base de flocons d'avoine

Le porridge anglais. Le soir, mettre dans une casserole une petite tasse de flocons d'avoine, une tasse et demie d'eau, une petite pincée de sel. Lorsque le mélange est arrivé à ébullition, le laisser cuire à petit feu 15 minutes en le remuant de temps en temps pour éviter les grumeaux. Le matin, réchauffer le porridge, qui se mange soit salé, soit sucré selon le goût de l'enfant. Dans les deux cas, il faut ajouter du lait froid, mais bouilli, ou de la crème fraîche au moment de servir.

Le petit déjeuner suisse. Le soir, faire tremper 2 cuillerées à soupe de flocons d'avoine dans un peu d'eau avec une douzaine de raisins secs jaunes. Le matin, ajouter, coupées finement, 1/2 pomme, 1/2 banane, 1/2 poire, la moitié d'un yaourt, le jus d'un demi-citron, quelques noisettes ou amandes râpées — pour cela les passer à la moulinette — enfin une cuillerée de sucre en poudre. En été, mettre comme fruits soit des fraises, soit des pêches, soit des abricots (tous les fruits de saison). Ainsi, suivant la saison, le petit déjeuner change de goût et les enfants ne s'en lassent pas ; mais flocons d'avoine, yaourt, noisettes ou noix sont la base de ce petit déjeuner et se retrouvent chaque jour.

Pour rendre le mélange plus nourrissant, on peut ajouter une cuillerée à café de crème fraîche, ou de lait concentré sucré. On peut remplacer les flocons d'avoine par des céréales croustillantes. Mais les ajouter au mélange au dernier moment.

Le bon usage d'un mixer

Le mixer va jouer un grand rôle dans la préparation des repas du bébé : grâce à lui, vous pourrez réduire tous les aliments — poisson, viande, légumes, fruits — en une purée fine et homogénéisée, facile à avaler par le bébé dès 4-5 mois.

Pour faciliter le broyage, ajouter une cuillerée à soupe de liquide, ou deux, suivant la quantité, le genre d'aliments et la consistance désirée.

- *Légumes :* ajouter eau de cuisson, eau minérale ou lait. Attention : pour les pommes de terre, ne faites fonctionner le mixer que quelques minutes ; sinon la purée sera collante.

- *Viande :* c'est l'aliment le plus difficile à réduire en fine purée ; le plus simple est de la broyer en même temps que les légumes. Mais ne mettre dans le mixer qu'une petite quantité de légumes, sinon la viande sera perdue dans la masse. Si le bébé ne mange pas toute la purée passée, il n'aura pas sa ration de protéines. Si on ne veut pas mélanger viande et légumes, broyer la viande seule avec un peu d'eau minérale.

- *Poisson :* idem.

- *Fruits :* grâce au mixer, on peut obtenir de la pulpe de cerises, pêches, poires, abricots, pommes, fraises, etc. Peler, épépiner ou dénoyauter les fruits. Suivant leur consistance, ajouter un peu d'eau minérale ou de jus d'orange.

Quels aliments
à quel âge ?

La question est souvent posée par les mères.
Elles ont hâte de varier les menus,
mais redoutent parfois les initiatives.
A partir de quel âge mettre une noix de beurre sur sa purée ?
A partir de quel âge lui donner du poisson ?
A partir de quel âge mon enfant pourra-t-il manger
du camembert, un bifteck-frites ?
Les pages qui précèdent vous ont répondu par le texte,
celles-ci vous répondent par l'image.
Elles vous aideront d'un coup d'œil
à varier l'alimentation de votre enfant.
Vous remarquerez que certaines images sont en couleur.
Voici pourquoi : certains bébés sont amateurs de nouveautés très tôt,
d'autres ont de la peine à changer leurs habitudes.
C'est pour les amateurs de nouveautés
que nous vous suggérons les images en couleur.
Proposez-leur, à l'âge indiqué,
les aliments en question, mais s'ils refusent, n'insistez pas.
Les images en noir représentent des aliments qu'on peut donner
à la plupart des enfants de l'âge indiqué.

Les 4 premiers mois

Jusqu'au troisième mois, pas d'autre nouveauté que le jus d'orange donné dès le deuxième mois, ou un peu avant. Le jus d'orange apporte la vitamine C. Il n'est pas nécessaire si l'enfant est nourri par sa mère, car le lait maternel contient de la vitamine C. On peut donner aussi du jus de pamplemousse, de citron, de mandarine, de raisin, de pêche, d'abricot, de tomate ou de cerise. Quelques gouttes suffisent à cet âge. A partir de 2-3 mois, introduisez les farines 1er âge. Variez ces farines. Vers 4 mois, on donne la première purée. Cette purée — pommes de terre, carottes — inaugure le repas épais ; pensez à donner à boire de l'eau. Vous pouvez ajouter une pointe de beurre à la purée.

A partir de 4 mois, on peut donner certains des aliments en petits pots.

A 5 mois

Grande nouveauté : la cuillère. On peut essayer à 4 mois, mais tous les enfants ne sont pas prêts pour le changement. Essayer alors un peu plus tard. Viande (bœuf, veau, poulet ou agneau) : cuite sans matière grasse, moulinée ou mixée. Le jambon maigre, passé au mixer, peut être essayé.

Œuf dur : le jaune seul et en petites quantités au début.

Poisson maigre (limande, colin, sole, etc.) : cuit à l'eau.

Fruits : banane très mûre, pochée ou cuite au four dans sa peau.

Pomme : avant de la râper, bien ôter les pépins qui risqueraient d'étouffer le bébé.

Pour varier les purées, utiliser artichauts, haricots, épinards. Pour les épinards, ajouter un peu de lait.

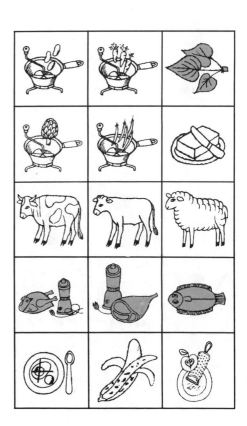

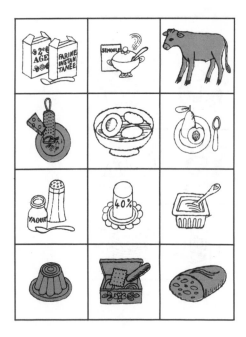

À 6 et 7 mois

Varier les farines 2ᵉ âge.
Fruits : poires, pêches, pommes crues, bien mûres et finement écrasées. Enlever peau, noyau, pépins. Abricots ou pruneaux (représentés dans le compotier) : cuits.
Potage de légumes + semoule ou tapioca. Purée avec ou sans pommes de terre, avec lait, 5 g de beurre, et sucre si l'enfant la préfère ainsi. Soupe de légumes (et lait) épaissie avec 1 cuillerée à soupe de petites pâtes, de semoule, ou de tapioca.
Vous pourrez essayer le foie (de veau, de génisse, d'agneau) passé au mixer ou finement écrasé. Mettre du gruyère râpé dans la soupe ou la purée, ou proposer à l'enfant de fines lamelles de gruyère.
Comme dessert : yaourt, petit-suisse, fromage blanc ; à essayer : le flan. Proposez un croûton de pain ou un biscuit à l'enfant, mais ne le laissez pas seul : il risquerait d'avaler un trop gros morceau.

À 8 mois

Pain en panade (voir recette). Les farines peuvent être remplacées par de petites pâtes, de la semoule, du tapioca. A essayer : l'œuf coque, la tomate cuite, écrasée et passée dans la soupe ou avec des pâtes ou de la semoule, ou crue (enlever peau et pépins) en salade à l'huile, citron ou vinaigre.
Cheval : permis, mais attention, certains bébés ne le tolèrent pas.
Foie (voir plus haut).
Le bifteck peut être remplacé par du veau.
Le riz peut être donné avec du beurre ou du gruyère ou sous forme d'entremets.
Camembert, brie, roquefort : finement écrasés.

De 9 à 11 mois

L'enfant peut être assis sur une chaise haute. Autre nouveauté : peu à peu, les aliments ne sont plus donnés en mélange. On les sépare, en commençant par faire de petit tas : la viande, la semoule, etc. Ainsi, on habitue l'enfant à des goûts différents.

Semoule : en plat, assaisonnée de sel, fromage + une noisette de beurre.

Potage de légumes : + biscotte écrasée.

Vers 10 mois, commencer à donner en petits morceaux les aliments qui fondent : pommes de terre, pêches, poires. Œuf dur : blanc et jaune. Les fromages les plus variés peuvent être proposés. On peut mélanger confiture ou miel au fromage blanc, ou les donner seuls, ou avec un biscuit.

De 12 à 15 mois

Nouveauté : la cervelle d'agneau ou de mouton, pochée et finement écrasée. En petite quantité au début. Carottes : en rondelles, plus beurre frais et persil haché. En petits morceaux : les haricots verts au beurre, le fond d'artichaut, la viande, la pomme. Cerises : pour goûter.

De 15 à 18 mois

Bientôt, l'enfant va tenir lui-même sa cuillère.

Les flocons d'avoine, la farine cacaotée apparaissent. Si vous faites des frites pour le reste de la famille, proposez-en une à l'enfant, davantage s'il les aime. Lentilles : écrasées et finement tamisées pour éliminer les peaux.

La viande : steak puis côtelette grillés, tranche du rôti familial, bien dégraissée et donnée en petits morceaux. De même pour le jambon. L'œuf : poché, brouillé ou en omelette. Rondelles de tomates ou de betterave + huile, citron ou vinaigre.

Vers 18 mois, un peu de crème fraîche, de chocolat. Tartine avec beurre ou confiture ou miel. Lait cacaoté.

2 ans

Céréales « craquantes » — blé, riz, avoine, maïs, etc. — plus lait et sucre. Potage et légumes : y ajouter une petite poignée de légumes secs ou du vermicelle.

Artichaut à la vinaigrette, carotte râpée finement. Le poulet familial, en petits morceaux, jus dégraissé. A essayer : une tranche de saucisson. Œuf au plat. Orange, raisin et tous les fruits, bien lavés, pelés, sans pépins. Pâtisserie, glace : de première qualité. L'enfant a désormais sa cuillère et sa fourchette. Peu à peu, il va manger de tout.

Petit lexique diététique

Calcium. C'est lui qui donne aux os leur solidité. L'enfant, qui construit sa charpente, en a donc particulièrement besoin. Les principales sources de calcium dans l'alimentation sont le lait et les laitages. Les fromages à pâte dure (gruyère, hollande, crème de gruyère, chester, cantal) sont plus riches que les fromages à pâte molle (camembert, brie, coulommiers, roquefort). La crème de lait en est tout particulièrement riche. On trouve également du calcium dans les figues sèches, les haricots secs, le chou-fleur et le cresson.

Pour assimiler le calcium, l'organisme a besoin de phosphore et de vitamine D.

Calorie. On mesure en calories les besoins de l'organisme du point du vue quantité. On mesure aussi en calories la valeur nutritive des aliments. Exemples : les besoins d'un bûcheron sont de 4 500 calories par jour, ceux d'un nourrisson avant 3 mois de 120 calories par kilo et par jour. Un litre de lait maternel apporte 700 calories.

Cellulose. Elle est nécessaire, parce que, par son volume et par son poids, elle déclenche les mouvements rythmiques de l'intestin. Elle est fournie par la chair des légumes et des fruits.

Chlorure de sodium. C'est le sel de cuisine. Il est nécessaire, en petite quantité, à l'organisme : d'abord parce qu'il joue un rôle dans les mouvements de l'eau au sein de notre organisme, ensuite parce que l'estomac l'utilise pour sécréter l'acide chlorhydrique indispensable à la digestion. Le sel est si nécessaire que lorsqu'on transpire énormément, il est recommandé de sucer une pastille de sel.

A l'heure actuelle, l'excès de sel dans l'alimentation est considéré comme néfaste car à l'origine de l'hypertension artérielle de l'adulte. Il est donc important de ne pas trop saler les aliments pour les bébés.

Fer. C'est un constituant de l'hémoglobine qui donne à notre sang sa couleur rouge, et dont nous avons besoin pour capter l'oxygène ; voir au chapitre 4 à l'article *Anémie*.

Principales sources de fer : les lentilles, les haricots secs, les pois secs, les épinards, le foie, les pruneaux.

Certains laits sont enrichis en fer.

Glucides ou hydrates de carbone. Ce sont les aliments-énergie. Vivre — même en se dépensant aussi peu qu'un nourrisson dans son berceau — c'est user beaucoup d'énergie. C'est pourquoi nous avons besoin de glucides ou sucres.

On distingue les sucres rapides (sucre de betterave ou canne, miel, fruits) et les sucres lents (riz, pâtes, tapioca, pain, et d'une manière générale tous les féculents). Les premiers sont rapidement assimilés. Les seconds ont une absorption plus progressive : ce sont eux qu'il faut utiliser de préférence.

Graisses ou lipides. On distingue les graisses de constitution qui sont présentes dans les viandes (particulièrement porc et bœuf) et les graisses à l'état pur. Parmi ces dernières, les unes sont d'origine animale (beurre, saindoux) et les autres d'origine végétale (huile, margarine).

Les graisses sont très nourrissantes : 9 calories par gramme, contre 4 pour les glucides et les protéines. En même temps, elles sont nécessaires à l'assimilation des vitamines A et D. Mais elles sont peu digestes. C'est pourquoi les aliments cuits ne doivent pas être imprégnés de graisse : il faut les cuire sans graisse et ajouter celle-ci au moment de servir. Chaude, la graisse est irritante pour l'estomac ; recuite, roussie, elle l'est encore plus (c'est le cas de l'huile de friture qui sert trop longtemps). En dehors des matières grasses classiques, le chocolat, l'amande, la noix et l'olive contiennent des graisses.

On insiste à l'heure actuelle sur le rôle néfaste d'un régime trop riche en lipides, qui peut être à l'origine de troubles cardio-vasculaires de l'adulte. Il est donc important que le régime de l'enfant ait une teneur raisonnable en matières grasses.

Iode. Indispensable au fonctionnement de la glande thyroïde (cette glande, située à la base du cou, par l'hormone qu'elle sécrète, règle entre autres nos dépenses d'énergie), l'iode se trouve en quantité suffisante dans une alimentation normale. Elle est notamment abondante dans le poisson.

Lipides. Voyez *Graisses*.

Phosphore. Il est indispensable à l'assimilation du calcium. Une alimentation normale apporte la ration de phosphore dont l'organisme a besoin. Les aliments riches à la fois en protides et en calcium, par exemple les fromages, le lait et le jaune d'œuf, sont les meilleurs fournisseurs de phosphore.

Potassium. Nécessaire à l'assimilation des glucides, mais surtout lié au chlorure de sodium ; ils sont complémentaires, c'est-à-dire qu'un organisme qui absorbe peu de sel et beaucoup de potassium (cas du régime végétarien, les végétaux étant riches en potassium et pauvres en sel) perd son sel. C'est pourquoi les herbivores sont si amateurs de sel. Une alimentation normale apporte tout le potassium dont l'organisme a besoin.

Protéines ou protides. C'est le matériau de construction de l'organisme. C'est pourquoi ils sont particulièrement nécessaires à l'enfant. Les aliments les plus riches en protéines sont le fromage, la viande, le poisson, les œufs, les céréales, les légumes secs.

Dans ces conditions, peut-on élever un enfant sans protéines ? Sans aucune protéine animale, c'est-à-dire avec un régime **végétalien** excluant la viande bien entendu, mais aussi les produits d'origine animale (lait, fromage, œufs, etc.) ; et ne fournissant que des protéines d'origine végétale (soja, amandes, etc.), ce n'est pas conseillé.

Un être en pleine croissance ne peut se développer convenablement avec un régime aussi déséquilibré.

En revanche, on peut assurer une nourriture bien équilibrée à un enfant et ne prendre aucun risque de compromettre sa croissance en l'élevant avec un régime **végétarien** excluant la viande et le poisson mais apportant les protéines d'origine animale sous forme de lait, de fromage et d'œufs, etc.

Sels minéraux. Les principaux sels minéraux apportés par l'alimentation sont : le chlorure de sodium (sel), les sels de calcium, de phosphore, de fer, d'iode, de potassium et le soufre.

Sodium. Voyez *Chlorure de sodium.*

Vitamines. Glucides, lipides, protides sont des substances « calorigènes » : elles fournissent de l'énergie. Les vitamines, comme d'ailleurs les sels minéraux, ne fournissent pas de calories, mais elles sont indispensables car elles servent à assimiler, à utiliser les aliments calorigènes. Les vitamines sont nombreuses. Passons-les brièvement en revue.

- *La vitamine A* joue un rôle important dans la croissance et dans la résistance aux infections. On la trouve (sous forme de « carotène ») dans certains légumes (carottes, pissenlit et persil), dans certains fruits (abricots), dans les corps gras (beurre, huile de foie de morue), dans le jaune d'œuf, le foie, les sardines.

- *Les vitamines B* (il y en a plusieurs : B 1, B 2, B 6, B 12, etc.) règnent sur le bon fonctionnement des nerfs, des muscles, de l'appareil digestif, du sang. Les aliments végétaux et animaux contiennent presque tous des vitamines B mais en sont particulièrement riches les céréales (surtout le germe de blé) et le foie.

■ *La vitamine C* préside, dans l'organisme, à certaines opérations chimiques faute desquelles apparaissent des hémorragies, de la fatigue, des douleurs. Autrefois, les navigateurs étaient souvent atteints d'une maladie appelée scorbut : leurs dents tombaient, des taches de sang (purpura) apparaissaient sur leur peau, ils n'avaient plus de force. C'était la conséquence d'une carence en vitamine C. Aujourd'hui, on sait qu'il est indispensable, quand on se nourrit de conserves, d'absorber du citron, des oranges, etc.

Le scorbut a donc pratiquement disparu chez les adultes. Mais il se voit encore quelquefois chez des nourrissons au régime privé de vitamine C. La vitamine C apporte également à l'organisme des moyens de lutte contre l'infection. Elle est détruite par la chaleur et par l'air, mais une cuisson rapide dans une casserole couverte laisse subsister une certaine quantité de vitamine C ; lire à ce sujet dans ce même chapitre : *Ce que vous devez savoir des aliments.*

Voici, par ordre décroissant, la teneur en vitamine C (qu'on appelle également acide ascorbique) des fruits de consommation courante (teneur comptée en milligrammes pour 100 grammes de fruits frais — c'est-à-dire ni séchés ni cuits) * : citron, orange 45 ; pamplemousse 40 ; groseille 35 ; mandarine, litchi 30 ; framboise 25 ; ananas 24 ; tomate 23 ; myrtille 16 ; banane mûre 10 ; cerise, pêche 8 ; melon 6 ; prune, pomme 5 ; raisin, abricot, poire 4 ; figue 2. A signaler deux fruits exceptionnellement riches en vitamine C : le kiwi, 300 ; le cassis 135.

■ *La vitamine D* est celle dont la carence provoque le rachitisme. En effet, elle est indispensable à l'assimilation du calcium et du phosphore. Elle est formée par l'action des rayons ultra-violets sur la peau. Ceux-ci sont abondamment fournis par la lumière du soleil, à moins que cette lumière ne traverse une couche de brouillard ou une vitre. L'huile tirée du foie de poisson est particulièrement riche en vitamine D : parce que le poisson se nourrit d'algues ou d'animaux exposés aux rayons du soleil. Aliment particulièrement riche en vitamine D : l'huile de foie de morue.

Le soleil permet à l'organisme de fabriquer sa propre vitamine D. Mais, dans les villes et les climats brumeux, l'action du soleil est peu efficace ou inefficace parce que les rayons ultra-violets sont arrêtés par un écran de brouillard. C'est pourquoi on donne régulièrement aux enfants, surtout en hiver, de la vitamine D sous forme synthétique. Par exemple 3 gouttes par jour d'une préparation spécialisée apportant environ 1 200 unités de vitamine D.

Les enfants à peau pigmentée (enfants maghrébins et noirs) sont plus sensibles et ont besoin d'une dose plus importante.

Il y a bien d'autres vitamines, en particulier la vitamine E qui joue un rôle sur les organes reproducteurs, la vitamine K dans la coagulation du sang, la vitamine P dans la résistance des vaisseaux. Ces vitamines se retrouvent dans différents aliments ; un régime équilibré est suffisant pour couvrir les besoins de l'organisme.

* D'après les Documents Geigy, et le *Concours médical* du 18.5.85.

La vie
d'un enfant

CHAPITRE 3

Les vingt-quatre heures

Le déroulement de la journée d'un enfant, au début tout au moins, est essentiellement déterminé par les repas qu'il prend. Ces repas sont chaque fois suivis de changes, puis l'enfant est mis au lit. Et rapidement, à ces deux occupations principales, manger et dormir, s'en ajoutent d'autres : se baigner, sortir, jouer, etc. ; ainsi la journée est bien remplie.

Il dort

L'un des motifs les plus fréquents de consultation auprès des pédiatres concerne les troubles du sommeil, et lorsqu'un enfant a de la peine à s'endormir, dort mal ou pleure la nuit, non seulement il en souffre mais cela perturbe toute la vie familiale, on se relaie auprès de l'enfant, chacun a sa recette pour le faire dormir : une histoire, une chanson, un verre d'eau ; les choses se gâtent avec le temps qui passe, souvent le drame succède à la comédie et la nervosité gagne. Des familles ignorent ces avatars, mais trop d'autres les connaissent, vous en avez certainement rencontré.

J'ai connu une famille dont le père devait chaque soir mettre son pyjama, se glisser dans le lit de son fils et feindre de dormir jusqu'à ce que le petit Pierre fût plongé dans le sommeil ; après quoi il se rhabillait en catimini et sortait de la chambre en espérant que le parquet ne craquerait pas trop sous ses pas !

Pour vous éviter pareille mésaventure, je voudrais vous dire deux ou trois choses du sommeil. D'abord, son importance pour l'enfant (pour vous aussi d'ailleurs) et pourquoi il faut tout faire pour en préserver la qualité.

Importance du sommeil. Le sommeil est un facteur essentiel d'équilibre ; sur ce point je crois qu'il n'est pas nécessaire d'insister parce que vous pouvez faire ces constatations vous-même : après une bonne nuit vous vous réveillez frais et dispos, prêt à affronter le monde, mais en revanche rien ne va plus après une nuit de mauvais sommeil ; c'est pareil chez l'enfant.

Mais ce qui est particulier chez lui, c'est que le sommeil joue un rôle important dans la croissance. C'est au cours du sommeil qu'est secrétée l'hormone de croissance. Des retards de croissance peuvent être dus au manque de sommeil.

Enfin, c'est pendant le sommeil paradoxal (voir plus loin), phase particulièrement longue à la fin de la nuit, que les expériences s'inscrivent dans la mémoire, toutes les découvertes et tous les acquis. C'est, dit-on, de la bonne qualité du sommeil à ces moments-là que dépend la qualité des apprentissages, et Dieu sait que l'enfant a beaucoup à apprendre et pendant très longtemps.

C'est donc — en grande partie — au cours du sommeil que se construit le cerveau et se développe le corps.

On sait en général le rôle de la nourriture dans le développement, on est moins averti du rôle du sommeil, pourtant essentiel.

Poursuivons notre incursion au pays de la nuit et des rêves ; si le sommeil est si important, pour le respecter encore faut-il connaître ses caractéristiques.

Deux sommeils. Les connaissances concernant le sommeil ont fait de grands progrès. On sait maintenant en particulier, que de la naissance à l'âge adulte, le sommeil passe par différents stades portant sur sa durée, sa répartition dans la journée et son organisation interne.

La durée du sommeil se raccourcit progressivement :
— de 20 à 23 heures à la naissance,
— de 18 à 20 heures à un mois,
— de 16 à 18 heures à 4 mois,
— de 14 à 16 heures à 8 mois,
— de 13 à 15 heures à la fin de la première année,
— 11 heures vers 3 ans.

Ces chiffres ne sont que des moyennes ; d'une personne à l'autre, il existe de grandes variations, elles peuvent se manifester tôt : chez l'enfant comme chez l'adulte, il y a les grands dormeurs et les petits dormeurs.

Dans les premières semaines, le sommeil du bébé est très fractionné, rythmé essentiellement par les repas, de jour comme de nuit. A partir de 3-4 mois, le sommeil se concentre en une longue période de 12 heures la nuit et une période de plus en plus courte de jour, qui disparaît habituellement entre 3 et 5 ans.

Il y a deux types de sommeil : d'une part le sommeil lent, calme, profond * ; d'autre part le sommeil rapide * ou paradoxal. Le sommeil paradoxal est appelé ainsi car il y a une apparente contradiction entre un état de sommeil et, sous les paupières fermées, des mouvements rapides des globes oculaires. Au cours du sommeil paradoxal, l'électro-encéphalogramme — qui est l'enregistrement électrique de l'activité du cerveau — montre un tracé proche de l'état de veille et confirme que durant le sommeil paradoxal le cerveau a une activité importante. C'est en particulier pendant le sommeil paradoxal qu'on rêve. Et on sait maintenant que le rêve a des fonctions précises en ce qui concerne la mémoire et les apprentissages, et qu'il est nécessaire à l'équilibre affectif.

Les deux types de sommeil — lent et paradoxal — alternent et se succèdent au cours de la nuit, réalisant des cycles successifs : chaque cycle comporte une période de sommeil lent et une période de sommeil rapide (ou paradoxal). Chez le jeune enfant la durée d'un cycle est de 50 minutes à 1 heure environ : par exemple, chez un enfant de 2 ans, il y aura une dizaine de cycles dans la nuit.

Le sommeil lent prédomine dans la première partie de la nuit, au cours des premiers cycles ; dans la seconde partie de la nuit, c'est le sommeil paradoxal qui occupe le plus de temps. En d'autres termes, au cours de la nuit les phases de sommeil calme raccourcissent, celles du sommeil paradoxal rallongent. Plus l'enfant est jeune, plus il dort longtemps, et donc plus la quantité de sommeil paradoxal est grande.

---

* Les mots lents et rapides font allusion à la forme du tracé de l'électro-encéphalogramme.

Or, vous avez vu plus haut le rôle du sommeil paradoxal. Il est donc important de respecter ce rythme biologique du sommeil, ses caractéristiques et son évolution. Mais la vie sociale et familiale impose souvent à l'enfant des horaires qui ne cadrent pas avec les rythmes naturels. Ainsi, l'enfant obligé de se lever très tôt pour être amené, par exemple, chez la gardienne, à la crèche ou à l'école, manquera non seulement de sommeil tout court, mais aussi de ce sommeil paradoxal si nécessaire, puisqu'il a été réveillé trop tôt.

C'est une première notion à retenir. La seconde est encore plus importante : chez le bébé, le sommeil paradoxal est particulièrement agité : l'enfant remue, ouvre les yeux, les referme, se suce les doigts, sourit ou pleurniche, etc. Or, si on le prend, confondant ces périodes de sommeil agité avec des périodes de vrai réveil, le bébé ne peut plus se rendormir et entamer une nouvelle phase de sommeil calme et profond. Il faut le laisser bien tranquille et ne le sortir de son berceau que lorsqu'il manifeste clairement qu'il a faim. Croyez-moi, c'est une chose qu'il sait dire en arrivant au monde. Le prendre intempestivement l'empêche de se rendormir, va casser son rytme au moment ou il s'établit peu à peu.

Pour cette raison le bébé est mieux dans sa chambre que dans celle de ses parents : s'il s'agite un peu, on n'est pas tenté d'y aller tout de suite ; et quand il aura vraiment faim, il saura prévenir assez fort.

Comment aider l'enfant à avoir un bon sommeil. Il faut distinguer le bébé et l'enfant plus grand.

■ *Chez le bébé*, il y a essentiellement un problème d'adaptation aux différentes phases de sommeil : il lui faut parfois un certain temps pour passer du sommeil léger, rapide (le sommeil paradoxal) au sommeil profond, lent, calme.

Or, comme nous l'avons vu plus haut, si les parents croient que le bébé est réveillé, le prennent dans les bras, et lui proposent un biberon, l'enfant prendra l'habitude de ne pas pouvoir se rendormir sans que ses parents viennent.

Cette alternance des deux sommeils, tout en étant programmée, demande quand même un apprentissage de l'enfant. Cela veut dire aussi que si l'on ne veut pas perturber les rythmes du sommeil durant les trois premiers mois, il ne faut pas que les horaires des repas soient trop rigides.

Si on a bien compris cela, passée la période du biberon de nuit (qui peut varier de 1 à 3 mois selon les bébés), l'enfant dormira d'une traite toute la nuit.

Après 3 mois, le bébé n'a plus de biberon de nuit. S'il pleure très fort une nuit, il faut bien sûr ne pas refuser d'aller le consoler, au bout d'un moment, mais sans le prendre dans ses bras ni allumer la lumière, pour qu'il puisse se rendormir.

■ Chez l'enfant plus grand, un problème peut se poser au moment du coucher. L'enfant commence à avoir l'habitude de vivre en société, il ne dort plus en fin de journée, il revient de la crèche, ou de chez la nourrice et il joue. Et on lui demande de tout quitter pour aller se coucher. Et c'est alors qu'il peut y avoir des difficultés ; d'autant plus que c'est le moment où la maison est le plus animée : les parents sont là tous les deux, éventuellement les frères et les sœurs, on prépare le dîner, souvent la télévision marche, etc. L'enfant peut éprouver une véritable angoisse à l'idée de quitter ceux qui l'entourent et de se retrouver seul dans le noir. Même l'enfant le moins anxieux aime rarement aller au lit.

En tout cas, le besoin si profond de l'enfant — la sécurité — se fait sentir plus que jamais au moment d'affronter le grand vide du sommeil.

Il arrive que les réticences de l'enfant à dormir deviennent une véritable opposition et même une phobie du coucher. Là, comme ailleurs, ce n'est pas par la contrainte qu'on obtiendra que l'enfant se couche. Elle n'aboutira qu'à un cercle vicieux qui accroîtra encore l'opposition de l'enfant. Il vaut mieux essayer de comprendre ce que ressent l'enfant au moment de se coucher et agir en conséquence.

Que faire pour l'aider à aller se coucher ?

D'abord, le préparer à aller au lit. Lui dire un bon moment avant : « Il est tard. Il va bientôt être l'heure d'aller se coucher ». Rien de plus irritant, pour l'enfant occupé à jouer, que l'ordre subit d'avoir à tout laisser en plan pour aller prendre son bain, dîner et dormir. Vous l'avez prévenu, mais une fois que vous avez pris la décision, même si l'enfant demande un délai, soyez fermes. Dans ce domaine, ce n'est pas aux enfants à décider, mais aux parents.

Ensuite, respecter ses petites habitudes : certains sucent leur pouce, d'autres veulent leur poupée favorite, ou bien que les rideaux soient bien fermés, etc. C'est en se retrouvant dans ses habitudes que l'enfant se sent rassuré.

Par exemple, un enfant peut avoir un sommeil agité uniquement parce qu'on aura changé la place de son lit.

Sachez aussi que son sommeil risque d'être moins calme aux âges des grandes découvertes : langage et marche.

Enfin, il faut essayer de coucher l'enfant à des heures régulières et que, dans la mesure du possible, il soit entouré de calme.

Inutile de dire pour terminer que l'ensemble de la famille doit tenir compte de ces différentes recommandations.

Quand l'enfant sera au lit, asseyez-vous près de lui : c'est le moment d'une histoire, d'une chanson ou d'une conversation détendue. Selon votre humeur, vos goûts et les siens.

L'heure de dormir est arrivée, vous partez. Si l'enfant a envie d'une veilleuse ou de la porte entrouverte, pourquoi pas. En revanche, soyez ferme quand vous le quittez. Comme vous serez obligés de l'être la nuit s'il appelle. Ce que nous avons dit pour le bébé s'applique aussi au grand enfant : il doit être autonome la nuit et se débrouiller, s'il se réveille, pour se rendormir seul *.

J'ai gardé pour la fin deux recommandations :
— n'envoyez pas l'enfant au lit comme punition ;
— ne quittez pas l'enfant sans l'avoir embrassé et qu'il ait fait sa paix avec vous.

A plusieurs reprises vous avez retrouvé le mot fermeté dans ce chapitre sur le sommeil. C'est vrai, il en faut, ce n'est pas toujours facile, mais pour l'enfant, cette séparation du sommeil et de la nuit est une étape vers l'apprentissage de l'autonomie. A signaler que pour certains enfants, cela se passe sans problème. Et il n'est pas inutile de redire qu'il n'y a pas de recette générale dont le succès serait garanti pour tous les enfants **.

L'enfant qui dort dans la chambre de ses parents. Les premières semaines, le bébé dort souvent dans la chambre de ses parents, c'est naturel, et, en plus, pratique. Avec un nouveau-né, les parents sont inquiets, veulent être sûrs que le bébé dort et respire bien. De plus, souvent la mère a encore besoin de cette proximité physique. Et c'est plus commode pour donner facilement la tétée la nuit.

---

* Sur les troubles du sommeil, voyez les pages 286 et 287.
** Sur le sommeil, je vous conseille le livre de Jeannette Bouton et Catherine Dolto-Tolitch, *Vive le sommeil*, édition Hatier ; « un mode d'emploi du sommeil », selon l'expression des auteurs, à lire avec vos enfants.

Mais les premières semaines passées, lorsque le bébé a acquis un rythme régulier de sommeil, il a besoin de calme, d'un espace à lui.

La chambre des parents ne lui permet pas toujours un sommeil paisible. Plus les mois avancent, plus on s'aperçoit que le bébé réagit aux heures de coucher de ses parents, à leurs allées et venues, à leurs relations sexuelles (quoiqu'en disent certains parents qui croient que parce que l'enfant a les yeux fermés, il n'est conscient de rien).

Si le bébé pleure, s'il se réveille, les parents sont facilement tentés de le prendre dans leur lit. Et lorsqu'il saura marcher, l'enfant viendra tout seul. Or l'enfant qui obtient le territoire qui ne devrait pas être le sien va devenir exigeant dans la journée face à d'autres interdits, va se mêler de la vie des adultes, devenir jaloux et exclusif. L'enfant a besoin de son territoire, de son lit, d'une nuit qui soit la sienne et c'est la même chose pour les parents : à chacun son domaine. Nous y reviendrons au moment de l'Œdipe.

Il est des cas où certaines difficultés conjugales, certaines détresses d'un des parents, certaines situations de solitude poussent l'adulte à dormir avec un de ses enfants. On constate que cela déséquilibre souvent l'enfant dans son développement ou dans son comportement : retard de langage, ou bien l'enfant devient exigeant, ou caractériel.

Mais il est des cas où les difficultés matérielles ou de logement sont telles qu'il n'est pas possible pour un jeune ménage ou une mère célibataire d'avoir plus d'une pièce. Dans ce cas, il faut isoler le coin de l'enfant, le marquer d'un paravent, d'étagères, ou d'un rideau. Les voiles du berceau, ce n'était pas autre chose...

Sur le sommeil, je vous conseille le livre de Catherine Dolto et Jeannette Bouton : *Vive le sommeil* (éditions Hatier), un livre à lire avec les enfants.

Comment coucher le nouveau-né. Traditionnellement en France, on couchait les nourrissons sur le dos et/ou sur le côté. Puis peu à peu s'est répandue l'habitude, déjà largement pratiquée dans d'autres pays, de coucher le bébé sur le ventre. Cette position présente certains avantages. Le bébé ne risque pas d'étouffer lorsqu'il a des renvois ou des vomissements, ou lorsqu'il est enrhumé et tousse. De plus, sur le ventre, il essaie très tôt de lever la tête, puis dès 8 semaines il s'appuie sur ses avant-bras, ce qui lui permet de regarder alentour ce qui se passe, beaucoup mieux que s'il était couché sur le dos. Cet élargissement de son champ de vision a une influence très stimulante sur son développement psychomoteur.

Si on couche le bébé sur le ventre, le matelas du lit doit être ferme ; ne pas mettre d'oreiller, et placer la tête du bébé tantôt sur le côté droit, tantôt sur le gauche. Et pour que l'enfant à plat ventre puisse regarder autour de lui, il faut le mettre dans un lit à barreaux.

Mais récemment, certains médecins ont attiré l'attention sur de petites déviations des pieds qui pourraient résulter de cette position. Si l'enfant est couché sur le ventre, il faut donc surveiller particulièrement la position des pieds : si le bébé tient ses pieds exagérément en dehors ou en dedans, il vaut mieux renoncer à le mettre sur le ventre.

Ces déviations des pieds sont une des raisons qui font qu'aujourd'hui on en revient à la position traditionnelle : non pas sur le dos, mais sur le côté (en alternant le droit et le gauche).

Lorsqu'on voit un bébé se coller la tête contre les parois ou le sommet du lit, on a tendance à le redescendre en pensant qu'il sera mieux. C'est inutile car cette position est volontaire, le bébé cherche un contact, il a besoin de se retrouver entouré comme il l'était dans le ventre de sa mère.

La lumière du jour ne gêne pas le bébé pour dormir, tout au moins jusqu'à l'âge d'un an : il dort aussi bien dehors, dans son landau, que dans sa chambre. Après un an, il dort mieux et plus longtemps dans l'obscurité ou la pénombre.

Normalement le bébé dort dans un petit lit. Si, exceptionnellement, vous deviez le coucher dans un grand lit, soyez particulièrement attentifs : il peut — car un enfant qui ne dort pas dans son lit habituel a souvent un sommeil agité — glisser sous les draps ou tomber du lit. Faites un barrage de traversins pour limiter le lit, et bordez bien le drap. Ce n'est guère avant 2 ans qu'un enfant peut, sans risque, dormir dans un grand lit.

Les sangles de sécurité. Certains parents en mettent pour empêcher le bébé de tomber de son lit. C'est tout à fait déconseillé car des accidents peuvent arriver.

Il mange

Lorsqu'il est tout petit, l'enfant passe plusieurs heures chaque jour à se nourrir. Manger est une de ses occupations et préoccupations principales, c'est pourquoi nous avons consacré à l'alimentation tout un chapitre, le deuxième. Vous y trouverez non seulement ce que l'enfant peut manger, mais aussi l'atmosphère souhaitable pendant les repas, ce qu'il faut faire si l'enfant n'a pas faim, s'il pleure après les repas, etc. ; en un mot une réponse à toutes les questions que l'on peut se poser sur l'alimentation du petit enfant.

Il pleure

Entendre pleurer un enfant est l'une des épreuves quotidiennes des parents ; épreuve cruelle : pourquoi pleure-t-il ? Est-il malade ? Les autres bébés pleurent-ils autant ? Faut-il le prendre dans les bras, ou au contraire est-ce la chose à ne pas faire sous peine d'être réduits en esclavage ?

Dès que l'enfant pourra dire : j'ai faim, j'ai chaud, j'ai mal, les pleurs ne poseront plus de problème. Mais tant qu'il n'a pas d'autre possibilité de s'exprimer, les cris et les larmes sont son seul langage, d'ailleurs souvent difficile à comprendre. Aussi l'inquiétude, s'ajoutant à la fatigue, cause-t-elle de la nervosité chez bien des jeunes couples.

Voici d'abord une pensée rassurante : dans quelques semaines, votre oreille aura appris à distinguer entre les pleurs-revendications, les pleurs-plaintes et les pleurs-routine. Vous oublierez alors vos angoisses passées, tant les pleurs de votre bébé parleront clair à votre instinct maternel ou paternel. Mais du moment que vous avez cherché dans ce livre des explications sur les pleurs, c'est sans doute que ceux de votre nourrisson vous causent du souci. Essayons donc de vous aider.

D'abord, allez toujours voir un bébé qui pleure. Assurez-vous qu'il n'est pas dans une mauvaise position, que ses vêtements ne sont pas trop serrés, qu'il n'a pas trop chaud, qu'il n'a pas la lumière dans l'œil ; demandez-vous si un bruit (aspirateur, radio, télévision, chasse d'eau, sonnerie, avertisseur dans la rue) ne l'a pas réveillé.

A-t-il bien fait son renvoi après sa dernière tétée ? L'avez-vous changé ? N'est-ce pas bientôt l'heure de la tétée ? N'avez-vous pas remarqué que l'enfant émettait des gaz, avec bruit ?

Tout est-il normal, par ailleurs, dans la journée de votre enfant : nourriture, sommeil ?

Supposons que tout soit normal, qu'aucune des raisons citées ne soit en cause : alors, il y a de grandes chances pour que votre enfant soit simplement en train de se « défouler » ; c'est le cas le plus courant des pleurs du nourrisson, celui dont nous allons vous parler.

Les trois premiers mois. Certains nourrissons bien portants pleurent chaque jour, à la même heure, sans raison apparente. Voici ce qui se passe : après sa tétée, ou son biberon, l'enfant s'est endormi d'un sommeil profond et satisfait. Les pleurs surviennent quand il s'éveille ; il commence à pleurnicher ; puis les pleurs augmentent d'intensité : c'est la séance quotidienne.

L'âge classique des pleurs quotidiens s'étend de la deuxième à la dixième semaine, le maximum d'intensité se situant à la sixième semaine.

A certaines heures, l'enfant pleure plus particulièrement. Ces heures varient suivant l'âge, mais durant les deux ou trois premiers mois, un grand nombre de bébés pleurent en fin d'après-midi.

Si ces pleurs sont « normaux », ce sont donc des pleurs sans cause, direz-vous. Non. Certes, l'enfant n'est pas malade, tous ses organes fonctionnent bien ; mais ces pleurs sont un moyen pour le bébé de décharger la nervosité qu'il a accumulée pendant les heures précédentes.

Supposons un bébé qui vient de rester deux heures dans des couches mouillées, ce qui lui a causé des démangeaisons ; un bébé qui a été réveillé en sursaut par une porte qui a claqué, un coup de frein violent, la radio du voisin ouverte au maximum ; ou quelqu'un qui est entré dans sa chambre en fumant une cigarette et l'odeur lui a été désagréable.

Pendant deux, trois heures, le bébé est resté bien tranquille dans son berceau. Puis, à un moment précis — généralement le même chaque jour — il éprouve soudain le besoin de soulager ses nerfs, de se détendre. Alors que fait-il, il se met à pleurer et de toutes ses forces ; on dirait vraiment qu'il lui arrive quelque chose de grave. Les parents accourent, inquiets, se penchent sur le berceau, vérifient que rien ne dérange le bébé, et finalement constatent que tout est en bon ordre. Et la même scène se répète tous les jours. Il est certain que ces séances de pleurs sont éprouvantes pour les nerfs. Malheureusement, si l'entourage commence à s'énerver, le bébé le sent et ses pleurs redoublent.

Les pleurs ne sont pas dus à la seule nervosité, ils sont souvent la conséquence de ces fameuses « coliques de la fin de l'après-midi ». Je dis fameuses car les pédiatres ne sont pas tous d'accord sur leur existence et à plus forte raison sur leur cause précise, mais il est certain que beaucoup de bébés pleurent à cette heure-là. (Voir l'article *Coliques*, au chapitre 4.)

Faut-il prendre dans ses bras le bébé qui pleure ? Spontanément, on en a envie, parce que ces pleurs, au lieu de les voir comme le langage avant la parole, on les interprète comme du chagrin et aussi parce que c'est énervant, agaçant d'entendre pleurer. Mais ce qui arrête, c'est l'idée que le bébé va devenir un tyran.

Avant de sortir l'enfant de son lit, il y a différents gestes qui peuvent le calmer. On peut le changer de position. On peut le distraire en fixant à son lit un hochet ou un bout de tissu rouge — c'est souvent efficace — ou en poussant son berceau devant la lumière, ou encore en faisant marcher une petite boîte à musique, ou enfin en le berçant. Et la sucette ? Personnellement je ne l'aime pas, mais cela peut être une solution de dépannage (voir page 65). D'ailleurs on a remarqué que l'enfant qui suçait son pouce et les enfants dont les tétées étaient les plus prolongées pleuraient moins que les autres. C'est un peu le même cas que les adultes qui calment leurs nerfs en tétant une cigarette ou une pipe.

Malgré cela, certains bébés sont inconsolables, l'enfant ne se calme que lorsqu'il est porté. Alors, prenez votre enfant dans les bras, et n'ayez pas peur de créer de mauvaises habitudes, il a besoin d'être compris et consolé. Même s'il n'est pas énervé, même s'il n'a pas de colique, il a d'autres difficultés à vaincre qui peuvent le faire pleurer : il essaye de s'adapter à sa nouvelle vie et ce n'est pas chose facile.

Songez-y : avant de naître, il était sans cesse bercé par les mouvements du corps de sa mère, il entendait les bruits du cœur qui lui tenaient compagnie, il était nourri sans avoir aucun effort à faire, à la demande, et soudain le voici dans son berceau, dans un silence nouveau, et une solitude inquiétante. Alors, s'il pleure et que rien d'autre ne le calme, prenez-le dans vos bras sans arrière-pensée et bercez-le. Bientôt capable de quelque occupation : jouer avec ses mains, avec ses draps, attentif à la succession des heures — celle de la tétée, celle du bain, celle de la sortie — il pourra se distraire et vous attendre plus calmement. Ce n'est qu'à partir de ce moment qu'il vaut mieux ne pas le prendre chaque fois qu'il verse une larme, sinon il risque de vous tyranniser... un peu.

D'ailleurs, passé trois mois, tout ira mieux, les coliques vont disparaître, ainsi que les séances quotidiennes de défoulement : tout simplement parce que, son système nerveux étant moins fragile, l'enfant supporte mieux ce qui, nouveau-né, l'énervait si vite, et surtout parce qu'il va, comme je vous l'ai dit, s'intéresser à ce qui l'entoure et sortir un peu de lui-même.

Mais rassurez-vous... votre enfant ne va pas devenir tout à coup silencieux ; il pleurera encore, mais pour d'autres raisons.

Il va pleurer de chagrin, vers 7-8 mois, lorsqu'il vous verra partir ; il pleurera aussi d'inquiétude en voyant des visages étrangers. Après la tristesse et l'angoisse, il va découvrir la colère : lorsqu'il essaiera sans succès de se faire comprendre, lorsqu'il n'arrivera pas à saisir un objet, il pleurera de rage contre lui-même. Un jour, il découvrira la peur, vers 2 ans. Et cette peur — de la nuit ou des animaux par exemple — le fera pleurer également. Mais au fur et à mesure qu'il grandira, qu'il fera des progrès pour s'exprimer, qu'il deviendra plus habile, qu'il aura acquis une plus grande maturité nerveuse, il pleurera de moins en moins.

Voici donc les causes classiques des pleurs. Ces causes se retrouvent chez tous les enfants, c'est normal puisqu'elles correspondent aux diverses étapes du développement comme vous pourrez le constater en lisant le chapitre 5.

Cependant, certains enfants, pour des raisons personnelles, pleurent plus que d'autres. Je pense essentiellement à ceux qui vivent dans une atmosphère de querelles. Il est certain que la mauvaise humeur de l'entourage rejaillit sur le bébé. Lorsqu'il y a un petit enfant dans la maison, il faut essayer d'éviter les disputes.

Les pleurs de l'enfant malade. L'enfant qui crie à des moments éloignés des repas, dont le visage pâlit et se crispe, qui se tortille, émet avec bruit des gaz, et dont les selles sont mal moulées, a probablement des troubles intestinaux. S'ils durent, parlez-en au médecin.

Un rhume (nez qui coule), une poussée dentaire (gencives rouges et enflées, salive abondante), une otite, un abcès (notamment à la fesse, après une injection de médicament), une méningite peuvent être causes de pleurs. Si l'enfant qui pleure est agité ou prostré, somnolent, pâle, sans appétit, il faut appeler le médecin. En l'attendant, prenez la température.

D'une manière générale, les pleurs d'un enfant malade se distinguent de ceux de l'enfant bien portant parce que ces derniers forment un cri sonore, incessant mais vigoureux, et qui ne semble pas fatiguer l'enfant, alors que les pleurs accompagnant une maladie sont soit un cri aigu, déchirant, survenant par accès, soit un cri plaintif, véritable gémissement, qui nécessite le recours d'urgence au médecin.

Voyez aussi sur les pleurs de faim la page 124, et les articles *Coliques* et *Cris du nourrisson* au chapitre 4.

Il sort

Quand faut-il sortir un enfant ? Combien de temps ? A partir de quel âge ? Beaucoup de parents se posent ces questions.

Le nourrisson. Par beau temps et si l'on habite à proximité d'un espace vert et aéré, il est bon de promener le bébé chaque jour, à partir de la quatrième semaine : une demi-heure pour commencer, puis une heure, même plus si le temps et vos occupations vous le permettent.

Très vite, vous remarquerez que votre bébé couché dans sa voiture est intrigué et amusé par ces feuilles, ces branches d'arbres qui bougent et miroitent dans le ciel ; et si le temps le permet, la capote étant baissée, le bébé profitera au mieux du paysage.

Un enfant aime beaucoup sortir ; très petit il se rend compte que l'heure approche : les préparatifs le mettent de bonne humeur, il se montre impatient d'être dehors.

Le plaisir du bébé s'accroîtra au fur et à mesure qu'il découvrira de nouveaux spectacles : assis dans sa voiture, il regardera intensément la rue, les fleurs, les enfants qui jouent. Sans se faire d'illusion sur le bénéfice qu'apportent l'air et le soleil à l'enfant des villes, il est certain qu'une promenade par beau temps dans la verdure d'un jardin est un excellent stimulant.

Est-il indispensable de sortir un nourrisson tous les jours ?

Le bébé qui habite dans une grande ville, un rez-de-chaussée orienté au nord, a plus besoin de sortir que celui dont les parents possèdent une maison avec un jardin dans une banlieue verte, à plus forte raison à la campagne. C'est évident. Entre ces deux extrêmes, il y a l'appartement au quatrième étage dans un quartier aéré : ici, inutile de vous désoler si votre bébé doit manquer sa sortie une fois ou l'autre. S'il fait beau, vous l'installerez devant la fenêtre ouverte, vêtu comme pour sortir, et ainsi il aura sa ration d'air, de soleil et de spectacle. Sauf exception, vous éviterez le balcon, trop ventilé en général.

L'importance de la promenade pour le nourrisson varie également selon que l'on habite près ou loin d'un jardin. Vous habitez à deux pas d'un square ? Profitez-en et sortez l'enfant le plus souvent possible. Au contraire, vous demeurez loin d'un jardin et vous prenez le métro ou marchez longtemps dans les rues pour y arriver : il vaut mieux sortir moins souvent et rester plus longtemps au jardin le jour où vous y allez.

Dans quels cas la promenade du nourrisson est-elle contre-indiquée ? Quand l'enfant relève de maladie : vous attendrez alors pour le sortir que le médecin soit d'accord. De même si la température extérieure est inférieure à 0 degré, s'il pleut, s'il fait du vent, s'il y a du brouillard. Le brouillard est pire que la pluie, le vent aussi.

Recommandations pour la sortie du nourrisson. Par temps chaud, ne laissez pas votre bébé dormir dans sa voiture capote levée en plein soleil. C'est ainsi que se produisent les coups de chaleur : baissez la capote et mettez la voiture à l'ombre.

Si votre bébé est trop jeune pour être assis, attention au soleil dans les yeux. Quand l'enfant est couché, si on n'y prend pas garde, les rayons du soleil — parfois même à travers le feuillage — peuvent tomber verticalement sur ses yeux et lui faire mal.

Emportez un biberon d'eau au cas où votre bébé aurait soif. Dès qu'il peut se tenir assis, calez-le avec des coussins : il jouira mieux du spectacle environnant.

L'enfant qui apprend à marcher. A cet enfant, la sortie va apporter un nouvel élément : la possibilité de s'exercer à la marche, mieux que dans un appartement. Au début, c'est vous qui le soutiendrez ; puis il s'amusera à pousser sa poussette, ce qui lui fera faire de rapides progrès.

Quel est l'âge de la poussette ? C'est celui où l'enfant reste assis sans fatigue, soit en général aux environs d'un an. Vous verrez qu'il sera ravi d'être dans une poussette car il est plus libre de ses mouvements et voit mieux ce qui se passe autour de lui que dans une voiture haute, mais au début il est préférable de remettre l'enfant dans le landau chaque fois qu'il fait froid parce qu'il est mieux à l'abri et mieux couvert.

La poussette-canne. Au début j'étais très sévère pour les poussettes-cannes, pratiques pour les parents, mais vraiment inconfortables pour l'enfant. Depuis, certains progrès ont été faits : les poussettes-cannes sont toujours aussi basses, l'enfant est toujours près des crottes de chiens qui salissent les trottoirs, des vapeurs d'essence, et de tout ce qui est peu agréable à 20 cm du sol ; mais il y est plus à l'aise qu'avant : d'abord parce qu'il n'est pas nécessairement toujours assis, il peut s'allonger presque à l'horizontale. En plus la toile de la poussette est plus épaisse et l'armature renforcée.

Il n'en reste pas moins vrai qu'il vaut mieux éviter de mettre un bébé dans une poussette-canne avant 6 mois ; entre 6 mois et un an, il faut utiliser la poussette-canne avec modération, quand on ne peut pas faire autrement : les courses, le métro, l'autobus. Pour promener un enfant, l'emmener au jardin, jusqu'à 1 an, je pense qu'il vaut mieux qu'il soit dans un landau, même vieux, acheté d'occasion ou emprunté à une amie.

L'enfant qui marche. Sauf les jours de grand vent ou de brouillard, l'enfant qui marche et qui court peut sortir, bien couvert et bien chaussé, même s'il fait froid ou s'il neige, car il a intensément besoin de se dépenser (voir chap. 5). Il faut le faire courir au jardin sinon il sera comme un lion en cage à la maison.

Puis, au jardin, il aura des camarades : même s'il ne joue pas avec eux mais à côté, il appréciera leur compagnie.

A partir d'un an et demi-deux ans, la sortie procure donc dans tous les cas une détente musculaire et une distraction appréciables : l'enfant peut courir librement, sans crainte de glisser sur un tapis ou de se cogner contre des meubles, et s'amuser au tas de sable.

La question du tas de sable, surtout à la mauvaise saison, préoccupe souvent : peut-on laisser l'enfant y jouer sans crainte de la contagion ? S'il y a d'autres enfants, il y a bien sûr le risque que le vôtre attrape la maladie qui court le quartier. Donc, si votre enfant est fatigué à ce moment-là, ou si vous avez un bébé à la maison, gardez-le chez vous.

Il joue

Lorsqu'un enfant joue, le jeu n'est pas pour lui seulement une distraction. Quand vous et moi faisons une partie de cartes ou de tennis, nous cherchons une détente : jouer, c'est le contraire de travailler. Pour l'enfant, jouer c'est faire travailler son esprit et exercer ses forces. Le jeu est son activité normale, l'enfant joue comme un pommier fait des pommes.

Et en jouant, il vous apprend bien des choses sur lui-même : s'il est autoritaire ou fantaisiste, audacieux ou prudent ; comment il réagit à votre éducation : cette petite fille qui gronde sévèrement sa poupée « parce qu'elle a mouillé sa culotte » n'a-t-elle pas souffert de votre sévérité ? En observant les jeux de votre enfant, vous voyez sa personnalité se développer, son vocabulaire s'enrichir ; enfin l'entrain qu'il apporte dans ses jeux vous renseigne sur son « tonus », son état général.

Les jeux et les intérêts suivant l'âge. Les parents ne savent pas toujours quels jouets donner à chaque âge. Et, lorsqu'ils entrent dans un magasin, c'est plus souvent pour demander « un jouet pour une petite fille de deux ans, ou un petit garçon de trois ans » qu'une poupée ou une auto. Or chaque âge a ses préférences. C'est pourquoi j'espère vous être utile en vous indiquant ci-après une liste commentée des jouets qui feront plaisir à votre enfant de 1 mois à 4 ans. Mais comme toujours, je fais précéder cette liste de la mise en garde classique : s'il n'aime pas les Legos, ou les puzzles, à l'âge où cela intéresse les autres, n'en tirez pas des conclusions sur son développement, c'est qu'il a d'autres intérêts, vous les trouverez sûrement.

1 à 4 mois. Il découvre sons et couleurs. C'est l'âge des hochets : gros hochet à large poignée car un bébé a de la peine à saisir ; hochet à trois, quatre, cinq boules rouges, bleues, vertes ; boulier qui s'accroche au berceau ou au landau, etc. Vous pouvez également suspendre au berceau des animaux ; choisissez-les en caoutchouc, donc lavables : bientôt votre bébé les portera à sa bouche. Vous pouvez aussi suspendre un mobile, le bébé aime beaucoup ce qui bouge. Il y a des poissons, des personnages, des oiseaux, de toutes les formes et de toutes les couleurs.

A signaler : déjà à cet âge l'enfant remarque la différence entre le dur et le mou, entre une poupée de chiffon et un hochet en plastique, regardez-le faire, c'est très amusant.

4 à 8 mois. Votre bébé apprend à se servir de ses mains de toutes les manières : il palpe, gratte, tire, appuie, lâche. Donnez-lui des animaux en caoutchouc, qui font du bruit lorsqu'on les presse, et des hochets plus savants qui lui procureront de nouvelles satisfactions : hochet musical, hochet à 12 disques. C'est aussi l'âge où l'enfant essaie de se soulever pour s'asseoir ; un petit portique accroché à son berceau (ou à son parc) l'amusera beaucoup et lui fera faire une très utile gymnastique. Et, le soir, remontez sa boîte à musique avant de l'endormir, il l'écoutera, ravi.

8 à 12 mois. Jeter le plus loin et le plus souvent possible, non pour vous ennuyer, mais pour voir où ça tombe, voilà ce qui amuse le plus votre enfant. Alors il faut lui donner des jouets qui ne se cassent pas : animaux en feutrine ou en caoutchouc, cubes en plastique, poupée en tissu, ours en peluche.

Sur la tablette de sa chaise, fixez un hochet à ventouse, ou posez des jouets mécaniques que l'on remonte ; ils feront rire l'enfant (ours qui danse, tortue qui bouge la tête, etc.). Les personnages en caoutchouc mousse qu'on tord dans tous les sens lui plairont aussi. Aux barreaux du parc, fixez un volant qui fait du bruit lorsqu'on le tourne. Pour le bain, des animaux qui flottent : poissons rouges, canards, baleines et grenouilles.

12 à 18 mois. Pousser devant lui un jouet qui roule donne de l'assurance à l'enfant qui fait ses premiers pas : animal en bois, rouleau musical, etc. Lorsqu'il est assis, de ses mains désormais plus habiles il empile et emboîte cercles et gobelets. C'est aussi l'âge des premiers pâtés de sable. Offrez-lui des moules, un seau, un arrosoir, et le moulin à eau ou à sable.

18 mois à 2 ans. Il touche à tout, court partout, fait du bruit, déménage, transporte. Alors, pour satisfaire ces nouveaux intérêts, donnez-lui un âne à roulettes, un train en bois qu'il traînera d'un bout à l'autre de sa chambre : pour lui, traîner est un progrès, c'est plus facile que pousser. Il sait aussi monter sur un camion et le faire avancer. Donnez-lui une toupie musicale ou un xylophone pour... faire du bruit ; des quilles en plastique à renverser, de grandes briques en bois pour remplir son camion.

Et pour les moments de calme — il y en a — donnez-lui de quoi exercer son adresse : œufs et tonneaux gigogne et « boîte aux lettres » (jouet en forme de boîte, dont le couvercle est percé de trous de différentes formes : des pièces correspondant à ces formes y sont jointes, l'enfant doit faire entrer chacune d'elles dans l'ouverture qui correspond). A cet âge, il aime aussi frapper sur un établi en bois avec un maillet.

2 ans à 2 ans 1/2. Jusqu'à cet âge, on donne généralement les mêmes jouets aux garçons et aux filles. Mais à partir de 2 ans-2 ans et demi, les habitudes, l'environnement, les cadeaux traditionnels des parrains et des marraines font qu'on donne des poupées aux filles et des autos aux garçons. Et désormais chacun a maintenant son rayon chez le marchand de jouets : à cet âge il choisit une auto de pompiers, un avion ; les préférences de la petite fille vont au baigneur, aux perles de bois à enfiler sur une ficelle.

Mais si l'un désire des jeux en général attribués à l'autre sexe, pourquoi les refuser ? Si l'on veut qu'un jour les hommes partagent les travaux traditionnellement réservés aux femmes, il ne faut pas systématiquement dire au garçon tenté par les panoplies de ménagères et les dînettes : « Ce sont des jeux de fille » ; demain ce seront aussi des occupations de garçon.

A cet âge, garçons et filles ont en commun : le village en bois et les animaux de la ferme, les personnages démontables, et, pour le jardin, une brouette. Quant à l'ours, de jouet il est devenu l'inséparable compagnon.

2 ans 1/2 à 3 ans. C'est l'âge où les enfants imitent vraiment les parents : conduire une voiture, téléphoner, partir en voyage, faire la dînette, le ménage ou le marché et promener la poupée, habillée cette fois, dans une poussette. Pour prendre de l'exercice, ils aiment le tricycle, le cheval à bascule, et, quand ils sont fatigués regarder un livre d'images (souvent à l'envers), pétrir de la pâte à modeler, gribouiller avec des feutres, exercer leur adresse avec des boulons gigogne ou un champignon démontable.

3 ans. C'est l'âge de l'imagination et des panoplies. Avec une trousse elle joue à l'infirmière, fait des piqûres à sa poupée ou lui prend sa température, joue à la marchande avec une épicerie ; lui, devient un Indien, fait la guerre ; ou il est Zorro le justicier, ou bien le héros du dernier feuilleton télévisé. Les livres les intéressent de plus en plus : en regardant les images, ils inventent eux-mêmes des histoires. Tous deux aiment les jeux de construction, les mosaïques en couleur, les premiers coloriages ; au jardin, la balançoire ; au bord de la mer, les bateaux à voile.

Mais la poupée, pour elle — à condition qu'il y ait plusieurs robes, car elle sait très bien l'habiller — et les petites voitures, pour lui, restent en faveur ; il aime particulièrement les bennes, grues, bulldozers, tracteurs. Également appréciés par les garçons de trois ans, les petits trains sur rails de plastique faciles à monter et démonter.

Après 4 ans. Maintenant, comme les grands, ils montent à bicyclette, jouent au ballon qu'ils savent lancer, font des jeux de patience (lotos, puzzles), des jeux de construction plus minutieux ; jouent avec des briques multifaces. Ils font de la peinture ou des piquages car ils deviennent très adroits ; ils écoutent des disques ou des cassettes, regardent des livres, mais à présent, pendant qu'ils suivent les illustrations, il faut qu'on leur raconte les histoires, et ces histoires, à leur tour, ils les raconteront aux plus petits. Pour elle, vous choisirez des accessoires de poupée : elle sait donner à son baigneur un bain, puis le bercer en lui chantant des chansons. Le garçon s'intéresse toujours aux voitures, mais il les aime plus perfectionnées ; il sait les réparer, changer les pneus ; il aime aussi les jouets téléguidés.

Attention aux jouets dangereux. Devant le grand nombre d'accidents dus aux jouets, des normes de sécurité ont été rendues obligatoires. Les normes concernent l'inflammabilité des jouets — c'est le feu qu'on redoute le plus — et leurs caractéristiques mécaniques et chimiques (matériau, toxicité, etc.).

C'est un grand progrès, mais des jouets dangereux peuvent encore se trouver sur le marché ; en effet, bon nombre de jouets sont encore importés plus ou moins clandestinement.

Aux parents donc d'être vigilants lorsqu'ils achètent le jouet le plus inoffensif. Les yeux des poupées, des ours, en verre ou en plastique, qui se brisent, peuvent blesser ou être avalés, les fils de fer qui arment les oreilles ou les pattes des animaux en peluche, les lunettes en plastique qui se cassent, les mobiles faits de petits éléments que l'enfant arrache et porte à sa bouche, un clou dans un jouet de bois, l'épingle qui sort d'un bonnet de poupée, une toupie ronflante qui perd son

axe de fer, et voilà un accident grave. Beaucoup de jouets ne résistent pas aux coups, aux chocs, au mordillement ou à la succion d'un bébé. En se cassant, en se démoulant, en se décollant, leurs angles vifs deviennent de véritables armes.

Comment savoir que le jouet que vous achetez respecte bien les normes obligatoires ? Il doit comporter la mention : « La conformité du présent produit est garantie par le fabricant (ou l'importateur) *. »

Il est conseillé d'acheter des jouets adaptés à l'âge de l'enfant ; de nombreux fabricants donnent d'ailleurs des âges d'utilisation. Ainsi, un jeu de construction destiné à un enfant de 5 ou 6 ans peut être dangereux manipulé par un bébé.

S'ajoute aussi la question de la taille : les jouets peuvent être avalés par le bébé. « A petit enfant, gros jouets » dit souvent le docteur Guy Vermeil. Enfin, pour tous les âges sont déconseillés : les révolvers à flèche, les fléchettes et les pétards.

Un mot sur le traditionnel ours en peluche qui reste parfois pendant des années le compagnon de l'enfant : si un jour votre enfant tousse sans raison apparente, rappelez-vous que les jouets en peluche sont des nids à poussière, et peuvent être cause d'allergie. Le coupable de cette toux rebelle (ou de cette crise d'asthme) est peut-être l'ours bien-aimé. Pensez à le laver ; aujourd'hui presque tous les animaux en peluche sont lavables.

* L'INC (Institut national de la consommation, 80, rue Lecourbe, 75732 Paris cedex 15) publie tous les ans, au moment de Noël, un dossier consacré aux jouets et à la sécurité.

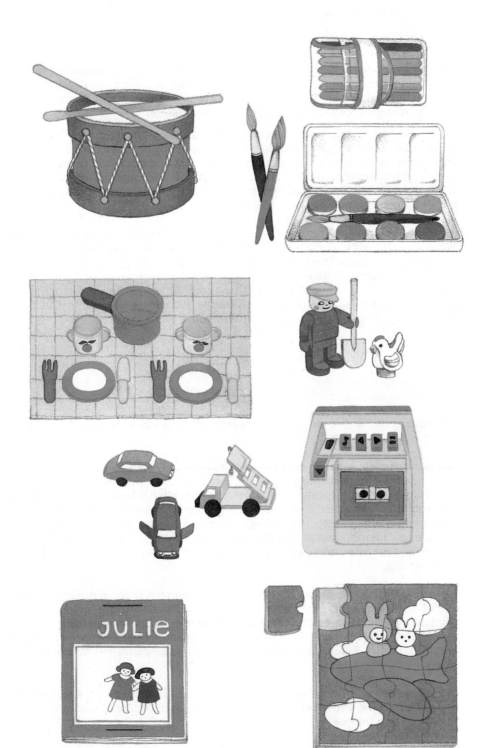

Attention aux piles boutons. La multiplication des jouets électroniques utilisant des piles-boutons constitue un danger : le jeune enfant risque d'en avaler une. Dans ce cas, il faut conduire l'enfant à l'hôpital car la pile, qui contient des produits corrosifs et toxiques, doit être éliminée le plus vite possible.

Mais l'enfant ne joue pas qu'avec des jeux : un carton vide, une cuillère en bois, un bout de ficelle ou un ruban de couleur peuvent l'occuper des heures durant. Inventorier le contenu d'un tiroir, imiter la personne qui fait le ménage, simplement regarder les passants dans la rue sont autant d'occupations appréciées. Elles sont intimement liées au développement de l'esprit et du corps, je vous en reparle dans « Le petit monde de votre enfant ».

« *Range tes jouets.*» L'ordre est souvent une idée fixe des parents, surtout de la mère et on ne peut guère la blâmer. La maison rangée, ce n'est pas agréable de voir traîner partout des petites autos ou des cubes, mais on ne peut pas demander à un enfant de ranger ses affaires avant au moins 3-4 ans : je crois qu'il est bon de le savoir pour ne pas créer d'innombrables conflits, et que le « range tes jouets » n'assombrisse pas les relations parents-enfants. Par contre les parents peuvent dire à l'enfant « aide-moi » ; ainsi il s'habituera peu à peu à l'ordre.

Les spectacles

Il reste enfin à dire un mot des spectacles : les marionnettes, le cinéma, le cirque.

Les marionnettes. A partir de 3 ans, les enfants sont, en général, captivés par les marionnettes. Ces personnages qui ont la taille de leur poupée ou de leur ours et qui évoluent dans un théâtre miniature sont tout à fait à leur mesure. Les enfants sont toujours très actifs à un spectacle de marionnettes : ils rient, manifestent bruyamment leur joie ou leur déception et participent réellement au jeu qui se déroule en s'identifiant aux personnages. A condition que la séance soit courte — car l'enfant est vite surexcité — le spectacle de marionnettes est très distrayant pour l'enfant.

Le cirque. Chacun de nous conserve dans sa mémoire le souvenir émerveillé du cirque de son enfance, tant il est vrai que ce spectacle bruyant, coloré, avec son ambiance particulière et son odeur de ménagerie, frappe intensément l'imagination de l'enfant. Cependant l'enfant ne peut guère apprécier ce genre de spectacle avant au moins 3 ans. Mais hélas les cirques disparaissent les uns après les autres.

Le cinéma. Le vrai film est déconseillé avant 6 ans. Et même à cet âge, l'attention de l'enfant tombe vite lorsqu'il est livré, passivement et dans le noir, à une projection un peu longue.

Et la télévision ? J'étais très opposée à la télévision pour les petits enfants, mais elle fait tellement partie de la vie de la famille qu'il faut aujourd'hui compter avec elle et faire des concessions.

■ *Après 18 mois-2 ans*, il y a quelques émissions, assez peu, susceptibles d'intéresser l'enfant. Regardez avec lui les séquences qui lui sont destinées, mais prenez l'habitude de fermer le poste dès que l'émission est terminée.

Il y a une très grande différence entre les enfants dans l'intérêt qu'ils montrent pour la télévision. Certains abandonnent volontiers l'image pour retourner à leurs jeux. D'autres sont subjugués et on a toutes les peines du monde à briser l'envoûtement provoqué par le petit écran. Ils s'irritent dès que l'adulte brise le charme par une remarque. Je connais une petite fille qui, prudente, s'assurait avant l'émission du silence de sa maman : « Tu restes mais tu parles pas », disait-elle.

Si vous vous trouvez chez des amis et que vous ne puissiez empêcher votre enfant de voir un film de guerre ou des scènes de violence, ne vous tracassez pas outre mesure. Un enfant est beaucoup plus sensible à l'accident de la route dont il est témoin qu'à la fusillade qu'il regarde sur l'écran. Certains enfants plus impressionnables peuvent toutefois avoir le sommeil troublé ; ne dramatisez pas et parlez avec eux des images qui les ont frappés.

N'oubliez pas que pour éviter la fatigue des yeux, il faut se mettre à 3,50 m de l'écran pour un écran de taille normale, mais pour un petit écran on peut se rapprocher à 2 m.

■ *Et avant 18 mois-2 ans ?* Certains parents mettent leur bébé devant la télévision sous prétexte de le distraire ou de le calmer. Je crois vraiment qu'ils ont tort ; ni les images, ni le bruit qui les accompagne ne sont bons pour la vue et pour l'équilibre nerveux du petit enfant.

Et ne donnez pas à votre bébé sa bouillie ou son biberon en regardant vous-même la télévision ; vous ne ferez pas attention à ce qu'il mange, et il se rendra vite compte que vous ne vous intéressez guère à lui. Si vous ne voulez pas manquer une émission, retardez plutôt l'heure du repas.

Enfin, quand les plus grands regardent la télévision, baissez le son, même si votre dernier-né se trouve dans une autre pièce, afin que le bruit ne l'empêche pas de dormir.

Attention danger !

Les accidents, à la maison, dans la rue, à la campagne, tuent plus que toutes les maladies contagieuses réunies. Sur trois décès d'enfants, on compte une mort par accident. Mais rassurez-vous, vous prendrez vite l'habitude de prévoir le danger, de tourner la poignée d'une casserole ou de cacher une prise, ces gestes deviennent rapidement familiers quand il y a un enfant dans la maison.

La maison dangereuse

Pour vous aider, nous avons fait dessiner la « maison dangereuse ». Ces dessins (voir pages suivantes) groupent les principales fautes contre la sécurité, celles qui, d'après les compagnies d'assurances, causent le plus d'accidents d'enfants. Les voici dans leur ordre de fréquence.

La casserole dont la queue est tournée vers l'extérieur. En outre cette casserole pleine, en débordant, peut éteindre le gaz, créant le risque d'asphyxie.

L'oreiller ou l'édredon sur le lit du bébé. Le risque numéro un avant 1 an est l'étouffement.

La fenêtre sans barreaux ni grillage.

L'armoire à pharmacie à portée des enfants. En plus, elle est parfois près du feu, bien qu'elle contienne un flacon d'éther.

Les produits d'entretien mêlés aux comestibles, ou mis dans des emballages de comestibles (l'eau de javel dans une bouteille de bière, etc.).

La prise de courant non protégée. Mais il suffit de mettre des cache-prises (le meilleur système nous semble le cache-prise à clé).

Le radiateur électrique non protégé.

Le fil du rasoir électrique qui pend près de la baignoire ; l'enfant jouera avec pendant son bain : danger de mort !

Le fil resté dans la prise après qu'on ait débranché un appareil ménager : ce fil qui traîne par terre, l'enfant risque de le mettre dans sa bouche.

Le bébé qu'on lange sur une commode et dont on s'est éloigné.

Le fer à repasser oublié.

Appareils de chauffage défectueux. Les intoxications provoquées par des émanations d'oxyde de carbone sont fréquentes. Vérifiez que votre appareil de chauffage (bois, charbon, gaz, chauffe-eau à gaz) marche bien en le faisant contrôler tous les ans, sans oublier le conduit qui doit être ramoné. Le grand danger de l'oxyde de carbone c'est que c'est un gaz inodore, incolore, se diffusant facilement ; l'intoxication survient sournoisement.

La cuisine

Pour savoir à qui vous adresser pour faire ce contrôle, renseignez-vous auprès du vendeur de l'appareil.

Sachez aussi qu'il ne faut *jamais* laisser un enfant seul à la maison, qu'il ait 4 mois ou 4 ans, ni la nuit ni le jour. Tout peut arriver : la lecture des journaux le prouve. Le nouveau-né qui s'étouffe ; l'incendie ; l'enfant qui pousse une chaise devant la fenêtre pour voir rentrer sa maman et qui tombe dans la rue ; celui qui avale un médicament croyant que c'est un bonbon, celui qui joue avec le fusil de papa, ou plus simplement celui qui joue avec des boutons, des haricots secs, des cacahuètes et avale « de travers ». On ne devrait pas laisser à la portée des enfants de moins de 3 ans des cacahuètes, noix, noisettes. Les cas d'enfants qui s'étouffent sont de plus en plus fréquents et surtout le samedi soir, me raconte un pédiatre d'hôpital, jour où les parents offrent à leurs amis un verre accompagné de ces fruits secs.

Songez encore que l'enfant laissé seul à la maison peut faire un cauchemar, s'éveiller, appeler ses parents et, dans la maison vide, connaître le premier désespoir de sa vie.

Certaines circonstances favorisent les accidents : la faim d'abord (l'enfant qui a faim avale n'importe quoi, fût-ce une bille) ; la nervosité de l'entourage ; les problèmes que peut avoir l'enfant, les jalousies secrètes par exemple. Tout ce qui trouble la sécurité de l'enfant est mauvais : l'enfant qui a assisté à une dispute violente entre ses parents peut sortir en courant de la maison et traverser sans regarder.

Enfin les parents sont parfois négligents ; il est évident qu'on ne doit pas répondre au téléphone quand le bébé est dans son bain ; et qu'on ne doit pas demander à un grand de 6 à 10 ans d'être responsable de son petit frère pendant que les parents font des courses.

Si on dessinait l'extérieur de cette maison dangereuse, on ferait figurer un **barbecue.** Un enfant sur cinq brûlé par flamme l'a été par barbecue, et les brûlures ainsi observées sont nettement plus graves que la moyenne. Saute de vent, courant d'air, ou feu mourant que l'on ranime imprudemment par de l'alcool à brûler, chemisette de nylon, et voilà l'enfant transformé en torche vivante. Des barbecues au ras du sol, éloignés des enfants, et la proscription absolue de tout liquide inflammable pour ranimer leur flamme permettraient d'éviter ces drames. On pourrait aussi ajouter une **tondeuse à gazon** : les enfants doivent toujours en être tenus à l'écart.

Il est impossible de faire une liste de tout ce qui peut arriver dans une maison, mais voici quelques conseils inspirés par l'expérience quotidienne, et pour le petit bébé et pour l'enfant plus grand.

Pour le nourrisson. Méfiez-vous des chaînes autour du cou ; ne laissez pas à portée de sa main une boîte à couture car elle contient des aiguilles, des épingles, des boutons et le bébé porte tout à sa bouche. Attention également au chat qui peut monter dans le berceau, et étouffer le bébé.

Pour l'enfant qui commence à marcher. Il part à la découverte du monde qui l'entoure. En le protégeant dans cette exploration, vous l'aidez à faire connaissance avec chaque chose et à en éviter les dangers.

Comme votre enfant est curieux et encore peu adroit, des précautions s'imposent :

La chambre

■ rangez hors de sa portée *tous* les médicaments, même ceux qui vous paraissent parfaitement inoffensifs comme l'aspirine : peut-être justement parce qu'on ne la croit pas dangereuse, l'aspirine est responsable régulièrement de nombreux accidents ; méfiez-vous de votre sac à main qu'un enfant aime s'approprier et au fond duquel il peut trouver un tube de médicaments ; vous ayant vu en avaler, sa première réaction sera de chercher à vous imiter ;

■ mettez hors d'atteinte les produits d'entretien : certains sont des poisons. Les intoxications ne sont jamais l'effet du hasard : des enquêtes montrent que, dans 60 % des cas, le toxique incriminé était à portée de main des enfants.

■ mettez aussi hors de la portée des enfants les produits de jardinage (desherbant, engrais, etc.), certains sont très toxiques.

Les intoxications par les médicaments et les produits ménagers représentent 85 % des intoxications chez l'enfant (60 % pour les médicaments, 25 % pour les produits ménagers). Pourquoi y en a-t-il tant ? En général, passés les premiers mois, la vigilance s'effrite. Et les parents les plus attentifs au début laissent traîner des médicaments à portée de la main des enfants.

■ ne posez jamais sur le sol les récipients contenant de l'eau très chaude ;

■ tournez vers le mur la queue des casseroles qui sont sur le feu ;

■ ne laissez pas traîner de sac en plastique : l'enfant peut se le mettre sur la tête et s'étouffer;

■ en ce qui concerne le petit appareillage électroménager, il y a aussi des précautions à prendre : le toaster peut brûler, le couteau électrique couper, etc. ;

■ attention aux verrous ou clés permettant à l'enfant de s'enfermer ;

■ mettez du grillage aux fenêtres contre les chutes et devant les foyers à flamme nue (cheminée, cuisinière, etc.), contre les brûlures. Dans le commerce, vous trouverez des barrières de sécurité extensibles pour fenêtres.

Enfin pour les portes, deux idées parfois utiles : vous pouvez installer dans les chambranles des portes, des barrières permettant à l'enfant de rester dans son coin, tout en ne se sentant pas isolé. Pour éviter que votre enfant ne se pince les doigts, vous pouvez fixer la porte avec un crochet. Et si vous ne voulez pas que l'enfant aille dans une pièce, je vous signale qu'il existe un système qui bloque la porte *. A noter également : un système sonore qui permet de savoir que l'enfant est en train d'ouvrir un placard *. Ceci est peut-être très utile pour la porte de placard située sous l'évier... lorsqu'on y a laissé les produits d'entretien contrairement aux recommandations.

Un mot sur les plantes d'appartement. Certaines sont dangereuses. Une précaution : apprendre à l'enfant, même très petit, qu'on ne touche pas aux plantes, et surtout qu'on ne les mange pas.

Vous voyez ce qu'il faut donc faire d'une manière générale : laisser l'enfant jouer avec des objets inoffensifs, mais mettre hors d'atteinte tout ce qui peut lui nuire.

Pour l'enfant plus grand. Vous devez l'exercer, et surtout le laisser s'exercer, à utiliser les objets usuels. Ce n'est pas en lui en interdisant l'usage que vous le rendrez adroit de ses mains : faites-les lui manier à votre exemple. Peu à peu, de

---

* En vente dans les grandes surfaces ou dans les magasins spécialisés en puériculture.

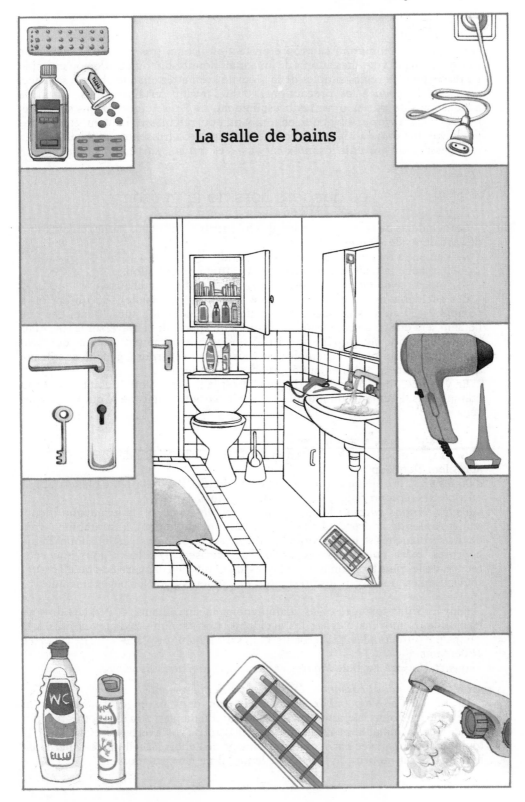

La salle de bains

cette façon, il s'initiera à sa propre protection. Donc, très peu de « Défense de toucher » quand vous êtes auprès de lui... mais donnez-lui toujours le bon exemple en respectant les règles simples de la sécurité : remettez chaque chose à sa place, sans tarder ; prenez les précautions voulues avant certains gestes, certaines actions : pas de portes ouvertes brusquement, ne vous retournez pas soudainement si vous portez un objet qui, en tombant, pourrait blesser l'enfant, etc. Un des médecins du Centre antipoisons de Paris m'a dit : il y a trois mots qu'il faut répéter sans cesse pour prévenir les intoxications, c'est *ranger, surveiller, éduquer.*

Les dangers hors de la maison

Les accidents de la circulation les plus fréquents arrivant aux jeunes enfants sont des accidents de piétons :
— l'enfant a traversé la route sans regarder ;
— il a lâché la main qui le tenait pour rattraper son ballon ;
— il jouait avec de petits amis, et il est descendu sur la chaussée.
Ces accidents arrivent surtout en été (plage ou montagne). En un an, on a compté 2 150 enfants accidentés de cette façon, dont 135 tués. Donc, dès que l'enfant sera en âge de comprendre, il faudra lui apprendre à traverser la rue. Mais jusqu'à l'âge qui nous intéresse ici (4-5 ans), seuls comptent la main qui tient fermement la sienne, et l'exemple : en vous voyant regarder à gauche et à droite avant de traverser, votre enfant apprendra à agir ainsi.
En vacances, de 1 à 4 ans, le risque n° 1 est la noyade. Votre enfant aime l'eau comme tous les enfants du monde : laissez-le barboter, mais ne le quittez pas des yeux.

La campagne aussi a ses dangers.

■ *Poisons :* le laurier-rose, les fruits noirs produits par les plants de pommes de terre après leur floraison ;
dans les prés : le colchique (fleurs roses et violettes), l'aconit (fleurs bleues, jaunes ou violettes, en pyramide), le genêt (fleurs jaunes) ;
dans les terrains vagues : la ciguë qui ressemble au persil, la jusquiame (fleurs jaunes rayées de pourpre, plante comportant une seule tige), la stramoine (grandes fleurs blanches striées de violet, fruit couvert de piquants), la belladone (fleurs pourpres, baies noires grosses comme des cerises). D'ailleurs pour que vous reconnaissiez plus facilement ces plantes, d'autant plus dangereuses qu'elles sont souvent jolies, nous vous les présentons en couleurs dans les pages suivantes.

Pour les fruits toxiques et les champignons, la surveillance et l'éducation sont les meilleurs moyens d'éviter les accidents. Les produits toxiques utilisés à la campagne (insecticides, désherbants, etc.) seront bien sûr placés hors de la portée des enfants.
■ *Serpents.* Voyez à l'article *Piqûres et morsures : morsures de vipère.*

■ *Arbres aux branches cassantes, le cerisier particulièrement.*
Là encore, il ne s'agit pas de faire vivre l'enfant dans un univers sans danger, ni de le faire vivre dans la crainte, mais de l'avertir du danger. Son esprit, très réceptif à l'idée de la maladie et de la mort, enregistrera vos avertissements ; et pour toujours restera gravée dans son esprit l'image de l'endroit où il y a des vipères, de la fleur qui fait mourir, de l'arbre sur lequel il ne faut pas monter.

Belles,
mais dangereuses

D. Molez

Jusquiame
(Hyoscyamus niger-L.)

Plante à pilosité visqueuse des sols riches en azote, des décombres et friches. Elle est peu commune en France car, étant fort dangereuse, elle est détruite au voisinage des lieux habités. Ses fleurs jaunes veinées de violet, apparaissant entre mai et septembre, forment une crosse terminale (hauteur : entre 30 et 60 cm).

Laurier-rose

Petit arbuste ornemental (2 à 3 m de haut), cultivé dans les régions chaudes du sud de l'Europe. Les fleurs d'un rose vif apparaissent l'été et ses feuilles particulièrement dures sont groupées par trois. Toutes les parties de la plante sont toxiques mais, en plus, le miel que font les abeilles avec les fleurs du laurier-rose, est toxique également.

D. Molez

Grande ciguë
(Conium maculatum-L.)

Plante très vénéneuse commune en Europe, dans les friches, chemins, talus des lieux humides (1,5 à 2 m de haut). Reconnaissable à sa tige cannelée, maculée à la base de taches pourpres, et à ses feuilles très découpées. Ses fleurs sont groupées en ombelles composées. Ses graines, typiques, sont pourvues de dix côtes légèrement ondulées.

Stramoine
(Datura stramonium-L.)

Plante des décombres répandue en France, très vénéneuse, de 30 à 60 cm de hauteur, à grandes fleurs blanches solitaires en forme d'entonnoir plissé, apparaissant entre juin et août. Son fruit épineux ressemble à celui du marronnier, mais il est très redoutable.

D.Molez

Colchique d'automne
(Colchicum autumnale-L.)

Plante à bulbe profondément enraciné dans le sol humide des prés (20 cm), surtout répandue dans le Sud. Les feuilles sortent au printemps : lorsqu'elles sont fanées apparaissent les fleurs entre août et septembre. Le fruit s'ouvre alors et laisse apparaître les graines très toxiques. Malgré la splendeur de ses fleurs mauve-rosé, c'est une plante très dangereuse et difficile à éliminer. Diffère du crocus par son nombre d'étamines : 6 chez le colchique, 3 chez le crocus.

Solanum
(Solanum tuberosum-L.)

C'est le nom scientifique de la pomme de terre. Il s'agit donc d'une plante très commune et très répandue, en France comme ailleurs. Les tiges souterraines forment des tubercules comestibles : les pommes de terre. Les fleurs de cette plante apparaissent en juillet et donnent des baies verdâtres très toxiques qu'il ne faut pas confondre avec les très jeunes baies de tomates.

D. Molez

Belladone
(Atropa belladona-L.)

Pousse dans toute l'Europe, dans les clairières, bois, sur sols calcaires. Plante à fleurs veloutées, pourpre sombre ou verdâtre, en forme de doigt de gant, qui apparaissent entre juin et septembre (environ 60 cm de hauteur). Sa baie ronde, noire, entourée d'une collerette verte et d'aspect engageant pour un jeune enfant est très vénéneuse.

D. Molez

Aconit
(Aconitum napellus-L.)

Plante connue depuis l'Antiquité pour sa toxicité. Répandue dans les lieux humides des régions montagneuses de toute l'Europe. La plante se termine par une grappe allongée (60 cm environ) de fleurs bleues ou violettes ayant la forme d'un casque, qui apparaissent entre mai et septembre. Toute la plante est toxique : l'ingestion d'un petit fragment de racine est mortelle.

If
(Taxus baccata-L.)

Arbre au feuillage vert foncé, persistant, atteignant parfois 20 mètres de hauteur. Ornemental, on le trouve souvent planté dans les parcs, jardins, bien que toute la plante soit violemment vénéneuse. Les aiguilles plates et molles sont disposées sur un même plan horizontal. A la base des rameaux, des baies apparaissent sur la face inférieure, constituées d'une graine brune, extrêmement toxique, entourée d'une enveloppe charnue, rouge à maturité (octobre). La saveur sucrée de cette enveloppe comestible entraîne l'ingestion de la baie entière, cause d'empoisonnements.

Marronnier d'Inde
(Aesculus hippocastanum-L.)

Grand arbre souvent planté dans les villes. Les feuilles opposées sont portées par de longs pétioles de 5 à 7 folioles digitées, atteignant parfois 20 cm de long et irrégulièrement dentées. Les fleurs sont dressées en pyramide (jusqu'à 20 cm de hauteur). Le fruit, toxique, est une capsule vert pâle, garnie d'épines molles et contenant une à trois graines d'un brun luisant portant une cicatrice hilaire blanchâtre.

D. Molez

Gui
(Viscum album-L.)

Plante parasite formant des « boules » sur les branches des arbres sur lesquels elle s'implante (souvent le pommier et le peuplier). Les tiges, articulées, se divisent constamment en deux, quatre... Les feuilles persistantes, lancéolées, souvent tordues, sont opposées. Les fruits en forme de baies sphériques, de la grosseur d'un pois, mûrissent en hiver (décembre-février). Blanchâtres, translucides, les baies contiennent une seule graine entourée d'une pulpe visqueuse. L'ingestion de 10 à 20 baies provoque des accidents graves — parfois mortels.

Houx
(Ilex aquifolium-L.)

Arbuste ou arbre à feuilles alternes, persistantes, coriaces, à pétiole court — et bords très ondulés et dentés. Les fruits, toxiques, sont des drupes oranges ou rouges renfermant quatre graines oblongues. On le trouve dans les sous-bois, hêtraies, de contrées humides (Ouest surtout).

Pommier d'amour, cerisier d'amour, faux poivre
(Solanum capsicastrum)

Petit arbuste de 50 cm à 1,20 m de hauteur, à feuillage foncé, souvent cultivé en plante d'intérieur. Les fleurs blanches, sans attrait ornemental, produisent des fruits rouges en forme de petites pommes de la grosseur d'une cerise. L'ingestion de ces baies entraîne de nombreux troubles chez les jeunes enfants attirés par leur couleur.

Buisson ardent
(Cotoneaster pyracantha)

Arbrisseau touffu à rameaux épineux.
La persistance de ses feuilles vert
foncé et de ses grappes de baies rouges, apparaissant en septembre
jusqu'au printemps, sont à l'origine
de son nom. Cet aspect décoratif
durant tout l'hiver entraîne sa culture
dans de nombreux jardins (haies,
massifs). Les fruits, toxiques et globuleux, ne dépassent pas un centimètre
de diamètre.

D. MOLEZ

Arum tacheté, gouet, pied de veau
(Arum maculatum-L.)

Plante à rhizome de 20 à 50 cm de
haut, vivace, située dans les bois
humides à sol argileux ou calcaire.
Les feuilles foncées, en forme de fer
de lance ou de pied de veau, portent
souvent des taches brunes. Elles
apparaissent dès le printemps.
L'inflorescence est faite d'un axe portant de bas en haut les fleurs femelles
puis les fleurs mâles se terminant par
une massue brun-violet : le spadice.
Le tout est enveloppé d'un cornet
vert pâle : la spathe. Les fruits, très
toxiques (mûrs de mai à octobre) sont
portés par une tige isolée (feuilles et
spathes étant décomposées) ; ils sont
globuleux et contiennent une seule
graine ronde.

Les quatre saisons

Bon voyage

Quand vous partez en voyage, vous aurez à nourrir, à distraire et éventuellement à changer votre enfant. Voyons un peu comment ne rien oublier.

Nourrir. Votre bébé est petit et vous l'allaitez, donc rien à emporter sauf, en plein été, un biberon d'eau légèrement sucrée, il risque d'avoir très soif.

Il est nourri avec un lait industriel : emportez soit un biberon tout prêt dans une boîte thermos, soit de quoi préparer le biberon à l'étape (eau, lait en poudre ou concentré).

Prenez des biberons en plastique ; en voyage ce sont les plus pratiques. Quant aux tétines, ne manquez pas d'en avoir une de rechange. Avec les cahots du train ou de la voiture, vous risquez de la faire tomber. Ayez aussi un biberon supplémentaire et de l'eau minérale : les voyages en été, que ce soit en voiture ou en train, donnent soif.

Si votre enfant est à l'âge des purées, emportez des purées en petits pots, ainsi vous aurez son déjeuner tout prêt dans votre sac, un yaourt, une compote en petit pot également, une bouteille d'eau minérale, sa timbale et sa cuillère.

A partir de l'âge où votre enfant mange de tout à la maison, il aura la même alimentation que vous, aussi bien si vous pique-niquez que si vous allez au restaurant.

Mais les repas ne sont pas tout. En voyage, les enfants (lorsqu'ils ne sont pas malades) mangent à toute heure. Avant le départ, l'excitation leur coupe généralement l'appétit ; mais ils n'ont pas fait dix kilomètres que déjà ils disent « Maman, j'ai faim ». Il faut donc se munir de petits en-cas, nourrissants sans être « bourratifs » : pas de gros sandwiches ou de pâtés qui donnent soif mais des sandwiches de fines tranches de pain de mie avec une feuille de salade et du jambon, des fruits secs, des fruits frais, des biscuits. Pour boire : eau ou jus de fruits et des verres en carton ; boire à la bouteille n'est pas facile. Enfin, il faudra essuyer la bouche et les mains : emportez des serviettes en papier.

Distraire. Les heures de train ou de voiture, dans la journée, sont longues : il sera sage de prévoir de petits jeux (autos ou animaux, découpages, jeux de société, sac contenant un mélange de figurines variées). Pas de lecture, ni d'images pour l'auto : elles bougent et fatiguent les yeux ; en revanche elles seront les bienvenues pour le voyage en train ; les crayons de couleur également. Vous emporterez aussi les jouets préférés : l'ours, la poupée, etc. Ils feront d'ailleurs plaisir pendant toutes les vacances.

C'est votre esprit inventif qui sera une bonne ressource : vous saurez chanter, raconter, inventer, lorsque vous sentirez que l'agitation grandit.

Il y aura aussi, au fond de votre sac ou dans la boîte à gants, la surprise de secours pour le cas d'urgence : grande scène de colère, dispute violente, crise de larmes. La surprise peut être modeste, mais si elle est dans une boîte et un paquet ficelé, l'enfant sera ravi.

Boîte, papier et ficelle occuperont, d'ailleurs, à plusieurs reprises au cours du voyage, les esprits et les mains.

Pour les périodes de somnolence — il y en a toujours — emportez un petit coussin. Grâce à lui, l'enfant s'endormira peut-être.

Pour ne pas imposer à l'enfant une tension trop longue en train, emmenez-le de temps à autre se promener dans le couloir ; en voiture, toutes les deux heures — plus si nécessaire, c'est à vous d'apprécier —, arrêtez-vous au bord d'un champ ou d'un bois. Je ne parle pas de l'arrêt-minute dans le bruit et l'odeur des voitures qui vous frôlent à toute allure, non, c'est l'arrêt-promenade que je vous conseille, où vous emmènerez l'enfant, un bon moment, courir en pleine nature. Votre moyenne tombera, mais au diable la moyenne si, grâce à la route buissonnière, vous arrivez à bon port, frais et détendus !

Ces conseils pour distraire l'enfant sont surtout valables pour le voyage avec un ou plusieurs enfants « debout », je veux dire ayant dépassé l'âge du nourrisson. L'enfant plus jeune ne pose pas autant de problèmes parce qu'il dort, au moins une bonne partie du temps.

Changer. Pas de problème avec le change complet.

L'enfant plus âgé, qui n'a plus besoin d'être changé, devra quand même en route faire un brin de toilette si le voyage doit être long : pensez à emporter serviette éponge, savonnette, serviette en papier et eau de Cologne.

Enfin, détail à connaître, les voyages et l'excitation qui les accompagne ont souvent des effets radicaux sur la vessie des enfants. Or, certains enfants refusent absolument d'aller dans les W.C. du train, et il arrive en voiture qu'il soit impossible de s'arrêter en route. A cela, deux solutions : ou vous mettez une couche, ou vous emportez un pot.

Le mal des transports. Il est courant qu'un enfant ait mal au cœur en voiture. Avant de chercher le médicament miracle, pensez à ceci :

■ *L'enfant doit être calme :* si vous lui parlez de son mal au cœur, s'il a un souci, s'il a assisté à une scène, subi des reproches, en un mot s'il est nerveux, l'enfant court le risque d'avoir mal au cœur.

■ *L'estomac doit être plein sans être lourd :* partir à jeun, avoir fait (la veille ou le jour même) un repas lourd, avoir expédié en vitesse une tasse de chocolat ou de café au lait et des tartines dans l'agitation du départ sont autant de causes de mal au cœur. Avant de partir, il faut un repas nourrissant mais léger : thé léger, miel, fruits. Pendant le voyage et au besoin dès que vous êtes en route, donnez-lui un petit-beurre, une pomme. Pendant le trajet, vous continuerez les petits repas fréquents et sucrés.

■ *L'enfant doit être « confortable ». Pas de fumeur. Et évitez qu'il ne s'ennuie.*

■ *Enfin, l'idéal, c'est que l'enfant dorme.*

Petits repas, petits sommes, voilà le meilleur antidote du mal des transports.

Vous pouvez donner une cuillère à café — ou à dessert à partir de 7 ans — de sirop de Théralène ou de Phénergan, une demi-heure à une heure avant le départ ou de préférence des médicaments tels que la Nautamine, la Dramamine, etc. Le médecin ou le pharmacien vous indiqueront la dose. Si l'enfant refuse le médicament par la bouche, bien qu'on puisse toujours camoufler un comprimé dans du miel ou un autre aliment, donnez-lui un suppositoire. Cela dit, deux précautions valent mieux qu'une : munissez-vous quand même de sacs en papier fort, pour le cas où l'enfant vomirait.

Conseils de sécurité pour le voyage en voiture. Ne jamais installer un enfant, quel que soit son âge, à côté du chauffeur, ni seul, ni sur les genoux d'un adulte (c'est d'ailleurs interdit et vous risquez une contravention). On appelle cette place « la place du mort » : c'est tout dire. Je connais un père qui a eu le terrible malheur de tuer son enfant, projeté contre le pare-brise par un coup de frein violent : fracture du crâne... Sur les genoux d'un adulte, le danger est le même, car l'adulte peut s'endormir ou être distrait.

Et derrière, comment installer l'enfant ?

■ *Ceinture de sécurité :* elle n'est envisageable que lorsque l'enfant a 5 ans au minimum, avant elle ne peut d'une manière satisfaisante s'adapter à la taille de l'enfant.

■ *Sièges qui se fixent sur la banquette arrière :* on peut enfin les conseiller. Jusqu'à ces dernières années la plupart d'entre eux ne présentaient aucune sécurité. Aujourd'hui de nouvelles dispositions légales ont obligé les constructeurs à concevoir des sièges plus sûrs. On peut donc y installer l'enfant à partir du moment où il peut rester assis. Encore faut-il qu'il accepte d'être assis pendant tout un trajet. Il existe une vingtaine de modèles. Les associations de consommateurs * qui les ont testés pourront vous renseigner.

Quant au petit nourrisson, le mieux semble être de poser son berceau par terre, à l'arrière. A noter qu'il existe des filets de protection pouvant être posés sur le berceau ou le couffin.

A chaque départ, attention à la petite main qui s'accroche à la portière ! Ce n'est pas moi qui le dis, ce sont les compagnies d'assurance : les cas d'enfants rendus infirmes pour la vie parce qu'on a claqué une portière un peu trop vite ne sont, paraît-il, pas rares.

Enfin, assurez-vous que les portières arrière sont bien fermées, et que les enfants ne peuvent pas les ouvrir. Signalons que de nombreuses voitures sont équipées d'un système de fermeture spécial pour enfants.

Quand vous vous arrêtez au bord de la route, ne laissez jamais seul dans la voiture un enfant, même endormi : l'enfant peut se réveiller, ouvrir la portière, être happé par une voiture avant que vous n'ayez eu le temps de vous en apercevoir.

Rappelez-vous enfin que le soleil frappant le toit d'une voiture à l'arrêt en fait une fournaise. Des bébés sont morts par déshydratation dans une voiture arrêtée en plein soleil.

Et voici un petit conseil : lorsque vous roulez et que le soleil tape très fort sur la voiture, accrochez à une vitre de côté une serviette humide.

En hiver, que vous voyagiez en train ou en voiture, emportez une petite couverture ou un châle de laine : si votre enfant s'endort, il aura froid.

Peut-on faire voyager un bébé en avion ? Rien ne s'y oppose, du moins à partir de la troisième semaine. Pendant le voyage veillez bien à ce que votre enfant n'ait pas trop chaud et, si c'est le cas, faites-le boire un peu plus qu'en temps normal.

* Notamment *50 millions de consommateurs* n° 113 (80, rue Lecourbe, 75015 Paris).

Au décollage et à l'atterrissage, donnez à boire au bébé quelques gorgées d'eau ou de lait de temps en temps : c'est l'homologue du bonbon ou du chewing-gum que vous offre l'hôtesse pour provoquer des mouvements de déglutition qui favorisent l'entrée ou la sortie d'air de l'oreille et vous évitent d'avoir mal aux oreilles au moment des changements de pression atmosphérique.

Et un conseil pour finir. Si votre enfant est en âge d'apprécier ce cadeau, offrez-lui, la veille du départ, une valise, sa valise. Il y mettra ses affaires. Elle sera vraiment à lui et il en sera très heureux.

Bonnes vacances

Il y a des parents — des pères surtout — qui, dans leur hâte de voir leur enfant « profiter », entreprennent, dès le premier jour des vacances, un programme d'exercice intensif. Ils oublient qu'être en vacances, c'est d'abord se reposer. C'est vrai même pour le jeune enfant : la seule adaptation à un nouveau climat exige quelques jours de détente, et cela d'autant plus que le changement d'habitudes crée de l'excitation chez les enfants. Même par la suite, quand cette « entrée en vacances » sera passée, vous ne devez pas oublier que le jeune enfant est vite fatigué. N'allez pas, sous prétexte de sport, l'entraîner dans des marches trop longues ou des escalades trop pénibles : à l'âge qui nous occupe, il n'y a pas vraiment de sport, il n'y a que des jeux.

A la mer. Je vous parle plus loin du soleil, de ses bienfaits et de ses dangers ; en ce qui concerne la mer, vous devez savoir que :
- Le bord de mer immédiat, ce qu'on appelle « les pieds dans l'eau », est excitant. Si vous avez loué une villa en bordure de la plage et que vous ayez un enfant excitable, vous pouvez vous attendre à de nombreuses nuits sans sommeil. Cela dit, le climat marin est excellent pour la plupart des enfants. Il y a quand même quelques précautions à prendre.
- Avant 7-8 mois, il est déconseillé d'emmener un bébé sur la plage : à cause de la chaleur, du vent et donc du sable, etc. Si vous ne pouvez faire autrement, une heure de plage par jour est le grand maximum pour votre nourrisson. Mais, ne l'emmenez pas aux heures les plus chaudes ; ne le laissez pas dans son landau en pleine chaleur et donnez-lui à boire régulièrement : si vous pouvez avoir une petite baignoire remplie d'eau de mer (exposez-la au soleil assez longtemps pour qu'elle soit tiède), cela le rafraîchira et le distraira. Mais n'oubliez pas le chapeau.
- Entre un an et quatre ans, le risque numéro un est la noyade. Un enfant peut se noyer dans 20 centimètres d'eau. S'il tombe et qu'il a le visage dans l'eau, il risque de ne pas se relever. Donc, laissez-le barboter, mais sans le quitter des yeux.
- Pas de séjour prolongé dans l'eau, surtout les premiers jours. A l'âge qui nous intéresse, le bain de mer n'est pas vraiment baignade, mais barbotage. D'ailleurs, laissez-le faire : vous le verrez entrer dans l'eau, s'asseoir, se relever et courir sur la plage, faire des pâtés, retourner se tremper, etc. C'est bien suffisant.
- Votre enfant a peur de l'eau ? C'est bien normal : la mer, c'est grand, c'est dangereux et cela fait du bruit. Pas de méthode brutale. Habituez votre enfant à l'eau en

jouant avec lui tout au bord de l'eau à la balle, en creusant un canal dans le sable, etc. Un beau jour sans se rendre compte, votre enfant sera dans l'eau, sans que vous l'ayez forcé.

- Sur la plage ou sur les rochers (s'ils n'ont pas d'arêtes pointues), laissez-le courir pieds nus : c'est excellent pour son équilibre, pour renforcer la plante des pieds, éviter les pieds plats, exercer les muscles. En outre, l'enfant pieds nus glissera moins sur les rochers que s'il est en sandales.
- La mer excite, donc fatigue et la sieste est indispensable : pas de petits enfants sur la plage en début d'après-midi.
- Natation : bien qu'il existe maintenant des méthodes qui familiarisent l'enfant avec l'eau dès 2-3 ans, et même dès quelques mois, on n'apprend guère à nager avant 5-6 ans.
- Méduses : l'enfant a touché une méduse. S'il est agité, incommodé, fiévreux, emmenez-le chez un médecin : il s'agit d'un tempérament allergique (voyez l'article *Allergie* au chap. 4).
- Un enfant qui a été longtemps exposé au soleil, ou qui est en transpiration, doit attendre un bon moment avant d'entrer dans l'eau.

A la montagne. L'altitude idéale pour le jeune enfant est celle de la « petite montagne » : entre 700 et 900 mètres. Elle est particulièrement indiquée pour les enfants pâles, nerveux, souvent enrhumés, à condition de choisir une station ensoleillée et de rentrer avant la tombée du jour. Excellente également pour les convalescents. La haute montagne (plus de 1200 m) est contre-indiquée pour le petit enfant.

- Le premier jour, observez un repos à peu près complet. Puis, dosez progressivement les efforts. Comme vous le savez en effet, en altitude les efforts sont particulièrement fatigants.
- Très important : connaître les dangers du soleil. Voyez p. 194.

L'enfant et le ski. A quel âge commencer, on nous le demande régulièrement. 5-6 ans, c'est une bonne moyenne, l'enfant peut déjà bien s'amuser. Mais ne pas oublier cependant que l'enfant se fatigue et se refroidit vite. Certains parents transportent sur leur dos leur bébé, même tout petit, qu'il s'agisse de ski de piste ou de ski de fond. Sauf pour un amusement de courte durée, ceci est tout à fait déconseillé parce que, même bien couvert, l'enfant risque d'avoir très froid puisqu'il ne bouge pas. Il y a eu des accidents.

A la campagne. Les vacances, cela ne signifie pas nécessairement mer ou montagne. Tout changement d'air est bon pour le petit enfant des villes. A condition que le climat soit sain, c'est-à-dire ni trop humide ni étouffant, un séjour à la campagne lui fera le plus grand bien. Peut-être plus que des vacances sur la Côte d'Azur, où la foule et la circulation sont les mêmes qu'en ville, et dont le climat finit par fatiguer à la longue, si l'on abuse de la plage. Mais la campagne a aussi ses dangers. Le plus grand : le bain de rivière ; outre le risque de noyade (chaque été, de nombreux enfants se noient en rivière), un bain de rivière n'a nullement la valeur d'un bain de mer. Et surtout bien des rivières sont polluées.

Si vous êtes dans une région à vipères, et si vous emmenez vos enfants se promener dans des terrains broussailleux, mettez-leur des bottes.

Le soleil :
bienfaits et dangers

La peau a besoin de respirer : le grand air lui est indispensable. Le soleil aussi, sans lequel les os ne durciraient pas.

En plein été, à l'abri du vent et en l'absence de tout risque de refroissement, il est souhaitable que, dès que votre bébé aura quatre mois, vous l'exposiez nu au soleil. Mais méfiez-vous, sa peau est infiniment fragile et les rayons solaires sont puissants.

Vous l'exposerez *très progressivement*, en commençant par les pieds et les mollets, et en finissant par la poitrine et le dos. Ne l'exposez qu'au soleil du matin ou de la fin d'après-midi, et toujours la tête couverte. En tout, jamais plus de quelques minutes pour un nourrisson.

Même pour l'enfant plus grand, il y a des précautions à prendre.

■ Il ne doit pas rester nu, ou torse nu, immobile au soleil : il doit bouger, aller de temps en temps à l'ombre, mais ne pas s'étendre en position de bain de soleil. Il ne doit pas rester tête nue au soleil du Midi. Sa chevelure est beaucoup plus fine que celle d'un adulte, et le protège donc moins.

■ L'enfant de la ville arrivant en vacances doit être dévêtu progressivement : il ne sera laissé torse nu qu'au bout de plusieurs jours ; une semaine au moins au grand soleil du Midi, quatre ou cinq jours au soleil de l'Atlantique ou de la Manche.

■ L'action des rayons solaires est plus puissante à la montagne à cause de la pureté de l'air, et à la mer à cause de la réverbération qu'à la campagne ou en ville.

■ Les enfants les plus sensibles aux rayons solaires sont les enfants blonds ou roux, et les enfants pâles. En outre, certaines peaux ne supportent pas le soleil.

■ Les huiles et crèmes ordinaires sont une médiocre protection contre les rayons solaires. Si on recherche une vraie protection, il faut acheter en pharmacie une « crème écran ».

Vous allez peut-être trouver que ces précautions sont exagérées. Elles se justifient à cause du nombre d'enfants qu'on voit sur les plages, sans chapeau, sans tee-shirts, en plein soleil.

Contre la chaleur. Pour le bébé : bains rafraîchissants, et biberon d'eau fraîche offert fréquemment ; s'il n'en a pas besoin, il le refusera. Ne pas changer de lait — sauf prescription du médecin — pendant les chaleurs. Éviter la culotte en plastique : mieux vaut changer le bébé plus souvent.

Pour l'enfant plus grand : douches fraîches et boissons, l'enfant a de faibles réserves d'eau. Éviter les plats lourds : sauces, charcuterie ; le poisson (s'il est bien frais) et le fromage sont préférables à la viande ; les crudités sont excellentes. Éviter les chaussettes et vêtements de nylon : préférer le coton qui absorbe la sueur.

L'enfant à la piscine. Une tendance actuelle est d'emmener les enfants à la piscine dès leur plus jeune âge. Même tout bébé, on conseille parfois de mettre l'enfant à l'eau ; vous avez peut-être déjà vu des reportages sur des bébés nageurs de quelques semaines. Il semble bien que le nourrisson, même avant l'âge de la marche, puisse évoluer dans l'eau en y prenant plaisir, mais ceci ne peut être envisagé qu'avec prudence sous la direction de moniteurs compétents et qualifiés. En dehors de cet aspect, la piscine n'est pas un bon endroit pour le petit enfant avant l'âge de 2 ans, en raison du bruit, de la bousculade, de la chaleur, de la promiscuité, de la javellisation de l'eau. Et de toute manière, ne jamais perdre de vue son enfant, même s'il patauge dans le petit bain. C'est un conseil pressant qu'on est obligé de rappeler chaque année à cause des accidents.

Un mot des *piscines privées* ; les accidents sont malheureusement fréquents ; on recommande de mettre un grillage ou une barrière autour et, lorsque l'enfant est au bord, de lui mettre des bouées, même s'il n'est pas dans l'eau.

A ne pas oublier. Si vous confiez votre enfant à des amis, n'oubliez pas de leur donner le carnet de santé où sont inscrits les vaccins que l'enfant a reçus. Il faut toujours penser à la blessure qui peut faire redouter le tétanos.

L'enfant et la nature

L'enfant des villes rêve de la campagne. Lorsqu'on lui demande de dessiner l'endroit où il voudrait vivre, il montre une maison, petite, au milieu d'un pré, avec des arbres, des fleurs, souvent des oiseaux et plus loin une rivière. En face de ce rêve de nature et d'air pur, que trouve-t-il deux fois sur trois * dans la vie quotidienne ? Un square avec pelouse interdite, des fleurs que l'on ne peut même pas toucher, un bruit de fond de voiture, des odeurs d'essence et un bac à sable plus ou moins pollué.

Moralité de cette triste histoire : si vous habitez une grande ville, chaque fois que vous le pourrez, emmenez vos enfants à la campagne ; cela demande parfois un effort mais cela vaut la peine.

---

* D'après des statistiques récentes en France, deux enfants sur trois vivent dans les villes.

Pour les grandes vacances, pourquoi ne pas aller dans une vraie campagne ? Le bord de mer avec tours en béton, boulevards sur front de mer plus encombrés qu'en ville à 6 heures du soir, ce n'est pas cela la nature, même lorsqu'on arrive à se frayer un chemin jusqu'à une mer souvent polluée.

La nature c'est autre chose, c'est cette campagne qu'ils imaginent dans leur rêve et qu'ils ont parfois vue dans des livres d'images, c'est une basse-cour, des prés, des vaches, un rythme de vie différent, ce sont des bruits qu'ils ne connaissent pas, des odeurs qu'ils n'ont jamais senties, ce sont des gens qui font des métiers qu'ils ne voient pas dans les villes, c'est voir le soleil se coucher, en ville souvent les maisons le cachent. C'est aussi un silence qu'ils n'ont jamais rencontré. Ce sont enfin des pays où l'on peut courir dans les chemins creux et grimper aux arbres.

C'est tout cela qui manque aux enfants des villes et qu'il faut leur donner le plus souvent possible.

L'enfant et l'animal

C'est un sujet qui est proche du précédent : le monde de l'enfance est peuplé d'animaux, très tôt et sous toutes leurs formes ; dès la naissance, on donne à l'enfant des animaux en peluche, ce lapin ou cet ours qui accompagneront toute son enfance. Dans son bain, très jeune, il s'amuse avec un canard et des poissons. Les premiers livres d'images qu'il regarde représentent des animaux dont il demande indéfiniment qu'on lui raconte l'histoire, et qu'on imite les cris qu'il répète à son tour. A la campagne, tout ce qui bouge l'intéresse, de la fourmi au cheval en passant par les animaux de la basse-cour, et aucun ne l'effraie. On peut lui raconter, sans que jamais il se lasse, « Les trois petits cochons », « Le loup et les sept chevreaux ». La cruauté du loup ne l'arrête pas, il aime ce qui fait peur.

Mais il arrive un jour où l'enfant demande un animal, un vrai, pour lui. Faut-il le donner ? Faut-il le refuser ? Les parents sont souvent bien embarrassés. Voici quelques éléments qui vous permettront peut-être de décider.

Du côté des avantages, pédagogie d'abord, le sens de la responsabilité, car bien sûr l'enfant doit s'occuper de l'animal qui lui est confié, même s'il le fait mal au début, et même si le poisson rouge meurt d'avoir été gavé, l'enfant aura appris, et le prochain vivra plus longtemps.

Le chien est l'ami fidèle, le confident, celui qui console, toujours présent. C'est le compagnon de jeu que l'on peut faire obéir, exquis pouvoir pour un enfant.

Tout cela ne doit pas faire croire qu'un animal peut remplacer un frère ou une sœur. Cela semble évident mais c'est pourtant utile de le rappeler car il y a des parents qui pensent vraiment qu'en lui donnant un chien, leur enfant restera tranquille dans son coin et qu'il n'aura pas besoin d'autres compagnons de jeu. Un frère, une sœur apportent bien plus qu'une présence, c'est aussi un dialogue, une rivalité, l'apprentissage de la vie en société.

Vous avez décidé de donner un animal à votre enfant, lequel choisir ? Que ce soit un poisson rouge, une perruche, un hamster ou un chien, l'essentiel est que l'enfant choisisse avec vous.

Quelle est l'opinion du médecin ? Il est en général libéral, il ne trouve pas que les animaux apportent plus de microbes que les hommes, il trouve même qu'il

peut être utile à la petite fille en lui transmettant la toxoplasmose (vous savez combien cette maladie est redoutable lorsqu'on attend un enfant). A propos du chat, il faut connaître la maladie des griffures du chat (voir *La santé de A à Z*). Mais il y a quand même une limite au contact ou à l'intimité : l'animal dans le lit de l'enfant, ou le chien qui lèche le bébé, c'est excessif.

Par ailleurs l'animal sera vacciné (chien et chat contre la rage et l'hépatite). On parle souvent d'allergie aux poils de chats ou de chien. Le cas est rare, cependant il existe et, lorsqu'il est prouvé, l'éloignement s'impose.

Le médecin ne pense pas non plus que l'animal puisse faire mal à l'enfant en le bousculant : l'animal est au contraire respectueux de l'enfant. Mais se méfier des gros chiens : même très doux, ils peuvent avoir des sautes d'humeur et agresser l'enfant. Je vous signale un cas particulier : un chien peut être bouleversé par la naissance d'un nouveau bébé dans la maison et par jalousie mordre son petit propriétaire. Il est recommandé de faire attention.

De plus en plus autonome

Comment, peu à peu, l'enfant apprend à manger seul

Voici les étapes qu'un enfant parcourt normalement de 4 mois à 4 ans dans sa manière de manger.

4 mois. Il met la main sur le biberon, mais ne sait ni le tenir ni le retirer de sa bouche. Il commence à prendre la purée à la cuillère.

6 mois. Lorsqu'on prend l'enfant sur les genoux, on peut commencer à lui donner à boire à la timbale ; au début il en tète le bord.

7 mois. Assis dans sa chaise, pour la première fois il est « à table » : c'est un gros progrès. Certains parents installent leur enfant plus tôt, mais il n'est pas confortable.

9 mois. S'il boit encore son lait au biberon, ce biberon il le tient lui-même, le met dans sa bouche tout seul, le retire quand il est terminé ; au début, surveillez-le pour qu'il ne boive pas trop vite et ne risque pas de s'étouffer. Toujours au même âge, si on lui donne un biscuit, il le tient avec les cinq doigts, le suçotte avec grand plaisir, mais aussi en se salissant beaucoup.

A ce propos, il faut se rendre compte, si on est ennuyé que l'enfant se salisse et qu'il salisse, que c'est la rançon de son autonomie. Prendre les aliments avec les doigts, ce que le bébé aime de plus en plus à cet âge, ne peut aller sans quelques éclaboussures.

12 mois. Il tient le biscuit entre le pouce et l'index ; il sait retirer un objet de sa bouche : c'est rassurant quand on lui donne un croûton de pain. Il reconnaît les plats, en refuse certains.

15 mois. Il montre du doigt ce qu'il désire. Il peut tenir seul sa timbale des deux mains et essaie de se servir seul de la cuillère, mais la tient souvent à l'envers.

18 mois. Il se sert d'une cuillère à l'endroit pour les aliments solides, arrive à tenir un verre, ce qui est plus difficile qu'une timbale, mais le renverse fréquemment. Souvent, il aime manger seul une partie du repas, mais il se fatigue au bout d'un moment et veut qu'on l'aide.

21 mois. Maintenant il peut manger seul de tout, mais pas encore très proprement.

2 ans. Il fait de grands progrès. Jusque-là, il fallait une serviette par repas ; il arrive maintenant que la serviette soit presque propre à la fin du repas. Mais attention : même lorsque l'enfant mange bien un jour, le lendemain il peut manger salement. Dans ce domaine comme dans les autres, l'acquisition n'est pas définitive.

A remarquer : dès qu'il veut, pour une raison ou pour une autre, qu'on s'occupe de lui, il fait semblant de ne plus savoir manger seul, et veut qu'on le nourrisse comme un petit bébé. Lorsque votre enfant vous demande de le faire manger, ne refusez pas sous prétexte qu'il est grand. D'ailleurs, au bout de quelques cuillerées, il voudra probablement manger seul ; mais il veut s'assurer qu'il peut compter sur vous le cas échéant.

A cet âge, il peut tenir sa timbale d'une seule main.

Son goût du rite se manifeste également à table : les repas doivent toujours se dérouler de la même manière, les objets se retrouver à la même place, timbale, serviette, etc. Cela tourne presque à la manie, ne vous étonnez pas, c'est classique à cet âge.

2 ans 1/2. Il découvre la fourchette, s'en sert pour piquer les morceaux. Pour la purée, il lui faut encore une cuillère. Il veut se servir lui-même dans le plat, cela lui donne quelques difficultés ; mais laissez-le faire : il sera si fier ! Et plus tôt vous le laisserez faire, plus vite il y arrivera.

3 ans. A partir de cet âge, il commence à se tenir correctement à table, vous pouvez l'emmener déjeuner avec vous chez une amie, ou même au restaurant sans être gênée par sa maladresse. Il devient de plus en plus habile : il sait maintenant tenir une tasse par l'anse.

4 ans. Il se sert d'un couteau pour faire des tartines de beurre ou couper son fromage, mais n'a pas assez de force pour couper sa viande et les fruits durs. Il n'y arrivera pas avant 7 ans. Il aime aider à mettre le couvert et à préparer le repas.

Comment, peu à peu,
l'enfant apprend à s'habiller seul

Il faudra plusieurs années à votre enfant pour apprendre à se déshabiller et surtout à s'habiller tout seul (c'est plus facile d'ôter que de mettre) et chaque fois qu'il fera un progrès il en concevra une grande fierté : mettre une veste, fermer une boutonnière, et surtout lacer ses chaussures, seront pour lui de vraies victoires. Il est donc important de ne pas l'en priver. Il ne faut pas non plus lui demander des efforts trop tôt.

Même tout petit, il est bien de parler à l'enfant de ce qu'on fait quand on l'habille, quand il cherche à participer, en tendant une jambe par exemple, de se mettre à son rythme sans le presser.

C'est ainsi que peu à peu il deviendra autonome.

Voici en général par quelles étapes passe l'enfant pour s'habiller seul un jour.

A 1 mois. Il n'aime ni qu'on l'habille ni qu'on le déshabille ; il pleure quand on lui passe des vêtements par la tête.

A 7 mois. Il s'amuse à ôter ses chaussettes pour aussitôt les porter à sa bouche.

A 1 an. Il commence à coopérer à la séance d'habillage, glisse lui-même son bras dans la manche qu'on lui tient, tend la jambe pour qu'on enfile sa culotte, et son pied pour qu'on lui mette sa chaussure.

A 15 mois. Trois vêtements l'intéressent plus particulièrement : le bonnet, les chaussures, la culotte. Quand il va sortir, il fait le geste de mettre son bonnet ; quand il a sommeil, d'ôter ses chaussures pour se coucher ; et quand il est sale, celui de retirer sa culotte. Il n'arrive pas à enfiler des moufles, mais souvent parvient à les ôter. Cela dit, il est à l'âge où l'habiller donne souvent lieu à des scènes ; il faut le faire soit de force, soit... par ruse.

A 18 mois. Il arrive à défaire une fermeture à glissière large.

A 2 ans. Jusque-là, il fallait habiller l'enfant, même s'il aidait la personne qui lui enfilait ses vêtements. Maintenant il commence à vouloir s'habiller seul. Mais sans succès : il met les deux pieds dans la même jambe du pantalon, place son bonnet de travers, etc.

A 2 ans 1/2. Il aime qu'on l'habille et le déshabille dans le même ordre. Peut ôter ses vêtements, si on les a déboutonnés au préalable. Il commence à mettre seul chaussettes, et pantoufles sans brides ou sans lacets.

A 3 ans. Il arrive à déboutonner une veste sans arracher les boutons ; il enfile seul sa robe de chambre ou son manteau mais ne sait pas encore les fermer. Si on le lui demande, il aide à ranger ses vêtements, les plie, les met en tas.

A 3 ans 1/2. Il se déshabille pratiquement seul (si on le lui demande) ; les deux obstacles qui lui donnent encore du mal sont l'encolure et les manches.

À 4 ans. Il peut s'habiller presque sans aide, car il distingue le dos du devant ; il sait boutonner les gros boutons, mettre correctement son bonnet et enfiler ses gants ; les chaussures représentent encore le gros obstacle : il ne sait pas les lacer, il n'en sera capable que vers 5-6 ans.

L'apprentissage de la propreté

Vous le verrez au chapitre 5, la période 12-18 mois est l'âge où la propreté commence à s'acquérir. Mais, bien sûr, chaque enfant a son calendrier. La vie affective y joue son rôle : tel enfant jaloux d'un frère ou d'une sœur, ou triste parce qu'il ne voit pas sa maman ou son papa autant qu'il le voudrait, ou perturbé pour toute autre raison, se disciplinera plus tard qu'un autre. Mais aussi, la propreté s'apprend par degrés : l'évacuation des intestins se discipline avant celle de la vessie, l'enfant se mouille encore la nuit après qu'il a appris à ne plus se mouiller le jour.

Votre attitude aura aussi son importance : selon que vous serez impatients ou détendus, votre enfant apprendra plus ou moins facilement, plus ou moins vite à être propre. Pour vous aider à avoir l'attitude qui convient, je crois que le mieux est de vous dire ce qui se passe dans le corps et dans l'esprit d'un enfant à l'âge où l'on devient propre.

Être propre, cela signifie, en somme : *se rendre compte* qu'on a besoin de vider ses intestins ou sa vessie, et *être capable d'attendre* pour satisfaire ce besoin.

Pour cela, il faut :

■ que le cerveau et le système nerveux aient atteint un certain degré de développement qui, normalement, se situe entre 12 et 18 mois, je dirais même plutôt vers 18 mois, en tout cas après que l'enfant sache bien marcher ;

■ que les muscles de l'anus et de la vessie soient assez forts pour maintenir les sphincters fermés. C'est également à cet âge que l'enfant a cette force ;

■ que la vie affective de l'enfant ne soit pas troublée. De cela, je vous parle longuement au chapitre 5 ;

■ bien entendu, il faut aussi que l'enfant soit capable de rester assis sur son pot cinq à dix minutes sans fatigue, ce qu'il ne peut faire au minimum avant 1 an (parfois même plus tard); avant cet âge il peut s'asseoir par terre, mais c'est bien plus facile que sur un pot.

Enfin, puisque le but est d'obtenir que l'enfant fasse ses besoins dans un pot, occupons-nous aussi du pot : il vaut mieux mettre l'enfant sur un pot indépendant, c'est-à-dire pas encastré dans un petit fauteuil. Il est important que l'enfant ne confonde pas être assis pour s'amuser ou se reposer, et s'asseoir pour faire dans son pot. Pour que l'enfant ne risque pas de tomber, choisissez un modèle bien stable. N'obligez pas l'enfant à utiliser le siège des W.C., inquiétant par sa taille et par le bruit de la chasse d'eau. Vous placerez le pot dans un coin, à la salle de bains par exemple, et vous le laisserez toujours au même endroit.

Observez l'enfant : peut-être demande-t-il à sa manière ? Souvent, l'enfant coopère de lui-même, mais les parents ne s'en rendent pas compte : votre enfant, quand il a un besoin à satisfaire, n'a-t-il pas un mot, une mimique, une attitude particulière ? Certains grognent, d'autres s'accroupissent, un autre tire sur sa culotte, etc.

Conseils pour l'éducation des intestins. *Vers 15 mois* : mettez l'enfant sur le pot à des heures régulières ; l'enfant n'ayant qu'une ou deux selles par jour, vous repérerez vite l'heure à laquelle elle se situe. Vous le mettrez sur le pot à cette heure-là ;

■ bien sûr, ne donnez pas de suppositoire pour avoir une selle sur commande. Vous risquez de le regretter car l'enfant aura des intestins paresseux et vous connaîtrez tous les ennuis de la constipation ;

■ assurez-vous que l'enfant n'est pas constipé ; les selles dures de la constipation font mal à l'enfant, et il s'habitue à « résister au pot ».

Voyez également au chapitre 5, « 12-18 mois », quelques autres conseils que nous vous donnons pour cet apprentissage de la propreté.

Combien de temps laisser l'enfant sur le pot ? Dès qu'il a satisfait son besoin, retirez l'enfant du pot. Ainsi, il comprendra pourquoi vous le mettez dessus. Mais si au bout de dix minutes, il n'a pas fait dans son pot, c'est inutile d'insister.

Ne faites pas du pot une menace, une brimade. Ne mettez pas l'enfant sur le pot pour le faire tenir tranquille.

Enfin, lorsque votre enfant est installé, n'intervenez pas ; s'il vous voit attendre un résultat, il sera contracté et ne fera rien.

L'éducation des intestins peut donc être commencée vers 15 mois ; il peut y avoir des résultats par à-coups, puis des « rechutes », mais on ne peut guère espérer de résultat durable avant 18 mois, souvent même après.

L'éducation de la vessie. Elle commence en même temps que l'éducation des intestins, puisque l'enfant est mis sur le pot, mais elle est plus longue à acquérir car la vessie se vide plus souvent que les intestins. Ces conseils vous aideront probablement :

■ habituez votre enfant dès son plus jeune âge à être au sec, en le changeant souvent ; ainsi, quand il sera mouillé, il sera mal à l'aise, cela stimulera ses efforts vers la propreté ;

■ mettez-le sur le pot régulièrement, par exemple après chaque repas ;

■ ôtez-lui peu à peu ses couches pour lui mettre une culotte ; l'enfant qui mouille sa culotte est plus inconfortable que lorsqu'il mouille des couches qui retiennent une humidité tiède. Cela peut donc l'inciter à vous alerter à temps par crainte d'être mal à l'aise. Commencez par lui mettre une culotte, par exemple le matin (après l'avoir mis sur le pot, bien sûr). Si l'essai réussit, mettez-lui de nouveau une culotte après la sieste.

La culotte est pour l'enfant une promotion dont il est fier (« tu n'es plus un bébé ») et il se rend vite compte du rôle qu'il peut jouer lui-même pour rester sec. Félicitez-le chaque fois qu'il a réussi à rester sec jusqu'à ce que vous le mettiez sur son pot.

Cela dit, l'éducation de la vessie se fait palier par palier. Là aussi, il y aura des rechutes, mais c'est en général entre 2 ans et 2 ans et demi que l'enfant est propre le jour.

A partir de 2 ans, n'oubliez pas que le petit garçon peut uriner debout : il en sera fier, et cela peut faciliter l'apprentissage de la propreté.

A signaler : les pantalons avec boutonnage le long des jambes sont très commodes car ils n'obligent pas à déshabiller complètement l'enfant.

Faut-il lever l'enfant la nuit ? Oui. Oui mais... Non. Voilà comment on peut résumer l'évolution des pédiatres et des psychologues au cours de ces dernières années. On s'est en effet rendu compte qu'il est inutile de lever un enfant la nuit : l'enfant devient propre tout seul lorsque sa vessie est assez développée. C'est inutile et même nuisible de lever l'enfant, car non seulement il n'apprend rien, mais souvent il n'arrive pas à se rendormir.

Beaucoup d'enfants deviennent spontanément propres la nuit entre 2 ans 1/2 et 3 ans, quelques-uns le sont plus tard ; mais sachez qu'on ne peut pas parler d'énurésie avant 5 ans (voir p. 237).

L'enfant qui refuse de faire dans son pot. Il arrive parfois que des enfants refusent absolument de faire dans leur pot. C'est inutile de les forcer. Il s'agit simplement de cesser les séances du pot pendant quelque temps, puis d'essayer de nouveau et prudemment (seulement 1 ou 2 fois par jour), à des heures régulières et pour quelques minutes seulement.

C'est une question de patience...

L'école maternelle

De tous les signes d'indépendance (s'habiller seul, manger seul et être propre), c'est ce dernier qui est indispensable pour aller à l'école maternelle et c'est compréhensible.

L'entrée à l'école — qui est la marque la plus concrète de l'autonomie de l'enfant —, ses modalités, ce qui s'y passe, nous en parlons au chapitre 5, qui concerne le développement psychomoteur de l'enfant. En effet, la vie à l'école maternelle a des conséquences aussi bien psychologiques qu'affectives et intellectuelles.

Et s'il ne va pas à l'école maternelle

Si, pour une raison ou pour une autre, vous ne souhaitez ou ne pouvez pas mettre votre enfant à l'école maternelle, vous allez peut-être vous demander s'il ne sera pas en « retard pour ses études » et si vous ne pouvez rien faire à la maison pour remplacer l'école.

Il s'agit de deux questions à la fois différentes et pourtant liées. L'école maternelle n'est pas directement une préparation à la grande école, cette préparation ne se fait qu'en dernière section, c'est-à-dire lorsque l'enfant a entre 5 et 6 ans. Mais il est exact, les statistiques le montrent, qu'un enfant qui n'a pas été à l'école maternelle est moins prêt à aborder le cours préparatoire. Pourquoi ? Parce que tout ce qui est fait à l'école maternelle éveille l'enfant, développe sa personnalité, le prépare à la vie sociale. Ainsi par ces expériences et ces acquisitions, l'enfant est plus apte à la vie scolaire. Donc, si votre enfant ne va pas à l'école maternelle, c'est tout cet apprentissage de la vie sociale, cet éveil, que vous chercherez à développer chez lui.

Déjà, rien qu'en participant avec vous à votre vie à la maison, votre enfant va s'éveiller, s'épanouir. Quand il vient avec vous au marché, ou vous voit faire la cuisine, il découvre tout : les fruits, les légumes, les fleurs, leurs couleurs différentes, leurs formes, leurs odeurs. Tout est pour lui nouveau, ce dont une grande personne se rend difficilement compte : un poisson, son odeur, un lapin ou un poulet qui pend à l'étal du boucher. Quelle meilleure leçon de choses ? Et ce ne sont pas simplement des objets qu'il va découvrir, mais des gens qui seront nouveaux pour lui : le postier, le boucher, le cordonnier, etc.

A l'école, il va apprendre à emboîter, déboîter, visser, dévisser. Tous ces gestes qui rendent adroit et donnent la notion de grandeur, il pourra s'y habituer en empilant une série de casseroles, en mettant ensemble cuillères et fourchettes, etc. En un mot tout est apprentissage dans les gestes que vous faites et qu'il répétera rien qu'en vous imitant. Et là, c'est important de le laisser faire, même s'il vous semble maladroit.

La vie de tous les jours lui apporte donc déjà beaucoup, à condition bien entendu qu'on ne le laisse pas dans un coin, et que vous le fassiez participer à certaines de vos activités en l'y intéressant, mais allons plus en détail.

Vous trouverez mille idées dans différents endroits de ce livre. D'abord, dans les pages consacrées au jeu, c'est le principe même de l'école d'apprendre en jouant. Ensuite, vous trouverez, au stade 3 ans (chap. 5), tout ce qu'il aime, et surtout, pour 3 et 4 ans, le programme détaillé de ce qui est fait à l'école maternelle dans la section des petits et dans la section des moyens : par exemple à 3 ans (page 422) de la pâte à modeler et des perles. Évidemment cela suppose que vous consacriez le temps nécessaire pour montrer à votre enfant ce qu'il peut faire. Enfin, vous pourrez également trouver du matériel éducatif correspondant aux âges de la crèche et de la maternelle chez différents éditeurs et fabricants, et notamment chez Armand Colin-Bourrelier*.

Il faudra aussi insister sur les fameux lacets de chaussure et les boutonnages qui jouent un rôle dans la vie de l'école car on considère à juste titre qu'un enfant doit savoir faire ces gestes simples tôt pour être autonome.

---

* Leurs deux catalogues, l'un pour les moins de 3 ans (18 pages), l'autre pour les moins de 7 ans (128 pages) sont disponibles en librairie.

Pour le langage, il ne s'agit pas de faire des belles phrases ou d'apprendre des adjectifs difficiles, il s'agit avant tout de parler avec l'enfant, de prendre le temps, d'avoir des petites conversations. Les sujets sont faciles à trouver, un livre regardé, des gens aperçus, etc. Il faut lire le plus possible à ses enfants. Plus loin vous trouverez quelques suggestions de titres. Ce qui éveillera aussi votre enfant, c'est que vous lui racontiez des histoires.

N'oubliez pas la musique. Dans un jardin d'enfants ou une école maternelle, elle tient une grande place sous forme de disques, de danse rythmique, chansons (le rythme est important pour les petits enfants).

Ce qui ne découle pas naturellement de la vie de tous les jours, c'est la socialisation et tout ce qu'elle apporte : des rencontres nouvelles et variées, l'envie d'imiter, le désir de faire aussi bien et même mieux que les autres. Là, surtout si votre enfant est unique, il faudrait vraiment que vous essayiez de lui faire rencontrer des petits amis. La plus grande attention que vous puissiez lui porter ne remplacera pas les camarades de son âge. Au jardin, dans votre voisinage, il est facile de lier connaissance.

Mais à 5 ans, j'aurai l'occasion de vous en reparler, je vous conseille de le mettre à l'école maternelle pour le préparer à la grande école. Et c'est d'ailleurs le cas de la grande majorité des enfants.

Pour finir, voici quelques titres de livres. Je pourrais vous en indiquer des pages entières tellement les ouvrages pour les enfants sont nombreux ; je vous en cite quelques-uns, qui, je le sais, sont tout à fait appréciés par les enfants. Vous-même, dans une librairie, une bibliothèque, en trouverez quantité d'autres.

— *Arthur et ses amis*, Hélène Oxenbury, Centurion Jeunesse
  (et tous les *Arthur*)
— *Petit Ours Brun dit non*, Danièle Bour et Claude Lebrun, Centurion Jeunesse
— *Émilie et ses cousins*, Domitille de Pressenssé, Éditions G.P.
— *Petit Bleu, petit Jaune*, Léo Lionni, École des loisirs
— *Le géant de Zeralda* et *Les trois brigands*, Toni Ungerer, École des loisirs
— *Bon appétit ! Monsieur Lapin*, Claude Boujon, École des loisirs
— *Un ours en hiver*, Ruth Craft, Gallimard (Folio Benjamin 131)
— *Antoine et l'escargot voyageur*, Isabelle Freze, Grasset
— *L'édredon*, Ann Jonas, École des loisirs
— *Mathilde a des problèmes*, Wilson Sage, Gallimard (Folio Benjamin 133)
— *Timothée va à l'école*, Rosemary Well, École des loisirs
— *Ce jour-là*, Mitsumasa Anno, École des loisirs
— *Noël*, Peter Spier, École des loisirs
— *La maison du matin au soir*, Danièle Bour, Centurion Jeunesse
— *Gédéon*, Benjamin Rabier, Garnier.

Les tout-petits (à partir de 18 mois) ont leur première revue, *Popi* : des dessins charmants, et une taille tout à fait adaptée aux petits lecteurs en herbe. Pour les plus grands (à partir de 3 ans), dans la même veine, *Pomme d'api*. Ces deux publications de Bayard Presse sont vendues en kiosque.

La santé de
A à Z

Ne cherchez pas dans ce chapitre le moyen de faire un diagnostic, ni de décider d'un traitement : c'est l'affaire du médecin.

Si pourtant nous avons écrit ce grand chapitre sur *La Santé de A à Z* c'est pour vous donner les explications que vous cherchez ou chercherez, même après avoir vu le médecin, sur tel symptôme, telle maladie, telle anomalie, tel comportement.

C'est aussi pour vous dire que faire en attendant. Le médecin ne pourra pas toujours voir votre enfant aussi vite que vous le souhaiterez, il peut aussi se trouver loin (les lettres que je reçois montrent que certains parents sont bien isolés).

Mais alors, peuvent se demander les lecteurs, puisque le geste thérapeutique final reste l'affaire du médecin, quel peut être l'intérêt d'une information médicale qui, tout en étant simple, se veut aussi complète et aussi précise que possible ?

C'est qu'en réalité, la tâche du médecin, généraliste ou pédiatre, est toujours facilitée par une bonne compréhension de l'entourage et par sa coopération. En médecine d'enfants, tout passe par la description des premiers symptômes et de l'évolution de la maladie sur lesquels la famille apportera au médecin des renseignements précieux.

De la justesse de ces observations découleront souvent le bon diagnostic et la meilleure thérapeutique. Les médecins le savent bien qui disent volontiers que « la mère a toujours raison », et qui savent aussi à qui ils peuvent faire une confiance totale et dans quels cas il faut savoir interpréter.

Le but de cette « vulgarisation » est donc, non pas de permettre aux parents de se substituer en tout et pour tout au médecin, mais au contraire d'en devenir les collaborateurs à part entière.

CHAPITRE 4

Lisez aujourd'hui
ce qui peut vous être utile demain

« Un enfant sauvé parce que sa mère se souvenait avoir lu un article sur les intoxications par produits ménagers... » « Un enfant ranime son petit frère parce qu'on lui avait appris le bouche-à-bouche à l'école... » : vous avez sûrement lu comme moi des titres semblables dans le journal.

Dans bien des cas, la rapidité des secours est une question de vie ou de mort. C'est pourquoi je vous conseille de lire dès aujourd'hui, dans les pages qui suivent, les articles qui concernent tous les cas où les minutes comptent. Ces articles sont :

Accident, Ambulance, Asphyxie, (L'enfant a) Avalé un objet, Brûlure, Choc, Chute, Convulsions, Déshydratation, Électrocution, Empoisonnement, (L'enfant qui) Étouffe, Hémorragie, Noyade, Piqûres et morsures, Respiration artificielle et Tétanos.

Notez par prudence les quelques numéros de téléphone qui pourraient vous être utiles le cas échéant : médecin traitant, pompiers, SAMU, hôpital, etc...

A

ABCÈS. L'abcès est une cavité close, une poche contenant du pus. Le pus résulte de la destruction des tissus par les microbes ; il est formé par les débris de cellules et les globules blancs du sang qui ont lutté contre les microbes (le plus souvent un staphylocoque). L'abcès est plus ou moins isolé des tissus sains environnants par une zone inflammatoire qui forme la paroi de l'abcès.

L'abcès est le plus souvent situé sous la peau, et son évolution est visible. Dans une première période, où le pus se forme et se rassemble, la peau à ce niveau est rouge, chaude, douloureuse et dure ; puis cette zone se ramollit ; le pus est alors rassemblé et l'abcès est « mûr » ; il doit être évacué (par une ponction ou une incision), sinon l'ouverture se fera spontanément, par une « fistule » qui permettra l'écoulement du pus à l'extérieur. La douleur et la fièvre sont particulièrement intenses quand le pus est rassemblé : la douleur devient souvent battante.

Cette description correspond à l'abcès « chaud » ; mais parfois les signes inflammatoires sont atténués ou absents, et l'évolution insidieuse et prolongée ; on parle d'abcès « froid ».

La peau du nourrisson et de l'enfant étant particulièrement fragile, toute blessure, piqûre, même minimes, peuvent servir de porte d'entrée à l'infection et être à l'origine d'un abcès. Le traitement de l'abcès est donc d'abord préventif par une bonne hygiène de la peau, et par la désinfection attentive de tous les petits « bobos » ; cette hygiène sera étendue à tous ceux qui sont en contact avec l'enfant (essentiellement en ayant les mains propres).

Une fois constitué, l'abcès nécessite l'appel au médecin ; en attendant, des compresses d'eau tiède et alcoolisée calmeront la douleur et aideront à limiter l'extension de l'abcès.

L'abcès, même minime, ne doit jamais être négligé (même si son évolution semble spontanément favorable) car il constitue une porte d'entrée à partir de laquelle le microbe peut se disséminer ou se localiser en d'autres points de l'organisme (infections osseuses, pulmonaires, etc.).

Si votre enfant a fréquemment des abcès, cela indique un manque de résistance de l'organisme aux infections, qui peut être dû à une maladie générale (diabète, etc.) ou qui peut être constitutionnel (déficit immunitaire), transitoire ou définitif.

Le *phlegmon* est un abcès non (ou mal) limité qui se propage (voir également *Furoncle*).

ACCIDENT. Il peut arriver que vous soyez en cause, ou simplement témoin, dans un accident de la voie publique. Voici ce que vous devez savoir faire, et voici ce qu'il ne faut pas faire.

Ce qu'il faut faire : vous devez étendre le blessé à plat, sur le dos, la tête tournée sur le côté (pour le cas où il vomirait) ; écarter la foule, faire prévenir les secours : police, gendarmes, pompiers, médecin, en indiquant clairement le genre de la blessure et sa gravité apparente, et le lieu exact de l'accident (route départementale n° X..., etc. : il arrive fréquemment que les secours perdent du temps à chercher les blessés) ; vous assurer que le blessé respire ; en cas de doute, tenir un miroir devant son nez et sa bouche : le souffle y formera une buée. Si le blessé ne respire pas, le plus urgent est de pratiquer la respiration artificielle (voir cet article) ; s'assurer (mais sans déshabiller le blessé, s'il est très choqué ou si les blessures sont graves) qu'il n'y a pas hémorragie.

Déboutonner les vêtements : col, ceinture, poignet.

Garder le plus possible votre sang-froid : en montrant au blessé, surtout si c'est un enfant, un visage affolé, vous aggraveriez son état.

Ce qu'il ne faut pas faire : ne déplacez pas l'enfant blessé, à moins de nécessité absolue. L'erreur, souvent fatale dans les accidents graves, est de se précipiter dans la première voiture dont le conducteur propose d'emmener les blessés à l'hôpital, en y installant ceux-ci tant bien que mal. Il est préférable que l'enfant gravement blessé reste étendu sur le bord de la route et attende l'ambulance.

Si le blessé est évanoui, n'essayez pas de lui faire boire quoi que ce soit.

ACÉTONE. L'odeur de pomme de reinette de l'haleine signale la présence d'acétone. Celle-ci peut être facilement décelée dans les urines par des bandelettes réactives (*Labstix*, qui s'achète sans ordonnance). Ce symptôme accompagne des troubles très divers : vomissements répétés, mais aussi fièvre, fatigue, pâleur.

L'acétone est une substance formée dans le foie à partir des graisses. Si elle passe dans les urines ou dans l'haleine, c'est qu'elle est produite en excès. Le simple fait de rester à jeun, en entraînant une utilisation plus grande des graisses de réserve, augmente la formation d'acétone. La présence d'acétone est fréquente chez l'enfant où le seul jeûne d'une nuit peut suffire à entraîner ce déséquilibre, à plus forte raison chez l'enfant malade, fiévreux, qui ne mange pas ou vomit.

Cependant, les perturbations liées à la production excessive d'acétone, perturbations habituellement légères malgré leur répétition, peuvent parfois prendre un aspect alarmant du fait de troubles de la conscience (torpeur, parfois coma) ou de la déshydratation entraînée par les vomissements.

D'autre part, en présence de vomissements répétés, avant de parler d'« acétone » il faut être sûr qu'aucune autre affection n'est à l'origine des vomissements : appendicite, méningite, etc. C'est souvent un problème difficile même pour le médecin. Il faut aussi penser au diabète qui sera mis en évidence par la présence de sucre dans les urines et par l'augmentation du sucre sanguin.

ALBUMINURIE (ou protéinurie). La présence d'albumine dans les urines est le signe d'une maladie rénale. Cependant, il faut savoir que les bandelettes réactives (*Albustix*) que l'on utilise par exemple avant une vaccination, ou dans les suites d'une angine, sont très sensibles et donnent un résultat positif avec seulement des « traces d'albumine » qui ne sont pourtant pas anormales. Pour savoir s'il y a vraiment de l'albumine, le médecin fera un dosage sur la totalité des urines de 24 heures : seule sera retenue une albuminurie supérieure à 0,10 g par 24 heures, constatée à plusieurs dosages. Cette albuminurie nécessitera un bilan approfondi (examen cytobactériologique des urines, radios de l'appareil urinaire, et du fonctionnement rénal...).

L'albuminurie peut révéler différents types d'atteintes rénales (néphrite aiguë ou chronique, infection, malformation).

L'albuminurie modérée survenant seulement en position debout (orthostatique) ne s'observe pas chez le jeune enfant, mais seulement chez l'adolescent.

ALCOOL. Si l'enfant a absorbé une boisson alcoolisée, il faut le montrer d'urgence à un médecin (ou l'emmener à l'hôpital), car chez lui l'alcool peut entraîner un coma avec une chute du sucre sanguin. Ceci est valable même pour une petite quantité d'alcool (l'enfant qui finit un ou plusieurs verres laissés après l'apéritif), et ceci est d'autant plus grave que l'enfant est plus jeune.

Un cas particulier : on a introduit de l'alcool dans le nez de l'enfant par erreur, en confondant le flacon d'alcool avec celui de sérum physiologique ou d'autres gouttes nasales. Malgré les cris de l'enfant, ne vous affolez pas : videz plusieurs fois de suite de pleins compte-gouttes de sérum physiologique dans les narines, afin de diluer l'alcool et de laver la muqueuse.

Enfin je vous signale qu'il ne faut pas utiliser de manière répétée les *frictions alcoolisées*, l'alcool étant également absorbé par la peau. Et sachez que certains dentifrices ont une teneur en alcool non négligeable.

ALLERGIE. L'organisme, lorsqu'il est en contact avec une substance étrangère — un microbe par exemple — fabrique pour sa défense ce qu'on appelle des « anticorps ». Ce sont des substances qui neutralisent l'« agresseur ». Chez certains enfants, la faculté de fabriquer des anticorps est exagérée ou anarchique ; différentes substances qu'on appelle allergènes — pollens, poussière, plumes et poils des animaux, aliments (tels que lait de vache, blanc d'œuf), médicaments (tels que pénicilline, aspirine) — provoquent cette fabrication intempestive d'anticorps. L'enfant est dit sensibilisé à ces substances.

La peau et les muqueuses respiratoires sont les victimes habituelles de ces réactions de défense : les décharges d'anticorps y créent l'urticaire, l'eczéma, l'asthme, la rhinite...

Souvent, les enfants allergiques comptent des allergiques dans leur famille, bien que les substances sensibilisantes soient différentes pour chacun d'eux, de même que les manifestations de l'allergie ; un père sujet à l'eczéma aura par exemple un fils sujet au rhume des foins. En grandissant, l'enfant allergique peut connaître diverses affections : l'eczéma quand il est nourrisson, l'asthme plus tard, etc.

Ce terrain allergique peut être reconnu dès le plus jeune âge par le dosage dans le sang de certains anticorps (les IgE) dont le taux est très élevé. On peut alors essayer de prévenir le risque allergique, notamment par l'allaitement maternel.

Si un enfant présente des accidents allergiques, signalez-le toujours au médecin, avant toute prescription d'antibiotiques par exemple, ou avant un vaccin car l'enfant pourrait avoir des réactions violentes. Il pourra cependant être vacciné mais en prenant certaines précautions.

L'étude et le traitement d'un état allergique sont du ressort d'un spécialiste ; il faut s'attendre à des examens répétés et à un traitement prolongé et difficile dont la base est la suppression du contact avec le ou les produits sensibilisants. Les tests qui permettent de rechercher le produit sensibilisant, c'est-à-dire l'allergène, ne se font pas avant 4/5 ans.

Voir *Asthme, Eczéma, Urticaire.*

AMBIGUÏTÉS SEXUELLES À LA NAISSANCE — VIRILISATION. L'ambiguïté sexuelle correspond à un aspect mal différencié des organes génitaux dans le sens masculin ou féminin. Cette ambiguïté résulte d'une anomalie de développement des organes génitaux pendant la vie intra-utérine.

Le cas le plus fréquent, et le plus facile à reconnaître, est celui d'une masculinisation des organes génitaux externes. Chez un nouveau-né de sexe féminin cette masculinisation, plus ou moins complète, entraîne une hypertrophie du clitoris qui prend l'aspect d'un pénis masculin avec fusion des grandes lèvres qui peuvent simuler les bourses, vides cependant de tout testicule.

Cette virilisation fait envisager une maladie des glandes surrénales, responsable d'une sécrétion anormalement élevée d'hormones mâles ; cette virilisation peut aussi provenir de traitements hormonaux faits dans la première partie de la grossesse.

Ces ambiguïtés sexuelles posent des problèmes pratiques, en particulier celui de la déclaration du sexe de l'enfant à la naissance ; les délais administratifs ne permettant pas l'attente des résultats des examens, l'enfant sera déclaré sous la mention « sexe indéterminé » et sous un prénom ambivalent (Dominique, Claude, etc.).

Ultérieurement, le choix définitif du sexe de l'enfant dépendra des résultats du bilan très complexe qui aura été effectué : il dépendra du sexe biologique (étude des chromosomes), et des possibilités de reconstitution chirurgicale des organes génitaux.

AMBLYOPIE. C'est la perte partielle de l'acuité visuelle d'un ou des deux yeux. Des tests simples (réaction à l'éclairement, poursuite oculaire d'une source lumineuse, etc.) permettent d'apprécier globalement la vision de l'enfant dans les premiers mois ; au moindre doute, un examen ophtalmologique spécialisé sera pratiqué (voir également *Strabisme*).

AMYGDALECTOMIE. L'ablation des amygdales (ou amygdalectomie) est une intervention simple comportant peu de risques si elle est bien surveillée dans ses suites immédiates ; elle n'est pratiquement jamais faite avant l'âge de 4 ou 5 ans.

Le vrai problème est de savoir s'il est réellement indiqué d'enlever les amygdales. Autrefois l'intervention était fréquemment envisagée ; actuellement la tendance s'est inversée : chaque cas particulier est discuté avec le médecin traitant et le spécialiste O.R.L.

Aujourd'hui on ôte en général les amygdales dans les cas suivants : les angines à répétition (plusieurs par an) ; les amygdales très volumineuses occasionnant une gêne respiratoire ; le rhumatisme articulaire aigu et la néphrite, pour prévenir les complications et les rechutes possibles.

A noter que les amygdales les plus grosses ne sont pas forcément les plus infectées.

L'amydalectomie est en général considérée comme contre-indiquée en cas d'allergie.

AMYGDALES. Visibles au fond de la gorge, les amygdales sont fréquemment infectées. Leur fonction est mal définie, mais, placées à l'entrée de l'appareil respiratoire, les amygdales semblent bien avoir un rôle de défense de l'organisme contre les microbes et les virus. L'amygdalite et l'angine (voir ces mots) sont en effet bien souvent la porte d'entrée d'une infection microbienne ou virale.

ANGINE — AMYGDALITE. L'infection strictement localisée aux amygdales est rare chez le nourrisson ; chez lui, il s'agit le plus souvent d'une pharyngite ou d'une rhinopharyngite diffuse.

Le terme d'*angine* est d'ailleurs réservé à une atteinte qui déborde largement la région des amygdales. Elle peut se voir chez l'enfant dès l'âge de 2 ou 3 ans ; l'examen de la gorge montre alors des amygdales augmentées de volume, rouges (angine érythémateuse) ou recouvertes de points blancs (angine pultacée). L'enfant a de la fièvre, se plaint d'avoir du mal à avaler ; les ganglions du cou sont gonflés et sensibles.

Devant une angine, le médecin demandera parfois un prélèvement de gorge, une numération de formule sanguine, mais le plus souvent, en attendant le résultat, il prescrira un antibiotique dans l'hypothèse d'une infection à streptocoque dont les complications seront ainsi évitées.

Il est également nécessaire, après l'angine, dans les semaines qui suivent, de rechercher la présence d'albumine dans les urines.

L'infection des amygdales peut être microbienne ou virale. Parmi les microbes, le plus important est le streptocoque hémolytique ; dans ce cas, l'angine sert de point de départ à des complications sérieuses telles que la néphrite et le rhumatisme articulaire aigu. Les maladies éruptives peuvent commencer par une angine, en particulier la scarlatine due également au streptocoque.

Dans l'infection amygdalienne, les virus sont également nombreux, avec le cas particulier de la mononucléose infectieuse. Ces virus peuvent donner lieu à des éruptions.

L'angine diphtérique est devenue exceptionnelle de nos jours, grâce à la vaccination ; encore faut-il que celle-ci ait été faite de manière correcte : l'angine diphtérique donne peu de fièvre mais une grave altération de l'état général, avec un enduit blanchâtre, épais et adhérent aux amygdales.

ANÉMIE. Votre enfant est pâle ; vous dites qu'il est anémique. Avez-vous raison ? Un enfant peut être pâle sans être anémique, c'est souvent affaire de teint et de constitution. Néanmoins, il est plus prudent de consulter le médecin.

Plus que la pâleur de la peau, c'est la pâleur des muqueuses qui renseigne sur l'anémie. Il faut regarder les lèvres, les gencives, soulever les paupières et examiner la conjonctive (face interne des paupières) : si l'on constate une décoloration, il y a anémie. L'enfant anémique n'a pas seulement les muqueuses pâles : il est fatigué, il est apathique, vite essoufflé ; il manque d'appétit.

On sait que le sang de l'enfant anémique est moins rouge que normalement : il est appauvri en hémoglobine. Cette substance, qui est le constituant essentiel du globule rouge, contient la quasi-totalité du fer de l'organisme. Elle a pour mission de fixer l'oxygène au niveau des poumons, et de le transporter au niveau des tissus.

L'anémie commune du nourrisson est surtout fréquente vers le quatrième mois de la vie. La responsable est souvent une alimentation défectueuse. Vous allez comprendre pourquoi.

Le fer est un constituant indispensable de l'hémoglobine. Or, ni le lait, ni les farines ne contiennent suffisamment de fer. Il faut donc apporter au régime du nourrisson une source de fer. Je vous renvoie au chapitre 2, vous y trouverez le régime approprié à cet âge. Mais, direz-vous, le nouveau-né, qui n'est nourri que de lait, devrait donc être anémique ? Non, parce qu'en venant au monde, il apporte avec lui une réserve de fer transmise par sa mère. Et l'un des problèmes que posent les prématurés est précisément qu'ils n'ont pas eu le temps d'accumuler, avant leur naissance, la réserve de fer à laquelle, pour ainsi dire, ils avaient droit. Autre cas particulier : celui des jumeaux qui sont anémiques parce qu'ils doivent partager la réserve de fer donnée par la maman.

L'anémie n'est pas toujours affaire d'alimentation : une maladie infectieuse, des diarrhées fréquentes peuvent être en cause, en empêchant l'organisme d'assimiler le fer apporté par les aliments.

Chez le nourrisson, une cause de pâleur à laquelle on ne pense guère est l'hémorragie passée inaperçue. Pensez à regarder les selles du nourrisson dont la pâleur vous inquiète.

Enfin il y a des maladies (héréditaires) qui résultent d'une fragilité particulière des globules rouges. Il en est ainsi de certaines anomalies congénitales des globules rouges (par exemple la drépanocytose, fréquente dans la race noire), et encore de la destruction globulaire provoquée par certains médicaments.

ANGIOMES. Ce sont des dilatations des petits vaisseaux sanguins de la peau, que l'on peut voir à la naissance. On distingue les angiomes plans, qui sont de simples taches (taches de vin, envies) plus ou moins étendues, et les angiomes en relief sur la peau (fraises...). De petites taches rouges sont très fréquentes chez le jeune nourrisson, au front (aigrette), et à la nuque, à la racine des cheveux ; elles disparaissent habituellement en quelques mois.

Les angiomes proprement dits nécessitent la surveillance d'un spécialiste (derma-tologue). La plupart des angiomes régressent spontanément mais lentement, en quelques années. Le médecin conseillera souvent de s'abstenir de toute intervention. Cependant, chaque cas est particulier, et seul le spécialiste est en mesure de préciser la meilleure conduite à tenir en fonction de la situation plus ou moins apparente, du caractère inesthétique et de la tendance de l'angiome à se développer en surface ou en relief, ou à donner lieu à des saignements répétés.

ANOREXIE. C'est la perte de l'appétit. Voir *Il n'a pas faim* p. 128.

ANOREXIE MENTALE DU NOURRISSON. Lorsqu'un enfant refuse de manger depuis un certain temps et qu'on a acquis la certitude, par un examen approfondi, qu'il n'a aucune maladie organique, on envisage la difficulté sur le plan psychologique. On dit qu'il est atteint d'anorexie mentale (ou psychogène). L'enfant refuse de manger pour protester contre l'incompréhension de son entourage, ou parce qu'il sent autour de lui des tensions, ou encore parce qu'il a une difficulté personnelle.

L'anorexie mentale est assez fréquente ; vous comprendrez pourquoi lorsque vous aurez vu les nombreuses circonstances qui peuvent la provoquer.

D'abord deux remarques. Avant de parler d'anorexie, il faut rappeler une fois de plus les grandes variations dans l'appétit : d'un enfant à l'autre, et aussi chez un même enfant dont l'appétit est irrégulier.

Ensuite, il faut faire le décompte objectif de ce que prend l'enfant et l'on s'apercevra souvent que, compte tenu du grignotage, beaucoup d'enfants dits anorexiques s'alimentent de façon très suffisante même s'ils ne mangent pas aux heures des repas.

Avant de parler d'anorexie mentale, le médecin va s'assurer qu'il n'y a aucune maladie organique en évolution ; pour cela, il complétera son examen par quelques examens de routine : numération et formule sanguine, recherche d'une infection urinaire, réactions tuberculiniques, etc.

Car c'est la caractéristique essentielle de l'anorexie mentale d'exister en dehors de tout autre symptôme ; c'est un manque d'appétit sans fatigue, sans fièvre, sans trouble digestif. La croissance en taille est normale, et même si l'enfant prend peu ou pas de poids, il ne maigrit pas.

Les enfants anorexiques se ressemblent : ils sont vifs, actifs, éveillés, et leur développement psycho-intellectuel est souvent précoce.

Lorsque le médecin sera convaincu qu'il se trouve devant un cas d'anorexie mentale, il en cherchera les circonstances d'apparition et de déclenchement. L'enfant a pu refuser de manger dans de nombreuses occasions : il n'aimait pas le petit pot qu'on lui donnait, il était dérouté par l'usage de la cuiller ou du verre ; il n'avait pas faim parce qu'il était enrhumé ou parce qu'il avait mal aux dents, ou parce qu'il venait d'être vacciné ; ou encore parce que le sevrage s'était peut-être passé trop rapidement ; ou encore, pour une raison plus particulière, l'exemple m'a été donné récemment, celui d'un enfant de 10 mois devenu anorexique parce que sa mère était déprimée.

Et il peut y avoir de nombreuses autres causes, mais chaque fois le schéma est le même : un refus alimentaire tout à fait justifié de la part de l'enfant déclenche chez la mère, ou dans l'entourage, un état d'anxiété qui les mène à « forcer » l'enfant à manger. Ainsi naît le conflit, et se constitue rapidement un cercle vicieux qui se renforce par un jeu de miroirs : l'opposition de l'un, l'anxiété de l'autre.

Cette anorexie du nourrisson survient en général entre 6 et 18 mois. Mais cependant elle peut s'installer dès les premières semaines de la vie, si la mère est trop rigide pour les horaires ou les quantités. L'anorexie peut aussi intervenir plus tard, elle est alors liée à des problèmes de séparation, ou de mode de garde, ou, par exemple, à une naissance dans la famille, etc.

Nous vous disions au début de cet article que l'anorexie est encore relativement fréquente, mais elle l'est moins qu'il y a quelques années, car beaucoup de parents savent aujourd'hui qu'en matière d'alimentation, il faut renoncer à une attitude rigide et autoritaire : ne pas être esclave des horaires, ne pas réveiller un nourrisson pour le nourrir, ni lui refuser un biberon supplémentaire la nuit ; et laisser, dès que possible, l'enfant manger seul, sans trop se préoccuper de la propreté ; tolérer le grignotage, dans des limites raisonnables bien sûr. Et surtout les parents ont admis que si l'enfant refuse de manger (quelle qu'en soit la raison), il ne faut jamais le forcer.

Que faire si l'anorexie est installée ?

Comme c'est un conflit qui se passe entre un adulte et l'enfant — c'est le plus souvent la mère, mais ce peut être aussi la nourrice ou la « tatie » de la crèche — la guérison repose essentiellement sur un changement d'attitude de l'adulte. Celui-ci doit essayer de se convaincre que le trouble n'est pas grave, et se libérer de son angoisse en renonçant définitivement à toute attitude contraignante, et en évitant de faire du repas un moment de conflit. Le mieux, c'est de pouvoir adopter une attitude d'indifférence vraie ou en tout cas feinte. Bien sûr cela n'est pas facile, mais il n'y a pas d'autre solution ! Le repas sera pris dans le calme, chaque plat sera présenté, puis au bout de quelques minutes retiré sans autres commentaires si l'enfant le refuse.

La méthode dite « ascendante », qui est souvent conseillée par les pédiatres, consiste à ne donner pendant quelques jours qu'une quantité d'aliments qui reste inférieure à celle qui est acceptée par l'enfant, de manière à ce que ce soit l'enfant qui réclame. Par exemple, le premier jour, si la veille l'enfant a mangé deux cuillerées de yaourt, on lui en offre une, même s'il en réclame plus. Le lendemain deux, et s'il en réclame une troisième, on la lui refuse. Le troisième jour, il aura trois cuillerées. Le quatrième, il en aura quatre, etc. Le but de cette méthode c'est de renverser les rôles, de faire de cet enfant qui refusait tout, un demandeur. La méthode aboutit en général rapidement au succès.

On peut également conseiller de faire manger l'enfant à côté de « bons vivants bons mangeurs » ; et, pour les plus grands, la cantine peut être essayée.

APGAR. Dans les minutes qui suivent la naissance, l'état du nouveau-né est apprécié par un examen : l'Apgar. L'observation porte sur cinq données : rythme cardiaque, respiration, coloration, tonus, réponse aux excitations (vigueur du cri). Chacune de ces données est notée de 0 à 2 et un total de 8 à 10 traduit une bonne condition à la naissance. Cet examen porte le nom de la pédiatre américaine, Virginia Apgar, qui l'a mis au point.

APHTES. Ce sont de petites taches arrondies, blanc grisâtre qui apparaissent dans la bouche, à la face interne des joues et des lèvres. Les aphtes ont tendance à se répéter et leur cause est mal définie : lorsque les aphtes sont nombreux, on dit qu'il y a *stomatite aphteuse* (du latin *stoma* = bouche). L'enfant refuse de manger et de boire, tout contact lui étant douloureux. Il faut donc préparer des aliments fluides et frais (des glaces par exemple) ; et toucher les aphtes, sans les badigeonner, avec un porte-coton imbibé d'une solution antiseptique.

Voir aussi *Stomatite, Herpès, Muguet.*

APNÉE. C'est un arrêt momentané de la respiration. Chez le nouveau-né, le rythme respiratoire est souvent, dès les premiers jours, irrégulier avec même des brèves pauses de quelques secondes.

Des apnées durant 10 secondes et plus, sont fréquentes chez les prématurés. Elles s'accompagnent d'un ralentissement du rythme cardiaque pouvant avoir des conséquences graves. C'est pour cette raison que ces enfants sont placés sous des appareils de surveillance cardiorespiratoire (monitoring).

Les apnées se produisant durant le sommeil sont considérées actuellement comme une des causes les plus fréquentes de la mort subite du nourrisson (voir ce mot).

APPENDICITE. Le diagnostic d'appendicite est difficile à faire chez l'enfant car celui-ci localise mal la douleur. En outre le « mal de ventre » peut avoir des causes nombreuses et variées. Il ne faut donc pas hésiter à faire appel au médecin si l'enfant se plaint.

L'appendicite peut être aiguë et nécessiter une intervention chirurgicale d'urgence, mais elle peut aussi être « chronique », c'est-à-dire entraîner des troubles plus atténués, l'intervention pouvant alors se faire plus tard à froid.

Un enfant qui se plaint soudainement d'avoir mal au ventre, qui vomit, qui n'a pas eu de selle depuis la veille, qui a mauvaise mine, pâle, les yeux cernés, qui a une fièvre légère (38°, 38,5 °) mais un pouls rapide, la langue blanc sale, doit être vu aussitôt que possible par un médecin : c'est en effet la palpation du ventre qui permettra d'affirmer le diagnostic en trouvant une douleur vive et une réaction de « défense » bien localisées dans la partie inférieure droite de l'abdomen (point appendiculaire).

En attendant, abstenez-vous de donner à l'enfant quoi que ce soit à manger ou à boire et surtout aucun médicament. Évitez aussi la bouillotte et la vessie de glace sur le ventre. Elles risqueraient de masquer les symptômes.

Mais les symptômes ne sont pas toujours évidents et le médecin, dans l'incertitude, préfère souvent adresser l'enfant à un chirurgien, car retarder l'intervention peut exposer à des complications. L'appendicite est un cas d'urgence, il faut opérer vite, car autrement l'appendice (qui a la forme d'un sac petit et long) pourrait s'ouvrir dans l'abdomen causant ainsi une infection du péritoine (péritonite) particulièrement grave chez le jeune enfant.

Après l'intervention l'enfant sort habituellement de l'hôpital au bout de huit jours ; il reprend son activité normale après 2-3 semaines.

On parle d'*appendicite chronique* chez un enfant qui présente des douleurs abdominales moins intenses sans fièvre ni vomissements. Seul l'examen du médecin peut attribuer ces symptômes à l'appendicite en retrouvant une douleur précise à la palpation de l'abdomen.

APPÉTIT. Cet article devrait être l'un des plus longs du livre car il touche une question qui préoccupe beaucoup de parents. Mais en fait il est court car les grandes questions qui concernent l'appétit sont traitées à différents endroits.

Dans le chapitre *Bien nourrir votre enfant*, il est question de l'évolution de l'appétit chez un enfant, car, contrairement à ce que l'on croit souvent, l'appétit est très variable d'un enfant à l'autre. Et des nourrissons ayant un appétit petit et capricieux peuvent avoir une croissance tout à fait normale.

Le manque d'appétit (anorexie) est longuement traité dans le chapitre *Bien nourrir votre enfant*, avec l'examen de toutes les causes possibles (voir page 128).

Le manque d'appétit d'origine psychologique est traité dans ce chapitre (voir *Anorexie mentale*).

Quant à l'excès d'appétit, nous le traitons ici. Chez le nourrisson, un gros appétit n'est ni un motif de satisfaction, ni un motif d'inquiétude, mais il faut simplement se rappeler que la bonne santé n'est pas une question de poids et qu'un gros bébé risque de devenir un gros enfant, puis un gros adulte (voir *Obésité*). Cette tendance à trop manger est souvent héréditaire.

Si l'appétit excessif s'accompagne d'un mauvais état général, il peut s'agir de vers intestinaux, en particulier du ténia.

Le médecin pensera également au diabète, surtout s'il existe d'autres cas connus dans la famille.

ARTHRITE AIGUË. C'est l'inflammation d'une articulation qui est d'origine infectieuse microbienne ou virale.

Des douleurs articulaires (arthralgies) sont fréquentes au cours de nombreuses maladies par ailleurs bénignes, le plus souvent virales, la grippe par exemple.

Bien plus grave est l'arthrite microbienne avec formation de liquide purulent dans l'articulation. Il s'agit le plus souvent d'une infection qui touche l'os (ostéoarthrite).

Quand l'articulation est superficielle (genou, poignet, etc.), les signes de l'inflammation sont visibles : l'articulation est rouge, chaude, gonflée ; elle est douloureuse quand on la touche ou que l'on essaye de la mobiliser. Ces signes sont plus difficiles à apprécier si l'articulation est profonde (hanche, par exemple) ; pour ne pas avoir mal, spontanément le nourrisson maintient le membre infecté immobile, et cette fausse paralysie sera une indication.

Le médecin fera hospitaliser l'enfant pour faire des examens complémentaires : radio, ponction, analyse du pus, et pour qu'un traitement antibiotique intensif (perfusion) et prolongé soit instauré.

ASPHYXIE PAR LE GAZ. Première précaution : en cas d'asphyxie par le gaz, il ne faut se servir d'aucun appareil électrique, même pas d'une sonnerie, ni de rien de ce qui pourrait provoquer une étincelle.

Ce qu'il faut faire : supprimer la cause de l'asphyxie (fermer le gaz et donner de l'air, ou sortir la victime de la pièce) et commencer immédiatement la respiration artificielle (voir cet article).

Pendant que vous pratiquez la respiration artificielle, faites appeler les pompiers par une autre personne.

Il peut arriver que l'enfant asphyxié soit inconscient mais respire encore. Il ne faut pas, dans l'espoir de le ranimer, lui faire absorber une boisson quelconque, parce que le liquide risquerait d'envahir ses bronches, ce qui pourrait avoir des conséquences graves.

En attendant le médecin ou les pompiers, surveillez la respiration de l'enfant, laissez-le immobile, allongé, la tête basse, tournée sur le côté. Dans cette position, la langue risque moins de basculer en arrière et les vomissements d'inonder les voies respiratoires.

ASTHME. L'asthme est une maladie des bronches ; elle évolue par crises. La crise d'asthme est liée à un rétrécissement du calibre des bronches entraînant une gêne surtout à l'expiration de l'air.

L'asthme est une maladie allergique (voir ce mot) comme l'eczéma, l'urticaire, le rhume des foins. Les facteurs qui peuvent provoquer une crise sont très nombreux ; les allergènes les plus fréquents sont les pollens, les poils et les plumes d'animaux, la poussière.

L'asthme est une maladie familiale * : il existe dans la famille d'autres asthmatiques, ou bien des personnes qui ont des manifestations allergiques diverses.

La crise d'asthme est d'intensité variable mais parfois impressionnante quand l'enfant, assis dans son lit, pâle, en sueur, lutte contre la gêne respiratoire, avec des sifflements caractéristiques ; en attendant le médecin, mettez l'enfant au calme, et essayez de le rassurer, ne lui donnez aucun médicament sans prescription précise.

Un *traitement* approprié, essentiellement basé sur des médicaments qui dilatent les bronches (avec au premier rang la théophylline), fera habituellement céder la crise. Mais si celle-ci résiste et se prolonge, le médecin, le plus souvent, fera hospitaliser l'enfant.

---

* On appelle *maladie familiale* une maladie dont on trouve d'autres cas dans la famille ; elle est donc probablement constitutionnelle, mais sa transmission n'est pas obligatoire (à la différence des maladies véritablement héréditaires).

La maladie asthmatique a comme autre caractéristique d'être une maladie de longue durée avec des crises se reproduisant sur un rythme variable ; cela peut aller d'une crise ou deux par an à plusieurs crises par mois, entraînant alors une gêne considérable dans la vie de l'enfant et en particulier dans sa scolarisation. D'où la nécessité d'un traitement de fond. Un traitement de désensibilisation ne peut être entrepris chez l'enfant jeune chez lequel les allergènes sont difficilement mis en évidence.

Enfin, il ne faut pas méconnaître les facteurs psychologiques qui peuvent jouer un rôle important dans la maladie asthmatique, du moins dans son entretien ou son aggravation. De plus, les manifestations de la maladie elle-même sont un facteur d'anxiété pour l'entourage et pour l'enfant. Aussi un soutien psychologique est-il souvent indiqué.

AVALÉ UN OBJET (L'enfant a). C'est-à-dire que l'objet, par exemple une pièce de monnaie, se trouve dans le tube digestif. Ceci est en général sans grande conséquence, et est très différent de ce qui se passe quand l'objet, bien qu'ayant pénétré par la bouche — ou le nez — est *inhalé*, c'est-à-dire pénètre dans les voies respiratoires. Voir à ce sujet *L'enfant qui étouffe.*

L'objet avalé va cheminer peu à peu tout au long du tube digestif et sera finalement évacué dans les selles. Il n'y a pas d'intervention chirurgicale à prévoir. Le médecin se contente, si l'objet est métallique, de suivre sa progression par des radiographies, et on vérifie l'évacuation dans les selles au bout d'un ou deux jours.

Un seul cas peut poser des problèmes, c'est celui d'un objet piquant, type épingle, qui peut rester fixé dans la paroi du tube digestif. Une opération peut être nécessaire.

B

BEC-DE-LIÈVRE. Le terme médical est « fente labio-narinaire et palatine ». Tous les degrés sont possibles entre la simple encoche de la lèvre supérieure et la fente intéressant lèvre-nez-palais, réalisant ainsi une large communication entre la bouche et le nez.

Le traitement chirurgical se fait habituellement en deux temps : d'abord la fermeture de la lèvre, puis le traitement de la fissure du palais. Les dates de ces opérations seront indiquées par le spécialiste.

Dans les premiers mois, les difficultés de la déglutition seront résolues par l'emploi de tétines spéciales.

Plus tard, une surveillance et des traitements éventuels seront nécessaires au plan dentaire, O.R.L. et orthophonique. Le mieux est d'avoir recours à une équipe médicale spécialisée.

BÉGAIEMENT. Ce trouble, qui atteint surtout les garçons, peut apparaître entre 3 et 5 ans. Les causes en sont mal connues, mais en grande partie liées à l'émotivité et aux problèmes affectifs.

Il peut s'agir d'un bégaiement que l'on appelle *clonique :* répétition involontaire, saccadée, d'une syllabe ; ou bien d'un bégaiement *tonique :* l'enfant bute sur la première syllabe du mot ; ou encore d'une association de ces deux troubles.

Le bégaiement est l'expression d'une tension nerveuse anormale, d'un état d'anxiété et d'angoisse lié souvent à des difficultés avec l'entourage familial ; l'enfant est agité, instable ou au contraire exagérément timide et inhibé. Le défaut de latéralisation (gaucherie contrariée) est parfois considéré comme pouvant favoriser le bégaiement.

Dans tous les cas il est bon de consulter un orthophoniste. Si un traitement s'avère nécessaire, il comportera à la fois une rééducation orthophonique et un soutien psychologique.

BOITE (L'enfant qui). Un enfant peut se mettre soudainement à boiter simplement parce qu'il est fatigué, ou parce qu'il est tombé, ou a reçu un coup sans qu'on le sache. Cependant, si la boiterie persiste ou réapparaît, il faut montrer l'enfant au médecin, car nombre de maladies sérieuses peuvent être en cause, osseuses et articulaires, localisées à la hanche, au genou, au pied.

Le *rhume de hanche* est une maladie bénigne qui entraîne une boiterie disparaissant en quelques jours. Mais cette possibilité ne sera retenue que lorsque toutes les autres auront été éliminées. Il en est de même de la douleur dite de croissance.

De toute façon, en cas de boiterie de l'enfant, le médecin fera faire une radiographie des membres inférieurs et du bassin.

BRONCHITE. Il arrive qu'un gros rhume, une grippe, se transforment en bronchite. C'est une maladie qui, soignée à son début, guérit rapidement. C'est pourquoi, si l'enfant tousse — d'abord sec, puis gras — et même avec une fièvre légère, vous ne tarderez pas à consulter le médecin. L'enfant sera gardé à la maison.

Les antibiotiques réduisent considérablement les risques de la bronchite.

Bien soignée, la bronchite guérit en cinq à six jours. Mais la toux peut durer plus longtemps : une à deux semaines. Le jeune enfant ne sait pas cracher : aussi vous retrouverez des glaires dans ses selles.

En cas de rechute, ou de répétition, ne donnez pas automatiquement le même antibiotique — le reste du flacon — sans consulter le médecin.

Une bronchite qui se répète est souvent la conséquence d'une infection persistante du pharynx qu'il faudra traiter. Voir *Rhume, Sinusite, Végétations.*

BRONCHITE ASTHMATIFORME (ou bronchiolite).
Chez le jeune enfant, les infections respiratoires saisonnières, le plus souvent d'origine virale, entraînent une gêne pour respirer, accompagnée de sifflements : cela ressemble à une crise d'asthme.

L'enfant a de la fièvre, tousse, a souvent des troubles digestifs, est encombré et l'évolution se prolonge pendant plusieurs jours ; cette situation a tendance à se répéter : l'enfant présente à plusieurs reprises les mêmes symptômes au cours de l'hiver.

Les rapports avec l'asthme sont encore mal connus, mais en fait un certain nombre de ces enfants deviendront des asthmatiques vrais.

Au plan du traitement, c'est la kinésithérapie respiratoire, pratiquée par un spécialiste connaissant les techniques adaptées à l'enfant, qui apporte l'amélioration la plus rapide.

BRONCHO-PNEUMONIE
(les médecins parlent plus volontiers aujourd'hui de *foyer pulmonaire*). Comme la pneumonie, la broncho-pneumonie a perdu de sa gravité avec les antibiotiques. Soignée à son début, elle guérit rapidement. Aussi, tout enfant qui a brusquement de la température (et de plus en plus), les joues rouges, la respiration rapide (quelquefois avec battement des ailes du nez), de la toux, doit être vu rapidement par le médecin. En dehors du traitement médical, mêmes précautions que pour la bronchite (voir ce mot).

BRÛLURES.
Deux éléments entrent en ligne de compte pour évaluer la gravité d'une brûlure : son étendue et sa profondeur.

La gravité immédiate dépend de l'**étendue** de la brûlure à cause du choc qu'elle peut provoquer et de la déshydratation qu'elle peut entraîner. Il convient donc d'évaluer approximativement cette étendue (le schéma ci-dessous a été fait pour que vous vous rendiez compte des différentes parties du corps chez l'enfant. Chez l'adulte ces proportions changent) ; au-delà de 5 % de la surface totale du corps, il faut conduire l'enfant à l'hôpital.

La **profondeur** va, quant à elle, conditionner la cicatrisation.

Les brûlures superficielles (1er degré) ne concernent que l'épiderme, c'est-à-dire la couche superficielle de la peau, entraînant une simple rougeur ; elles sont douloureuses mais cicatrisent en une dizaine de jours.

Les brûlures du 2e degré se caractérisent par la présence de bulles ; leur cicatrisation est plus lente, 15-20 jours.

La brûlure profonde intéresse la peau, mais aussi les tissus sous-jacents, muscle et

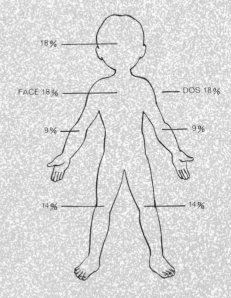

La surface de la peau chez l'enfant

Exemple : la tête (au total) occupe 18 % de la surface

os ; elle est indolore ; la guérison ne sera obtenue que par des greffes, greffes qu'il faudra souvent répéter plusieurs fois.

A surface égale, la profondeur est un élément aggravant. Par ailleurs, certaines localisations font craindre que les cicatrices ne fassent se rétracter la peau : face et cou, plis de flexion (aisselles, coudes...), mains et doigts, poitrine.

Les *causes habituelles* de brûlures chez le jeune enfant sont avant tout les liquides bouillants : les projections et chutes ; les contacts avec des objets chauffants : cuisinières, fers à repasser, bouillottes ; rappelons que ces dernières sont formellement à éviter chez le nourrisson.

Cas particuliers : les brûlures par produits ménagers caustiques (eau de javel, acides...) et les brûlures par l'électricité (prises non protégées...) sont localisées aux doigts, à la bouche ; ces brûlures sont peu étendues mais entraînent des lésions en profondeur.

Le *traitement* des brûlures de l'enfant est avant tout préventif, de nombreuses campagnes d'information ont régulièrement lieu, notamment à la télévision, pour attirer l'attention des familles sur les dangers des cuisines, salles d'eau, combustibles de toute nature, produits de ménage, électricité (voir le chapitre 3).

Que faire devant une brûlure ?
● Brûlure étendue : il faut se borner à envelopper l'enfant dans un drap propre et ne pas essayer de lui ôter ses vêtements. Appelez les secours ou emmenez l'enfant à l'hôpital ; si cela est nécessaire l'enfant sera transféré dans un centre spécialisé où les meilleures conditions de traitement seront réunies (voyez la liste jointe).
● Brûlure limitée, peu profonde, de localisation non particulière : lavage avec un savon antiseptique puis pansement stérile (avec compresse de type « tulle gras ») à renouveler tous les 2-3 jours (après un nouveau lavage antiseptique).

Centres de soins intensifs réservés aux grands brûlés

Bordeaux :	Pellegrin,	56-96-83-83.	Metz :	Bonsecours,		87-63-13-13.
Clamart :	Percy,	46-45-21-04.	Nantes :	Saint-Jacques,		40-48-33-33.
Freyming :	Houillères, Merlebach,	87-04-65-65.	Paris :	Cochin,		42-34-12-12.
Lille :	Cité hospitalière,	20-51-92-80.		Trousseau,		43-46-13-90.
Lyon :	Édouard-Herriot,	78-53-81-11.		Saint-Antoine,		43-44-33-33.
	Saint-Luc,	78-72-14-03.	Suresnes :	Foch,		47-72-91-91.
Marseille :	Hôtel-Dieu,	91-91-91-61.	Toulon :	Sainte-Anne,		94-22-90-20.

C

CALMANTS. L'usage des calmants, somnifères, tranquillisants est en règle générale déconseillé : les troubles du sommeil du petit enfant résultent habituellement de perturbations dans l'environnement ou de causes psychologiques. C'est donc d'abord la cause profonde qu'il faut essayer de déceler afin de la supprimer ; voir aussi *Sommeil* (Troubles du sommeil).

Un traitement sédatif n'est justifié que de manière ponctuelle, pendant un temps très limité, pour passer un cap difficile, sortir d'une situation critique. Il faut se méfier de l'habitude qui conduit rapidement à l'abus.

Par ailleurs, ces produits sont souvent des dépresseurs respiratoires, c'est-à-dire qu'ils peuvent perturber les mouvements de la respiration. Il ne faut donc pas les utiliser dans les premières semaines de la vie (où le rythme respiratoire n'est pas encore parfaitement régulier) ni dans les maladies respiratoires (n'abusez pas des calmants de la toux).

CARDIOPATHIES CONGÉNITALES. Ce sont des anomalies du développement du cœur qui se sont constituées durant la vie intra-utérine. Les causes en sont le plus souvent inconnues (sauf quelques cas particuliers, par exemple la rubéole).

Il y a différentes sortes de cardiopathies congénitales : parfois l'anomalie concerne les cloisons ou les valves intracardiaques (par exemple les communications interventriculaires), d'autres fois l'anomalie concerne les gros vaisseaux qui partent du cœur (transposition, communications, rétrécissements plus ou moins étendus).

Certaines cardiopathies se révèlent dès la naissance, par une cyanose ou une défaillance cardiaque et représentent une menace vitale. D'autres sont silencieuses et bien supportées, et ne sont découvertes que lors d'une auscultation à un âge variable. De grands progrès ont été faits depuis vingt ans tant dans le diagnostic que dans le traitement chirurgical des cardiopathies congénitales. De nombreux cas peuvent être traités avec succès à différents âges, parfois même dès la naissance.

CARIE DENTAIRE. Jusqu'à 6 ans, l'enfant a une première dentition : les dents de lait ; mais ne croyez pas que la carie des dents de lait soit sans importance, « puisqu'elles tomberont de toute façon... ». C'est faux : une carie oblige à soigner la dent ou à l'extraire ; or une extraction de dent de lait peut avoir des suites fâcheuses pour la bonne évolution des dents définitives voisines. Sans parler des pénibles séances chez le dentiste que la carie vous réserve...

Un autre inconvénient de la carie : l'enfant mastique moins bien, donc digère mal. Une dent qui ne fait pas son travail fait perdre à la mâchoire une partie de sa capacité de mastication.

Enfin la carie est un foyer microbien qui peut être à l'origine de complications infectieuses générales (fièvre inexpliquée, mauvais état général...). Un soin tout particulier est recommandé chez les enfants qui ont une cardiopathie ou qui ont fait un rhumatisme articulaire aigu.

Le meilleur traitement des caries est préventif : apprendre très tôt à l'enfant à se brosser les dents, visite systématique chez le dentiste une fois par an, suppression des sucreries, fluor. Le moindre petit point noir sur une dent doit être montré au dentiste. Plus la carie sera soignée de bonne heure, moins le traitement sera long, pénible et coûteux.

Supprimez les sucreries — bonbons, gâteaux qui collent aux dents — entre les repas, particulièrement au coucher. Les mets sucrés pris au repas sont moins nocifs parce que la salive — abondante lorsqu'on mange — neutralise l'acidité du sucre. Mais les sucreries sont désastreuses avant le sommeil, parce qu'un résidu sucré va séjourner entre les dents pendant toute la nuit.

L'action anticarie du *fluor* semble démontrée et dans certains pays le fluor est ajouté à l'eau de boisson, au lait, ou au sel ; l'apport alimentaire de fluor est assuré par le poisson et les épinards. De plus, on recommande l'usage des dentifrices fluorés, et même une dose minime de fluor sous forme de comprimés chaque jour dès les premiers mois.

Sur les soins à donner aux dents voyez au chapitre 1 : *Questions annexes sur la toilette et le bain.*

CAUCHEMARS ET TERREURS NOCTURNES.

Il arrive qu'en pleine nuit, un enfant s'éveille en sursaut, l'air terrorisé. Il est assis dans son lit, dérouté, comprenant peu à peu que ce qui lui faisait peur n'existe pas, mais encore très troublé : toutes les émotions vécues en rêve sont en effet profondément ressenties par l'enfant. Une fois qu'il se sera rendormi, le reste de la nuit sera sans doute tranquille.

D'autres fois, l'enfant pousse des cris et semble complètement affolé. Parfois même, il sort de son lit, va se réfugier dans un coin de la chambre. Vous lui parlez : il se cramponne à vous. Et pourtant, il n'est pas réveillé et ne vous reconnaît pas. Il répète un mot, ou bien montre du doigt une chose imaginaire. Surtout, ne le réveillez pas, il se calmera sans s'être réveillé ; et, le matin, il ne gardera aucun souvenir de sa nuit.

Que faire s'il est réveillé ? Sur le moment, aller au chevet de l'enfant, lui parler doucement, lui prendre la main, le rassurer d'une voix calme. S'il semble vouloir raconter son rêve, laissez-le l'exprimer pour qu'il s'en délivre, cela le rassurera. Il

réclame de la lumière ? Laissez une lumière dans la pièce voisine, dont la porte restera entrouverte, ou mettez une lumière en veilleuse.

A ne pas faire. La pire des maladresses serait évidemment de punir votre enfant ou de lui faire honte de sa peur. Cela ne servirait qu'à ancrer cette peur en lui-même.

Ne le prenez pas dans votre chambre : inconsciemment, l'enfant aurait dès lors tendance à user de ce moyen pour pouvoir y revenir.

Découvrir la cause. Entre deux et cinq ans, les petits cauchemars sont fréquents et ne doivent pas inquiéter : ils permettent aux enfants de se libérer des tensions et des conflits de leur journée bien remplie. Mais si les cauchemars se reproduisent trop souvent, et envahissent la nuit de votre enfant, il faut en découvrir la cause. Cette cause peut être banale, occasionnelle : le lit de l'enfant est-il assez large pour qu'il y soit à l'aise ? L'enfant n'est-il pas trop serré par ses vêtements ou par les draps ; n'est-il pas trop couvert ? N'a-t-il pas fait un dîner trop lourd ? Ne lui a-t-on pas raconté une histoire effrayante ? N'a-t-il pas vu à la télévision des images qui l'ont troublé [1] ? Votre enfant peut être impressionnable, et ce qui laisse d'autres enfants indifférents peut le troubler, lui. Ce n'est pas une faiblesse, mais peut-être l'indice d'une sensibilité délicate.

La cause de ces cauchemars peut aussi être plus subtile, et demander un effort de réflexion. Par exemple, il est possible qu'on exige de l'enfant une discipline trop grande, ou prématurée : pour ne plus mouiller son lit, pour être sage, etc. Ou bien, l'enfant souffre peut-être d'un frère ou d'une sœur qui se moque de lui. Ou encore, l'ambiance autour de lui, l'activité de ses journées sont trop excitantes : il manque de calme, de silence.

Si rien de cela ne vous paraît à retenir et que les cauchemars persistent, n'attendez pas que l'enfant finisse par prendre en horreur la nuit, le sommeil et son lit : parlez-en au médecin, qui peut-être dirigera l'enfant vers un psychologue.

Pour tâcher de comprendre ce qui se passe dans la tête d'un enfant qui a peur la nuit, qui refuse de dormir ou qui se réveille

1. Voir aussi page 172.

en sursaut, il faut savoir ce que représente la nuit pour le jeune enfant : la nuit est séparation, parce qu'on est seul dans son lit, loin de ceux qu'on aime ; elle est destruction, parce qu'on ne voit plus les objets familiers, ni les visages, et qu'on n'est pas très sûr qu'ils existent encore.

Ce n'est pas un médicament qui réglera le problème, mais une grande vigilance de votre part et les conseils d'un spécialiste si nécessaire. Voir aussi *Sommeil* (Troubles du).

CAVUM. Le cavum désigne l'arrière-nez où se rencontrent les conduits venus de la bouche, du nez et des oreilles. L'infection du cavum se traduit par des rhinopharyngites (rhumes) et se complique d'otites. C'est là que se situent les végétations (voir *Rhume, rhinopharyngite*).

CHANTE FAUX (L'enfant qui). Assurez-vous qu'il entend bien. Apprenez-lui les notes sur un piano ou une flûte. Formez-lui l'oreille en lui offrant des disques de chansons pour enfants et des disques de bonne musique. Vous serez étonné de voir qu'un enfant, même très jeune, est capable d'écouter tout un long disque de « grande musique ».

Il est très probable qu'en grandissant, l'enfant chantera de plus en plus juste, parce qu'en chantant à l'école maternelle il sera entraîné par ses camarades. Par ailleurs, son registre s'étendra : or, très souvent l'enfant détonne dans les notes supérieures parce qu'il ne peut pas les atteindre.

Souvent, un enfant chante faux parce qu'il ne s'intéresse qu'aux paroles de la chanson : il ne s'écoute pas chanter, mais parler. Le meilleur moyen de le faire chanter juste est de chanter avec lui, en le corrigeant quand il se trompe, afin d'attirer son attention sur la musique. On peut commencer les leçons de musique dès 3 ans et demi - 4 ans : elles feront le plus grand plaisir à votre enfant.

CHEVEUX ABSENTS OU QUI TOMBENT CHEZ LE NOURRISSON. Bien des mères s'inquiètent parce que leur bébé est chauve, du moins sur une certaine partie du crâne, celle qui repose directement sur l'oreiller. Cette absence de cheveux, due simplement au frottement, est normale. Bien sûr, d'autres enfants conservent leurs cheveux ; celui qui les perd les a probablement plus fragiles, pour l'instant, et peut-être garde-t-il plus souvent que d'autres la même position, en particulier sur le dos.

Lorsqu'il ne s'agit plus d'un bébé, devant un enfant qui perd ses cheveux, on pense d'abord à un tic d'arrachage, ou torsion du cheveu (trichotillomanie). A noter que certaines maladies (typhoïde) ou certains médicaments font tomber les cheveux.

Très différentes (et bien plus rares) sont les plaques de peau nue qui apparaissent en n'importe quel point du crâne, et qui sont dues à un champignon microscopique (teigne). Il faut reconnaître et stopper cette infection le plus tôt possible, d'autant plus qu'elle est contagieuse.

Enfin, chez l'enfant à partir de 2 ans, la chute des cheveux, souvent localisée en plaques (pelade) peut être liée à une perturbation psychologique ou affective.

Compte tenu de toutes ces éventualités, un enfant qui perd ses cheveux doit être montré au médecin.

CHOC, CHUTE. Si l'enfant a perdu connaissance, s'il vomit, si du sang coule par sa bouche, son nez ou ses oreilles, s'il a des mouvements anormaux, appelez le médecin ou emmenez directement l'enfant à l'hôpital. En attendant le médecin ou pendant le transport, observez ces recommandations :
● remuez l'enfant le moins possible ;
● avec de grandes précautions, étendez l'enfant, la tête un petit peu plus bas que le reste du corps, et le visage de côté pour que, si l'enfant vomit ou saigne du nez, l'écoulement ne se fasse pas vers les bronches ;
● ne lui donnez ni boisson, ni nourriture.

Fracture ou non ? Si vous ne constatez aucun des symptômes indiqués plus haut, ni rien d'anormal à première vue, assurez-vous qu'il n'y a pas fracture d'un membre. Pour cela, manipulez doucement le bras, l'avant-bras, le poignet, la jambe, le pied. Si l'enfant semble ne plus pouvoir se servir d'un de ses membres, si le fait de toucher un membre lui cause une douleur violente, une radiographie sera nécessaire.

Une fracture chez un enfant qui a fait une

chute peu grave est signe que ses os manquent de solidité : voir le médecin.

Chute sur la tête. Même si la chute ne semble avoir aucune conséquence, le médecin pourra conseiller, s'il le juge utile, une radiographie du crâne.

Pendant les jours qui suivent, vous serez attentif à ces symptômes : vomissement, fièvre, convulsions, pâleur de plus en plus accentuée et persistante, sommeil troublé - soit somnolence continuelle, soit insomnie.

La première nuit, une surveillance continue est nécessaire (c'est d'ailleurs pourquoi le médecin conseille souvent une courte hospitalisation — au moins 24 heures) : il faut, de temps en temps, appeler l'enfant pour s'assurer qu'il se réveille ; en effet, si une hémorragie intracrânienne se déclarait, l'enfant pourrait passer du sommeil au coma sans qu'on s'en aperçoive.

D'autres symptômes sont inquiétants : changement brusque d'humeur — l'enfant peut paraître soudain indifférent à tout, ou au contraire être très agité ; troubles visuels — il peut, par exemple, se mettre à loucher. Dans ces différents cas, appelez le médecin d'urgence, ou conduisez rapidement l'enfant à l'hôpital.

L'enfant est tombé sur un objet pointu. Ou bien le bras ou la jambe a porté : en ce cas, il n'y aura rien d'autre qu'une hémorragie ; ou bien c'est la tête, le ventre ou le dos qui a porté sur l'objet pointu : en ce cas, appelez le médecin. Si c'est le ventre, faites uriner l'enfant : s'il n'urine pas, ou si les urines sont rouges, vous le signalerez immédiatement au médecin. L'objet a pu léser les reins, la rate ou l'intestin à travers la paroi abdominale.

Si l'enfant est blessé au visage, au menton. S'il y a plaie, il y aura cicatrice. Or, une cicatrice peut être inesthétique, et le demeurer. Ainsi, un enfant qui glisse et tombe sur le menton risque-t-il de garder toute sa vie un bourrelet inesthétique. Il est donc préférable de montrer l'enfant à un médecin ou de le conduire à l'hôpital, où on lui fera un ou plusieurs points de suture. En attendant, lavez la plaie à l'eau, débarrassez-la des impuretés (terre, sable, etc.) qui la salissent. Une fois la plaie lavée à l'eau, badigeonnez au mercurochrome.

Simple écorchure. Lavez, aseptisez comme il est dit plus loin (*Soigner son enfant*).

Que faire devant un bleu, une bosse : consoler l'enfant, rien de plus ; l'ecchymose et l'enflure disparaîtront spontanément en quelques jours. Cependant une compresse d'eau froide n'est pas inutile, de même qu'un pansement compressif, maintenu par un tour de tête, s'il s'agit d'une bosse. Voir *Soigner son enfant*.

CIRCONCISION. Cette intervention, qui consiste à supprimer le prépuce, est faite systématiquement dans les jours qui suivent la naissance chez les israélites, et également très souvent dans certains pays pour des raisons d'hygiène ; elle est relativement peu pratiquée en France où elle est envisagée seulement en cas de phimosis (voir ce mot).

« COLIQUES » DU NOURRISSON. Dans le chapitre *Il pleure*, (page 158) sous le terme vague de « coliques », nous avons parlé de ces crises qui surviennent souvent chez les bébés les premiers mois ; ces crises s'accompagnent de cris et de pleurs intermittents et violents, d'agitation, de pâleur ; elles surviennent la plupart du temps dans l'heure qui suit la tétée et semblent faire souffrir beaucoup le nourrisson. Souvent l'enfant paraît très soulagé lorsqu'il émet une selle ou des gaz. Et c'est d'ailleurs pour cela qu'on a appelé ces crises des « coliques », alors qu'en fait on ne peut précisément leur attribuer une cause digestive. On suppose qu'elles peuvent provenir d'intolérances, ou d'allergies alimentaires.

Une autre explication possible à ces coliques, c'est que l'enfant décharge en fin d'après-midi — moment habituel de ces crises — l'anxiété qu'il a accumulée et l'angoisse que lui apporte l'apprentissage de la vie, ou bien qu'il réagit à la nervosité qui l'entoure.

Les crises survenant tous les jours à la même heure sont éprouvantes pour l'entourage, d'autant qu'elles peuvent durer quelques minutes mais aussi quelques heures (voir page 159 ce qui est suggéré dans ce cas).

Ce qui est vraiment rassurant pour les parents, c'est de voir que l'état de santé de leur enfant est bon et que sa croissance se poursuit sans problèmes, mais surtout de savoir que, passé 3 mois, ces fameuses crises qui surviennent dès les premières semaines, disparaissent.

CÔLON IRRITABLE. On appelle en pédiatrie *côlon irritable* un état de réactivité excessive du gros intestin qui se manifeste chez le nourrisson par une diarrhée chronique, en dehors de toute infection ou intolérance alimentaire caractérisée (voir *Diarrhée chronique*).

L'enfant a des poussées de selles liquides, abondantes, ou des selles molles, qui contiennent parfois des résidus alimentaires visibles. Ces poussées de selles sont parfois provoquées par des aliments, tels que jus d'orange, légumes verts, lait, etc. Cet état n'entraîne pas d'altération de l'état général : appétit et courbe de poids sont bons et en général, vers l'âge de 3-4 ans, l'enfant guérit.

Chez l'enfant plus grand, les troubles peuvent néanmoins persister, sous une forme différente : la diarrhée fait place à la constipation ou à une alternance diarrhée-constipation, avec crises douloureuses.

CONJONCTIVITE. Très souvent, au cours d'un rhume, l'enfant a les yeux rouges. Cette affection disparaîtra quand le rhume sera guéri.

Si, en dehors de tout rhume, l'enfant avait de la conjonctivite : blanc des yeux rouge, yeux qui coulent, paupières collées par le pus, spécialement le matin au réveil, il faudrait le faire examiner par le médecin. En attendant, lavez doucement à l'eau bouillie tiède.

Dans les premières semaines de la vie, une infection persistante des yeux doit faire penser à une anomalie du canal lacrymal (canal des larmes), qui sera facilement corrigée par le spécialiste ophtalmologiste.

Symptôme de rougeole. Au cours d'un rhume avec fièvre et toux, des yeux très rouges doivent faire penser à la rougeole (voyez ce mot), et aussi à certaines infections virales.

CONSTIPATION.

Quand peut-on dire qu'un enfant est constipé ? Lorsque ses selles sont dures et

sèches, souvent fragmentées en petites billes, et lorsqu'elles sont rares — tous les deux ou trois jours seulement.

Mais si les selles dures sont un signe certain de constipation, les selles rares peuvent être normales : certains enfants, en effet, ne vont à la selle que tous les deux jours.

On ne peut donc parler avec certitude de constipation tant que la consistance reste normale.

Chez le nourrisson, c'est avant tout une affaire de régime : le bébé nourri au sein est très rarement constipé. Même s'il n'a pas une selle tous les jours, cette selle est molle. S'il y a constipation chez lui, elle provient soit d'une ration de lait insuffisante, soit d'une constipation de la maman. Dans le premier cas, la courbe de poids est ralentie, et l'enfant pleure après les tétées ; il faudra compléter par un biberon, suivant les indications du médecin. Dans le second cas (constipation de la maman), il faudra varier le régime de la mère, tout en évitant cependant les laxatifs et les purgatifs.

Chez le nourrisson nourri au biberon, la constipation est très fréquente. Il faut d'abord vous assurer que vous avez bien suivi les prescriptions concernant le choix du lait, la dilution de celui-ci, et la quantité à donner à l'enfant.

Si la constipation persiste, il faudra en parler au médecin.

Si l'enfant a moins de 3 mois, le médecin remplacera peut-être le lait par un lait acidifié. Il pourra également conseiller d'augmenter la quantité de jus de fruits. Si c'est un enfant plus âgé, le médecin conseillera d'introduire des bouillies (essentiellement à base d'orge), et surtout de diversifier le régime par l'introduction de légumes et de fruits.

On peut également remplacer le sucre ordinaire par du miel ou du dextrine-maltose.

Une cause fréquente de constipation à notre époque est la perte d'eau par transpiration dans les appartements surchauffés. Pensez à donner à boire à l'enfant.

Chez l'enfant plus grand, le problème est alors le même que la constipation des adultes. Voyons ce qui peut causer la constipation, et d'abord en quoi elle consiste.

Après avoir séjourné de deux à quatre heures dans l'estomac, les aliments pénètrent dans les intestins. Leur voyage à travers ceux-ci (6 mètres d'intestin grêle, 1,50 mètre de gros intestin chez l'adulte, même proportion chez le petit enfant) va durer entre dix et vingt heures. Au cours de ce voyage, les parois de l'intestin absorberont tout ce qui peut être utile à l'organisme. Ce qui restera en fin de compte et sera expulsé dans les selles, ce sont les déchets inassimilables, dont la plus grande partie consiste en cellulose provenant des enveloppes des fruits et des légumes. Comment les aliments progressent-ils dans l'intestin ? Grâce aux mouvements de celui-ci, qui sont déclenchés et entretenus par le volume même du contenu intestinal. Selon leur genre et selon leur volume, les aliments progressent plus ou moins vite ; également selon l'activité du corps.

Il y a constipation lorsque le voyage (le « transit intestinal ») est trop long, parce que la selle a le temps de se dessécher et de durcir. Conclusion : préférons les aliments qui voyagent vite (laits acidifiés) et ceux qui laissent un déchet important (fruits, légumes, céréales) aux aliments qui voyagent lentement (lait de vache ordinaire, laits concentrés) et à ceux qui laissent peu de déchets (sucre, chocolat, viande).

Des causes particulières de constipation sont la maladie, qui entraîne fièvre, perte de l'appétit, séjour au lit, ou encore une déficience (rare) du système nerveux de l'intestin mégacôlon (voir ce mot).

Très souvent, la constipation s'entretient elle-même : l'enfant, qui a mal quand il va à la selle, parce que ses selles sont dures, se retient.

Certains états psychiques (anxiété, agressivité) ou des réactions à des conflits dans la famille peuvent être à l'origine de la constipation. Il est important d'en faire rapidement le diagnostic afin d'éviter à l'enfant et à sa famille des traitements qui se prolongeraient inutilement.

A l'enfant constipé il faut donner à boire, largement, aux repas et en dehors des repas : de l'eau ou des jus de fruits frais ; à manger : des légumes verts, des fruits très mûrs, et tout particulièrement des pruneaux, de la rhubarbe, des marmelades et compotes.

Dans la cuisine, remplacer le beurre par une huile végétale. Assaisonner la salade à l'huile d'olive. Supprimer le chocolat ; remplacer le sucre par du miel.

Les médicaments ne seront donnés qu'avec l'accord du médecin.

A l'occasion — car il ne faut pas laisser un enfant plus de deux jours sans aller à la selle — les moyens suivants pourront être utiles : un lavement (voir *Soigner son enfant*), un suppositoire de glycérine pour enfant, une cuillerée à café d'huile de paraffine. Parfois, la simple introduction du thermomètre suffit, surtout si l'enfant est très jeune.

Ces moyens sont indiqués aussi lorsque les selles, dures, font souffrir l'enfant. Mais ils ne sont que des palliatifs, et ne guérissent pas la constipation.

A l'égard de la constipation, ayez une attitude « décontractée » : c'est un trouble bénin, qui n'est sérieux que dans la mesure où il affecte l'appétit et donc fait fléchir la courbe de poids ; ensuite dramatiser une constipation, c'est la prolonger : du jour où l'enfant se rendra compte qu'on surveille avec inquiétude ses selles, que toute la famille s'entretient de ce sujet, soyez certain que sa constipation résistera à tous les traitements.

Continuez à mettre l'enfant sur le pot chaque jour, sans y attacher un intérêt trop visible et ne l'y laissez pas plus de dix minutes. Ne le grondez pas s'il n'y a pas de résultat, et évitez d'en parler en sa présence.

CONVALESCENCE. Les changements importants que nous avons dû faire dans cet article par rapport aux éditions précédentes témoignent à la fois de l'évolution des maladies et de la nécessité des mises à jour.

Aujourd'hui, la plupart des maladies aiguës (infectieuses en particulier) durent moins longtemps, elles sont moins graves grâce aux traitements modernes ; elles sont donc moins fatigantes et ne nécessitent pas toute cette période de soins, de précautions, qu'on considérait il y a quelques années comme très importante pour le retour à la vie normale.

Ainsi, après une maladie de quelques jours, l'enfant peut reprendre assez vite ses activités : en général une semaine après la fin de la maladie.

A titre d'exemple, la durée moyenne de séjour (toutes maladies confondues) dans un service de pédiatrie est actuellement de quatre à cinq jours ; il y a une dizaine d'années, elle était de quinze jours à trois semaines.

Donc, sur le plan médical, la convalescence n'est plus ce qu'elle était : tout rentre plus vite dans l'ordre et sans soins particuliers.

Il n'en est pas de même sur le plan psychologique : la souffrance, la peur, l'éventuel éloignement à l'hôpital, quelles que soient la durée et la gravité de la maladie, laissent des traces qui peuvent être différentes d'un enfant à l'autre ; mais chez tous on peut noter une régression : l'enfant suce son pouce, redemande des bouillies, il redevient bébé, il veut qu'on le gâte et en redemande tous les jours un peu plus. En général, les parents sont d'accord au début jusqu'au jour où, « trop c'est trop », ils se lassent des exigences et des caprices et les refusent. D'ailleurs, à ce moment-là, l'enfant va mieux, la réadaptation est passée et la vie reprend son cours normal.

Du côté des frères et sœurs, il y a aussi un temps de réorganisation nécessaire ; que l'enfant ait été hospitalisé ou non, frères et sœurs ressentent les soins particuliers dont le petit malade est entouré ; ils réagissent, comme le note Daniel Kipman[1], avec une « indifférence active » ; cela peut provoquer tensions et conflits.

Tout cela montre qu'après une maladie il y a un délai de transition, de réadaptation à respecter.

J'ajouterai une observation personnelle : comme les autres épreuves, la maladie est une étape de maturation, l'enfant en sort grandi, et renforcé physiquement ; on remarque d'ailleurs souvent un bond en avant de poids et de taille.

CONVULSIONS AVEC FIÈVRE (convulsions hyperpyrétiques ou hyperthermiques).

Les convulsions sont relativement fréquentes chez le nourrisson, surtout entre 6 mois et 2 ans. La convulsion hyperthermique est définie comme une convulsion provoquée par la fièvre. Toutes les causes de fièvre peuvent donc être la source de convulsions, particulièrement des maladies banales telles que les rhinopharyngites, otites, bronchites si fréquentes dans le jeune âge.

Ces convulsions surviennent à une période où le système nerveux encore immature est particulièrement sensible. Elles ont tendance à se répéter, chaque

1. *L'Enfant et les sortilèges de la maladie*, Stock éditeur.

poussée de fièvre risquant de provoquer des convulsions. La brusquerie de l'élévation de la température semble être le facteur déclenchant le plus important, mais il semble exister aussi une prédisposition familiale.

Ce qui se passe dans une convulsion. Brusquement l'enfant pâlit, perd connaissance, le corps se raidit et les yeux sont révulsés. Au bout de quelques secondes, apparaissent les secousses qui peuvent atteindre le visage et les quatre membres. Cet état se prolonge quelques minutes, puis cesse, l'enfant reprend alors une respiration bruyante, tandis que son corps s'affaisse. La perte de conscience a été complète, et la crise sera suivie d'un sommeil plus ou moins long.

Très souvent ces symptômes sont très atténués et la crise est difficile à identifier : un court accès de raideur, quelques secousses musculaires plus ou moins localisées, voire un simple accès de pâleur. Dans ces formes, c'est la révulsion du regard qui indique que l'enfant a une convulsion.

La conduite à tenir en présence d'une convulsion fébrile est la même que celle indiquée pour faire baisser d'urgence la température :
● rafraîchir l'enfant par un bain (deux degrés au-dessous de la température du corps), pendant 10 minutes (à renouveler plusieurs fois, à courts intervalles si nécessaire) ;
● vessies de glace, enveloppements, etc. ;
● et médicaments antithermiques : aspirine ou paracétamol.

Le médecin appelé complétera ce traitement par les médicaments susceptibles d'arrêter la crise si elle n'a pas cessé spontanément et de l'empêcher de se reproduire.

En général, l'enfant sera hospitalisé car des examens sont nécessaires : la crainte d'une atteinte méningée est en effet toujours présente chez un nourrisson qui a eu une convulsion fébrile.

Chez un enfant qui a présenté une convulsion fébrile, le médecin indiquera des mesures préventives pour en empêcher la réapparition ; en cas de fièvre, il faudra appliquer immédiatement les mesures indiquées ci-dessus, et aux médicaments antithermiques sera associée la prise d'un médicament anticonvulsif, par exemple le Valium. Il est possible de se contenter de cette prévention ; mais il est difficile parfois de l'appliquer en raison de la brusquerie avec laquelle monte la fièvre. De nouvelles convulsions n'étant pas sans danger, le médecin conseillera parfois un traitement par un médicament anticonvulsif, mais d'une façon quotidienne et continue, et cela jusqu'à ce que l'enfant ait 4-5 ans.

Si vous suivez bien les indications données par le médecin, cette tendance aux convulsions, ce « point faible » chez votre enfant, aura donc été transitoire et ne laissera pas de traces.

Par contre, ce qui peut retentir sur le caractère ou sur le comportement de l'enfant, c'est l'attitude des parents. La crise est spectaculaire et inquiétante, elle peut entraîner une hospitalisation, et donc provoquer un choc bien compréhensible sur l'entourage. Mais ce qui est important, c'est, la crise passée, de ne pas surprotéger l'enfant et de laisser la vie reprendre son cours normal, sans dramatisation.

CONVULSIONS SANS FIÈVRE. Beaucoup plus rare que la convulsion par hyperthermie, la convulsion sans fièvre a une tout autre signification.

De nombreuses maladies peuvent se manifester ainsi, soit du fait d'un trouble biologique (tels que la chute du sucre ou du calcium sanguins), soit du fait d'une lésion cérébrale.

Quand aucune cause ne peut être trouvée, on entre dans le cadre de l'épilepsie (voir ce mot).

COPROCULTURE. C'est un examen des selles destiné à mettre en évidence une infection intestinale.

Le médecin le demande souvent en cas de diarrhée afin d'identifier le microbe responsable et de tester la sensibilité aux antibiotiques. La recherche de virus dans les selles est beaucoup plus difficile et peu courante.

COQUELUCHE. Grâce aux vaccinations, la coqueluche est devenue rare, mais elle n'a pas disparu : elle reste une maladie longue et toujours éprouvante pour l'enfant et son entourage.

Après le contact avec un porteur de coqueluche, l'incubation est d'environ 8 à 10 jours. Les premiers symptômes sont peu caractéristiques : l'enfant a un rhume, il a peu de fièvre, il tousse ; et c'est cette toux qui ne guérit pas, mais au contraire s'accentue, qui attire l'attention.

Au bout de 15 jours, la toux survient par quintes. Lors d'une quinte, le visage de l'enfant se congestionne, les yeux sont rouges et larmoyants ; la fin de la quinte est marquée par une inspiration profonde, appelée « chant du coq ». Souvent l'enfant rejette alors par la bouche un liquide épais et visqueux, difficile à évacuer. Cette expectoration le fait parfois vomir.

Le nombre de quintes est variable au cours des 24 heures, de quelques-unes à plusieurs dizaines ; et plus ces quintes sont nombreuses, plus la maladie est grave. L'évolution générale se fait sur 2 à 3 semaines, parfois plus, puis les quintes s'atténuent et disparaissent.

Une fièvre élevée lors d'une coqueluche fait envisager une complication, essentiellement respiratoire (foyer pulmonaire, etc.).

La coqueluche est peu accessible aux antibiotiques, et le traitement s'occupera surtout des symptômes : traitement de la toux et calmants généraux.

Pour les repas, je vous conseille de ne pas suivre l'horaire normal ; les quintes survenant à n'importe quelle heure, il faut alimenter l'enfant quand on le peut, à la demande, après la quinte.

La coqueluche du nourrisson (au-dessous de un an-18 mois) est grave car les quintes peuvent provoquer des pauses respiratoires plus ou moins longues, et le bébé risque l'asphyxie. Par prudence, un nourrisson ayant la coqueluche sera donc placé sous surveillance en milieu hospitalier, au moins pour un certain temps.

La vaccination contre la coqueluche n'est pas obligatoire, néanmoins elle est habituellement associée aux autres vaccins (diphtérie, tétanos, polio), à partir de l'âge de trois mois. En principe, la vaccination contre la coqueluche ne se fait pas chez les enfants ayant présenté des convulsions.

Après le contact avec un contagieux, l'administration précoce de gamma-globulines, avant l'apparition des quintes, peut empêcher la maladie ou en tout cas l'atténuer si elle survient.

L'éviction scolaire est en principe de

trente jours à partir des premières quintes ; en réalité elle sera abrégée avec un certificat médical de non-contagion. Il en est de même pour les frères et sœurs.

CORDON OMBILICAL : ROUGEUR OU SUINTEMENT. Chez le nouveau-né, pendant les quinze premiers jours, le cordon ombilical doit être surveillé et la compresse stérile changée chaque jour. Tout suintement, toute rougeur doivent être immédiatement signalés au médecin. De même, tout écoulement de sang ou de pus au moment où le cordon ombilical tombe (6e ou 7e jour), ou même plus tard.

Il est normal que l'ombilic soit un peu saillant, et particulièrement lorsque l'enfant crie.

Voir aussi *Hernie ombilicale.*

COUP DE CHALEUR. Le jeune enfant, et plus particulièrement le nourrisson, est très sensible à l'élévation de la température ambiante. L'excès de chaleur constitue une véritable menace qui aboutit à ce qu'on appelle le coup de chaleur.

Le coup de chaleur est une forme particulière de déshydratation aiguë (voir ce mot), sans diarrhée.

La perte de liquide se fait dans ce cas par la transpiration abondante qui dans un premier temps permet à l'enfant de lutter contre l'élévation de la température. Si cette perte n'est pas compensée par un apport suffisant en eau, la déshydratation s'installe, la transpiration diminue, la température de l'enfant s'élève.

Le coup de chaleur est donc dû d'abord à l'élévation de la température ambiante ; il survient habituellement en été chez un enfant trop habillé ou bien resté dans un milieu clos, par exemple une voiture en plein soleil et vitres fermées. Cependant, le coup de chaleur peut aussi survenir en hiver : l'enfant a un rhume, est un peu fiévreux, il est trop couvert. L'appartement est surchauffé.

Quelle que soit la saison, un coup de chaleur peut donc survenir si on ne donne pas suffisamment à boire à l'enfant.

Quels sont les symptômes du coup de chaleur ? Dans un premier temps, la transpiration de l'enfant est abondante, il est très agité, il a une soif intense ; ensuite, très rapidement, l'enfant se déshydrate, sa température peut dépasser 40°.

Que faire en cas de coup de chaleur ? D'abord, par tous les moyens, essayer de rafraîchir l'enfant : bain frais (2 à 3 degrés au-dessous de la température de l'enfant), enveloppements frais, vessies de glace (voir à la fin de ce chapitre, *Soigner son enfant*). Il faut aussi donner des médicaments contre la fièvre (aspirine, paracétamol). Et bien sûr, donner beaucoup à boire à l'enfant (des boissons glacées).

Si la température ne baisse pas, si l'enfant reste agité, ne pas hésiter à appeler le médecin ou à emmener l'enfant à l'hôpital : le coup de chaleur est une urgence.

Cela dit, le coup de chaleur est typiquement l'accident qu'on peut éviter en observant les mesures préventives indiquées au début de cet article : ne pas trop couvrir l'enfant, le faire boire, etc.

COUP DE SOLEIL. Il peut se traduire par une brusque poussée de température, un pouls accéléré, une peau brûlante et sèche (mais qui n'est pas rouge tout de suite : elle ne le deviendra que quelques heures plus tard), l'arrêt de la transpiration, parfois des vomissements et, dans les cas graves, la perte de conscience.

Le coup de soleil n'est rien d'autre qu'une brûlure au 1er ou au 2e degré.

Le coup de soleil est d'autant plus grave que la surface brûlée est plus étendue. Un bébé peut être en danger à la suite d'un coup de soleil sur le visage.

Le médecin ou l'hôpital s'imposent de toute urgence si la proportion du corps qui a été brûlée dépasse 5 %. (Voyez le schéma à l'article *Brûlures* et l'article *Coup de chaleur.*)

COUPURE.

La coupure peu profonde. Premier soin à donner : laver à l'eau et au savon. Débarrasser des impuretés (avec une compresse ou un linge mouillé, éviter le coton). Ensuite, badigeonner avec une compresse imbibée de désinfectant. Enfin, appliquer un pansement adhésif ou une compresse stérile et un bandage.

Même avec un bon pansement, ne laissez pas l'enfant jouer par terre il ne faut pas que des souillures pénètrent dans la plaie. Refaites le pansement chaque jour. Si vous constatez que la plaie devient rouge, qu'elle enfle, qu'elle suppure, montrez-la au médecin. Une plaie en voie de cicatrisation est sèche.

Coupure à un doigt. Ne serrez pas le pansement trop fort. L'air doit pouvoir circuler autour de la plaie, et le sang dans le doigt.

Attention aux cicatrices disgracieuses. Une coupure au visage, à la main, aux bras ou aux jambes peut laisser une cicatrice disgracieuse si elle est profonde. Mieux vaut, dans certains cas, demander à un médecin ou à un chirurgien de faire quelques points de suture plutôt que de laisser la plaie se cicatriser d'elle-même.

La coupure grave qui saigne abondamment. Voir *Hémorragie, Plaies.*

CRIS DU NOURRISSON. A l'âge où l'enfant ne parle pas encore, ses cris représentent son moyen de communication, son langage. Ils sont sa manière à lui de dire qu'il est mal à son aise ou qu'il a mal : ses cris expriment besoin, désir, douleur, peur, etc.

Chaque cri, selon ce qu'il signifie, a des caractéristiques différentes qui permettent de distinguer très nettement :
— le cri de la faim : vigoureux, puissant, inlassable ;
— le cri de la douleur aiguë : strident, d'intensité proportionnelle à la douleur qui le provoque ;
— le cri de la douleur continue : monotone, grave, incessant ;
— le cri chagrin, mêlé de sanglots.

Les mères ont instinctivement, ou acquièrent vite, une connaissance des cris de leur enfant ; elles distinguent les cris les uns des autres selon leurs caractéristiques (voir ci-dessus), leur horaire, mais aussi leur contexte, c'est-à-dire l'ensemble des signes qui les accompagnent : coloration du visage, mimiques, posture, rythme respiratoire, etc. Par exemple les cris qui se répètent tous les soirs à la même heure sont vraiment des cris de la « colique ». Et les mères

se rendent bien compte que lorsque l'enfant se met à crier tout d'un coup, ou à gémir, c'est qu'il souffre. Par exemple, il peut s'agir d'une otite ou d'une invagination intestinale aiguë (voir ces mots).

CROISSANCE. Voir au chapitre 1.

CROÛTES SUR LA PEAU CHEZ LE NOURRISSON. La peau, organe protecteur, a beaucoup moins d'épaisseur chez le nourrisson qu'elle n'en aura par la suite. Elle est donc beaucoup plus sensible et s'infecte plus facilement. C'est pourquoi les affections de la peau, à cet âge, sont nombreuses et variées. A tel stade de l'une ou de l'autre de ces affections, il peut y avoir des croûtes. Pour vous aider à vous y reconnaître, nous avons groupé à l'article *Peau*, d'une manière aussi claire que possible, tous les symptômes qu'il peut vous arriver de remarquer sur la peau de votre enfant, avec des conseils utiles pour chacun d'eux. Voyez aussi *Impétigo.*

CROÛTES SUR LA TÊTE. Voir chapitre 1 : *Questions annexes sur la toilette et le bain ;* voir également l'article *Leiner-Moussous.*

Il faut passer de la vaseline sur les croûtes le soir, et les nettoyer le lendemain à l'eau. Si les croûtes persistaient, le médecin vous prescrirait un traitement plus énergique.

CYANOSE DU NOURRISSON. La cyanose est la coloration bleue, plus ou moins intense, de la peau. Quand elle est discrète, elle peut n'apparaître qu'au niveau des doigts et des lèvres. Elle témoigne d'une insuffisance d'oxygénation du sang qui peut être d'origine respiratoire ou cardiaque. Quand la cyanose est permanente, souvent présente dès les premiers jours de la vie, le médecin envisagera une malformation cardiaque (enfant bleu).

Si la cyanose est intense et d'apparition brusque, elle traduit une insuffisance respiratoire aiguë (asphyxie par corps étranger, laryngite, infection respiratoire).

D

DARTRE. C'est un terme imprécis qui désigne une irritation de la peau, particulièrement au niveau des joues. Cette irritation peut correspondre à un impétigo, un eczéma, une allergie de contact (voir ces mots).

DÉLIRE AU COURS DE LA FIÈVRE. Votre enfant à 40° de fièvre. Au milieu de la nuit, il crie ou vous appelle. Vous allez à son chevet. Vous le trouvez agité, tenant des propos sans suite, vous montrant des objets ou des êtres imaginaires qui lui font peur ou le font rire. Rassurez-vous, le délire au cours de la fièvre est fréquent et n'est pas grave. Il convient avant tout de faire baisser la fièvre par les moyens qui vous sont indiqués à l'article *Fièvre*.

DENTS.

Troubles de la percée dentaire : la percée des dents de lait s'accompagne souvent de troubles plus ou moins sérieux ; localement, de l'irritation et de la douleur, qui rendent l'enfant grognon et agité et ont un fâcheux effet sur son appétit et son sommeil.

Les joues parfois deviennent rouges, les gencives gonflent, l'enfant salive ; il met ses poings dans sa bouche.

Il arrive aussi qu'un érythème fessier coïncide avec la percée des dents.

Voici ce qui calmera peut-être votre bébé :

— une croûte de pain, une biscotte, un « biscuit de dentition », ou un « anneau de dentition » ;

— aux endroits où la gencive est enflée, des frictions douces avec un baume ou un sirop, ou un morceau de glace enveloppé dans un mouchoir fin ; éventuellement un peu d'aspirine. L'état général est troublé lui aussi : l'enfant a parfois la diarrhée, parfois de la fièvre. Par ailleurs, un enfant sujet aux convulsions risque d'en avoir à cette occasion si la température s'élève.

Il est difficile de savoir si c'est la percée des dents qui provoque la fièvre ou si une maladie fébrile stimule la percée : c'est en ce sens qu'on peut parler de « bronchite dentaire ».

Il arrive que les troubles de la dentition soient plus sévères : le médecin sera alors consulté. De toute manière, il ne faut pas mettre sur le compte de la poussée dentaire les symptômes qui appartiennent à une autre maladie (otite par exemple). Ce sera le rôle du médecin d'éliminer après examen les autres possibilités.

Les traumatismes dentaires : si votre enfant, à la suite d'un coup ou d'une chute, se casse une dent, ou si elle bouge, il est nécessaire de consulter rapidement un dentiste qui pourra, dans certains cas, préserver la dent (par exemple la réimplanter). Un petit « truc » utile en attendant de conduire l'enfant chez le dentiste : maintenir la dent en place avec du chewing-gum.

Que faire pour qu'un enfant ait de bonnes dents ? D'abord, le nourrir convenablement : les dents étant faites notamment de calcium et de phosphore, il faut que l'enfant trouve ces minéraux dans sa nourriture. Le lait, le fromage, les œufs, les légumes les lui fourniront. Le grand air, le soleil sont également nécessaires. Ensuite, apprenez à votre enfant à se brosser les dents et évitez les causes de carie. (Voir ce mot et le chapitre 1 : *Questions annexes sur la toilette et le bain.*) Actuellement, la prise quotidienne de fluor est très recommandée ; parlez-en à votre médecin.

DÉSHYDRATATION AIGUË (TOXICOSE).

La perte d'eau peut menacer la vie du bébé.

En effet, l'eau représente 80 % du poids du corps de l'enfant. Ainsi, un nourrisson de 5 kg a dans son organisme plus de 4 litres d'eau ; si cet enfant perd 500 g en 24 heures, ce qui peut arriver en cas de déshydratation, cela représentera 1/10e de son poids. C'est comme si un adulte de 70 kg perdait 7 kg en une journée.

Cette perte peut résulter de troubles digestifs (diarrhée, vomissements). Elle peut survenir également à la suite d'une transpiration excessive si l'on n'a pas donné suffisamment à boire à l'enfant (voir *Coup de chaleur*).

C'est avant un an, et surtout avant 6 mois, que la déshydratation aiguë est redoutable.

Comment reconnaît-on qu'un bébé est déshydraté ? Le comportement de l'enfant change, il devient apathique, voire somnolent, il gémit faiblement, son visage est anxieux, pâle, les yeux sont cernés, le teint gris, la fontanelle est déprimée.

Un signe caractéristique de la déshydratation aiguë est la « persistance du pli cutané » : si l'on pince entre deux doigts la peau de l'abdomen, la peau ne reprend pas immédiatement sa place normale, le pli tarde à s'effacer, comme le ferait un linge mouillé. Ce signe correspond à une déshydratation importante, égale ou supérieure à 10 % du poids du corps. Quand la déshydratation est encore modérée, inférieure à 5 %, tous ces signes sont évidemment moins marqués et c'est en pesant l'enfant qu'on pourra constater et chiffrer la perte de poids.

L'enfant a en général en même temps de la diarrhée : abondante, liquide, verte ; il peut accepter le biberon et continuer à boire, mais il arrive souvent, au moins au début, qu'il vomisse.

Les causes de la déshydratation sont les mêmes que celles de la diarrhée et des vomissements : elles peuvent être alimentai-res ou infectieuses (infection intestinale ou autre infection) (voir *Diarrhée*).

Le traitement de la déshydratation à son début est donc le même que celui de la diarrhée aiguë : suppression du lait et réhydratation de l'enfant. Pour le réhydrater, on lui fait boire des préparations sucrées et salées et/ou des préparations à base de carottes.

Ces préparations sont données d'abord par petites quantités fréquentes, mais pour que la réhydratation soit efficace, il faudra que la quantité totale bue soit de 150-200 grammes par kilo de poids, et par 24 heures.

Ainsi, un bébé de 5 kg devra boire au moins 3/4 de litre en 24 heures.

En général, ce traitement est suffisant. Mais, dans certains cas, l'enfant refuse de boire et la diarrhée persiste. Le médecin envisage alors une réhydratation par voie veineuse ; celle-ci ne pourra être réalisée et surveillée qu'en milieu hospitalier.

L'important est de savoir qu'une déshydratation progresse vite : en quelques heures l'enfant peut être dans un état alarmant si des mesures ne sont pas prises. La déshydratation est heureusement devenue relativement rare de nos jours et dans les pays occidentaux ; c'est essentiellement dû à l'amélioration des conditions de vie, et au fait que les parents savent comment réagir.

Il est rare aujourd'hui qu'une diarrhée soit négligée, et la déshydratation est traitée dès son début ; cependant il existe encore des cas graves, quand le traitement est incorrect ou trop tardif.

DÉVIATIONS DE LA COLONNE VERTÉBRALE : CYPHOSE, LORDOSE, SCOLIOSE.

Les positions anormales de la colonne vertébrale doivent être montrées au médecin, qu'il s'agisse de cyphose (dos rond), de lordose (cambrure exagérée) ou de scoliose (déviation dans le sens latéral), déviations d'ailleurs assez souvent combinées entre elles.

Mais attention : chez le jeune nourrisson, dans les premiers mois, une cyphose est tout à fait normale : l'enfant qui ne se tient pas encore assis a le dos rond ; peu à peu, le dos deviendra plat, tandis que, parallèlement, l'enfant fera l'acquisition de la position assise. Il s'agit là d'une étape importante du développement psychomoteur. Il faut savoir la respecter : dans les premiers mois, l'enfant ne sera donc pas mis assis sans soutien ; il est recommandé, au contraire, de le mettre dans un petit fauteuil à dossier rigide dont on règle l'inclinaison.

Par la suite, chez l'enfant plus grand, au moment de la marche et pendant les deuxième et troisième années, il est très fréquent de constater une cambrure excessive, avec abdomen saillant en avant. Cette attitude, sans pouvoir être qualifiée de normale, est extrêmement fréquente à cet âge. Elle est liée à une « hypotonie » (manque de « tonus »). C'est là aussi une étape transitoire. Cette attitude disparaîtra peu à peu au cours de l'enfance sans qu'il soit besoin de la soigner.

Les scolioses ou cypho-scolioses peuvent se voir chez le nourrisson ; mais elles sont surtout fréquentes chez l'enfant plus grand ; elles sont facilement reconnues : une épaule est plus basse que l'autre, la colonne vertébrale est convexe et déplacée à droite ou à gauche. Encore faut-il distinguer ce qui n'est que mauvaise attitude (les anomalies disparaissent quand on fait pencher l'enfant en avant), et ce qui est déformation fixée. Les scolioses d'attitude évoluent favorablement par un traitement simple, bien que parfois prolongé, à base de gymnastique rééducative.

Les vraies déformations demandent une surveillance très précise afin de se rendre compte de leur évolution (stabilité ou aggravation) ; dans ce cas, elles nécessitent un traitement plus complexe.

DIABÈTE. Le diabète provient de l'impossibilité pour l'organisme d'assimiler le sucre (glucose) apporté par l'alimentation. Il en résulte de nombreux symptômes : faim, soif excessives contrastant avec un amaigrissement, urines abondantes et fréquentes. Le diabète est aisément décelé par la présence de glucose dans l'urine et par son taux élevé dans le sang.

Le diabète de l'enfant nécessite un traitement très précis, qui ne peut se limiter à la seule surveillance du régime : on a recours à l'insuline (« hormone » d'origine pancréatique qui permet l'utilisation du glucose et qui doit être administrée quotidiennement).

Le diabète est une maladie héréditaire. Si vous avez un diabétique dans votre famille, vous devez donc signaler le fait au médecin.

DIARRHÉE AIGUË. Dans la diarrhée, les selles sont plus nombreuses qu'à l'ordinaire, et surtout leur consistance est différente : leur aspect va de la selle molle, mal moulée, à la selle grumeleuse, mêlée de grains ou de fragments alimentaires, jusqu'à la selle franchement liquide.

La fréquence, la gravité et le traitement de la diarrhée sont différents selon qu'il s'agit du nourrisson ou de l'enfant après 18 mois-2 ans.

Le bébé nourri au sein : il est normal qu'il ait cinq à six selles et même plus par jour, de consistance molle ou même liquide ; il s'agit d'une diarrhée pratiquement normale car elle est liée au caractère du lait maternel qui traverse rapidement le tube digestif. Cette diarrhée ne nécessite pas de traitement particulier et ne doit pas inquiéter tant que l'enfant boit bien et a une courbe de poids qui progresse ; elle peut cependant entraîner de petites coliques et être irritante au niveau du siège ; cette diarrhée « normale », on peut l'atténuer en donnant, par exemple, un peu d'eau bicarbonatée ou de l'eau de chaux. La mère peut continuer à allaiter, mais elle veillera à ne prendre ni laxatif, ni aliments qui puissent provoquer la diarrhée.

Le bébé nourri au biberon : chez lui, la diarrhée, même bénigne en apparence et à son début, doit au contraire être prise très au sérieux. En effet, la diarrhée la plus banale peut aboutir, si elle est négligée, à un état grave de déshydratation aiguë (voir ce mot). La perte d'eau et de sels minéraux (sodium, potassium) par les selles représente en effet la principale cause de déshydratation chez le nourrisson.

Si l'enfant a plusieurs selles liquides en quelques heures, même si son état général semble satisfaisant, il ne faut pas tarder à faire appel au médecin. Ce que les parents redoutent le plus, c'est la coloration verte ; en fait, ce qui doit vraiment inquiéter, c'est la selle liquide émise en jet.

Que faire ? Avant même toute consultation médicale, arrêter l'alimentation normale en supprimant complètement le lait pendant un jour ou deux, et mettre l'enfant à une *diète liquide*, sans lait. On lui fera donc boire par petites quantités et tout au long de la journée, alternativement de l'eau sucrée, de la soupe de carottes, de l'eau de riz (voir recettes page 136). Le médecin pourra également conseiller des préparations contenant du glucose et des sels minéraux (en pharmacie). Ces préparations sont à reconstituer avec un volume d'eau précis.

Après l'âge de 5-6 mois, on ajoutera à ces liquides des aliments à vertu antidiarrhéiques, telles que la pomme râpée crue, la banane écrasée, la gelée de coings.

Les quantités de liquide qui doivent être données par 24 heures sont importantes : 150 grammes par kilo de poids au moins, mais en petites quantités de 20 à 30 grammes fréquemment répétées, surtout si l'enfant vomit : dans ce cas, on lui donnera des liquides glacés qui sont toujours mieux supportés.

Cette diète hydrique a pour but de mettre le tube digestif au repos, et de compenser les pertes en liquide et en sels minéraux.

Si ce traitement est efficace, la diarrhée s'arrête et l'enfant peut avoir de nouveau une alimentation normale car il n'est pas bon de prolonger la diète hydrique au-delà d'un jour ou deux. Ce retour à la normale devra cependant être progressif, étalé sur 3 ou 4 jours : le lait sera peu à peu réintroduit, par exemple dans une préparation à base de carottes.

Important. Si, malgré la diète, la diarrhée persiste, surtout si la courbe de poids décline, et si des signes de déshydratation apparaissent (voir ce mot), le bébé doit être vu en urgence par le médecin qui jugera si son hospitalisation est nécessaire.

Signalons qu'il est assez fréquent, lors du retour à l'alimentation normale, que la diarrhée réapparaisse ; il faut alors revenir en arrière 1 ou 2 jours, et si la rechute se produit de nouveau, le médecin envisagera les problèmes posés par une intolérance transitoire aux différents composés du lait (voir *Diarrhée chronique*).

Les causes de la diarrhée aiguë. Elles peuvent être liées à l'alimentation ou à une infection. De nos jours, les erreurs de régime sont devenues rares, mais restent possibles :
● dilution insuffisante du lait ou trop grande quantité de lait ;
● aliments tels que viande, légumes, œufs introduits trop tôt ou en trop grande quantité ou encore dans une période mal choisie de maladie, voire de simple poussée dentaire ;
● excès de farine.

La cause la plus fréquente de la diarrhée est microbienne ou virale : l'infection peut siéger dans l'intestin mais aussi dans un point très éloigné, comme la gorge ou les oreilles (rhinopharyngite, otite).

Les symptômes d'accompagnement, l'examen systématique des oreilles permettent habituellement de découvrir où se trouve l'infection. L'examen des selles (coproculture) permet de la localiser à l'intestin et d'identifier le microbe en cause ; cet examen est souvent prescrit par le médecin lorsque la diarrhée persiste.

Quelques précautions essentielles peuvent éviter l'apparition de la diarrhée chez l'enfant, et son aggravation :
● veillez à ne pas commettre les erreurs alimentaires signalées plus haut ;
● évitez au bébé tout contact avec une personne infectée, même simplement enrhumée ou ayant un furoncle, un panaris, etc. ;
● suivez les règles d'hygiène dans la préparation des biberons ;
● interrompez l'alimentation lactée dès l'apparition des premières selles diarrhéiques.

DIARRHÉE CHRONIQUE (ou récidivante). Dans la recherche des causes de diarrhée, on a de plus en plus tendance à incriminer l'intolérance au lait de vache. Cette intolérance peut être constitutionnelle ou acquise, définitive ou passagère, elle peut être due aux protéines ou aux sucres.

L'intolérance la plus fréquente concerne les protéines. Le mécanisme est mal connu, mais il se rapproche de celui de l'allergie : dès les premiers jours où l'enfant boit du lait de vache industriel, il manifeste des symptômes graves — choc, urticaire géant, ou plus souvent une diarrhée qui cesse dès qu'on supprime le lait et réapparaît dès que l'enfant en boit à nouveau. Le traitement est donc simple : on supprime le lait de vache courant, on le remplace par un lait spécial dans lequel les protéines ont été modifiées (hydrolysat). Cette intolérance s'atténue et même disparaît vers deux ans, âge où l'on peut avec une grande prudence faire des essais de réintroduction progressive du lait.

Une autre intolérance, également fréquente, concerne le saccharose, c'est-à-dire le sucre qu'on met dans les biberons, celui que l'on trouve dans les petits pots, dans les fruits et dans les légumes.

Parfois l'intolérance — plus rare — est due au lactose, sucre naturel qui se trouve dans le lait maternel et dans le lait de vache.

Les intolérances aux sucres sont en général temporaires et se voient dans les suites de diarrhées infectieuses. Plus rarement, elles sont constitutionnelles et se manifestent dès les premiers biberons de lait.

Enfin l'intolérance peut être due à une protéine qu'on trouve dans les farines de céréales : le gluten (voir ce mot).

Dans tous ces cas, des laits et régimes étudiés pour supprimer le constituant en cause font disparaître les symptômes et assurent une croissance satisfaisante ; mais tout écart de régime provoque une rechute.

DIPHTÉRIE. Cette maladie, si redoutable jadis, est heureusement devenue rare de nos jours grâce à la vaccination. Elle peut néanmoins se voir encore chez des enfants non vaccinés. Elle se présente habituellement sous la forme d'une angine grave. La gorge se couvre de peaux qui finissent par empêcher le malade de respirer. En même temps, une intoxication plus ou moins sévère atteint l'ensemble de l'organisme : grande fatigue, pâleur, pouls rapide, bien que la température ne soit pas très élevée.

Chez un enfant non vacciné — ou incomplètement vacciné (les rappels n'ont pas été faits) — toute angine doit être suspecte et il est nécessaire de faire un prélèvement de gorge à la recherche du bacille diphtérique.

DOULEURS DE CROISSANCE. Toute douleur dans les membres survenant chez un enfant doit être signalée au médecin, surtout si elle se répète ou si elle dure. Avant de parler de douleurs de croissance, il convient d'éliminer un certain nombre de maladies sérieuses. Notez tous les symptômes : angine récente ; température de l'enfant ; mauvais état général ; amaigrissement ; tendance aux saignements ; et, aux endroits douloureux : chaleur, rougeur, gonflement.

E

ECZÉMA. Il est différent suivant qu'il atteint le nourrisson ou qu'il survient tardivement chez l'enfant. Aussi avons-nous consacré un article spécial à l'eczéma du nourrisson. L'eczéma de l'enfant plus âgé (après 2 ans) se présente sous la forme de rougeurs siégeant aux plis de flexion des membres (face antérieure des coudes, face postérieure des genoux). Ces lésions sont d'abord humides, suintantes, puis rapidement sèches. Il y a toujours une démangeaison qui rend l'enfant nerveux, irritable, gêne son sommeil.

L'évolution est de longue durée, par poussées successives. D'autres manifestations d'allergie sont parfois associées, l'asthme en particulier (voir *Allergie*). Le traitement est long ; il est efficace sur les poussées, mais n'empêche pas les rechutes.

ECZÉMA DU NOURRISSON (à partir du 2ᵉ ou 3ᵉ mois). Il atteint surtout la tête : pommettes, front, menton ; il peut s'étendre aux épaules, aux bras, au dos des mains, à la poitrine. Mais c'est toujours la tête qui est la plus atteinte.

La peau est rouge, puis apparaissent de fines vésicules. L'enfant, qui éprouve de plus en plus le besoin de se gratter, s'agite, crie, frotte ses joues contre le drap. Des vésicules sort un liquide qui se coagule en croûtes. Enfin, l'éruption se dessèche et s'atténue. Mais la peau reste rouge et craquelée. Il n'y a pas de changement dans l'état général.

Un nourrisson peut avoir des poussées d'eczéma au cours de sa première année, séparées par des intervalles plus ou moins longs ; le traitement peut paraître décevant mais l'eczéma disparaît souvent vers 18 mois. Quelquefois, l'enfant, par la suite, sera sujet à l'asthme qui succédera à l'eczéma.

L'eczéma expose le nourrisson à l'infection et à la déshydratation.

Le traitement est délicat ; seuls certains cas graves nécessitent un traitement à la cortisone. Sauf indication contraire, il n'est pas nécessaire, a priori, de modifier le régime ; en particulier, ne réduisez pas la ration de lait. N'exposez pas l'enfant au soleil ni à l'air trop vif.

Pendant que l'enfant souffre d'eczéma, on doit éviter tout vaccin, sauf le B.C.G., et ne pas l'approcher d'un enfant qui aurait récemment reçu le vaccin antivariolique, sous peine de complications graves.

ÉLECTROCUTION. Si un enfant a mis les doigts dans une prise de courant et ne peut les retirer, coupez le courant au compteur au lieu d'essayer de retirer l'enfant, car vous seriez électrisé vous-même. S'il est électrocuté par un fil électrique, écartez celui-ci avec un bâton ou un objet non conducteur. Si l'enfant électrisé ne respire plus, il faut pratiquer immédiatement la respiration artificielle (page 279) et appeler les secours.

EMPOISONNEMENT. L'enfant a avalé accidentellement un produit toxique (produit d'entretien, médicament, etc.).

Ce que vous devez faire :
● avant tout garder votre sang-froid ;
● téléphoner au centre antipoisons ou à l'hôpital le plus proche. Ce sont eux qui

vous indiqueront quelle conduite avoir et s'il faut transporter l'enfant à l'hôpital. Dans ce cas c'est l'hôpital qui prendra contact avec les centres antipoisons, effectuera les premières mesures d'urgence (évacuation gastrique, réanimation...) et décidera le transfert éventuel dans un service spécialisé ;

● si l'état de l'enfant est très grave, appeler les secours d'urgence (SAMU, pompiers, etc.) qui effectueront le transport à l'hôpital ;

● répondre avec le plus de précisions possibles en ce qui concerne le produit (nature, quantité), l'heure de l'accident, les premiers symptômes observés. C'est pourquoi, essayez de trouver ce que l'enfant a pu absorber, pensez à regarder sur le sol, sous les meubles ou encore dans les poches de l'enfant ; apporter les produits (ainsi que les emballages) à l'hôpital.

Ce qu'il ne faut pas faire vous-même :
● faire boire (du lait en particulier), faire vomir.

Au cas où il vous serait impossible d'aller à l'hôpital ou de joindre un médecin, **voici les centres antipoisons :**

Angers :	C.H.U.,	41.48.21.21.
Bordeaux :	Pellegrin	56.96.40.80.
Clermont-Ferrand :	St-Jacques,	73.27.33.33.
Grenoble :	La Tronche,	76.42.42.42.
Lille :	Albert-Calmette,	20.54.55.56.
Lyon :	Édouard-Herriot,	78.54.14.14.
Marseille :	Salvator,	91.75.25.25.
Montpellier :	Saint-Éloi,	67.63.24.01.
Nancy :	Central,	83.32.36.36.
Nantes :	Hôpital,	40.48.38.88.
Paris :	Fernand-Vidal,	42.05.63.29.
Reims :	C.H.R.,	26.06.07.08.
Rennes :	C.H.R.,	99.59.22.22.
Rouen :	Charles-Nicolle,	35.88.44.00.
Strasbourg :	Civil,	88.35.43.01.
Toulouse :	Purpan,	61.49.33.33.
Tours :	Faculté de médecine,	47.05.16.91.

Vous croyez que l'enfant a avalé quelque chose, mais vous n'en êtes pas sûr, ou vous ne savez pas de quoi il s'agit : même dans ce cas, il est préférable de téléphoner à l'hôpital ou d'y emmener l'enfant.

Maximum de risque : entre 1 an et 4 ans. C'est à cet âge et surtout chez les garçons que les intoxications sont les plus nombreuses. Les médicaments, les produits ménagers et les produits de beauté sont les grands responsables. La plupart du temps, les parents sont négligents : ils n'ont pas suivi les règles de sécurité indispensables. (Voir fin du chapitre 3.)

Mon enfant a ouvert un tube d'aspirine et sucé un comprimé. Que dois-je faire ? Si vous avez la certitude qu'il n'a avalé ou sucé qu'un comprimé ou deux, il n'y a pas de gravité particulière. Faites-lui boire des boissons sucrées en abondance.

Mais il peut être difficile de savoir exactement la quantité qu'il a effectivement absorbée. Dans ce cas, il est prudent de prendre conseil du médecin et, si vous n'arrivez pas à le joindre, d'emmener l'enfant à l'hôpital car l'aspirine peut entraîner une intoxication grave.

ÉNURÉSIE. C'est l'absence de contrôle de la vessie. L'âge de la propreté varie avec chaque enfant. Certains enfants sont propres très tôt, d'autres plus tardivement, mais de toute façon on ne peut parler d'énurésie avant l'âge de 5 à 6 ans, de même qu'on ne peut parler d'encoprésie (absence de contrôle de l'anus) avant cet âge.

On distingue une *énurésie primaire* quand l'enfant n'a jamais été propre, d'une *énurésie secondaire* dans le cas contraire.

Après s'être assuré de l'absence de lésion de l'appareil urinaire, le médecin invoquera une immaturité du contrôle de la vessie en cas d'énurésie primaire, une cause psychologique en cas d'énurésie secondaire. Il dirigera le traitement en ce sens. Différentes méthodes d'éducation de la vessie seront également proposées ; les résultats en sont très variables d'un cas à l'autre. Un soutien psychologique pour l'enfant et sa famille peut être également mis en place.

ÉPILEPSIE. C'est une maladie caractérisée par la répétition de crises convulsives ; elles surviennent, en principe, en dehors de toute fièvre, à la différence des convulsions fébriles (voir ce mot). Ces crises ne sont pas non plus liées à un désordre biologique tel que l'hypoglycémie (taux de glucose insuffisant dans le sang) ou l'hypocalcémie (taux de calcium insuffisant dans le sang).

L'important est d'abord de savoir si l'épilepsie est d'origine organique, c'est-à-dire liée à une lésion cérébrale ; actuellement la réponse peut être donnée grâce au scanner.

Quand la cause de l'épilepsie n'a pu être trouvée, on parle alors d'*épilepsie primaire essentielle*. Cette affection, classée dans les maladies familiales (pour la définition, voir la note page 216), se caractérise par un « abaissement constitutionnel du seuil convulsivant » ; en d'autres termes, certaines personnes ont des convulsions plus facilement que d'autres.

Chez l'enfant, les crises épileptiques sont très diverses ; la plus fréquente est la forme complète dite tonico-clonique : la crise débute par une perte brutale de conscience avec chute, le corps se raidit en extension, puis il est animé de secousses rythmées des membres et du visage, les yeux sont fixes et révulsés, le visage cyanosé, la respiration bloquée ; après quelques instants, la crise s'arrête, la respiration reprend, bruyante, et l'enfant est en relâchement musculaire complet avec parfois perte d'urine ; puis, après quelques minutes, il s'endort ; et au réveil il ne garde aucun souvenir de la crise.

Mais il existe aussi des formes incomplètes de crises, limitées à un simple accès de raidissement ou au contraire de mollesse, à une simple révulsion oculaire, à quelques secousses localisées.

Il existe aussi des formes partielles limitées au visage, survenant en pleine conscience, avec impossibilité de parler, alors que la compréhension reste intacte ; et des crises en rapport avec le sommeil survenant soit à l'endormissement, soit au réveil.

En fonction de l'âge, il faut encore citer chez l'enfant à partir de 3 ans, le « *petit mal* » qui se caractérise par la survenue d'absence : suspension de la conscience pendant quelques secondes ; chez le nourrisson vers 5-6 mois, les spasmes en flexion (voir ce mot).

Bien sûr, l'enfant sujet à des crises d'épilepsie sera suivi et soigné par un médecin, mais il est important de savoir qu'actuellement l'épilepsie chez l'enfant n'est plus une maladie inguérissable, demandant un traitement à vie ; aujourd'hui, elle peut même souvent être considérée comme bénigne et limitée dans le temps.

Il reste quelques formes graves évolutives, difficiles à équilibrer par le traitement, qui devront être prises en charge par des équipes médicales spécialisées.

L'absence de crise pendant trois ans peut faire arrêter progressivement le traitement. Néanmoins, ce traitement doit être suivi avec beaucoup de rigueur sans excepter un seul jour.

Il conviendra également d'organiser à l'enfant une vie régulière, en évitant en particulier le manque de sommeil. Ceci étant, l'enfant épileptique doit recevoir une éducation normale, en évitant en particulier une surprotection, et avoir une scolarisation régulière dans les classes normales de son âge. Une aide psychologique de l'enfant et/ou des parents peut être indiquée dans certains cas.

Les activités habituelles de jeux et les activités sportives sont permises, y compris la natation mais sous surveillance.

Moyennant quoi, dans la plupart des cas, l'enfant épileptique pourra se développer harmonieusement tant au plan psychomoteur qu'affectif.

ÉRUPTION, FIÈVRE ÉRUPTIVE. On réserve ce nom aux maladies infectieuses classiques : rougeole, scarlatine, varicelle, rubéole, roséole, auxquelles s'ajoutent aujourd'hui un certain nombre de maladies « à virus ».

La roséole infantile est une fièvre éruptive sans gravité et de très courte durée.

ÉRYTHÈME FESSIER. Voir *Peau*.

ESSOUFFLEMENT. L'essoufflement rapide, qui empêche l'enfant de jouer normalement, de courir, de se dépenser, est un symptôme à ne pas négliger. Il peut résulter d'une fatigue générale passagère, d'une anémie, mais aussi d'une anomalie cardiaque ou respiratoire. Le médecin dirigera les examens en conséquence.

ÉTOUFFE (L'enfant qui). CORPS ÉTRANGER DANS LES VOIES RESPIRATOIRES. Parfois, il s'agit d'un bébé qui s'est endormi sous ses couvertures et a manqué d'air ; dans d'autres cas, il a avalé « de travers ». L'arrêt de la respiration peut être subit ou progressif. Dans ce dernier cas, l'enfant commence par tousser, puis il respire lentement, bruyamment, d'une respiration rauque ou sifflante ; il bleuit ; enfin, il cesse de respirer.

On trouve le bébé étouffé dans son berceau. Si l'enfant est pâle ou violacé, inerte ou bien agité de mouvements convulsifs : mettez-lui la tête en arrière pour faciliter sa respiration. Si celle-ci ne reprend pas, il faut faire la respiration artificielle. Commencez-la comme indiqué à l'article *Respiration artificielle* et demandez à quelqu'un autour de vous d'appeler un médecin. S'il ne peut venir tout de suite, il faut soit faire transporter l'enfant à l'hôpital le plus proche, soit appeler les pompiers qui viendront avec leur médecin et leur matériel.

L'enfant a avalé de travers. Si l'objet est visible et accessible dans la bouche, on peut essayer de l'enlever avec les doigts, mais avec précaution afin de ne pas repousser l'objet plus en arrière dans la gorge.

En cas d'échec, il était classique de mettre l'enfant tête en bas, et de lui donner dans le dos, à la hauteur de la poitrine, des tapes vigoureuses pour essayer de faire sortir par la bouche ce qui l'empêche de respirer. Actuellement, on conseille d'utiliser plutôt la *manœuvre de Heimlich*.

Manœuvre de Heimlich. C'est donc la méthode actuellement recommandée chez les enfants en état d'asphyxie du fait de la présence d'un corps étranger dans les voies respiratoires. Cette méthode remplace des manœuvres classiques le plus souvent insuffisantes, telles que la suspension de l'enfant tête en bas, les tapes dans le dos, l'introduction d'un doigt dans la gorge, etc.

Le principe consiste à exercer une forte et brusque compression de bas en haut au niveau du creux de l'estomac.

Elle est mieux pratiquée chez l'enfant en position debout ou assise : on se place derrière l'enfant en lui entourant la taille, et on place un poing fermé au niveau du creux de l'estomac au-dessus de l'ombilic ; puis l'autre main est placée sur le poing, et une brusque pression est alors exercée, dirigée vers le haut et l'arrière ; l'air, chassé des

poumons vers la trachée, expulse le corps étranger. Le geste peut être répété plusieurs fois si nécessaire, chaque poussée étant bien séparée de la précédente.

Chez le nourrisson, la pression sera faite par le bout des doigts et avec précaution en tenant compte de la fragilité des os à cet âge.

Si vous n'obtenez pas de résultats, transportez d'urgence l'enfant à l'hôpital *tout en continuant le bouche à bouche*. Tout corps étranger logé dans les voies respiratoires peut causer de graves lésions ; particulièrement les végétaux : cacahuètes, fragments de noix, noisettes, etc.

Sanglots. Au cours d'une crise de larmes, un enfant très émotif (entre 6 mois et 2 ans, rarement plus âgé) peut avoir le « spasme du sanglot ». Ses sanglots se font de plus en plus rapides et saccadés. Il inspire bruyamment, mais une nouvelle série de sanglots survient. Il finit par perdre le souffle.

L'enfant s'immobilise. Il devient violacé et peut même perdre connaissance.

Étendez l'enfant. Tamponnez-lui le front et les tempes avec un mouchoir trempé dans l'eau froide.

Il est très important que vous restiez calme. La respiration reprendra rapidement. Des cris succéderont aux sanglots.

Il est nécessaire de redoubler d'affection avec l'enfant. Mais attention : cela ne signifie pas qu'il faille céder à tous ses caprices. Le danger est que l'enfant, sachant que vous avez peur de le faire pleurer, n'abuse de son pouvoir. Évitez les refus brutaux tout en faisant preuve de fermeté.

Laryngite avec toux rauque. L'enfant tousse d'une toux rauque qui ressemble à l'aboiement de chien. Au milieu de la nuit, il s'assied dans son lit, très gêné pour respirer. C'est parfois très impressionnant et justifie l'appel d'urgence au médecin. (Voir l'article *Laryngite*.)

F

FATIGUE. Depuis des semaines votre enfant est pâle. Il a les yeux cernés, les traits tirés. Il manque d'entrain. Il demande à aller au lit. Il suce son pouce et refuse de jouer. Il n'a pas d'appétit. Pourtant, en apparence, il n'est pas malade, n'a pas de fièvre.

Certes, la fatigue de l'enfant n'est peut-être due qu'à une poussée de croissance — ou au manque de sommeil : il se lève trop tôt pour aller à l'école ou chez sa gardienne, se couche tard, il y a du bruit à la maison (radio, télé...). Mais il se peut aussi que l'enfant soit en train de « préparer » une maladie. Dans l'incertitude, montrez-le au médecin. Un petit bilan, quelques examens, s'ils sont négatifs, vous rassureront.

FIÈVRE. On dit qu'un enfant a de la fièvre quand sa température rectale, prise convenablement (voir *Soigner son enfant*) dépasse 37° à 37°2. En réalité, la température normale varie de 36°5 le matin à 37°5 le soir, et un enfant qui s'est beaucoup dépensé et dont on prend la température sans l'avoir fait se reposer auparavant peut avoir 37°8 le soir.

Qu'est-ce que la fièvre ? C'est la preuve que l'organisme réagit à une agression. Cette agression est en général un microbe ou un virus, mais pas toujours. Il y a, chez le nourrisson, la fièvre de lait sec, due à un régime trop concentré. Il y a des fièvres dues à un chauffage excessif, à la déshydratation lorsqu'on ne donne pas assez à boire au nourrisson ou quand l'atmosphère est particulièrement sèche (chauffage central, vents secs du Midi, etc.).

Quand faut-il prendre la température ? La fièvre est en général le premier signe de maladie que découvrent les parents. En effet le premier geste, lorsqu'on voit qu'un enfant n'a pas d'appétit ou qu'il a les mains chaudes, est de prendre sa température. Ce qui est tout à fait indiqué. Il faut prendre la température d'un enfant chaque fois que quelque chose d'anormal frappe dans son aspect ou sa manière d'être. Mais ce serait une erreur de prendre la température de l'enfant à tout bout de champ, ou de s'alarmer pour quelques dixièmes de plus, si par ailleurs l'état général est bon.

En l'absence de tout symptôme autre que la fièvre, quand faut-il consulter le médecin ?

1° Forte fièvre (39° et plus) : bien qu'une température élevée ne soit pas à elle seule un signe de gravité, il sera souvent prudent, surtout si l'enfant est jeune, de consulter le médecin.

2° Fièvre légère, un peu plus de 37° le matin, 38° le soir : avant de consulter le médecin, considérez l'état général de l'enfant (voir dans *Soigner son enfant* les signes de bonne et de mauvaise santé). Si cet état général est mauvais, voyez le médecin. S'il semble bon, reprenez la température en fin de journée, après avoir obligé l'enfant à un repos absolu d'un quart d'heure, étendu sur son lit. Sans changement ni dans l'état général, ni dans la température, attendez le lendemain. Il y aura probablement un signe supplémentaire. Mais si la fièvre, même légère, durait au-delà de 4 ou 5 jours, consultez le médecin.

3° Au cours d'une maladie, la fièvre s'élève : appelez le médecin. Il est probable qu'une complication soit survenue.

4° Le médecin est venu. Il a prescrit un traitement. Au bout de deux ou trois jours, la fièvre n'a toujours pas baissé. Signalez-le, mais ne vous affolez pas. Laissez au traitement le temps d'agir.

Avant de consulter le médecin, cherchez les autres symptômes. L'enfant a-t-il vomi ? Tousse-t-il ? Une éruption est-elle apparue en quelque point de son corps ? Comment sont sa gorge, sa langue ? Les selles sont-elles normales ? Et l'appétit ?

Ne vous alarmez pas trop d'une brusque poussée de fièvre chez un enfant. Chez les enfants, la température s'élève plus vite et plus haut que chez les adultes. Il ne faut donc pas s'alarmer outre mesure de ce seul symptôme. Une fièvre de 38° qui dure est plus sérieuse qu'une flambée à 40° avec des amygdales rouges. Le thermomètre doit surtout avoir pour but de vous rendre plus vigilant. En outre, certains enfants font facilement de fortes températures, alors que, chez d'autres, la fièvre est rare et peu élevée.

Faut-il faire tomber la fièvre ? Certains parents, dès que le thermomètre monte, veulent un traitement et une amélioration immédiate : ils pensent qu'il faut à tout prix faire tomber la fièvre, car à leurs yeux, la fièvre, c'est la maladie. Cette erreur peut être très dangereuse. Il est vrai qu'avec une fièvre élevée un enfant de moins de 2 ans risque des convulsions (voir ce mot). Il est vrai aussi que la fièvre fatigue. Mais elle n'est en soi qu'un symptôme, une réaction normale de l'organisme.

Une fois la fièvre tombée, ne relâchez pas votre surveillance. N'oubliez pas que la fièvre est comme une petite lampe que la nature allume pour avertir d'un danger. Éteindre la lampe ne dispense pas de chercher pourquoi elle s'est allumée.

Comment soigner l'enfant fiévreux. Je traite longuement cette question dans *Soigner son enfant*.

Après une maladie, ne continuez pas à prendre la température. Le médecin vous a dit : « Vous pouvez recommencer à sortir l'enfant. » Ne continuez pas à prendre sa température : un 37°2 le matin ne doit pas vous faire considérer que la maladie n'est pas terminée, si le médecin vous a dit qu'elle l'est. Le vrai signe que l'enfant est guéri n'est pas le thermomètre à 36°8, mais le retour de l'entrain et de l'appétit.

La température trop basse. Hier, votre enfant avait 39°. Ce matin, il a 36°5. Il arrive qu'après une maladie, et alors que l'enfant est guéri, la température tombe à 36° et s'y maintienne pendant 3 ou 4 jours. Ce n'est pas grave ; c'est la phase d'hypothermie consécutive aux maladies fébriles.

La fièvre inversée. Certains nourrissons ont 37°7 le matin et 37° le soir. Cela correspond souvent à une rhinopharyngite (rhume) latente (voir ce mot).

FONTANELLE. La grande fontanelle, cette zone molle entre les os du crâne du nouveau-né, au-dessus du front, disparaît normalement entre 8 et 18 mois : les os du crâne sont alors soudés. Si la fontanelle subsistait au-delà de 2 ans, il faudrait en parler au médecin.

Vous remarquerez que la fontanelle se tend lorsque l'enfant crie : c'est parfaitement normal. Normal aussi est le battement de la fontanelle, visible et palpable.

La fontanelle doit toujours être plane et élastique. Si elle est bombée et tendue, c'est un signe inquiétant qui fait envisager une atteinte méningée. Si elle est déprimée, elle témoigne d'une déshydratation.

En cas d'accident, si la fontanelle est touchée, il faut aussitôt conduire l'enfant à l'hôpital.

FRACTURES ET LUXATIONS. A l'occasion d'une chute, d'un choc, d'un coup reçu, un os peut être cassé (c'est une fracture), ou bien une articulation peut être déboîtée (c'est une luxation). Peu importe la différence, car les *gestes qu'il faut faire et ceux qu'il ne faut pas faire sont les mêmes* :
● gardez votre calme (un enfant s'inquiète lorsqu'on s'affole autour de lui) ;
● ne remuez pas l'enfant (sauf pour le mettre à l'abri, s'il est dans un endroit dangereux : sur la chaussée par exemple) ;
● si c'est possible, demandez à l'enfant de montrer l'endroit où il a mal ; examinez-le sans le toucher ;
● si vous le pouvez, immobilisez la partie supposée blessée (nous allons voir comment) ; pendant ce temps, demandez à quelqu'un d'appeler : le médecin si l'accident survient à la maison ; Police-Secours, le SAMU ou les pompiers : sur la voie publi-

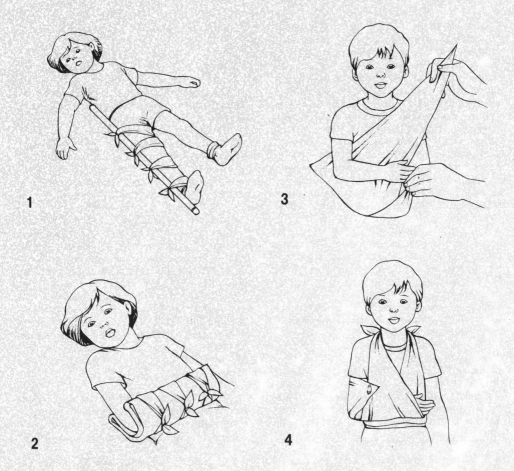

I. Dans la plupart des cas, c'est un membre qui est fracturé.

que, en ville ; la gendarmerie : sur la route, ou à la campagne.

I. Dans la plupart des cas, c'est un membre qui est fracturé.

Cuisse, jambe et cheville. L'enfant tombe en courant, ou est heurté violemment par un pare-choc de voiture par exemple ; il ne peut pas se relever. On voit parfois, malgré les vêtements, que la région douloureuse est *déformée* ; pour s'en assurer, on peut découdre ou découper les vêtements sans remuer la jambe ; en cas de doute, toujours agir comme si c'était une fracture : *ne jamais essayer de redresser la partie blessée.* Caler la jambe et le pied avec des coussins, des oreillers, des couvertures ; si l'enfant s'agite, ou s'il faut le déplacer, immobiliser le membre avec une ou deux attelles (n'importe quel objet long et rigide peut servir d'attelle : un manche à balai, une

planche (fig. 1) ; les attacher par des liens peu serrés et glisser du rembourrage entre l'attelle et le membre).

Clavicule, épaule. Bras, avant-bras, main. L'enfant est tombé sur la main ou le coude, ou le bras a été tordu au cours d'un jeu brutal ; le petit blessé, instinctivement, soutient le membre fracturé dans la meilleure position. Aidez-le en soutenant le bras et la main par une écharpe ou, s'il s'agit de l'avant-bras, du poignet ou du doigt, par une gouttière faite avec un magazine. Ne cherchez jamais à remuer le bras ni à redresser la fracture.

Un cas particulier : si l'os fracturé a déchiré la peau, débarrassez la plaie de toute espèce de vêtement et recouvrez-la de compresses stériles, que vous maintiendrez par du sparadrap appliqué doucement, puis procédez comme indiqué plus haut et en suivant les figures 3 et 4.

II. Le choc peut avoir porté sur la tête, ou dans le dos. Il peut s'agir d'un bébé tombé de sa chaise ; ou encore d'un enfant assis sur le siège avant d'une voiture, ou sur les genoux d'une personne assise à l'avant (le moindre coup de frein projette l'enfant sur le pare-brise ou le tableau de bord, encore que maintenant il soit absolument interdit de mettre un enfant à l'avant). Trois cas peuvent se présenter :

● L'enfant est conscient (il pleure ou répond à vos questions) : ne le remuez pas ; maintenez sa tête dans l'axe du corps sans jamais la pencher ni la tourner (il peut y avoir fracture du crâne, de la colonne vertébrale) ;

● L'enfant est inconscient, mais respire bien, il faut craindre une fracture du crâne (surtout si un peu de sang s'écoule par le nez ou l'oreille) ; placez l'enfant allongé sur le côté, la tête basse et bien calée sur un petit coussin ;

● L'enfant est inconscient et la respiration est arrêtée, pratiquez **immédiatement** la respiration artificielle.

S'il faut déplacer l'enfant, faites-le glisser doucement sur le sol en le tirant par les pieds, pendant que quelqu'un maintient la tête droite.

Il existe enfin d'autres fractures, difficilement repérables (côtes, mâchoire). Allongez l'enfant sur le côté qu'il préférera, en attendant les secours.

Les gestes que nous recommandons seront mieux faits si vous les avez appris, par exemple en suivant un cours de secourisme gratuit comme ceux que la Croix-Rouge française organise chaque année dans ses comités.

FURONCLE. Gros bouton, douloureux, qui s'élève progressivement en devenant rouge. Après plusieurs jours, la peau, au centre, devient mince. On voit du pus sous la peau. Puis le bouton se ramollit et laisse s'écouler une masse blanchâtre. Plusieurs furoncles groupés et qui finissent par ne former qu'un seul bouton sont un *anthrax*.

Les furoncles siègent surtout sur le cuir chevelu, dans le dos, sur les fesses, sur la face postérieure des bras et des jambes. Le furoncle est grave chez le nourrisson parce qu'il signifie qu'un microbe, le staphylocoque doré, a pénétré dans l'organisme. Ce microbe ira peut-être se loger en un autre point de l'organisme : dans l'oreille, les intestins, les voies urinaires, les os, ou dans les voies respiratoires. Les complications qui surviendront risquent alors d'être graves. En attendant le traitement qui sera prescrit, couvrez le furoncle d'une gaze stérile, fixée par un ruban adhésif, pour éviter la propagation de l'infection. (Voir *Abcès*.)

Furoncle chez une personne de l'entourage d'un nourrisson. Ne laissez pas la personne atteinte d'un furoncle s'approcher de votre enfant ni s'occuper de près ou de loin de sa nourriture.

S'il s'agit de la mère, il faut vraiment renforcer les mesures d'hygiène (lavages fréquents des mains, port d'un masque) ; l'allaitement doit être interrompu du côté du sein infecté.

G

GALE. Ne vous croyez pas déshonoré si le médecin vous dit que votre enfant a la gale ; ce parasite est très contagieux ; l'enfant peut l'avoir attrapé n'importe où. Néanmoins, des contacts répétés et étroits (vêtements, literie) sont nécessaires pour attraper la gale ; la contagion se fait donc le plus souvent à l'intérieur de la famille elle-même, ou à l'école. Les lésions entraînent des démangeaisons importantes ; elles siègent aux poignets, aux plis du coude, aux flancs, aux aisselles, autour des mamelons, aux épaules, nombril, parties génitales, fesses, talon d'Achille, plante des pieds.

Aux endroits où le parasite (sarcopte) creuse un tunnel dans la peau et y pond ses œufs, la peau est surélevée, de couleur blanc nacré, ressemblant à un grain de riz précédé d'un petit sillon brun.

On baigne, on brosse et on applique une pommade ou une lotion antiparasite spécifique sur tout le corps.

Il faut lessiver le linge de toute la maison : linge de corps et literie ; faire désinfecter les vêtements (un service municipal s'en charge, s'adresser à la mairie), y compris gants, chaussons, pantoufles.

Il est indispensable que tous les membres de la famille soient examinés et traités, car cela ne sert à rien de soigner seulement l'enfant si dans l'entourage la source de contagion persiste.

GAMMAGLOBULINES. Ce sont des anticorps d'origine humaine qui apportent une protection temporaire (quelques semaines) contre virus et bactéries. Elles peuvent être utilisées en injections intramusculaires pour prévenir la maladie ou l'atténuer. Il existe des gammaglobulines spécifiques utilisées pour des maladies déterminées : rougeole, rubéole, hépatite, coqueluche, tétanos, etc. ; et des gammaglobulines non spécifiques, polyvalentes, que l'on utilise lorsque l'on veut renforcer les défenses immunitaires de l'organisme. Il existe également des gammaglobulines anti-allergiques.

GANGLIONS. Ces petites grosseurs qu'on sent au toucher sous la peau, au cou, sous les oreilles, sous la mâchoire, sous les bras ou à l'aine jouent un rôle dans la fabrication des globules blancs de notre sang, donc dans la défense contre l'infection. Chez les enfants, les ganglions du cou sont souvent gonflés à l'occasion d'une infection locale : rhume, amygdalite, otite, végétations ; ou d'une maladie telle que rougeole, rubéole, etc.

Le gonflement des ganglions s'appelle une *adénite*. Elle peut être cervicale (ganglions du cou), axillaire (des aisselles), ou inguinale (de l'aine). Quand le gonflement apparaît brusquement, qu'il est rouge, chaud et douloureux, c'est une adénite aiguë microbienne. Elle s'accompagne de fièvre. Elle évolue comme un abcès (voir ce mot) qu'il faudra éventuellement inciser. La maladie des griffures de chat (voir ce mot) peut également donner une adénite suppurée (mais non microbienne).

Quand les ganglions existent depuis longtemps, sont durs et indolores, il s'agit d'une adénite chronique, c'est-à-dire permanente. Il faut la signaler au médecin à votre prochaine visite. Les enfants qui, à la moindre maladie, ont les ganglions enflés, sont souvent des enfants pâles, qui se fatiguent vite, manquent de tonus, et qu'on disait lymphatiques (voir ce mot).

Des maladies telles que la rubéole, la mononucléose infectieuse, la toxoplasmose peuvent entraîner une réaction ganglionnaire plus ou moins étendue.

GASTRO-ENTÉRITE. Ce terme est équivalent à celui de *diarrhée aiguë,* qu'elle soit d'origine bactérienne ou virale. Voyez ce mot.

GAUCHER (L'enfant). Si un enfant se sert plus volontiers de sa main gauche que de sa main droite, on en conclut qu'il est gaucher.

Ce n'est pas si simple. Il peut préférer sa main gauche, mais se servir de son œil droit pour regarder à travers une loupe et de son pied droit pour taper dans le ballon.

Il faut observer l'enfant, voir si son œil, sa main et son pied gauches prédominent nettement. La « latéralisation » (côté prédominant) se fait plus ou moins tard, selon les enfants. Tout en l'observant, on doit encourager l'enfant à se servir de sa main droite, en plaçant à sa droite les objets dont il se sert : cuiller, crayon, etc. Il ne faut ni le contraindre, ni lui parler de sa « gaucherie », ce qui pourrait le troubler. Mais avant de le laisser se servir définitivement de sa main gauche, prenez l'avis d'un médecin ou d'un psychologue pour savoir si c'est une vraie gaucherie ou non, car si la tendance actuelle est de ne pas contrarier un gaucher, encore faut-il s'assurer qu'il est vraiment gaucher.

On peut être gaucher et ne pas rencontrer de difficultés dans la vie ; il n'en reste pas moins que notre monde est conçu pour les droitiers : l'écriture (de gauche à droite, en s'éloignant du corps), l'automobile, le cadran du téléphone, et jusqu'aux ouvre-boîtes, etc.

Si l'enfant se sert indifféremment des deux mains, il faut se garder d'intervenir d'une manière ou d'une autre avant la dernière section de maternelle (apprentissage de l'écriture). Par la suite, on essaiera de l'orienter plutôt vers l'utilisation de la main droite.

GAZ INTESTINAUX. Bébé a des gaz : s'il prend régulièrement du poids et que ses selles sont normales, ne vous faites pas de souci. Veillez toutefois à ce que son régime soit bien équilibré, qu'en particulier il ne comporte pas un excès de farineux, de féculents et de sucres (ce qui est fréquent) : ceux-ci entretiennent des fermentations excessives avec ballonnements, parfois diarrhée. Souvent, au contraire, il s'agit d'une constipation (voir ce mot) que quelques mesures simples permettront de supprimer.

GÉNITAUX (Inflammation des organes). Vous avez remarqué que l'enfant portait fréquemment les mains à ses organes génitaux. Chez le petit garçon, le prépuce est rouge, gonflé, parfois collé par une gouttelette de pus ; le phimosis (voir ce mot) favorise ces manifestations ; chez la petite fille, les grandes lèvres peuvent être également irritées et enflammées, et un écoulement est parfois abondant (voir *Vulvite*).

Dans les deux cas, le premier traitement consiste à éviter la macération, en supprimant en particulier les vêtements trop serrés ou mal aérés, en plastique ou caoutchouc par exemple. Il faut aussi se méfier du sable pendant les vacances au bord de la mer. Des bains de siège fréquents avec un savon acide suffiront bien souvent à la guérison ; dans le cas contraire, n'attendez pas pour demander conseil au médecin.

GENOUX QUI SE TOUCHENT (genu valgum). Cette déformation, souvent associée aux pieds plats, vient des muscles et des ligaments, non des os. C'est dire qu'elle n'est pas définitive, mais au contraire habituelle, sinon normale, entre 2 et 5 ans, et qu'elle se corrige spontanément. Si par ailleurs l'enfant est bien portant, ne vous faites aucun souci : c'est seulement le poids de son corps qui l'oblige à se tenir ainsi. Il n'y a donc pas lieu de craindre que l'enfant garde ces déformations.

Ce qu'il faut : pas de marches prolongées ; offrez à votre enfant un tricycle : il développera ainsi les muscles de ses jambes, sans les obliger à porter le poids du reste du corps.

Pour suivre ses progrès, mesurez avec un mètre ruban l'écart qui sépare les chevilles quand les genoux se touchent : d'abord l'enfant étant debout, puis l'enfant étant couché. Vous prendrez de nouveau ces mesures tous les trois mois ; vous verrez l'écart se réduire progressivement.

Cependant, si l'écartement entre les pieds, quand les genoux se touchent, était très accentué (8 à 10 cm) ou s'aggravait, montrez l'enfant à un orthopédiste infantile.

GLUTEN. MALADIE CŒLIAQUE. Le gluten est une protéine contenue dans les farines de céréales, particulièrement le blé, l'orge, l'avoine (mais absente dans le riz et le soja). L'intolérance digestive au gluten entraîne chez l'enfant une diarrhée chronique et un arrêt de la croissance qui surviennent peu de temps après l'introduction de ces céréales dans l'alimentation. Le diagnostic est précisé par une biopsie intestinale (petite intervention sans danger chez le nourrisson de quelques mois).

La guérison est obtenue par un régime qui supprime le gluten, même en quantité minime. Ce régime est à poursuivre plusieurs années avec une grande rigueur sous peine de rechute.

C'est pour éviter ce type d'intolérance qu'on utilise actuellement, pendant les premiers mois, des farines sans gluten.

GRIFFURES. Certains bébés très actifs prennent la fâcheuse habitude de se gratter le visage, jusqu'à se faire des écorchures. C'est une manière pour eux d'explorer leur corps. Vous pouvez leur couper les ongles (pendant leur sommeil c'est plus facile), mais je ne conseille pas de leur mettre des moufles. Ne craignez rien : ces petites écorchures se cicatriseront d'elles-mêmes, elles sont sans danger du moment qu'elles viennent de l'enfant lui-même. Il n'y a rien d'autre à faire.

GRIFFURES DE CHAT (Maladie des). Les griffures du chat peuvent provoquer une maladie par transmission d'un virus. L'incubation varie de 10 à 30 jours. Dans le territoire correspondant à la griffure (par exemple sous le bras pour une griffure à la main) apparaît un ganglion qui finit par suppurer. Il peut durer de un à trois mois et prendre des dimensions importantes. Un traitement antibiotique est efficace et, s'il est institué suffisamment tôt, il empêchera la suppuration.

GRINCE DES DENTS (L'enfant qui). En dormant, certains enfants font entendre un grincement de dents.

Si ce grincement devient habituel, il exprime vraisemblablement un petit trouble psychologique ; il faut faire appel à votre compréhension pour découvrir la cause du trouble : jalousie à l'égard d'un frère ou d'une sœur ? Sentiment d'abandon ? De petits faits souvent passés inaperçus des parents peuvent avoir créé, à un moment quelconque de la première enfance, un certain état de tension, d'angoisse, qui se révèle de cette manière. A force d'affection, cette habitude disparaîtra en même temps que sa cause. Il ne faut donc pas lui accorder une importance exagérée.

GRIPPE. ÉTAT GRIPPAL. C'est le médecin qui doit en faire le diagnostic, car bien des maladies d'enfant débutent à la façon d'une grippe : par des frissons, une brusque poussée de température avec rougeur du visage, une sécheresse de la gorge, des douleurs dans le dos et dans les membres. La toux — sèche et de plus en plus violente — n'est pas davantage un signe qui permette de reconnaître la grippe. Chez le jeune enfant, la diarrhée et les vomissements ne sont pas rares. Souvent, la fièvre décrit, dans sa courbe, deux « clochers », à 24 ou 48 heures d'intervalle.

Ce qui est important, une fois que le médecin aura identifié la grippe, c'est de garder l'enfant au lit et de l'obliger à se reposer pendant les quelques jours de fièvre ; il en aura d'ailleurs envie. Outre le traitement conseillé, faites-le boire souvent : jus de fruits frais, citron pressé.

En période d'épidémie, il faut éviter la fatigue, le refroidissement et les réunions où il y a beaucoup de monde.

Une mère grippée devra laisser les soins de son nourrisson à une autre personne, ou au moins porter un masque. Elle peut cependant (avec un masque) continuer à l'allaiter.

Chez le jeune enfant, la grippe (et les infections virales voisines) peut prendre des formes diverses et de gravités très différentes : simple rhinopharyngite, laryngite, trachéo-bronchite, broncho-pneumonie, bronchite asthmatiforme (voir ces mots). La gêne respiratoire et le retentissement sur l'état général justifieront parfois l'hospitalisation.

La vaccination n'est pas encore d'usage habituel mais tend à se répandre.

GUTHRIE (Test de). Il permet de déceler la phénylcétonurie (voir ce mot). Il est réalisé sur une goutte de sang prélevée au doigt ou au talon, par simple piqûre, non douloureuse. Il doit être exécuté à la maternité, avant la sortie de l'enfant.

H

HANCHE LUXABLE. La luxation congénitale de la hanche est relativement fréquente dans certaines régions (Bretagne et Auvergne) et dans certaines familles ; elle atteint surtout les petites filles.

L'accouchement par le siège est considéré comme une cause favorisant la tendance à la luxation.

A la naissance, l'extrémité supérieure de l'os de la cuisse (fémur) n'est pas complètement formée. C'est durant la première année que cette extrémité va s'ossifier en se moulant dans une cavité de l'os du bassin. Mais il peut arriver que cette cavité soit malformée : trop plate, ou trop inclinée ; l'extrémité supérieure de l'os de la cuisse peut en sortir aisément : c'est ce qu'on appelle la hanche luxable. Pour éviter cela, le traitement est simple et efficace : le langeage cuisses écartées grâce à un petit « coussinet d'abduction », ou mieux, une culotte spéciale (harnais de Pavlick) que le bébé portera jusqu'à 6 mois environ. Une radiographie, vers 3-4 mois, contrôlera le plus souvent que la guérison a été obtenue.

Comment sait-on si le nouveau-né a une (ou des) hanche luxable ? Cette recherche (le signe du ressaut) fait partie du premier examen médical, à la naissance ; elle est faite systématiquement chez tous les nouveau-nés. Une radio du bassin est faite au moindre doute ; elle n'est pas toujours très explicite ; c'est pourquoi, si le signe du ressaut a été constaté à la naissance, on lange le bébé en abduction.

Si la possibilité de luxation est méconnue, alors la luxation proprement dite se constitue, des déformations définitives vont se produire, entraînant une gêne considérable et nécessitant une intervention chirurgicale difficile.

HANDICAP (L'enfant handicapé). On appelle handicaps les déficiences qui peuvent affecter et diminuer différents aspects de la personnalité de l'enfant : handicap intellectuel, handicap moteur, handicap sensoriel portant sur la vue, sur l'audition, etc.

Les signes d'alarme. Pour traiter ces handicaps, on insiste actuellement sur la nécessité de les reconnaître aussi précocement que possible dans les premières semaines ou mois de la vie. En réalité, ces dépistages restent souvent difficiles si tôt. On peut cependant envisager des signes d'alarme ; mais ces signes, reconnus par les parents eux-mêmes ou par le médecin, ne prennent leur véritable signification qu'en fonction de leur évolution dans le temps et de leur association avec différents autres symptômes ; le diagnostic de handicap, sauf cas évident, ne peut résulter d'un seul examen, mais seulement de la comparaison d'examens successifs.

En ce qui concerne en particulier le développement psychique et moteur, il faut bien comprendre que, en fonction des stades par lesquels passe le nourrisson, ce qui est normal à un âge ne l'est plus à l'autre, et inversement. C'est une des raisons qui rendent si utiles les examens conseillés tous les mois pendant la première année.

Ces signes d'alarme qui, selon les cas, s'effaceront ou se préciseront avec le temps, porteront par exemple sur la persistance de certaines réactions et de réflexes normaux durant les trois premiers mois, mais qui doivent s'effacer par la suite (c'est le cas du réflexe de Moro) ; une anomalie peut également concerner le tonus musculaire selon l'âge : normalement l'hypertonie des premiers mois est remplacée par une hypotonie. Un autre signe d'alarme peut venir de l'absence de certaines acquisitions, par exemple la tenue de la tête, le retard de la station assise, etc.

Mais dans tous ces domaines, on ne tiendra compte que d'anomalies qui dépasseront largement les délais normaux moyens. Une attention particulière sera également donnée aux anomalies du comportement : anomalies de la motricité spontanée (mouvements, gestes, postures), de l'activité en général, du contact avec l'entourage et des réactions à l'environnement.

On insiste actuellement sur les déficiences sensorielles qui ont été longtemps considérées comme d'identification difficile chez le très jeune enfant : déficience visuelle que l'on s'efforcera de reconnaître très tôt en étudiant la réaction du nourrisson à la lumière vive, et la poursuite oculaire d'objets colorés ; déficience auditive qui peut être abordée de plus en plus précocement grâce à des techniques spéciales (voir *Strabisme, Surdité*).

Si votre enfant est handicapé. D'emblée à la naissance, ou à la suite d'examens successifs, on a diagnostiqué que votre bébé était un enfant handicapé. Ou encore, il se développe mal dans les premiers mois et, semaine après semaine, le diagnostic, révélé plus tardivement, devient évident. Le choc que vous subissez, les épreuves que vous traversez alors, qui pourrait les atténuer ou vous soulager ?

Pourtant, il est important que vous soyez aidés et conseillés très vite. Pour vous, bien sûr, mais aussi pour votre enfant. Car, pour la plupart des handicaps, une prise en charge précoce est bénéfique : l'assistance éducative des tout-petits ayant un handicap sensoriel, moteur ou mental, a fait de grands progrès, et votre enfant doit en bénéficier.

Bien sûr, quand on découvre un handicap chez son enfant, la tendance est parfois de se replier sur soi-même, ou de se replier sur l'enfant pour le protéger, pour se protéger. Il y a une sorte de réaction qui refuse le contact avec l'extérieur car on sent plus ou moins consciemment que l'extérieur ne recherche pas le contact. A ce point de vue, il y a souvent un effort important à faire mais qui est nécessaire pour l'enfant et pour soi-même. D'ailleurs heureusement aujourd'hui, les mentalités sont en train de changer : par exemple les crèches, les écoles maternelles s'ouvrent aux enfants handicapés, à leur famille. Et les aides extérieures sont nombreuses, les consultations hospitalières des services de pédiatrie spécialisée donnent les conseils nécessaires, ainsi que les centres de protection maternelle et infantile et les centres d'action médico-sociale précoce. Nous ne pouvons pas détailler ici tout ce qui peut être fait pour votre enfant et pour vous, tant chaque cas est particulier, mais ne restez pas sans vous informer. Pour cela.

l'Association *Formation assistance éducative et recherches* (F.A.E.R.), 33, rue du Colonel-Rozanoff, 75012 Paris, tél. : 43.47.31.25, est particulièrement bien documentée, d'autant qu'elle se situe dans le prolongement du *Centre d'Assistance éducative du tout-petit* (27, rue du Colonel-Rozanoff, 75012 Paris) qui est le premier centre d'action médico-social précoce créé en France.

Sous peine de transformer ce livre en un dictionnaire, nous ne pouvons donner ici les adresses pour toute la France. Voici donc les sièges des principales associations qui vous fourniront une adresse dans votre département.

Associations dont la vocation est de fournir une documentation et des adresses dans tout le domaine de l'action sociale :
— C.E.D.I.A.S., Centre de documentation, d'information et d'action sociale, 5, rue Las Cases, 75007 Paris, 45.51.66.10.
— C.T.N.E.R.H.I., Centre technique national d'études et de recherches pour les handicaps et les inadaptations, 27, quai de la Tournelle, 75005 Paris, 43.29.65.10.

Associations nationales spécialisées par handicap :
— U.N.A.P.E.I., Union nationale des associations de parents d'*enfants inadaptés*, 15, rue Coysevox, 75018 Paris, 42.63.84.33.
— Fédération nationale des associations de parents d'*enfants déficients visuels*, 28, place Saint-Georges, 75442 Paris Cedex 09, 45.26.73.45.
— Union nationale pour l'insertion sociale des *déficients auditifs*, 20, rue Thérèse, 75001 Paris, 42.65.95.80.
— Association des *paralysés de France*, 17, bd Auguste-Blanqui, 75013 Paris, 45.80.82.40.
— Association nationale des *infirmes moteurs cérébraux*, 33, rue Blanche, 75009 Paris, 48.74.53.33.
— Association de placement et d'aide pour *jeunes handicapés (mentaux)*, 18-20, rue de Ferrus, 75014 Paris, 45.81.12.17.
— Union nationale des familles de *malades mentaux et de leurs associations*, 8, rue de Monthyon, 75009 Paris, 45.23.19.59 et 47.70.11.98.
— Association d'étude et d'aide aux *enfants amputés congénitaux*, 26, rue H.-Simon, 78000 Versailles, 49.50.81.71.

— Association nationale des *cardiaques congénitaux*, 8, rue de Kervégan, 44000 Nantes.

— Association française des *diabétiques*, 5 *ter*, rue d'Alésia, 75014 Paris, 45.89.29.90.

Comment obtenir une aide. Pour obtenir une aide, les parents d'enfants handicapés doivent d'abord s'adresser à leur caisse d'allocations familiales. A défaut d'intervention de cet organisme, il peut être fait appel à l'Aide sociale.

● **L'allocation d'éducation spéciale.** Cette allocation, accordée par les caisses d'allocations familiales sur une décision d'une Commission départementale d'éducation spéciale qui appréciera l'état de l'enfant, est versée pour compenser le « surcroît éducatif » occasionné par tout enfant handicapé n'ayant pas dépassé 20 ans.

Conditions à remplir. Peut obtenir cette allocation :

— Soit l'enfant qui a une incapacité permanente égale à un pourcentage de 80 % au moins, et qui n'a pas été admis dans un établissement d'éducation spéciale, ou pris en charge au titre de l'éducation spéciale. Un complément d'allocation sera versé et modulé suivant les besoins, pour l'enfant atteint d'un handicap dont la nature et la gravité exigent des dépenses particulièrement coûteuses.

— Soit l'enfant handicapé, qui est admis dans un établissement, ou pris en charge par le service d'éducation spéciale ou de soins à domicile.

Cette allocation ne sera pas versée si l'enfant ne présente qu'une infirmité légère, ou s'il est placé dans un internat et que les frais de séjour sont pris intégralement en charge par l'assurance maladie, l'État, ou l'Aide sociale. Pour bénéficier de cette allocation, il n'y a pas de conditions de ressources pour la famille.

Montant :
a) de l'allocation : 544,06 F par mois ;
b) du complément :
● pour la 1re catégorie, c'est-à-dire pour un enfant ayant besoin de l'aide constante d'une tierce personne : 72 % de la base mensuelle fixée pour le calcul des A.F., soit 1 224,13 F ;
● pour la 2e catégorie, c'est-à-dire pour un enfant ayant besoin de l'aide quotidienne d'une tierce personne, mais d'une aide discontinue : 24 % de la base ci-dessus, soit 408,04 F.

A noter : certains enfants ayant besoin d'une aide discontinue, parce qu'ils sont placés en internat, peuvent obtenir le complément 1re catégorie s'ils ont une incapacité de 80 % au moins.

● **L'allocation compensatrice** est accordée à tout handicapé qui ne bénéficie pas d'un avantage analogue au titre de la Sécurité sociale, si le taux d'incapacité permanente est d'au mois 80 %.

Les jeunes handicapés de 16 à 20 ans qui n'ont plus droit aux allocations familiales, et qui ont un taux d'incapacité de 80 %, peuvent obtenir cette allocation si leur situation nécessite une aide.

Montant : il est variable suivant l'aide nécessaire au bénéficiaire. Le maximum est de 42 619,75 F.

Ressources : le plafond à ne pas dépasser est le suivant :
● 31 770 F pour une personne seule ;
● 63 540 F pour une personne mariée, plus 15 885 F par enfant à charge.

A ces sommes, il faut ajouter le montant de l'allocation attribuée.

A noter : si la personne handicapée travaille, pour le calcul des ressources, on ne prend en compte que le quart des ressources provenant de son activité salariée.

Les personnes ayant sous leur toit un enfant ou un adulte handicapé peuvent obtenir l'allocation logement à caractère familial. Votre caisse d'allocations familiales vous précisera les conditions.

● **Aide médicale** (*ancienne Assistance médicale gratuite*). Cette aide, limitée aux soins médicaux et pharmaceutiques, aux frais de prothèse et d'appareillage et aux frais de placement dans les services hospitaliers ou les centres de réadaptation fonctionnelle, peut être accordée pour les enfants dont les parents sont dépourvus de ressources.

Tous les enfants handicapés peuvent obtenir à la mairie une carte d'invalidité ou de cécité qui leur donne droit à des places réservées dans les transports en commun. Avec cette carte, les parents seront exonérés de la vignette auto, et auront droit à une demi-part supplémentaire pour le calcul des impôts sur le revenu.

HÉMORRAGIE.

Blessure légère. *L'enfant s'est coupé, est tombé, s'est égratigné, etc., la blessure saigne.* Lavez soigneusement à l'eau et au savon si vous pensez que des débris (terre, etc.) peuvent se trouver dans la plaie. Désinfectez ensuite en badigeonnant au mercurochrome. Enfin, pansez : pansement adhésif vendu tout préparé en pharmacie, ou pansement à l'aide d'un tampon de gaze et d'un bandage. (Ne pas serrer trop fort : la plaie doit « respirer » pour se cicatriser et le sang doit circuler à l'intérieur du membre.)

Une hémorragie à la suite d'une coupure peut être stoppée si l'on appuie sur la plaie avec le doigt pendant quelque temps. Ensuite, vous badigeonnerez de mercurochrome et vous mettrez un pansement adhésif.

Hémorragie par blessure grave. *L'enfant s'est coupé profondément avec du verre, un couteau, etc.* Dégagez la blessure en ôtant, en déchirant ou même en coupant les vêtements. Enlevez les débris (verre, métal, graviers, etc.) qui se trouvent près de la blessure, mais ne touchez pas à ceux qui sont enfoncés dans la plaie.

Ne cherchez pas à désinfecter la blessure. Posez sur la plaie un gros pansement et appuyez fortement. (Le vaisseau est alors comprimé sur le plan résistant que forme l'os.) Continuez à presser pendant cinq minutes au moins. Fixez ensuite solidement le pansement avec des bandes. Si vous n'avez pas de pansement, utilisez un tampon formé par un mouchoir, une serviette, etc., propres de préférence ; mais même si vous n'avez pas un tissu propre, n'hésitez pas : *arrêtez d'abord l'hémorragie, l'infection est secondaire.*

Il est difficile dans la pratique de distinguer une artère d'une veine. Généralement :
- *veine sectionnée* : le sang s'écoule en nappe, il est rouge sombre ;
- *artère sectionnée* : le sang jaillit en gros jet saccadé. Il est rouge vif.

Si le pansement indiqué ci-dessus ne suffit pas à arrêter l'hémorragie, dans le cas d'une artère sectionnée, plutôt que de faire un garrot (à moins que vous n'ayez des notions de secourisme), comprimez avec le pouce l'artère sectionnée *au-dessus* de la plaie, c'est-à-dire entre celle-ci et le cœur, et transportez d'urgence l'enfant à l'hôpital.

Saignement de nez sans raison apparente. On essaiera d'arrêter le saignement en introduisant dans la narine qui saigne de la gaze, ou bien de l'éponge hémostatique stérile (vendue en pharmacie), et en comprimant avec le doigt l'aile du nez. Si le saignement persiste, il faudra voir le médecin.

Lorsqu'un enfant a fréquemment des saignements de nez, il faut en parler au médecin, car il peut s'agir d'une dilatation de vaisseaux de la muqueuse nasale, ou, parfois, d'un trouble de la coagulation du sang.

Sang dans les selles. Voir *Selles*.

HÉPATITE VIRALE. Elle est fréquente chez l'enfant. Le début est souvent très progressif et peu évocateur. L'enfant a mal au ventre, vomit, perd l'appétit, semble fatigué, parfois s'ajoute une éruption (genre urticaire). A ce stade, le diagnostic peut être fait par un examen sanguin : le dosage des transaminases qui sont élevées. Au bout de quelques jours, la coloration jaune plus ou moins intense de la peau apparaît tandis que les urines peu abondantes sont foncées et les selles décolorées. Des examens de laboratoire (recherche d'anticorps) préciseront quel virus est en cause.

L'hépatite virale A est de loin la plus fréquente. Son évolution est toujours simple, sans complications. La maladie dure quelques jours, ou au maximum 2-3 semaines.

Le traitement se borne au repos à la maison, mais sans maintien au lit obligatoire ; pour le régime, suivez l'appétit de l'enfant en réduisant simplement la part des graisses.

Le virus se transmet par voie digestive et la contagion se fait par les selles. La prévention se fera par des mesures simples : hygiène des mains, des objets de toilette et de table.

Il est possible d'empêcher l'hépatite virale avec des gammaglobulines standard ; cette injection doit être faite dans la semaine qui suit le contact avec une personne atteinte de cette maladie.

L'hépatite à virus B est plus rare et son évolution peut être plus longue. La transmission se fait par le sang. Lorsqu'un enfant a été en contact avec un malade ayant une hépatite à virus B, la prévention peut se faire également par des immunoglobulines spécifiques.

Il existe un *vaccin* contre l'hépatite B ; il est utilisé essentiellement chez les personnes à risque (par exemple les infirmières).

Un cas particulier : l'hépatite du nouveau-né (hépatite à virus B). Si la mère a contracté la maladie (particulièrement au cours du troisième trimestre de la grossesse), l'hépatite sera transmise directement à l'enfant au cours de l'accouchement.

L'hépatite néo-natale ne se manifeste qu'après un délai de 2 à 3 mois après la naissance. L'évolution est habituellement simple, mais l'enfant reste porteur du virus et est contagieux. Si la mère a été reconnue atteinte, l'enfant recevra dès la naissance des gammaglobulines spécifiques, et la vaccination sera commencée.

HERNIE.

Hernie ombilicale (au nombril). Chez certains nouveau-nés, l'ombilic fait une saillie, qui augmente de volume quand le nourrisson crie. Le médecin vous rassurera, car ces hernies disparaissent d'elles-mêmes et ne s'étranglent jamais. Il vous conseillera un petit système de compression. Le plus simple est souvent le meilleur : une pièce de monnaie dans une gaze, appliquée par un ruban adhésif. Cependant, si la hernie est de très gros volume, ou si elle persiste après quelques années, une intervention chirurgicale sera indiquée.

Hernie inguinale *(au pli de l'aine, c'est-à-dire au bas du ventre, à droite ou à gauche des organes génitaux).* Si une boule dure apparaît (elle peut parfois s'engager dans les bourses), montrez l'enfant au médecin. Il imposera peut-être d'abord le port d'un bandage. Une intervention chirurgicale bénigne (quelques jours de clinique ou d'hôpital) sera peut-être nécessaire ultérieurement.

Cette hernie est surtout fréquente chez les garçons. Elle peut cependant survenir chez la fillette. Il s'agit alors d'une hernie de l'ovaire, qui doit être opérée sans attendre.

Hernie étranglée. Si la hernie devient dure, douloureuse, ne rentre plus, la hernie est étranglée. Un bain chaud et l'administration d'un calmant peuvent encore permettre de la réduire. Dans le cas contraire, l'intervention chirurgicale d'urgence est nécessaire.

HERPÈS. Bouquet de boutons rougeâtres, puis ampoules claires, grosses comme des têtes d'épingle, rondes et brillantes et à base rouge. Les ampoules se dessèchent rapidement, se recouvrent de petites croûtes brunâtres et guérissent en 10 jours. L'herpès se localise principalement à deux endroits : bouche et œil d'une part, herpès génital d'autre part ; ce dernier est actuellement très fréquent.

Attention à l'herpès dans l'entourage d'un nourrisson : l'herpès est dû en effet à un virus très contagieux et qui peut déterminer chez le nouveau-né une maladie grave, atteignant notamment le système nerveux. Une personne atteinte d'herpès devra donc éviter tout contact avec un nourrisson. Des mesures particulières sont prises lorsqu'une femme enceinte est atteinte d'herpès : césarienne en cas d'herpès génital, hygiène stricte si elle allaite.

Chez l'enfant, l'infection herpétique se manifeste par une poussée d'aphtes buccaux (voir *Stomatite*). L'herpès peut aussi accompagner d'autres affections : la pneumonie par exemple.

HOMÉOPATHIE. Les traitements homéopathiques sont de plus en plus fréquemment utilisés chez l'enfant.

Ils sont basés sur la constatation qu'un même médicament qui, chez une personne saine entraîne certains symptômes, guérit les mêmes symptômes chez une personne malade. De plus, les substances utilisées en homéopathie agissent en quantités faibles, très diluées, même à doses infinitésimales (sans que le mécanisme soit d'ailleurs bien compris).

Les médicaments utilisés en homéopathie sont d'origine végétale (par exemple aconit, belladone, arnica, etc.), plus rarement animale (apis, cantharis), ou bien ce sont des substances chimiques simples (argent, mercure, antimoine, phosphore, cuivre, etc.).

L'homéopathie a le mérite d'être une thérapeutique douce et d'application facile, donnée sous forme de petites granules à laisser fondre dans la bouche. L'homéopathie est donc bien adaptée à l'enfant et, de plus, n'offre aucun danger de toxicité. L'homéopathie a, en outre, l'intérêt de traiter non seulement le ou les symptômes, mais aussi de tenir compte de l'individualité du malade : en effet, elle met au premier plan la notion de terrain constitutionnel, de tempérament, de prédisposition à tel ou tel type de maladie.

L'efficacité de l'homéopathie a été constatée dans de nombreuses maladies aiguës ou chroniques, particulièrement dans des cas où les médicaments classiques se sont montrés insuffisants (par exemple les rhinopharyngites à répétition et l'asthme).

Il est donc tout à fait possible que les traitements homéopathiques soient utilisés en complément des traitements classiques (allopathiques), de préférence par des pédiatres ayant acquis une compétence en ce domaine.

HOQUET CHEZ LE NOURRISSON. Voir p. 77.

HOSPITALISATION. Voir *Si l'enfant doit aller à l'hôpital* (page 322) et l'article *Opération chirurgicale.*

HYPERTENSION ARTÉRIELLE. Bien que rare, l'hypertension artérielle peut se voir chez le nourrisson et l'enfant ; le plus souvent, elle a des causes diverses (avant tout rénales), mais elle peut être aussi sans cause décelable, comme chez l'adulte.

La prise de la pression artérielle est difficile chez l'enfant en raison de l'agitation et de la réaction émotive ; cependant elle tend à devenir un geste de plus en plus couramment effectué lors de l'examen du médecin. Il est surtout important de savoir que les résultats obtenus doivent être interprétés avec beaucoup de précaution : tout chiffre qui pourrait paraître anormal sera vérifié à plusieurs reprises et dans les meilleures conditions (calme, repos, mise en confiance, etc...) et confronté aux normes qui varient en fonction du sexe, de l'âge et de la taille.

HYPOSPADIAS. L'orifice (méat) urinaire, au lieu d'être situé normalement, se trouve à la face inférieure de la verge. Une intervention est nécessaire.

HYPOTROPHIQUE (L'enfant). L'hypotrophie du nourrisson est définie comme une croissance insuffisante, particulièrement en poids. Il est rare en Europe que la cause en soit une insuffisance alimentaire (malnutrition), les causes habituelles étant les infections répétées ou prolongées (otites, infections urinaires, etc.), les malformations d'organes (cœur, reins, etc.), et les troubles de la digestion et de l'absorption intestinale (mucoviscidose, intolérance à certains constituants du lait, intolérance au gluten — qui est une protéine contenue dans les farines de céréales).

Cas particulier : le nouveau-né hypotrophique peut être un enfant prématuré, ou un enfant dont la durée de gestation a été normale, mais qui naît avec un petit poids (inférieur à 2 500 grammes) et une petite taille. On parle dans ce cas de retard de croissance intra-utérin dont les causes sont multiples : maternelles (infection, toxémie, intoxication médicamenteuse, abus du tabac), ou placentaires.

I-J

ICTÈRE DU NOUVEAU-NÉ. Le troisième jour qui suit la naissance, de nombreux bébés prennent une couleur orangée plus ou moins accentuée. C'est l'ictère du nouveau-né, incident bénin dont la cause est connue.

En naissant, le bébé apporte avec lui une réserve de globules rouges (ces cellules qui dans le sang servent à transporter l'oxygène). Cette réserve de globules rouges lui sert à « faire la soudure », lorsque, privé brusquement du sang maternel, il se met à vivre en circuit fermé, avec son propre sang et son propre oxygène. Le circuit sanguin étant ouvert et les poumons déployés, il doit détruire une partie de ses globules rouges. Chez la plupart des bébés, l'élimination se fait sans histoire, grâce à la rate et au foie. Chez les autres, le foie, pas encore tout à fait mature, ne peut éliminer la totalité des déchets (bilirubine) provenant de cette destruction globulaire. Ces « pigments biliaires » s'accumulent dans le sang, déterminant la jaunisse (ou ictère) du nouveau-né, qui s'efface habituellement en quelques jours. La lumière accélère cette baisse de l'hyperbilirubinémie ; c'est pourquoi le nouveau-né qui a la jaunisse sera parfois mis « sous lampe » (photothérapie blanche ou bleue).

IMPÉTIGO. Cette infection microbienne de la peau chez le nourrisson est due à un staphylocoque ou à un streptocoque. Elle débute par une petite bulle, qui s'étend en quelques heures, puis se ride. Elle est cernée d'un halo rouge. Très vite, la bulle se rompt : il en sort un liquide trouble, poisseux, qui se dessèche et produit des croûtes jaunâtres, friables comme de la cire d'abeille, puis brunâtres. C'est l'aspect que vous constaterez habituellement.

L'impétigo atteint souvent le visage — autour du nez, de la bouche — et le cuir chevelu. L'intérieur de la bouche peut être également infecté (stomatite). Les croûtes sont parfois très épaisses. L'impétigo est très contagieux : l'enfant s'infecte lui-même par les doigts et propage les lésions ; de plus il transmet l'infection aux autres enfants par contact direct.

Le médecin prescrira un traitement local et insistera sur la nécessité de l'isolement. La réussite du traitement réside dans l'application de préparations médicamenteuses sur les lésions, et non sur les croûtes. Celles-ci doivent donc être enlevées préalablement. On y parviendra par la mise en place de compresses vaselinées qui les ramolliront.

INDIGESTION, EMBARRAS GASTRIQUE. Chez le nourrisson, comme chez l'enfant plus grand, il est bien difficile de donner une définition précise de l'embarras gastrique car des symptômes courants comme les vomissements, les douleurs abdominales ou la fièvre peuvent avoir des causes nombreuses et diverses ; ces causes vont de la plus banale indigestion à l'hépatite virale, en passant par la crise d'appendicite aiguë. C'est pourquoi la vigilance s'impose : après 24 heures d'attente et d'observation, il sera prudent d'appeler le médecin.

INFECTION URINAIRE. Chez le nourrisson, l'infection de l'appareil urinaire est fréquente. Il ne faut pas s'attendre aux symptômes habituels chez l'adulte (brûlures, envies fréquentes d'uriner, etc.). Au contraire, l'infection urinaire de l'enfant s'accompagne de peu de symptômes, ou bien ceux-ci sont trompeurs : elle se manifeste le plus souvent par des accès de fièvre, et c'est l'absence d'autre cause à cette fièvre (rhinopharyngite par exemple) qui attirera l'attention. Souvent également, c'est un mauvais état général avec manque d'appétit, pâleur, prise de poids insuffisante, douleurs abdominales.

C'est l'analyse d'urine [1] qui permettra de reconnaître l'infection, et le médecin la demandera systématiquement devant tout état maladif mal caractérisé. Un traitement antibiotique sera prescrit, et il ne faudra pas vous étonner s'il est prolongé plusieurs mois, et si des examens d'urine de contrôle sont périodiquement répétés. L'infection urinaire est en effet sujette à se reproduire et la guérison définitive est parfois difficile. Cette répétition est souvent due à la présence d'une malformation des voies urinaires. C'est pourquoi on vous demandera de faire, même chez le petit nourrisson, une radiographie des voies urinaires. Si une anomalie est ainsi révélée, le traitement est plus complexe, et vous serez adressé à un spécialiste urologue. Le reflux de l'urine à contre-courant de la vessie vers le rein est une cause d'infection à répétition (reflux vésico-urétéro-rénal).

INTOXICATION. Voir *Empoisonnement.*

INVAGINATION INTESTINALE AIGUË. Cela veut dire qu'une partie de l'intestin rentre, se replie sur elle-même, à la manière d'un télescope.

C'est une urgence chirurgicale propre au nourrisson, dont nous avons parlé à l'article *Cris* parce qu'elle provoque des crises très douloureuses, avec altération de l'état général et pâleur, séparées d'accalmies complètes.

Le début est brusque : un bébé en pleine santé tout d'un coup refuse le biberon ; puis les crises se succèdent ; huit ou douze heures plus tard, apparaît une selle mêlée de sang, ou une petite émission de sang. Devant ces symptômes, il est urgent de transporter l'enfant à l'hôpital. Si le diagnostic est confirmé par les radios du côlon, l'intervention chirurgicale sera faite rapidement. Cette intervention est destinée à « réduire » l'invagination. Il est possible que cette réduction se fasse spontanément, ou lors de l'examen radiologique, mais il sera toujours nécessaire de le vérifier chirurgicalement.

JAMBES ARQUÉES.

Durant les 6 premiers mois. C'est la plupart du temps sans gravité. Les jambes sont normalement arquées dans la position du fœtus. Elles se redressent peu à peu. Elles seront droites quand l'enfant se mettra à marcher.

A l'âge de la marche. Le rachitisme est une cause bien connue des jambes arquées, mais non la seule (voir *Rachitisme*). Plus fréquemment de nos jours, les jambes arquées peuvent se voir chez des enfants lourds ou ayant marché tôt. Le sommet de la courbure se situe alors au niveau du genou, alors que dans le rachitisme c'est la partie inférieure de la jambe qui est déformée.

Il est inutile de faire porter des semelles orthopédiques à un enfant aux jambes arquées. Évitez simplement de faire marcher l'enfant trop longtemps.

Seuls des cas très accentués nécessitent de véritables traitements orthopédiques.

JUMEAUX. Comme il s'agit souvent d'enfants de petit poids — au moins pour l'un d'entre eux —, les mêmes problèmes que pour les prématurés vont se poser. Voir *Prématuré.*

Un point particulier est le risque d'une anémie par manque de fer : les deux bébés se partagent les mêmes réserves de fer qu'un nourrisson a normalement pour lui seul ; ces réserves seront donc vite épuisées, et dès les premières semaines un apport de fer est donc indispensable.

Sur les jumeaux, voyez aussi les pages 427 et suiv.

1. Comment recueillir les urines ? Voir page 296.

L

LANGAGE (Retard du). L'absence de langage organisé (association de deux mots) au-delà de trois ans n'est pas normale et doit amener à se poser différentes questions.

Il faut d'abord s'assurer que l'enfant entend bien ; pour cela le médecin fera un examen de l'audition (voir *Surdité*). Il peut s'agir d'une surdité légère partielle, limitée au niveau de la conversation normale, et qui a pu tout à fait passer inaperçue.

En second lieu, un handicap mental doit être éliminé en observant le comportement de l'enfant, ses jeux, son niveau de compréhension ; au besoin le médecin fera préciser le niveau intellectuel de l'enfant par des tests psychologiques adaptés.

Enfin, l'absence de langage peut, dans quelques rares cas, être le témoin d'un trouble grave du développement de la personnalité et de difficultés majeures avec l'entourage.

Ces différentes possibilités éliminées, il s'agit d'un retard simple du langage : l'enfant a une compréhension parfaite et un comportement normal, mais il n'émet que quelques mots plus ou moins bien articulés sans les associer entre eux, sans phrase, même simple. Les raisons en sont mal connues, on a parfois invoqué un manque de stimulation, des problèmes affectifs, etc. Le retard de langage est en général rapidement rattrapé, mais il peut nécessiter une rééducation en raison des difficultés qu'il peut entraîner, particulièrement à l'école.

LANGAGE (Troubles du). Voir *Bégaiement* et *Zézaiement*.

LARYNGITE. Dans le vocabulaire courant, la laryngite est un accident sans gravité, une inflammation de la gorge qui fait un peu tousser et qui casse la voix.

Or chez l'enfant, avoir une toux rauque, aboyante, une gêne pour respirer, c'est aussi une laryngite, mais le pronostic est différent.

Il y a deux sortes de laryngites de l'enfant ; l'une est plus grave que l'autre, mais elles sont difficiles à distinguer au début, même le médecin aura de la peine à les différencier. C'est pourquoi il est recommandé d'emmener l'enfant à l'hôpital.

● Le « faux croup » (ou laryngite striduleuse) : le début est brusque, le plus souvent la nuit, et la gêne est impressionnante. Il s'agit d'un spasme laryngé qui disparaît en quelques heures mais qui a tendance à se répéter. (Voir page 240 *Laryngite avec toux rauque.*)

● L'autre forme de laryngite est provoquée par un virus (c'est la laryngite œdémateuse infectieuse virale). Le début est moins brusque que dans le cas du « faux croup », mais l'évolution est plus grave et nécessite surveillance et traitement précis à l'hôpital.

LEINER-MOUSSOUS (Maladie de). Il s'agit d'une maladie de la peau débutant dès les premières semaines de la vie. Cette maladie est dite *bipolaire* car elle associe un érythème des plis fessiers et des lésions du cuir chevelu.

Le début se fait au niveau des plis de l'aine ; la peau, à cet endroit, a un aspect brillant : elle suinte. L'inflammation gagne les fesses, les organes génitaux, l'intérieur des cuisses, l'abdomen. Toute la région du siège est atteinte. Alors la maladie apparaît à l'autre pôle du corps : la tête. Dans le cuir chevelu et sur les sourcils, on voit des croûtes jaune brunâtre et grasses, qui tombent facilement et sous lesquelles la peau est légèrement rouge. Tous les plis (cou, derrière les oreilles, aisselles) peuvent être atteints ; si le mal s'aggrave encore, tout le corps se couvrira de squames (peaux) grasses.

L'enfant n'a pas de fièvre. Son état général n'est pas sensiblement modifié, si ce n'est que certains enfants ont des selles fréquentes. Il ne faut cependant rien modifier dans l'alimentation sans prescription du médecin.

En ce qui concerne les soins, il faut nettoyer les plis et les régions qui pèlent, deux fois par jour, à l'huile d'olive ou d'amandes douces ; et les laver au savon acide. Le médecin prescrira des solutions colorantes, des pommades antiseptiques.

Pour hâter la guérison, il faut que l'enfant soit le plus au sec possible. Alors deux solutions : ou le changer très souvent ou, plus simple, le laisser tout nu, à l'air. C'est ce qu'on fait à l'hôpital, et ce que nous vous conseillons de faire à la maison.

Évitez la transpiration, les culottes imperméables, les tissus synthétiques, le contact de la laine.

La maladie de Leiner-Moussous est bénigne. Elle guérira en quelques mois, contrairement à l'eczéma, avec lequel elle ne doit pas être confondue.

LUXATION CONGÉNITALE DE LA HANCHE. Voir *Hanche luxable*.

M

MAIGREUR. Être maigre, cela ne veut pas dire être malade. Mais si être constitutionnellement maigre ne doit pas inquiéter, maigrir est un symptôme qui n'est pas normal (voir p. 60).

Devant un enfant qui est maigre, ou qui ne grossit pas, ou qui grossit très lentement, il y a deux questions à se poser : d'abord vous — père ou mère — n'étiez-vous pas comme lui au même âge ? Ensuite votre enfant a-t-il bonne mine, de l'entrain, de l'appétit, un sommeil calme et d'une durée normale ?

La réponse est oui ? Alors la maigreur de votre enfant est affaire de constitution, et vous n'avez pas à vous inquiéter.

Si la réponse est non, voici quelques causes possibles de maigreur : une alimentation insuffisante, anarchique (l'enfant ne mange pas aux repas, mais à des heures irrégulières), ou mal équilibrée ; un sommeil insuffisant ou agité ; un excès de fatigue : l'enfant se dépense trop, sans compenser par une alimentation et un repos suffisants.

L'amaigrissement. Lorsqu'il a été vraiment constaté sur la balance, l'amaigrissement est un symptôme qui accompagne de nombreuses maladies ; ce symptôme montre tout de suite la réalité organique de la maladie et souvent sa gravité.

MALABSORPTION INTESTINALE. Voir *Gluten, Diarrhée chronique, Mucoviscidose.*

MARCHE (Retard de la). Il y a de petits phénomènes qui marchent à 10 mois, alors que d'autres enfants ne lâchent la main de leur mère qu'à 18 mois. Ce n'est que si, à 18 mois, l'enfant ne marche pas encore seul, qu'on peut vraiment parler de retard, et qu'il faut le faire examiner.

Les causes possibles d'un retard de la marche sont nombreuses. Pour qu'un enfant se mette à marcher, il faut qu'un certain nombre de conditions soient réunies : que l'une de ces conditions fasse défaut, et le retard intervient. Quelles sont ces conditions ? Il faut que la croissance soit normale, l'état général satisfaisant, et que le développement psychologique et affectif soit harmonieux ; car, pour marcher, l'enfant a besoin, non seulement de bons muscles et de bons os, mais de volonté, d'initiative, de courage ; il a besoin aussi de la confiance et de l'affection de son entourage.

Selon que l'une ou l'autre de ces conditions fait défaut, le retard de la marche sera plus ou moins durable ; que l'état général soit mauvais parce que l'enfant est passé par une succession de maladies, a été longtemps confiné au lit, etc., et le retard sera de quelques semaines ou de quelques mois ; de même, si l'enfant, n'ayant pas reçu régulièrement de vitamine D à titre préventif, est atteint de rachitisme ; l'enfant trop gros et lourdaud marchera plus tard qu'un autre, pour des raisons évidentes.

Plus sérieux est le cas de l'enfant dont les besoins en tendresse et en confiance ne sont pas satisfaits : il pourrait marcher, mais il ne le désire pas. Vous avez vu (chapitre 5) que l'enfant mal aimé désirait à peine vivre — ou ne le désirait pas du tout. Pourquoi aurait-il envie de marcher ? Pour faire plaisir à qui ?

Le traitement, pour les cas ci-dessus, consiste à donner à l'enfant ce qui lui manque : le repos, des vitamines, l'exercice, l'affection et la confiance de son entourage.

D'autres causes concernent les os et les muscles. L'enfant ne peut pas marcher parce qu'une malformation osseuse l'en empêche. C'est précisément le retard de la marche qui permettra de s'apercevoir de cette malformation (hanche, pied, etc.).

Parfois, le médecin découvre, chez un enfant de 2 ans qu'on lui amène parce qu'il ne marche pas encore, une atrophie des muscles qui commandent aux jambes, atrophie due à une maladie musculaire héréditaire (myopathie).

Enfin, dernier type de causes du retard de la marche : le cerveau est atteint. L'enfant est d'une intelligence normale ; mais une lésion, congénitale ou acquise, détermine une paralysie, de la raideur, un trouble de l'équilibre. C'est ce qu'on appelle un infirme moteur cérébral (I.M.C.).

Dans le même domaine, il peut y avoir, avec ou sans lésion, une faiblesse générale du cerveau, qui n'a pas atteint son complet développement, du fait de malformations ou d'infections contractées dans l'utérus. Généralement, dans ces cas, le retard de la marche n'est pas la seule manifestation de déficience cérébrale : l'enfant, non seulement ne marche pas, mais est incapable d'être propre, ne dit que quelques mots, jette les objets.

Son âge mental est inférieur à son âge réel et l'acquisition de la marche se fera avec un grand retard ou ne se fera pas.

Le médecin, consulté, informera, donnera des conseils. Des méthodes d'éducation adaptées à ce type d'enfant permettront de l'aider à se développer dans les limites qui lui sont possibles. Patience et affection peuvent beaucoup pour empêcher l'enfant de souffrir de son infériorité (voir *Handicap*).

MASTOÏDITE. La mastoïde correspond au relief osseux, perceptible derrière le pavillon de l'oreille ; à cet endroit, l'os présente la particularité d'être creusé de petites cavités ; la plus importante d'entre elles étant en communication avec l'oreille, il en résulte que lors d'une otite, l'infection se propage facilement dans cette direction.

La mastoïdite (qui est l'infection de la mastoïde) survient à la suite d'une série d'otites purulentes ayant entraîné plusieurs traitements antibiotiques et des paracentèses répétées.

Aujourd'hui la mastoïdite est devenue relativement rare, mais elle prend volontiers (surtout chez le nourrisson) une forme peu apparente qui en rend le diagnostic difficile pour le médecin. Celui-ci tiendra compte à la fois de symptômes locaux : persistance de l'écoulement, aspect particulier des tympans ; et de signes généraux : fièvre et surtout mauvais état général avec amaigrissement.

Tous ces signes montrent l'importance du traitement. Celui-ci comportera des antibiotiques administrés pendant plusieurs semaines. En cas d'échec, il faudra avoir recours à une intervention chirurgicale effectuée par un spécialiste O.R.L.

Si on veut prévenir la mastoïdite, il faut avant tout bien soigner les otites aiguës jusqu'à guérison complète (voir *Otite*).

MÉGACÔLON CONGÉNITAL (maladie d'Hirschprung). Peut-être entendrez-vous parler de cette affection rare mais grave, à propos d'une constipation opiniâtre (présente souvent dès la naissance) associée à un gros ventre et à un retard de croissance. Devant ces symptômes, le médecin aura demandé une radiographie de l'intestin qui révélera un côlon (gros intestin) dilaté, au-dessus d'une zone rétrécie voisine de l'anus qui fait obstacle à la progression normale des matières fécales. Si cette malformation est confirmée, une intervention chirurgicale est nécessaire.

MÉNINGITE. Le mot méningite fait encore peur aujourd'hui, mais, en réalité, grâce aux traitements modernes, le pronostic de la méningite s'est considérablement amélioré.

Chez le nouveau-né, une fontanelle bombée et tendue est un symptôme évocateur d'une atteinte méningée. Il faut d'urgence voir le médecin : l'appeler ou aller à l'hôpital.

Chez le grand enfant, les symptômes de méningite sont des vomissements abondants et faciles, en jet, un mal de tête intense, une raideur douloureuse de la nuque ; là aussi il faut d'urgence voir le médecin.

En général l'enfant est hospitalisé. Une ponction lombaire est nécessaire à la confirmation du diagnostic. Selon les résultats de cet examen, on peut distinguer les méningites suppurées d'origine microbienne et les méningites virales.

Méningites suppurées. La plus fréquente de ces méningites suppurées est la méningite à méningocoque, anciennement appelée méningite cérébrospinale. Les symptômes indiqués plus haut sont particulièrement intenses, spécialement la fièvre et la raideur de la nuque ; une éruption de purpura cutané (voir ce mot) est souvent présente. La ponction lombaire retire un liquide purulent contenant des germes microbiens (méningocoque ou plus rarement *Hemophilus*, pneumocoque, staphylocoque, etc.).

Grâce aux antibiotiques, l'évolution des méningites suppurées est en général favorable et sans séquelles. Il faut cependant retenir que ces méningites sont d'autant plus graves que l'enfant est plus jeune (particulièrement chez le nouveau-né).

Ces méningites suppurées, et plus spécialement la méningite à méningocoque, surviennent assez souvent par petites épidémies et des mesures d'hygiène doivent être prises. L'enfant malade pourra retourner à la crèche ou à l'école après guérison ; pour les enfants qui sont en contact avec le malade, il n'y a plus d'éviction scolaire. Des prélèvements de gorge permettent de dépister les porteurs de germes. Un traitement préventif par antibiotiques ou sulfamides d'une durée de cinq jours sera prescrit aux personnes ayant eu avec le malade des contacts proches et répétés ; la désinfection des locaux scolaires est encore habituelle, mais non leur fermeture.

Il existe un vaccin contre la méningite à méningocoque, malheureusement inactif sur le type de méningocoque habituel en France.

Méningites virales. On les appelle encore méningites à liquide clair ou méningites lymphocytaires parce que le liquide retiré par la ponction lombaire n'est pas purulent et ne contient pas de microbes. Les symptômes sont les mêmes que dans le cas de méningite suppurée, mais ils sont plus atténués. L'évolution se fait spontanément vers la guérison, en quelques jours, sans antibiotiques.

Un exemple de ces méningites est donné par la méningite qui vient parfois compliquer les oreillons (voir ce mot), mais de nombreux autres virus peuvent être en cause, dont l'identification peut être faite par la constatation d'une augmentation des anticorps qu'ils entraînent dans le sang.

Méningite tuberculeuse. Elle est devenue très rare chez les enfants vaccinés par le B.C.G.

MÉNINGOCÈLE — MYÉLOMÉNINGOCÈLE. Voir *Spina bifida*.

MÉRYCISME. Voir *Rumination*.

MIXŒDÈME CONGÉNITAL. Voir *Thyroïde*.

MONGOLISME (TRISOMIE 21). Le mongolisme est la plus fréquente de ce qu'on appelle actuellement les *aberrations chromosomiques* (anomalies portant sur les chromosomes). Chez l'homme, le patrimoine héréditaire est porté par 23 paires de chromosomes. (Il est difficile dans le cadre de cet article de revenir sur l'hérédité, mais si vous avez lu *J'attends un enfant*, vous aurez trouvé des explications plus détaillées au chapitre 7.)

L'enfant mongolien est dit trisomique 21, c'est-à-dire qu'il a un chromosome supplémentaire (trois au lieu de deux) dans la paire 21. Cette anomalie entraîne un retard variable du développement mental, des malformations diverses, parfois cardiaques, et un aspect particulier du visage ; l'élément le plus caractéristique est l'obliquité des paupières — d'où le nom de mongolisme. Les difficultés d'acquisition sont plus ou moins accentuées.

Les familles doivent demander à être conseillées et orientées le plus tôt possible ; elles peuvent s'adresser aux centres d'action médico-sociale précoce (C.A.M.S.) — il s'en ouvre de plus en plus actuellement (les adresses sont à demander à la mairie) —, à des équipes pédiatriques spécialisées, à des associations de parents d'enfants inadaptés (voir *Handicap*).

Plus tôt on apportera un soutien éducatif à ces enfants, plus on leur donnera de chances dans leur développement. C'est pourquoi aujourd'hui on essaie d'intégrer — même à temps partiel — les enfants mongoliens aux haltes-garderies, crèches, écoles maternelles.

La cause du mongolisme est inconnue mais l'âge de la mère, après 40 ans, en augmente considérablement la fréquence. L'amniocentèse permet de déceler l'anomalie chromosomique avant la naissance : on étudie des cellules du fœtus recueillies par ponction dans le liquide amniotique.

MONONUCLÉOSE INFECTIEUSE (voir *Angine, Ganglions*). C'est une maladie virale relativement peu fréquente chez l'enfant très jeune (plus fréquente chez le grand enfant et chez l'adolescent).

La mononucléose infectieuse se manifeste par une angine accompagnée de fièvre et de ganglions au niveau du cou, mais également fréquemment dans d'autres endroits (aisselles, aines).

Le diagnostic est fait grâce aux examens de laboratoire : M.N.I. test et réaction de Paul et Bunnel.

L'évolution est toujours favorable, cependant une fatigue peut persister plusieurs semaines.

La mononucléose entraîne parfois une atteinte hépatique (voir *Hépatite*) et fréquemment, quand l'angine a été traitée par la pénicilline (ampicilline), une éruption vers le 10e jour.

MORT SUBITE INEXPLIQUÉE DU NOURRISSON (M.S.I.N.). La mort subite d'un nourrisson est un drame, drame d'autant plus grand que les médecins ont encore du mal à en expliquer l'origine, et que souvent les parents se sentent coupables.

La mort subite est définie comme la mort soudaine survenue chez un nourrisson apparemment en bonne santé en dehors de toute cause connue ou actuellement identifiable. C'est la circonstance la plus fréquente du décès du nourrisson dans la première année.

De très nombreuses hypothèses ont été émises concernant le mécanisme de la mort subite du nourrisson ; actuellement les recherches portent sur le rôle des pauses respiratoires prolongées (apnée supérieure à 20 secondes), associées à un ralentissement du rythme cardiaque survenant chez certains enfants durant le sommeil.

Pendant le sommeil de l'enfant, des enregistrements combinés du rythme respiratoire et du rythme cardiaque sont pratiqués dans les centres spécialisés pour mettre en évidence ces pauses de la respiration. Ces enregistrements peuvent être également effectués à domicile, sur cassette, durant 24 heures.

Pour essayer d'expliquer la mort subite du nourrisson, on insiste également sur le rôle possible du reflux gastro-œsophagien (voir *Vomissements*).

Les médicaments calmants du système nerveux ont également été mis en cause en raison de leur action sur les centres respiratoires.

Certains nourrissons découverts dans leur berceau, pâles ou cyanosés, mous, sans mouvement respiratoire, sont parfois réanimés par des stimulations vigoureuses ou les manœuvres habituelles de réanimation : ce sont les « rescapés » de la mort subite.

Une surveillance sous appareil (monitoring) est capable de donner l'alarme en cas d'apnée prolongée. Ce monitoring est mis en place chez des nouveau-nés ayant eu un aîné décédé de mort subite ou bien chez les « rescapés » dont il est question plus haut. Cette surveillance sera d'abord organisée en milieu hospitalier, puis elle sera éventuellement installée à domicile avec l'accord d'une équipe spécialisée.

La menace de mort subite pèse d'un gros poids sur certaines familles, c'est pourquoi des associations se sont créées pour les aider. En effet, les parents ont besoin d'être écoutés, déculpabilisés, informés, guidés et rassurés.

Malgré notre désir de répondre avec le maximum de détails aux lettres reçues sur la mort subite du nourrisson, nous ne pouvons en dire plus dans l'état actuel des connaissances ; sauf que les recherches sont particulièrement nombreuses et actives en France comme à l'étranger ; il faut espérer qu'elles aboutiront rapidement à une compréhension complète de cet événement douloureux et qu'elles pourront déboucher sur une prévention.

Association pour l'étude et la prévention de la mort subite du nourrisson, 123, bd de Port-Royal, 75013 Paris (tél. 43.54.55.80).

MOUVEMENTS RYTHMÉS. Il n'est pas rare de voir un nourrisson ou un enfant plus grand se balancer la tête pendant des heures, soit de droite à gauche, soit comme s'il saluait, ou encore balancer tout le haut du corps. D'autres bébés donnent des coups de tête contre leur lit. Ces mouvements se voient chez des enfants parfaitement normaux.

Dans ces mouvements rythmés, l'enfant trouve une satisfaction du même ordre que dans les manipulations des organes génitaux.

Les mouvements rythmés de l'enfant, au moment où il va s'endormir ou lorsqu'il est fatigué, n'ont pas de signification particulière. En revanche, lorsqu'ils deviennent envahissants il faudra rechercher dans la vie affective de l'enfant : manque-t-il de soins, d'affection ? Est-il jaloux d'un frère ou d'une sœur ? Vous avez vu au chapitre 5 que la vie affective de l'enfant commençait bien avant qu'il ne soit capable d'exprimer ses émotions ou ses souffrances. Pourquoi ne consulteriez-vous pas un psychologue ? Bien des secrets du bébé ou du jeune enfant échappent à ses parents, qui n'échapperaient pas à un professionnel.

Cela dit, il n'existe pas de traitement standard contre les mouvements rythmés. Il ne faut surtout pas vouloir lutter contre eux par la contrainte ou la menace. Les mouvements rythmés disparaissent généralement entre 2 et 4 ans.

Cependant, un traitement sédatif *prescrit par le médecin* peut avoir de bons effets.

MUCOVISCIDOSE (ou fibrose kystique du pancréas). Maladie rare (à incidence familiale), mais sérieuse, à laquelle il faut penser chez un enfant qui présente une toux persistante, surtout si elle est associée à de la diarrhée et à un retard de croissance. Chez le nouveau-né, le méconium (les premières selles) très épais ne peut être évacué, entraînant une occlusion intestinale (iléus méconial).

Cette maladie peut être dépistée par une analyse simple de la sueur, et plus récemment, par un test pratiqué à la naissance sur le méconium, ou dans le sang.

L'évolution est variable d'un cas à l'autre : grave dans l'iléus méconial, et dans les cas à manifestations respiratoires précoces. Une prise en charge par des équipes médicales spécialisées est nécessaire.

Association française de lutte contre la mucoviscidose : 66, bd Saint-Michel, 75006 Paris. Tél. : 43.29.70.33.

MUGUET. Cette infection est due à un champignon microscopique (*Candida albicans*). Elle se manifeste au niveau de la bouche sous forme de petites plaques blanches ressemblant à des grumeaux de lait. L'ensemble de la muqueuse est rouge vif et douloureux au contact : le nourrisson refuse souvent de s'alimenter.

Ce qui est visible au niveau de la bouche peut s'étendre sur l'ensemble du tube digestif jusqu'à l'anus.

Le traitement local et général, prescrit par le médecin, aboutit habituellement à une guérison.

MUTISME. Le mutisme, c'est la disparition de la parole chez un enfant ayant jusque-là un développement normal ; il se différencie donc totalement du retard de langage. Le mutisme est toujours d'origine psychologique. Parfois, il s'agit d'un mutisme partiel qui n'apparaît qu'en dehors du milieu familial, à l'école par exemple, il traduit la timidité de l'enfant ; le niveau intellectuel est normal. Le trouble s'atténue et disparaît en général avec la mise en confiance de l'enfant.

Très différent est le mutisme total apparu brusquement après un choc émotionnel violent ; l'anorexie, les troubles du sommeil, l'énurésie sont souvent associés (voir ces mots) au mutisme. En général, en quelques jours ou quelques semaines, le mutisme disparaît complètement ; un bégaiement peut cependant lui faire suite.

Un dernier cas est celui où le mutisme est associé à des troubles du comportement : indifférence, désintérêt et coupure avec l'environnement ; on peut alors craindre des troubles graves de la personnalité. Le médecin orientera vers une consultation spécialisée.

MYOPATHIE. La myopathie (ou dystrophie musculaire progressive) est une maladie des fibres musculaires dont la dégénérescence progressive aboutit à l'atrophie, entraînant une faiblesse et une incapacité croissantes. Dans sa forme la plus fréquente, la myopathie est une maladie familiale qui atteint exclusivement les garçons (un risque sur quatre à chaque naissance). Le début se fait vers 4 à 5 ans, et les signes qui attirent l'attention sont la difficulté de l'enfant à se relever de la position accroupie et l'existence de gros mollets.

La cause est encore inconnue, mais actuellement le traitement permet de ralentir l'évolution de la maladie. Un test sanguin permet le dépistage chez le nouveau-né.

Il existe en France une Association des myopathes (13, place de Rungis, 75650 Paris, Cedex 13. Tél. : 45.65.13.00).

N

NÉPHRITE. La néphrite résulte le plus souvent chez l'enfant d'une infection par le streptocoque hémolytique qui a d'abord donné lieu à une angine. Dix à quinze jours après celle-ci, apparaissent des anomalies urinaires : urines peu abondantes, rouges ; œdème (glonflement) du visage, parfois des maux de ventre ou de tête, des vomissements. Le médecin consulté demandera un examen des urines qui révélera la présence d'albumine et de sang (mais non de microbes). Le régime sans sel et le repos au lit étaient les deux points essentiels du traitement à appliquer : mais ils sont moins stricts de nos jours que dans le passé.

NÉPHROSE LIPOÏDIQUE. Il s'agit d'un autre type d'atteinte rénale dont la cause est encore mal connue. Les symptômes principaux sont : l'œdème, souvent important, et la présence de grandes quantités d'albumine dans l'urine. Bien qu'une guérison rapide soit possible, le traitement sera souvent long et compliqué (cortisone).

NEZ (Objet dans le). Si vous ne pouvez pas retirer aux premières tentatives l'objet que l'enfant a introduit dans son nez, n'insistez pas : vous risquez d'enfoncer le corps étranger plus profondément et de blesser la muqueuse fragile de l'intérieur du nez. Conduisez plutôt l'enfant chez un oto-rhino-laryngologiste : il dispose des instruments et de l'habilité nécessaire.

NOUVEAU-NÉ. Le nouveau-né a été décrit dans *J'attends un enfant* et je vous en parle plus loin (chapitre 5). Voici ici quelques renseignements complémentaires : description, problèmes courants, etc.

Le nouveau-né n'est pas du tout un garçon ou une fille en miniature : c'est un être à part, différent de vous non seulement par sa taille, mais par ses proportions, par ses organes et par sa manière de réagir au monde extérieur.

Tête. Commençons par la tête. Si on la compare à la nôtre, elle est beaucoup plus grosse par rapport au reste du corps : près du double des proportions qu'elle aura plus tard. Encore cette tête a-t-elle, en proportion, considérablement diminué : dans le sein de sa mère, le futur bébé avait, à l'âge de 2 mois, une tête égale par la taille au reste du corps. Puis le corps avait gagné progressivement en importance relative. (Cette proportion de la tête par rapport au corps ne cessera de se modifier jusqu'à l'âge adulte.)

Par bien des côtés d'ailleurs, le nouveau-né tient plus du fœtus que de l'enfant : cette peau plissée, rouge, luisante de graisse (le « vernix caseosa »), cette mâchoire inférieure courte et fuyante, ce cou menu, ces épaules étroites, cet abdomen proéminent, ces membres courts, repliés le long du tronc, et ces os tendres sont un souvenir de la vie intra-utérine.

Cheveux. Certains nouveau-nés gardent aussi, de leur vie fœtale, des cheveux noirs et épais, qui disparaissent par la suite.

Peau. D'autres nouveau-nés ont parfois la peau marbrée de taches rouges, qui pâlissent quand on les touche : ces taches disparaîtront aussi.

A signaler : *le milium* du nouveau-né. Il s'agit de petits grains de couleur blanche siégeant sur les joues et le nez et qui disparaissent spontanément dans les premières semaines ; ce sont des petits kystes épidermiques sans la moindre gravité.

Ongles. Souvent, ils ont les ongles longs : gardez-vous de les couper. Vous risquez une infection ou un « tour d'ongle ».

Sein. Plus étonnants sont les seins gonflés de certains nouveau-nés, filles ou garçons : ils peuvent, ces seins, sécréter quelques gouttes de lait, et vous vous garderez bien d'exprimer, en pressant avec les doigts, ce lait que les nourrices d'antan appelaient « lait de sorcière ». Il n'y a rien de sorcier dans ce phénomène : il est dû au bouleversement hormonal qui accompagne la naissance. Ce phénomène est passager et ne nécessite aucun traitement.

Acné. A cette même décharge d'hormones — sorte de puberté en miniature, qu'on appelle la « poussée génitale » — sont dus l'acné du nouveau-né (petits grains jaunes et saillants sur le front et les ailes du nez) et les « pertes » chez certaines nouveau-nées, mucosités parfois teintées de sang. Ni l'acné, ni les pertes ne doivent vous inquiéter.

Bourses. Enfin, toujours parmi les surprises de la naissance, disons un mot de l'hydrocèle, ce liquide accumulé dans les bourses du petit garçon et qui lui donne l'air d'avoir un testicule — ou les deux — volumineux. L'hydrocèle disparaît en règle générale spontanément au bout de quelques semaines.

Selles. Les premières selles sont émises avant que le bébé n'ait reçu sa première nourriture : c'est que le tube digestif contient des résidus (entre 60 et 200 grammes) de sécrétions qui s'y sont produites pendant sa vie de fœtus. Ce sont des matières visqueuses et gris noirâtre appelées « méconium ». Au bout de trois ou quatre jours, le méconium, progressivement remplacé par les selles de lait, a disparu. Les selles sont alors jaunâtres, ou jaune d'or (selon le lait utilisé).

Immunisation. Contre certaines affections, le bébé naît immunisé grâce à sa mère. C'est le cas pour la variole, la diphtérie, la poliomyélite et le tétanos, *si la maman a été vaccinée contre ces maladies.* Il naît immunisé contre la rougeole et les oreillons si la maman a eu ces maladies. Mais les immunités contre ces diverses maladies ne durent guère au-delà du premier semestre.

Cordon. Le cordon ombilical va se dessécher et tomber (entre le sixième et le dixième jour). Ainsi seront liquidés les derniers souvenirs de la vie intra-utérine.

Dans les jours qui suivent la naissance, le bébé va devenir beaucoup plus joli. Le duvet — ou « lanugo » — qui peut-être le recouvrait, aura disparu à la fin de la première semaine ; la peau va perdre ses marbrures pourpres et éliminer les parcelles d'épiderme qui la salissaient.

Ce qui précède est une description de l'aspect du nouveau-né. A la naissance, pour savoir si « tout va bien », on fait le *test d'Apgar,* qui est un moyen d'apprécier de manière objective l'état du bébé (voir le mot Apgar). En plus, le pédiatre vérifie la présence de certains réflexes.

Réflexes archaïques du nouveau-né. Ces réflexes, décrits plus loin, doivent être présents chez le nouveau-né, et leur absence est anormale, témoignant d'un état de dépression générale du système nerveux.

Par contre, à mesure que la maturation de ce système nerveux évolue, les réflexes archaïques doivent disparaître, dans un ordre donné ; leur persistance au-delà de certains âges est anormale, et révèle un développement psychomoteur perturbé.

Le réflexe de Moro consiste en l'extension et l'écartement des bras, suivis dans un deuxième temps par leur rapprochement et leur flexion : ce réflexe d'embrassement est obtenu lorsque, l'enfant étant sur le dos, on soulève légèrement puis on laisse tomber sa tête en arrière. *Le réflexe de Moro* doit disparaître à l'âge de 3 mois.

La *marche automatique* est obtenue en plaçant l'enfant debout, légèrement penché en avant ; ce réflexe disparaît à 6 semaines.

Pour le réflexe d'*agrippement* ou *grasping,* on exerce une légère pression sur la paume des mains ou la plante de pieds : les doigts ou les orteils se replient. Ce réflexe persiste plus longtemps : jusqu'à 6 mois pour la main et jusqu'à 10 mois pour le pied.

Le réflexe de *succion* est recherché en touchant les lèvres. On peut obtenir de même le réflexe des *points cardinaux :* le nourrisson tourne la bouche du côté stimulé ; ces réflexes disparaissent vers 4 mois.

NOYADE. L'enfant ne respire plus ? Sans tarder et sans essayer de faire sortir l'eau des poumons, commencez le bouche à bouche. Si vous êtes arrivé à temps, la respiration reviendra vite après les premiers mouvements de respiration artificielle. Faites transporter l'enfant à l'hôpital.

Si le cœur ne bat plus, pratiquez la respiration artificielle, pendant qu'une autre personne pratiquera le massage cardiaque externe (voir *Respiration artificielle*). Alternez les compressions sur le sternum et l'insufflation. Si vous êtes seul, vous aurez à faire vous-même les deux mouvements, mais toujours en alternant.

Pendant ces opérations, il faut faire appeler les secours spécialisés : en ville les pompiers, sur les plages les maîtres nageurs.

Je vous rappelle les règles de la prévention de la noyade : familiarisez très tôt l'enfant avec l'eau, et qu'il apprenne à nager ; ne le perdez jamais de vue quand il se baigne (même dans une baignoire) ; interdisez le plongeon après une exposition au soleil ; enfin, l'entrée dans l'eau doit être progressive.

OBÉSITÉ. Un enfant est trop gros parce qu'il mange trop. Il est rare que les parents en conviennent ; et, en effet, la composition des repas est la plupart du temps normale. Mais les parents oublient d'évaluer en calories la quantité de tartines mangées au petit déjeuner, à 10 heures, au goûter ; les bonbons, biscuits, gâteaux et glaces absorbés entre-temps. Le sucre, les farineux, les féculents : voilà qui fait grossir.

Certes, l'hérédité joue : il existe des familles de « gros ». Mais ce sont souvent des familles où l'on mange trop. A ce sujet, on insiste actuellement sur le rôle néfaste que jouerait une alimentation trop riche dans les premiers mois. L'excès de poids chez le nourrisson est sans doute cause d'obésité chez l'enfant et l'adulte.

Quant aux troubles glandulaires causes d'obésité, le cas est rare. Ne soyez donc pas étonné si le médecin dirige son interrogatoire, son examen, et finalement son traitement sur l'excès alimentaire avant tout autre chose. Comme chez l'adulte, et plus encore, le régime est la base du traitement de l'obésité de l'enfant, mais demande une surveillance médicale précise et continue et beaucoup de volonté et de persévérance pour obtenir et maintenir le résultat escompté.

Il est souvent nécessaire d'associer à la surveillance médicale et diététique une aide psychologique.

OCCLUSION INTESTINALE. C'est l'arrêt total de l'évacuation des matières et des gaz ; chez le nourrisson, l'invagination intestinale, la hernie étranglée (voir ces mots) entraînent une occlusion.

Dans les premiers jours de la vie, diverses malformations du tube digestif peuvent entraîner une occlusion : absence de développement plus ou moins complet et plus ou moins étendu d'une partie de l'intestin, ou absence de fixation entraînant une torsion (volvulus). Le premier symptôme est souvent l'apparition de vomissements bilieux : ils indiquent que l'obstacle se trouve peu après l'endroit où les voies biliaires débouchent dans l'intestin.

Dans tous les cas, il s'agit d'une urgence chirurgicale.

Voir également à *Mucoviscidose* le cas particulier de l'iléus méconial.

ONGLES (L'enfant qui ronge ses). Cette habitude est assez fréquente chez les enfants, surtout chez les enfants d'âge scolaire.

Bien que ce geste ait été souvent interprété comme le signe d'une certaine tension nerveuse, il n'est pas seulement le fait d'enfants anxieux et renfermés. Certains enfants, apparemment bien adaptés à la vie, rongent régulièrement leurs ongles.

Ce qu'il est important de connaître à l'âge qui nous intéresse, c'est le moment où l'enfant ronge ses ongles : avant de s'endormir ? Quand il joue seul à la maison ? A l'école ? On peut alors se poser les questions qui en découlent : a-t-il du mal à s'endormir ? Est-il heureux avec la personne qui le garde ? S'ennuie-t-il à l'école ?

Il vaut mieux chercher les causes d'un geste totalement involontaire, plutôt que d'essayer de le faire disparaître à tout prix, surtout avec des moyens dont l'efficacité est douteuse (badigeons des ongles avec un vernis amer vendu en pharmacie...).

Lorsqu'une habitude est installée, il est difficile de la perdre. A vouloir la supprimer, on risque seulement de la déplacer. Il n'est pas rare que des enfants s'arrêtent de sucer leur pouce pour faire plaisir à leurs parents et se mettent à ronger leurs ongles.

Si vous n'attachez pas trop d'importance à cette habitude, un jour plus ou moins proche, l'enfant décidera de lui-même de faire l'effort de s'arrêter. En attendant, veillez à son équilibre, à sa santé, soyez attentifs à ses besoins.

OPÉRATION CHIRURGICALE. *Mon enfant va subir une intervention chirurgicale; en dehors des soins médicaux, que faire et ne pas faire ?* Entrer à la clinique ou à l'hôpital est une épreuve très différente pour un enfant de ce qu'elle est pour un adulte. L'adulte se demande : « L'opération va-t-elle réussir ? Est-ce que cela va être très douloureux ? etc. » Pour un enfant, c'est : « On va m'emmener. Je ne verrai plus maman. Des inconnus vont s'emparer de moi pour me faire mal... » Et si le bébé ne parle pas encore, c'est la perte de sa maman qui va le frapper le plus dans le séjour loin de la maison.

Une idée de punition se mêle à cette idée d'abandon : « Jusque-là, maman me soignait. Maintenant, ce n'est plus elle qui me soigne. C'est pour me punir, c'est parce qu'elle ne m'aime plus. » L'esprit de l'enfant peut en être blessé profondément. Et la blessure, comme toutes celles de la petite enfance, risque de mettre longtemps à se cicatriser.

Ce qu'il ne faut pas faire. Ne rien dire à l'enfant — s'il est en âge de comprendre, et cet âge commence toujours plus tôt qu'on ne pense —, lui laisser ignorer jusqu'à la dernière minute qu'il ne couchera pas à la maison ce soir. Pis encore : lui mentir, lui dire qu'on l'emmène se promener, etc. On m'a parlé d'un père qui avait dit à son enfant en partant pour la clinique : « On t'emmène au cinéma... » Autre erreur : parler à l'enfant de l'hôpital ou de la clinique comme d'un paradis, d'un endroit charmant où il va beaucoup s'amuser. A l'opposé, ce serait une erreur de lui montrer votre inquiétude, de lui laisser entendre qu'un accident est toujours possible ; de ne pas l'accompa-gner ; quel que soit son âge, même s'il a quelques semaines, de ne pas lui rendre visite ; de croire qu'un calmant, un soporifique valent mieux que des paroles encourageantes ; de parler de l'opération des semaines à l'avance.

Ce qu'il faut faire. Ayant passé en revue le catalogue des erreurs, voyons comment vous pouvez vous comporter pour adoucir cette épreuve particulièrement grave à l'âge qui nous occupe, c'est-à-dire avant 4 ans : être gai, enjoué, absolument égal à vous-même dans les semaines et les jours qui précèdent. Parler, quelques jours avant, de l'obligation d'aller à la clinique ou à l'hôpital « pour que tu n'aies plus mal au ventre », « pour enlever la petite boule », etc. Il faut dire en quoi consiste l'intervention, mais dans les termes les plus simples.

Plus l'enfant est jeune, plus tard vous lui parlerez du départ : un ou deux jours, si c'est un tout-petit. Si l'enfant est émotif, sujet aux cauchemars, faites-y seulement une allusion la veille et parlez-en dans la journée tout à loisir : il faut que son esprit ait le temps de se faire à cette idée ; et vous avez, pour l'y aider, beaucoup à dire.

Vous parlerez à l'enfant de la manière dont il va être couché : on lui apportera à manger dans son lit, il n'aura même pas besoin de se lever pour faire ses besoins. Répondez à toutes ses questions. Parlez de l'habillement des infirmières, et du médecin. Expliquez les raisons du masque, des gants, du fauteuil ou du lit qui roule. Expliquez l'anesthésie, dites-lui qu'il se réveillera dans sa chambre, et que vous serez là. Dites-lui surtout qu'il y a d'autres enfants qui sont opérés, tous les jours, que le cousin Un tel a été opéré lui aussi.

Donnez-lui, pour son séjour à l'hôpital, des jouets qui lui permettront d'extérioriser sa peur ou son hostilité : poupée, panoplie de médecin, crayons pour dessiner, pâte à modeler, jouets à personnages. Et sans oublier, s'il en a un, son ours ou la couche dont il ne se sépare pas.

La possibilité de dormir auprès de son enfant, du moins les premières nuits, est de plus en plus souvent offerte à l'un des parents dans les hôpitaux publics et une circulaire interministérielle sur l'humanisation des conditions de séjour hospitalier de l'enfant est parue en 1983.

Passez beaucoup de temps auprès de votre enfant, autant que vous le pourrez, et faites un effort pour lui montrer pendant ces visites un visage sans inquiétude.

Et s'il pleure quand vous partez ? Ne croyez pas qu'il est préférable de ne pas revenir, vos visites sont trop importantes pour lui. Dites-lui quand vous reviendrez. S'il est trop petit pour comprendre, laissez-lui votre écharpe ou vos gants, il saura que vous reviendrez.

Le départ pour la salle d'opération. On vient chercher l'enfant pour l'emmener dans la salle d'opération. Si vous êtes présent, cela peut être un moment difficile pour lui comme pour vous. Ce qui le rassurera le plus sera que vous lui disiez au revoir calmement, sans prolonger les adieux. Laissez-le partir en lui offrant de vous une image apaisante, et essayez d'être là à l'heure où votre enfant se réveillera.

Le retour à la maison. Après un long séjour à l'hôpital ou à la clinique, la réadaptation à la vie de famille pose des problèmes délicats, principalement par rapport aux frères et sœurs. Nous vous en parlons à l'article *Convalescence.*

Vous trouverez également quelques mots sur l'hôpital à la fin de ce chapitre.

OREILLE (Objet introduit dans l'). Si vous avez la moindre difficulté à extraire l'objet que l'enfant a introduit dans son oreille, n'insistez pas : vous risquez de blesser le conduit auditif. Conduisez l'enfant chez un oto-rhino-laryngologiste. Il dispose des instruments nécessaires.

OREILLES DÉCOLLÉES. Hélas ! le sparadrap ni le bonnet n'y changeront rien. En outre, vous ferez pleurer l'enfant chaque fois que vous changerez ce sparadrap collant au crâne les pavillons. Il faut vous résigner à attendre quelques années : alors, une intervention chirurgicale corrigera aisément ce défaut. C'est une opération très bénigne, mais il vaut mieux attendre que l'enfant — auquel on l'aura proposée — la demande lui-même, car une intervention chirurgicale est toujours un choc. Meilleur âge pour l'opération : 8-9 ans.

OREILLES PERCÉES. Les mères se demandent assez souvent si on peut percer les oreilles d'une petite fille pour y mettre des boucles. Il n'y a pas d'inconvénient si, bien sûr, cette petite intervention se fait dans de bonnes conditions d'asepsie.

OREILLONS. Cette maladie contagieuse survient surtout au printemps et en hiver. Elle est très rare avant un an. On ne peut en principe l'avoir qu'une fois dans sa vie. (Le nouveau-né dont la mère a eu les oreillons est immunisé lui-même six ou sept mois.) L'incubation est longue : en général trois semaines. Le malade est contagieux quelques jours avant l'apparition des symptômes. Il le reste pendant une dizaine de jours.

Le principal symptôme est un gonflement des glandes parotides situées au-dessous des oreilles. Ce gonflement peut se manifester des deux côtés ou d'un seul côté. L'enfant est gêné pour avaler, parfois même simplement pour ouvrir la bouche. La zone enflée est douloureuse quand on la touche. La tuméfaction — très variable dans son volume — atteint son maximum en trois jours ; elle demeure ainsi pendant deux jours, puis disparaît progressivement. Autres symptômes : toujours de la fièvre (pendant 5 ou 6 jours), généralement des maux de tête, quelquefois des vomissements et des douleurs diverses, surtout abdominales.

Il est en principe facile pour le médecin de reconnaître les oreillons ; on peut cependant les confondre avec une adénite (voir *Ganglions*).

Des complications sont possibles, en particulier la méningite, dont l'évolution est le plus souvent bénigne.

L'atteinte des glandes génitales (l'orchite, très douloureuse) ne se voit chez le garçon qu'après la puberté. (Contrairement à l'opinion courante, elle n'entraîne que rarement la stérilité.) Aussi isolerez-vous du ou de la malade ses frères aînés et le père s'ils n'ont pas eu les oreillons.

L'enfant doit garder le lit tant qu'il a de la température. La maladie peut atteindre d'abord un côté, puis, quand la fièvre a baissé et qu'on croit la maladie terminée, apparaître de l'autre côté. Vous nourrirez l'enfant, mais en évitant les aliments qui exigent une longue mastication.

Contre la douleur, mettez de temps en temps sur les zones tuméfiées une compresse chaude. L'aspirine également — si le médecin l'autorise — le soulagera.

Un vaccin existe ; depuis peu, il est commercialisé en France.

Convalescence. L'enfant ne doit évidemment pas aller à l'école tant qu'il n'est pas guéri. Il peut y retourner dès que le médecin le permet. Il n'y a pas d'éviction scolaire pour les frères et sœurs.

ORGANES GÉNITAUX (Inflammation des). Voir *Génitaux (Inflammation des organes)*, voir également *Phimosis, Hypospadias, Testicules, Ambiguïté sexuelle.*

ORGELET. L'orgelet est un petit furoncle situé à la base d'un œil ; il disparaît en général rapidement avec l'application locale d'une pommade antibiotique, mais il peut cependant réapparaître.

Le chalazion correspond à l'infection d'une petite glande située dans le bord de la paupière.

Voir *Abcès, Furoncle.*

ORTIES (Piqûres d'). Appliquez des compresses d'eau vinaigrée. Si les piqûres sont nombreuses, donnez de l'aspirine, ou mieux un antihistaminique.

OTITE. L'otite est une infection de la partie de l'oreille qui se trouve derrière le tympan. Elle accompagne souvent les rhinopharyngites. Elle est particulièrement fréquente chez le nourrisson ; la position allongée la favorise car il y a alors une communication plus large entre l'arrière-nez et l'oreille qui facilite la circulation des microbes ou des virus.

Comment savoir que l'enfant a une otite ? Chez le bébé, c'est difficile parce qu'il ne sait pas dire qu'il a mal aux oreilles ; et les cris, le frottement de la tête sur l'oreiller, qui pourraient alerter, ne sont pas toujours présents. Mais il y a d'autres signes qui peuvent attirer l'attention : les symptômes de l'otite sont souvent des troubles

digestifs — vomissements, diarrhée — et chez un nourrisson déjà enrhumé, l'agitation, l'insomnie. Quant au médecin, un des premiers gestes de sa consultation comporte l'examen systématique des tympans.

Chez l'enfant plus grand, la situation est différente car il sait dire où il a mal.

Comment se soigne une otite ? Au début, lorsque l'otite est dite congestive, le traitement est le même que celui de la rhinopharyngite (voir ce mot). Le médecin ajoutera simplement des gouttes à mettre dans les oreilles pour diminuer la douleur.

Plus tard, à la phase d'otite purulente, une paracentèse, pour percer le tympan et laisser le pus s'écouler, sera faite par le médecin O.R.L. Ce dernier demandera un prélèvement de pus pour identifier le microbe en cause.

L'écoulement d'oreille : le tympan peut se perforer spontanément et le pus s'écouler à l'extérieur. Dans ce cas, il convient également de consulter le médecin car l'évolution de l'otite n'est pas obligatoirement terminée.

Aux deux phases de l'otite, l'usage des antibiotiques fait l'objet de discussions entre les médecins. D'une manière générale, on peut dire que les antibiotiques sont utiles à condition de ne pas en faire le traitement unique de l'otite ; il faut faire un examen, celui des tympans en particulier, même si la guérison semble avoir été obtenue simplement et rapidement.

En effet, le risque après un traitement d'antibiotiques, est de voir se constituer à bas bruit des complications : l'otite devient traînante, guérit incomplètement ou reprend. La propagation à la mastoïde (voir ce mot) est rare de nos jours, mais on peut la redouter chez un enfant qui guérit mal, qui reste fébrile, qui perd du poids.

Après une ou plusieurs otites aiguës traitées par antibiotiques, il peut y avoir dans l'oreille non plus du pus mais un liquide épais, gluant ; c'est une *otite séreuse* qui peut entraîner une atteinte de l'audition, avec toutes ses conséquences. Le traitement comporte la mise en place d'aérateurs (yoyos) qui resteront plusieurs mois.

La répétition des otites aiguës est une indication à l'ablation des végétations.

P

PÂLEUR SUBITE.

L'enfant est devenu soudain très pâle, puis a repris des couleurs. D'où vient ce trouble ? Il peut s'agir d'un enfant émotif. Il peut s'agir aussi d'un trouble passager dû au froid : l'enfant n'a-t-il pas été exposé à un brusque changement de température ? Dans ce cas, réchauffez-le vite : il retrouvera ses couleurs.

Enfin, un cas qui peut se présenter est celui d'un enfant enrhumé auquel on a donné sans prescription médicale des gouttes nasales à base de certains médicaments ayant pour effet de décongestionner la muqueuse.

Si c'est ce que vous avez fait, consultez le médecin.

Sans raison apparente, l'enfant devient très pâle et perd connaissance. Avant tout, appelez le médecin.

Dans l'impossibilité d'avoir la visite du médecin rapidement, conduisez l'enfant à l'hôpital.

Qu'a-t-il pu se passer ? L'enfant a pu absorber un produit toxique (médicament, produit d'entretien) sans que vous l'ayez vu. Si vous soupçonnez que c'est le cas, lisez l'article *Empoisonnement.* L'enfant a pu avoir une convulsion sans que vous vous en soyez aperçu. Son évanouissement serait alors la suite de cette convulsion. Voyez *Convulsions.*

Si l'enfant paraît «choqué», c'est-à-dire qu'il n'est pas évanoui, mais que son visage et ses mains sont froids, et s'il paraît angoissé, il peut s'agir d'une intoxication ou de la réaction à un traumatisme ; le mieux est d'appeler le médecin. En attendant, mettez l'enfant au lit, étendu sur le dos, la tête un peu plus basse que le reste du corps, et réchauffez-le en mettant des bouillottes ou des bouteilles d'eau chaude, enroulées dans des couvertures, de chaque côté de l'enfant, en prenant bien soin de ne pas le brûler. Faites-lui boire du café fort : une cuillerée à café si c'est un nourrisson, le tiers d'une tasse à café s'il a 3 ans.

Enfin, la cause peut être une hémorragie interne.

L'enfant a souvent des accès de pâleur subite. Il est indispensable qu'il soit vu par le médecin. Ces accès peuvent n'être que l'indice d'un tempérament émotif. Mais ils peuvent aussi avoir une cause plus sérieuse. Le médecin prescrira les examens nécessaires.

PARASITOSES. Voir *Gale, Poux, Vers intestinaux.*

PEAU : IRRITATIONS, ROUGEURS ET ÉRUPTIONS. Vous avez remarqué un bouton, une rougeur, une ampoule sur la peau de votre enfant, et vous êtes perplexe : de quoi s'agit-il ? Que faut-il faire ?

La peau de l'enfant, surtout celle du bébé, a un épiderme très mince, qui la rend vulnérable aux atteintes venues de l'extérieur comme de l'intérieur. Avec l'âge, la fragilité de la peau diminue, mais la peau de l'enfant reste une plaque sensible où se révèlent l'allergie (urticaire, eczéma) et les fièvres éruptives (rougeole, varicelle, etc.).

Les rougeurs et éruptions de la peau peuvent donc être les symptômes de maladies très diverses, dont certaines difficiles à reconnaître et délicates à soigner. En dehors des affections bénignes dont nous allons vous parler et qui relèvent plus de l'hygiène que de la médecine, votre rôle est donc d'observer, afin de renseigner avec précision le médecin, et de suivre ses prescriptions.

Le bébé a la peau hypersensible. Certaines peaux de nourrissons sont à ce point sensibles qu'en les touchant seulement on fait apparaître une rougeur, qui s'efface peu après. Le frottement d'une étoffe, un parfum ou un colorant entrant dans une savonnette, la sueur (certains bébés transpirent plus que d'autres, sans pour cela se porter plus mal), l'eau de Cologne, même très diluée, provoquent sur de tels épidermes de l'irritation.

Le tour de la taille et le cou sont les lieux de prédilection de ces irritations.

L'air et le soleil sont leur meilleur traitement. Mais attention : le soleil peut aussi faire beaucoup de mal. Voyez au chapitre 3 : *Le soleil* et l'article *Coup de soleil*.

Sur les fesses : l'érythème fessier. La sueur, les changes insuffisants, les culottes de caoutchouc ou de plastique imperméable, l'urine dans laquelle la peau macère trop longtemps sont causes des rougeurs du siège : tantôt la peau, au pli des cuisses et entre les fesses, est rouge, fissurée, suintante, et l'enfant crie quand il fait ses besoins ; tantôt de grosses rougeurs surélevées apparaissent sur le siège, le centre de ces boutons étant parfois creusé.

Fréquemment, l'érythème apparaît à l'occasion d'une poussée dentaire.

Les rougeurs du siège disparaîtront en une semaine avec les soins que voici : supprimez les culottes imperméables ; changez l'enfant souvent ; nettoyez le siège avec de l'huile d'amandes douces ; appliquez sur les rougeurs une pommade antiseptique et cicatrisante. Si vous utilisez des couches en tissu, rincez-les très soigneusement. Exposez le siège de l'enfant à l'air et au soleil comme il est indiqué au chapitre 3 : *Le soleil*.

Un petit truc pour derrière très irrité : la toilette faite, séchez la peau avec un séchoir à cheveux.

Si l'érythème persiste au bout d'une semaine, voyez le médecin. Ne changez rien au régime de votre propre initiative.

Dans les plis de l'aine et du cou ; derrière l'oreille : l'intertrigo. La peau suinte ; elle a un aspect brillant. Des vêtements trop serrés autour du cou, des soins de toilette insuffisants, la transpiration sont causes de cette inflammation des plis, qu'il faut guérir dès qu'elle apparaît car elle peut dégénérer en infection grave. Faites une toilette soigneuse. Habillez l'enfant de vêtements en matière naturelle comme le coton ou la laine. Appliquez dans les plis infectés un antiseptique léger comme l'éosine en solution dans l'eau à 1 % ; lavez au savon acide.

D'innombrables points rouges, ou de petits boutons blancs : les éruptions dues à la sueur. Elles se situent essentiellement sur la nuque, dans le dos, et parfois autour de la taille, chez les bébés qui portent une bande abdominale (voir *Sudamina*).

Souvent, l'enfant est agité et dort mal. Évitez de trop couvrir l'enfant ou de le maintenir dans une pièce trop chaude. Localement, nettoyage à l'eau et au savon acide, ou seulement avec une solution acide, et poudrage au talc. Exposez la peau à l'air et au soleil, en suivant la progression indiquée à l'article *Le soleil*, chapitre 3.

Si l'éruption persistait, voyez le médecin.

En dehors de ces bobos relevant de l'hygiène, toute anomalie sur la peau d'un nourrisson ou d'un jeune enfant doit être signalée au médecin.

Ce qu'il faut dire au médecin. Si vous appelez le médecin par téléphone, vous lui rappellerez l'âge de l'enfant : certaines maladies n'apparaissent qu'à un âge précis. En attendant, faites ces quelques observations qui guideront le médecin dans son diagnostic : fièvre ? Caractéristiques de l'éruption ? Prise de médicaments ?

Fièvre : prenez la température de l'enfant. Les maladies de la peau ne s'accompagnent généralement pas de fièvre. En revanche, de la fièvre avec une éruption subite indique très probablement une « fièvre éruptive » : rougeole, scarlatine, rubéole, etc. Donc, connaître la température de l'enfant est essentiel pour établir le diagnostic.

Une éruption peut disparaître en quelques heures (en particulier dans la rubéole). Il est important que, avant de voir le médecin, vous vous posiez les questions suivantes :

● Où avez-vous remarqué les taches : sur tout le corps ? sur les fesses ? aux plis des cuisses, des bras ? sur la poitrine, le ventre ? sous les bras ? sur le cou ? sur la figure, les sourcils, autour de la bouche, derrière les oreilles ? Où les rougeurs ont-elles débuté ? Dans quel ordre se sont-elles étendues ?

● Forme des rougeurs : rondes, ovales.
● Taille des rougeurs : tête d'épingle, lentille.
● Couleur des taches : roses, rouge cerise, rouge violacé.
● Les rougeurs sont-elles franchement séparées les unes des autres ? Forment-elles une nappe continue ?
● Existe-t-il des vésicules (ampoules), des croûtes ? L'enfant se gratte-t-il ?
● Au toucher, la peau est-elle lisse ou rugueuse ? Présente-t-elle des saillies molles ou dures ?

Tous ces détails vous semblent peut-être infimes, mais c'est précisément parce que, dans chaque fièvre éruptive, les rougeurs ont un aspect et un siège particuliers, que le médecin pourra, d'après vos observations, établir son diagnostic.

PEMPHIGUS. C'est une maladie de la peau qui atteint les nouveau-nés ou les petits nourrissons. Elle débute par une tache rouge qui devient une bulle (d'où son nom, qui vient du mot grec signifiant bulle) au contour clair, grosse comme un grain de blé. Cette bulle molle se rompt au bout de quelques heures. Il reste une surélévation, ou si vous préférez un gros bouton dont le centre est une plaque parfaitement ronde, rouge vif et suintante. La peau commence à redevenir normale 8 à 10 jours après. N'importe quelle partie du corps peut être touchée, sauf la paume des mains et la plante des pieds. La maladie vient par poussées successives.

Le pemphigus est très contagieux. Il survient dans les collectivités : maternités, etc. Le bébé a parfois de la température : 38°, 39° ou davantage. Il s'alimente moins bien et peut avoir des troubles intestinaux.

Le médecin donnera un antibiotique, car cette maladie due à un microbe (streptocoque ou staphylocoque) est assez tenace et peut être à l'origine de complications infectieuses plus graves.

PHÉNYLCÉTONURIE. C'est une maladie rare, mais sérieuse, car elle entraîne un retard mental plus ou moins important. Ce retard peut être évité si, la maladie étant reconnue très tôt, dès les premiers jours de la vie, l'enfant est soumis à un régime alimentaire particulier qui sera poursuivi des années.

Des tests simples, pratiqués sur les urines (Phénistix) et surtout sur le sang (test de Guthrie), permettent de déceler la maladie. Ce dernier test est utilisé dans toutes les maternités ; il est indispensable de s'assurer sur le carnet de santé que le nouveau-né a subi ce test. Si le test est positif, des dosages de vérification seront demandés afin d'être sûr du diagnostic avant la mise en place du traitement.

PHIMOSIS. Lorsque, en faisant la toilette du petit garçon, vous constatez que son prépuce ne peut pas se tirer en arrière pour découvrir le gland, il y a phimosis, c'est-à-dire étroitesse de l'orifice formé par le prépuce.

Signalez le fait au médecin la prochaine fois qu'il verra l'enfant. Il vous dira si une incision est nécessaire, ou s'il suffit de forcer légèrement le prépuce pour l'élargir, ce qui est le cas fréquemment. Exercez si possible des tractions progressives qui libéreront peu à peu les « adhérences ». Observez la force du jet d'urine qui ne doit pas être gêné. La circoncision (voir ce mot) est parfois nécessaire.

En cas d'infection, lavez chaque jour le gland en introduisant avec précaution, par l'orifice du prépuce, un coton mouillé au bout d'un porte-coton, ou en faisant des bains de siège avec un antiseptique faible : eau oxygénée à 10 volumes et eau bouillie en quantités égales.

PIEDS : MALFORMATION À LA NAISSANCE — PIEDS BOTS. Grâce à leur dépistage précoce, les malformations congénitales des pieds guérissent dans leur grande majorité, sans séquelles, si le traitement est entrepris dès les premiers jours de la vie.

Ces malformations sont la conséquence d'une mauvaise position des pieds dans l'utérus, pour des raisons actuellement mal connues.

La plus fréquente de ces malformations est le *metatarsus adductus*, déformation en dedans de l'avant-pied.

Les autres malformations telles le pied *varus* ou *valgus* (rotation interne ou externe) ou le pied *talus* (flexion) sont tout aussi bénignes si les articulations du pied restent souples.

En fait, les difficultés apparaissent lorsqu'à la déformation s'associent une raideur, des rétractions musculaires et/ou une luxation (pied bot, pied convexe...).

Même dans ces situations difficiles, les moyens thérapeutiques actuels permettent d'obtenir d'excellents résultats grâce à des soins et manipulations quotidiens, une surveillance intensive et ce, pendant une ou deux années.

PIEDS EN DEDANS, EN DEHORS. L'enfant qui commence à marcher a tendance à avoir les pieds tournés vers l'intérieur. C'est normal. Il est plus rare qu'il les ait tournés vers l'extérieur. Ces déviations des pieds, quand elles sont importantes, peuvent avoir leurs causes au niveau du pied lui-même mais aussi au niveau des genoux et des hanches. Il faut donc en parler au médecin. Un œil exercé peut seul distinguer la mauvaise position temporaire de celle qui nécessite une surveillance et éventuellement un traitement. Ne faites jamais porter à un enfant des chaussures orthopédiques sans l'avoir fait examiner auparavant.

PIEDS PLATS. C'est un des soucis les plus courants des parents. Chez le jeune enfant, le pied est potelé, aussi bien dessous que dessus, ce qui fait que, lorsque l'enfant est debout, pieds nus, la plante de ses pieds, étalée par le poids du corps, adhère entièrement au sol, même à l'endroit de la voûte plantaire : en appui, le pied est plat, mais lorsque l'enfant est couché, la voussure plantaire est normale.

Ce n'est que lorsque l'enfant sera un peu plus grand qu'on pourra se rendre compte de l'état de cette voûte. D'ici là, même si vous craignez que votre enfant n'ait les pieds plats, ne lui imposez pas de semelles de soutien sans prescription médicale.

Chaussez l'enfant comme il est indiqué au chapitre 1. Faites-le marcher pieds nus ou en chaussettes ; il faut que les muscles de ses pieds travaillent, ce qui arrive lorsque les pieds s'agrippent au sol ou s'adaptent à un relief varié.

Un bon exercice, qu'il faudra lui présenter comme un jeu, consiste à saisir des objets avec les orteils. Faites-le aussi marcher sur la pointe des pieds. Quand votre enfant sera plus grand, offrez-lui une corde à sauter, et si vous le pouvez, faites-lui faire de la danse. Enfin, à bicyclette ou en tricycle, faites pédaler l'enfant avec l'avant-pied.

PINCÉ LE DOIGT DANS UNE PORTE (L'enfant s'est). Il n'y a hélas ! pas d'autre remède que les consolations. Mais le doigt du jeune enfant étant fragile, il faudrait quand même penser à une fracture si le doigt était déformé, bleu et gonflé. Montrez-le, en ce cas, à un médecin.

PIQÛRE. *Par épingle, aiguille, piquant d'oursin, épine de rosier, de cactus,* etc. Désinfectez. Si un corps étranger est resté dans la peau, essayez de l'extraire avec une pince à épiler ou une aiguille passée dans une flamme. Faites sortir un peu de sang et désinfectez une seconde fois. Surveillez l'endroit de la piqûre les jours suivants : s'il y a enflure, rougeur, douleur, montrez-la au médecin (voir *Abcès*). Piqûres d'orties : voir *Orties*.

PIQÛRES ET MORSURES D'ANIMAUX.

Abeilles, guêpes, frelons. Certains organismes sont très sensibles aux piqûres d'hyménoptères (abeilles, guêpes, frelons), d'autres moins.

Après une piqûre, il faut enlever le dard (ce qui n'est pas toujours facile) et appliquer localement de la glace et une solution vinaigrée. La zone rouge, douloureuse, persistera plusieurs jours.

Ces piqûres peuvent être graves dans certaines circonstances : piqûres multiples, piqûres localisées à des endroits tels que la gorge ou la bouche, prédisposition allergique.

A la suite de piqûres, des réactions peuvent apparaître, telles que vomissements, accélération cardiaque, gêne respiratoire. Et des troubles graves mettant la vie en danger se manifestent parfois : œdème plus ou moins généralisé, œdème du larynx, troubles importants de la circulation. Devant l'un de ces symptômes, ou devant une piqûre localisée à la gorge ou à la bouche, il faut conduire d'urgence l'enfant à l'hôpital.

En cas de réaction anormale importante (symptômes indiqués plus haut), il est nécessaire d'envisager une désensibilisation spécifique qui sera pratiquée dans un centre spécialisé.

Aoûtat. A la fin de l'été, ces minuscules insectes provoquent parfois de cruelles irritations aux jambes de l'enfant qui s'est promené dans l'herbe. Vous trouverez chez le pharmacien des préparations pour soigner ces irritations. Il existe aussi des pommades préventives.

Araignée. On constate localement au point de piqûre une zone gonflée, rouge et douloureuse avec parfois malaise, fièvre, mais sans signe de gravité. On se contentera d'une désinfection locale, d'application de glace, d'un peu d'aspirine.

Chien ou chat (morsure de). Elle ne doit jamais être négligée. Il faut d'abord nettoyer la plaie avec un antiseptique, puis montrer l'enfant au médecin qui prescrira un antibiotique et vérifiera si la vaccination antitétanique est à jour (il fera un rappel si nécessaire). Par prudence l'animal sera emmené chez le vétérinaire car la rage existe en France, au moins dans certains départements.

Moustiques. Les piqûres de moustiques, quand elles sont nombreuses, peuvent agiter l'enfant, infecter la peau par les doigts de l'enfant qui se gratte, et même, chez les nourrissons, donner de la fièvre. Nettoyer au savon acide ou à l'eau vinaigrée les points de piqûre. On trouve aussi chez le pharmacien des préparations pour calmer les démangeaisons.

Préventivement, pour éloigner les moustiques, outre les insecticides pulvérisés dans la chambre (en l'absence de l'enfant), on peut appliquer sur les parties découvertes de la peau d'un bébé de l'essence de verveine-citronnelle. Ce préventif agira pendant 2 ou 3 heures.

Serpents. En France, seule la vipère est dangereuse. La morsure est faite en général au niveau de la cheville, parfois des mains. Au début, la douleur est minime, mais le point de piqûre est en général facilement reconnaissable : il s'agit de deux points rouges, correspondant aux crochets séparés de 6-8 mm ; autour de ces deux points, en quelques minutes, se développe une zone qui ressemble à une ecchymose, tandis que la douleur apparaît, de plus en plus vive ; un gonflement peut atteindre tout le membre qui devient blanchâtre et parsemé d'ecchymoses.

Les troubles généraux sont variables : troubles digestifs, vomissements, douleurs abdominales, fièvre ou au contraire hypothermie, accélération cardiaque et éventuellement, dans les formes graves, un état de choc.

Les « petits gestes » autrefois préconisés ne sont plus recommandés : glace, garrot, aspiration de la plaie.

Le sérum antivipérin lui-même est d'utilisation discutée car il est souvent mal toléré.

La plaie sera désinfectée et le médecin s'assurera que le vaccin antitétanique est valable.

De toute manière, il est nécessaire de conduire l'enfant à l'hôpital où des mesures seront prises en fonction de la gravité des symptômes.

Taon. Tamponnez à l'eau vinaigrée. Si l'enfant a très mal, donnez-lui de l'aspirine.

PLAIES. A partir de l'âge de la marche, le problème des blessures est pratiquement quotidien chez le jeune enfant. Chaque plaie pose en fait un problème particulier selon son étendue, sa profondeur, sa situation, l'abondance du saignement qui l'accompagne, son degré de souillure et la présence éventuelle de corps étrangers. Aucune plaie, même minime (simple piqûre, par exemple) ne doit être négligée : elle doit être rapidement nettoyée et désinfectée (avec un savon liquide, par exemple), puis badigeonnée avec un antiseptique local (du type mercurochrome), enfin recouverte d'un pansement antiseptique. Surtout, toute plaie même minime doit faire penser au tétanos et faire vérifier la validité de la vaccination antitétanique (voir le mot *Tétanos*).

Une plaie profonde ou superficielle mais étendue (au-delà de quelques centimètres) doit être montrée au médecin en urgence pour nettoyage et suture, et tout particulièrement les plaies du visage qui pourraient entraîner des cicatrices inesthétiques.

En cas d'hémorragie, même apparemment abondante, un pansement compressif est habituellement suffisant, l'usage du garrot étant de moins en moins recommandé.

POLIOMYÉLITE. La gravité de cette maladie est très connue, du fait des complications respiratoires immédiates et des séquelles qu'elle laisse, en particulier paralysies et atrophies musculaires. On sait aussi qu'elle est devenue beaucoup plus rare depuis l'introduction d'un vaccin très efficace qui peut être utilisé par piqûre (en association avec les autres vaccins), ou seul par voie buccale. Ce dernier est le plus répandu actuellement.

Que faudrait-il faire en cas de menace d'épidémie ? Plusieurs cas :
● l'enfant a été vacciné récemment (moins de 2 ou 3 ans) : aucune mesure particulière ;
● l'enfant a une vaccination ancienne : faire d'urgence un rappel (une piqûre ou une prise buccale) ;
● l'enfant n'a pas été vacciné : commencer d'urgence la vaccination.

Au bout de combien de temps le vaccin est-il efficace ? Huit à quinze jours après la deuxième injection ou prise. Mais les rappels doivent être faits régulièrement pour que l'immunité persiste (voir *Vaccins*).

En cas d'épidémie, quels symptômes doivent vous décider à appeler un médecin ? La fièvre, des vomissements ou d'autres troubles digestifs imprévus, des douleurs dans les membres, des maux de tête, la gorge rouge doivent, si des cas de poliomyélite ont été signalés, vous décider à appeler le médecin. En attendant sa venue, mettez l'enfant au repos complet.

POUCE (L'enfant qui suce son).

Le nourrisson. Sucer son pouce à cet âge est normal, tellement normal que la succion du pouce, on l'a constaté, commence souvent dans le sein maternel : des bébés naissent avec le pouce rougi parce qu'ils l'ont tété avant de venir au monde. Lorsqu'un enfant suce son pouce, il faut d'abord s'assurer qu'il est suffisamment nourri (voir le chapitre 2) ; qu'il a tété assez longtemps à chaque repas, c'est-à-dire que vous lui laissez le sein aussi longtemps que nécessaire (15 minutes environ) ; ou, s'il est au biberon, que la tétine n'a pas de trop gros ou de trop petits trous. Sucer son pouce est pour le bébé — comme plus tard pour l'enfant quand il cherche à s'endormir — une manière de s'isoler.

Du sevrage à 6 ans. Deux enfants sur trois continuent à sucer leur pouce à 1, 2, 3 ou 4 ans. Ils le font notamment : à l'heure du coucher ; quand ils s'ennuient ; quand ils ne sont pas bien portants, lors d'une poussée dentaire ; lors d'un événement qui leur fait craindre d'être moins aimés : naissance d'un petit frère ou d'une petite sœur ; lorsqu'ils ont des parents trop attentionnés et anxieux ou, au contraire, souvent absents et peu tendres. Parfois, ces enfants ont été sevrés trop tôt ou trop vite.

Que faire ? Les rassurer, les entourer de tendresse et de calme, et prendre patience. Vont-ils se déformer la mâchoire ? Très probablement non, car les dents définitives n'ont pas encore percé.

Après 6 ans. L'enfant qui continue à sucer son pouce après 6 ans ne pose pas nécessairement un problème psychologique. Il s'agit le plus souvent d'un petit rite qu'il garde pour s'endormir. Néanmoins, c'est quelquefois le signal auquel on doit être attentif. N'y aurait-il pas chez cet enfant des problèmes scolaires auxquels vous répondriez par une sévérité excessive ? S'il suce son pouce, c'est qu'il manifeste, inconsciemment, un désir de retour à la petite enfance. L'activité intellectuelle à laquelle l'astreint l'école dépasse peut-être ses possibilités présentes : c'est pourquoi il cherche refuge dans une attitude « bébé ». Faites preuve de plus de compréhension, donnez-lui des activités mieux adaptées à son âge, il cessera de sucer son pouce.

En revanche, il peut y avoir un problème physique, celui des dents : comme c'est l'époque de la dentition définitive, et comme l'enfant suce son pouce avec toute la force de ses 6 ans, il risque de se déformer la mâchoire. Il faudra peut-être voir un dentiste pour réparer d'éventuels dégâts [1].

Y a-t-il un moyen d'empêcher la succion du pouce ? Certains partisans de la manière forte n'hésitent pas à conseiller de mettre des gants à l'enfant, d'enduire son pouce d'une substance amère, voire même de lui attacher les mains !

Ces moyens sont tout à fait inutiles, la plupart du temps inefficaces et risquent simplement de perturber davantage l'enfant.

POUX. Il peut arriver qu'un enfant parfaitement propre attrape par hasard des poux. Vous vous en apercevrez aux démangeaisons très intenses qui le feront se gratter le cuir chevelu. En l'examinant de près, vous verrez les œufs (lentes) attachés aux cheveux : ils sont petits, ronds, gris. Il faut, chaque jour, pendant cinq jours, pulvériser dans les cheveux des préparations pharmaceutiques, puis laver et frictionner énergiquement avec un shampooing. Deux semaines après, recommencer ce traitement de cinq jours. Coiffer chaque jour longuement les cheveux au peigne fin trempé dans du vinaigre chaud. Laver tout le linge et nettoyer tous les vêtements.

PRÉMATURÉ. Autrefois, on définissait les prématurés uniquement d'après leur poids : tout enfant de moins de 2 500 g était dit prématuré. C'était une erreur car il existe un certain nombre d'enfants pesant moins de 2 500 g qui naissent pourtant à terme : ce sont les enfants *hypotrophiques* (voir ce mot). L'enfant prématuré, lui, est un enfant né à moins de 37 semaines de grossesse comptées à partir du premier jour des dernières règles. Quant au poids, il dépend de « l'âge » du prématuré : plus l'enfant est né tôt, plus son poids est petit. Dans les deux cas, la taille est également inférieure à la normale.

Chez le prématuré, certaines fonctions (respiration, digestion, régulation de la température) ne sont pas encore tout à fait en état de marche. D'où sa fragilité. En outre, il est plus exposé à l'infection, et il manque de force pour téter.

La faiblesse et l'immaturité du prématuré sont visibles : il a petit poids, petite taille ; ses cris sont faibles ; sa respiration est irrégulière, sa tête relativement grosse et son thorax étroit, son abdomen saillant ; il a la peau fine, rouge, ridée et couverte d'un fin duvet (« lanugo »).

Si le prématuré ne pose pas de problème vital, il peut rester dans un service de pédiatrie, donc à proximité de sa mère. Sinon, le bébé sera transféré dans un centre spécialisé.

De plus en plus, on ouvre les services de prématurés aux parents afin qu'ils puissent participer à l'éveil de leur bébé, à ses progrès, aux soins qui lui sont prodigués, et afin qu'il n'y ait pas de trop grande rupture entre son séjour à l'hôpital et le moment où il va rentrer à la maison.

Lorsque vous emmènerez votre enfant chez vous, des indications précises vous seront données ; elles concernent tout particulièrement le régime : le prématuré doit recevoir un régime très digestible (donc pauvre en graisses). Le lait de la mère est pour lui le meilleur des aliments. On vous aura sûrement demandé de donner votre lait. Sinon, un lait en poudre modifié (partiellement écrémé, dextrimaltosé, albumineux, enrichi en huiles végétales) aura été choisi.

L'apport en vitamines (particulièrement A, C, D) [2] doit être assuré dès le début. Le prématuré est particulièrement exposé au rachitisme, et également à une anémie par manque de fer. Une préparation à base de fer sera prescrite avant deux à trois mois. Ses repas seront nombreux : dix au début (par sonde si nécessaire), puis, quand la succion sera satisfaisante, au biberon avec petite tétine spéciale. Les repas seront alors ramenés à 8, puis à 6 par jour.

Enfin l'enfant prématuré devra être vu souvent par le pédiatre et par les spécialistes qui l'auront soigné durant les premières semaines. Il est indispensable de suivre de près son développement, non seulement en poids, taille et périmètre crânien, mais aussi dans les gestes, les attitudes, la vision, l'audition, donc tout le développement psychomoteur et sensoriel.

Traité et suivi dans les meilleures conditions, le prématuré rattrapera le développement d'un enfant normal dans une période variable allant de deux à trois ans.

Cette description du prématuré est très brève. Si vous désirez vous renseigner plus

1. Les traitements orthodontiques sont remboursés par la Sécurité sociale à condition que la demande soit faite avant que l'enfant n'ait atteint 12 ans.
2. Voir le *Petit lexique diététique* à la fin du chapitre 2.

en détail sur le prématuré, ses difficultés, les soins qu'il nécessite, son avenir, etc., je peux vous conseiller deux livres : *Pour un nouveau-né sans risque*, du Pr A. Minkowski (Stock), et *Un enfant, prématurément*, ouvrage collectif sous la direction de Laurent Le Vaguerèse (Cahier du nouveau-né n° 6, Stock).

PRURIGO. L'enfant se gratte beaucoup, est agité et dort mal. Parfois, il perd l'appétit, est constipé ou au contraire a de la diarrhée. Pendant ce temps apparaissent sur sa peau des taches rouges. Elles ont 1 mm de diamètre et sont un peu surélevées. Elles peuvent apparaître n'importe où, sauf sur le cuir chevelu. Elles grossissent et prennent une couleur rouge sombre, ou terne. Parfois, une vésicule rapidement ouverte laisse place à une petite croûte jaunâtre. Au toucher, le bouton est très dur. Il disparaît en 8 ou 10 jours, laissant une tache ; puis celle-ci disparaîtra à son tour.

Mais le prurigo peut reparaître : il y a souvent des rechutes à intervalles plus ou moins éloignés.

Le prurigo est considéré comme une manifestation d'allergie (voir ce mot) au même titre que l'urticaire : allergie alimentaire ou allergie à la piqûre de certains insectes.

S'il s'agit d'un nourrisson, ne changez rien à son régime sans prescription du médecin. Localement, poudrez au talc, appliquez une solution acide, ou du mercurochrome, ou de l'alcool iodé (à 1 pour 100). Si les croûtes sont infectées, couvrez-les d'un pansement. Et surtout, armez-vous de patience : le prurigo finit toujours par disparaître.

Dans les cas sévères (par l'intensité des boutons et la fréquence des poussées), on peut entreprendre maintenant des traitements de « désensibilisation ». Et le médecin adressera l'enfant à un spécialiste de l'allergie.

PURPURA. Le purpura se caractérise par l'apparition sur la peau de taches rouges de dimensions variables, le plus souvent en simple pointillé, mais parfois en plaques très étendues comme des ecchymoses.

Ces taches sont faites de sang issu des petits vaisseaux sous-cutanés. Leur apparition est soit isolée, soit accompagnée de symptômes divers tels que fièvre, saignements, douleurs, etc.

Le purpura peut être lié à une diminution du nombre des « plaquettes » (cellules qui dans le sang participent à la coagulation). Il peut aussi être dû à une altération des petits vaisseaux eux-mêmes.

Les causes du purpura peuvent être nombreuses ; soit d'origine infectieuse : microbienne (méningocoque) ou virale (rubéole, mononucléose, etc.) ; soit d'origine toxique et la plupart des médicaments peuvent être mis en cause. Enfin le purpura peut être présent dans des maladies sanguines graves.

Le purpura chez le nouveau-né. Il faut signaler d'abord la fréquence de petits éléments purpuriques présents sur le visage après un accouchement difficile : il s'agit là de petites ruptures vasculaires sans gravité.

Par contre, l'existence d'un purpura avec diminution importante du nombre des plaquettes est un élément qui fait craindre une infection néo-natale.

Le purpura des méningites. L'existence d'un purpura chez un enfant qui a de la fièvre doit faire penser à une atteinte méningée. C'est un cas grave, et l'enfant doit être hospitalisé d'urgence. Pratiquement, comme vous ne pourrez distinguer le purpura d'une éruption banale type rougeole ou rubéole, devant toute éruption accompagnée de fièvre, il sera prudent de consulter le médecin.

Le purpura rhumatoïde. Ce purpura atteint les membres inférieurs ; lui sont associées des manifestations abdominales qui peuvent poser des problèmes chirurgicaux (invagination intestinale), et parfois une atteinte rénale qui se traduit par la présence de sang et d'albumine dans les urines. La guérison survient après une ou plusieurs rechutes.

Le purpura thrombopénique isolé. Il arrive qu'aucune cause ne soit trouvée, et dans ce cas, on parle de purpura essentiel ou idiopathique.

En général, la guérison survient en quelques semaines après un traitement approprié, mais dans certains cas, l'évolution se prolonge au-delà de 5-6 mois ; on parle alors de purpura chronique qui pose des problèmes de traitement.

R

RACHITISME. Cette maladie provient d'un défaut de vitamine D. Celle-ci — dont l'un des grands dispensateurs est le soleil parce qu'il réalise la formation de la vitamine D dans la peau même — étant indispensable à l'assimilation du calcium par l'organisme, l'enfant qui en est privé se trouve ainsi privé de calcium utilisable. Résultat : ses os, manquant d'un matériau essentiel, sont insuffisamment résistants. Des enfants nés en automne peuvent, quoique correctement nourris et promenés régulièrement, souffrir de rachitisme à cause du défaut d'ensoleillement de leurs six premiers mois. A noter que les vitres interceptent les rayons ultra-violets du soleil : il ne sert donc à rien d'exposer un enfant au soleil derrière une fenêtre.

Le rachitisme peut se traduire, selon l'âge, par un crâne mou, des poignets et des chevilles élargis, noueux, un retard dans la fermeture de la fontanelle, un retard de la position assise, de l'apparition des dents, un retard de la marche, ou encore par les jambes arquées [1], une déformation de la colonne vertébrale, de la cage thoracique et du bassin.

Pour prévenir le rachitisme, on donne de la vitamine D. La vitamine D se trouve, de nos jours, dans de nombreuses préparations pharmaceutiques. La dose nécessaire (1 000 à 1 500 unités) doit être donnée chaque jour, sans interruption, durant les deux premières années. Si vous avez négligé cette prévention, le rachitisme constaté sera traité par une dose forte et unique de vitamine D. Les bébés nourris au sein doivent également recevoir de la vitamine D.

Les enfants à peau foncée étant plus sujets que les autres au rachitisme (parce que la pigmentation de leur peau fait écran aux rayons ultra-violets) doivent être particulièrement surveillés.

REFLUX GASTRO-ŒSOPHAGIEN. Voir *Vomissements répétés.*

REFLUX VÉSICO-URÉTÉRAL. Voir *Infection urinaire.*

RESPIRATION ARTIFICIELLE. En cas d'asphyxie ou d'autre accident avec arrêt de la respiration, appelez les pompiers. Pour cela, composez le 18 sur le cadran.

Mais, *avant l'arrivée des secours,* pour ne pas perdre une seconde, commencez vous-même la respiration artificielle. La méthode la plus simple et la plus efficace est le bouche à bouche. Elle est valable dans tous les cas d'arrêt respiratoire : noyade, asphyxie (par le gaz ou par un objet), électrocution, accidents de la route.

L'important est de faire vite : *un arrêt de la respiration durant plus de quelques minutes entraîne des lésions cérébrales irréversibles.*

Signes par lesquels on s'aperçoit de la nécessité de la respiration artificielle :
1. La couleur bleue des lèvres et du visage est un signe de manque d'oxygène et de danger imminent.
2. Très vite, l'enfant perd conscience.
3. La respiration est arrêtée.

Ce qu'il faut faire :
1. Ouvrez le col ou tout ce qui serre le cou et la poitrine.

---

1. Attention : il ne faut pas conclure trop vite à des jambes arquées rachitiques (voir *Jambes arquées*).

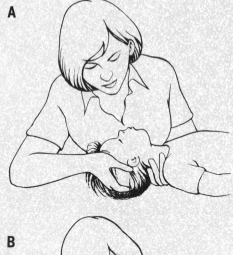

A

B

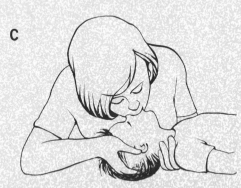

C

Chez l'enfant, l'insufflation doit être d'autant plus brève et plus douce que l'enfant est plus petit. Chez le bébé, insufflez à la fois dans la bouche et dans le nez en coiffant les deux avec votre bouche.

4. Redressez-vous après chaque insufflation.

5. Soufflez jusqu'à ce que vous voyiez la poitrine de l'enfant se soulever. A ce moment-là, cessez d'insuffler.

6. Maintenez la tête basculée en arrière pendant tout le temps de la respiration artificielle. Continuez celle-ci à la cadence de 20 à 40 insufflations par minute. Continuez jusqu'à ce que la respiration soit normale.

Difficultés : soit que la langue obstrue le fond de la gorge, soit qu'un obstacle quelconque empêche l'air de passer.

Pour remédier à l'obstruction par la langue, il suffit de renverser encore plus la tête en arrière.

Si un objet est logé dans la gorge et empêche l'insufflation, nettoyez la gorge, puis *très vite reprenez l'insufflation.* Si vous n'avez pas réussi à extraire l'objet, essayez de le déloger en utilisant la manœuvre de Heimlich (voyez les figures à l'article *L'enfant qui Étouffe,* p. 239).

Signes que le bouche à bouche réussit :
1. L'enfant rosit.
2. La respiration reprend.

2. Basculez fortement la tête en arrière pour bien dégager les voies respiratoires (fig. A). Autrement, la langue affaissée au fond de la gorge bloquerait l'entrée de celle-ci.

3. Prenez une profonde inspiration, ouvrez largement votre bouche (fig. B) et appliquez-la fermement autour de la bouche ouverte (fig. C).

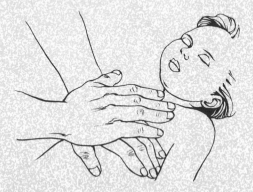

Massage du cœur. Si l'asphyxie a duré trop longtemps (plus de quelques minutes), le cœur s'arrête lui aussi. La ressuscitation cardiaque est alors indiquée. Elle n'est pas sans danger. Il faut n'y avoir recours que si l'on a bien constaté que le cœur ne battait plus (voir plus bas) et ne l'utiliser que si l'on a reçu un enseignement précis. Sans abandonner la respiration bouche à bouche, si on est seul, il faut alterner le bouche à bouche et le massage cardiaque externe.

Principe du massage du cœur. L'enfant étant couché sur le dos, le massage cardiaque externe consiste à exercer avec la paume de la main de fortes pressions verticales sur le tiers inférieur du sternum, environ 60 fois par minute. Ne pas appuyer sur les côtes : elles sont fragiles.

N.B. : Tous ces principes de réanimation d'urgence valent aussi pour les grands enfants et pour les adultes : il faut simplement insuffler plus fort et pincer les narines ; de même le massage cardiaque sera plus vigoureux.

RESPIRATION BRUYANTE, SIFFLANTE, STRIDOR. A moins qu'il ne s'agisse d'un enfant qui ronfle (voir *Ronflement*), toute respiration bruyante ou sifflante doit être signalée sans retard au médecin. Surtout si l'enfant est malade, avec de la fièvre. Il peut s'agir d'une simple rhinopharyngite ou d'une bronchite, mais aussi de maladies plus graves : asthme, corps étranger dans les voies respiratoires, laryngite, etc.

Certains enfants présentent dès la naissance un bruit respiratoire parfois comparé au gloussement de la poule. Il s'agit du stridor congénital qui est dû à une malformation du larynx. C'est sans gravité. Il n'y a pas de traitement particulier et ce bruit inquiétant disparaîtra peu à peu au bout de quelques mois.

RHUME — RHINITE — RHINOPHARYNGITE. La rhinite, c'est le nom médical du simple rhume. Elle débute par un écoulement clair, qui peu à peu devient plus épais et verdâtre ; la température reste peu élevée et l'état général bon. La rhinite est banale, son évolution simple mais, particulièrement chez le très jeune nourrisson, elle peut entraîner des petits troubles tels que : mauvais sommeil, gêne pour se nourrir.

Le traitement se bornera à dégager le nez par des instillations répétées de sérum physiologique et l'utilisation du mouche-bébé ; les antiseptiques ou antibiotiques à usage nasal peuvent être utilisés, mais en évitant les solutions huileuses ou celles qui contiennent des vasoconstricteurs.

La rhinopharyngite est un rhume qui s'étend aux fosses nasales postérieures (cavum) et à l'ensemble du pharynx.

Les symptômes sont souvent plus marqués : à l'écoulement du nez, s'ajoutent une fièvre qui peut être élevée et monter brusquement (d'où un risque de convulsions), une toux, un refus de manger, de la diarrhée.

Le traitement est simple : comme pour la rhinite, il faut dégager le nez avec du sérum physiologique et donner à l'enfant des médicaments contre la fièvre (voir ce mot). En général la rhinopharyngite guérit en quelques jours.

Cependant des complications peuvent survenir qui sont l'otite, la laryngite, la trachéo-bronchite et le foyer pulmonaire (voir ces mots).

L'éventualité de ces complications peut justifier l'utilisation des antibiotiques dont la prescription reste à l'appréciation du médecin.

Les rhinopharyngites à répétition constituent en fait le vrai problème chez le nourrisson. En hiver, ces rhinopharyngites répétées exposent aux complications dont nous avons parlé plus haut, particulièrement aux otites. Elles entraînent un encombrement permanent du nez, une toux persistante, une altération de l'état général, une mauvaise croissance.

A l'origine de ces rechutes, on met en cause des facteurs personnels de terrain : allergie, déficit immunitaire, carences diverses en fer, en vitamine D par exemple ; mais aussi des facteurs d'environnement, tels que le chauffage excessif et la sécheresse des habitations, la contagion des collectivités d'enfants, la pollution. On insiste également beaucoup sur le rôle néfaste des fumeurs dans l'environnement familial.

On peut considérer aussi qu'il s'agit d'une véritable maladie « d'adaptation » des voies respiratoires supérieures aux multiples agressions microbiennes et surtout virales. Cette succession de rhinopharyngites a pratiquement un caractère obligatoire et nécessaire à la constitution de l'immunité. En général, elles cesseront vers l'âge de 6 à 7 ans.

En attendant, la situation pose des problèmes de traitement souvent difficiles ; il faut s'armer de patience, ne recourir aux antibiotiques qu'avec l'accord du médecin, connaître les mesures préventives pour diminuer ou éviter la contagion : lorsque l'enfant passe d'un rhume à l'autre il devient nécessaire, sinon facile, de le retirer de la crèche ou de l'école pour un temps, et si possible de la faire changer de climat ; un climat sec et ensoleillé est souvent très efficace. Le médecin essaiera parfois de renforcer l'immunité locale et générale avec des gammaglobulines. Le problème de l'ablation des végétations (voir ce mot) se pose surtout si l'enfant a fréquemment des otites.

Les cures thermales peuvent être efficaces. On parle également aussi beaucoup aujourd'hui du rôle préventif de l'allaitement maternel.

RONFLEMENT. Un enfant qui ronfle a probablement des végétations. Vous devez signaler le fait au médecin qui vous orientera vers l'oto-rhino-laryngologiste.

ROUGEOLE. C'est une maladie due à un virus ; elle est très fréquente chez l'enfant à partir d'un an et évolue, en général, par épidémie et au printemps.

Les premiers *symptômes* de la rougeole apparaissent, en général, 10 à 15 jours après la contagion : rhume, fièvre, mais surtout une toux importante, un peu rauque, un faciès très particulier avec larmoiements qui, très souvent, feront envisager la rougeole même en l'absence de contagion connue, à plus forte raison en cas d'une épidémie.

L'éruption apparaît au bout de quelques jours sous forme de petites taches débutant derrière les oreilles, au visage, aux membres et s'étendant sur tout le corps. Très rapidement la fièvre tombe et, en l'absence de complications, au bout de 4 à 5 jours, l'éruption s'atténue et disparaît ; la convalescence est rapide.

Il est rare de nos jours que la rougeole se complique, mais cela reste possible en particulier chez tout enfant dont l'état général est déficient, et chez les enfants de race noire. Les otites et les foyers broncho-pulmonaires sont les plus fréquents ; l'atteinte du système nerveux (encéphalite) est très rare.

L'enfant est contagieux essentiellement avant l'apparition de l'éruption, d'autant plus qu'à ce stade, aucune précaution d'isolement n'aura été prise.

Il existe une *vaccination contre* la rougeole qui peut être administrée dès l'âge de 12 à 14 mois (jusqu'à cet âge l'enfant conserve les anticorps maternels qui le mettent à l'abri de la maladie). Ce vaccin est fait en une seule injection et assure une protection durable ; il peut provoquer une petite poussée de fièvre. Le vaccin n'est pas obligatoire, mais particulièrement recommandé chez les enfants fragiles porteurs d'affections respiratoires et chez les enfants noirs.
La protection apportée par vaccin est très rapide. Il est donc possible d'empêcher la maladie s'il est fait dans les 5 jours qui suivent le contact avec un rougeoleux, le vaccin agissant plus rapidement que le virus de la rougeole lui-même.

A titre préventif, après un contact avec un rougeoleux, on peut donc vacciner rapidement dans la limite de ces 5 jours, ou utiliser des gammaglobulines (voir ce mot) qui permettront d'atténuer la maladie.

RUBÉOLE. Cette maladie, très bénigne pour les enfants, n'est redoutable que dans un seul cas, celui de la future maman, surtout pendant les trois premiers mois de la grossesse : durant cette période, si le virus de la rubéole atteint le fœtus, il peut causer chez lui diverses malformations (système nerveux, cœur, œil, oreille).

Un simple examen de sang (sérodiagnostic) permet de savoir si une jeune femme a eu la rubéole ; ce sérodiagnostic est fait dans le cadre de l'examen prénuptial. On peut espérer de plus, grâce à la vaccination des fillettes en période pré-pubertaire, que dans peu d'années ce danger pour les futures mamans aura disparu.
La maladie débute le plus souvent par un malaise général assez léger, sans rhume. Des taches rouges, discrètes, apparaissent d'abord au visage, puis s'étendent au tronc et aux extrémités. L'éruption disparaît généralement le troisième jour. La fièvre dépasse rarement 38° à 38°5 et ne dure guère plus de deux jours. Il y a fréquemment des ganglions.

L'enfant est contagieux deux jours avant l'apparition des symptômes et le reste pendant la durée de l'éruption. On ne peut avoir la rubéole qu'une fois, mais il faut savoir que plusieurs autres maladies à virus ressemblent par leurs symptômes à la rubéole.

Dès qu'il sera guéri, l'enfant pourra retourner à l'école ou au jardin d'enfants. Ses frères et sœurs peuvent continuer à fréquenter l'école.

En cas de rubéole dans une école, le personnel enseignant doit obligatoirement être informé. Les institutrices et les professeurs qui seraient enceintes, et qui présenteraient un test sérologique négatif, peuvent avoir un congé jusqu'au 4e mois de leur grossesse.

RUMINATION. Certains nourrissons et jeunes enfants font remonter les aliments dans la bouche et les remâchent à la manière des ruminants. Il s'agit d'un trouble du comportement, en général passager, qu'on pense être lié à des difficultés affectives.

Si l'enfant perd du poids, il est important de le signaler au médecin car dans ses manifestations extrêmes, cette rumination, appelée mérycisme, peut nécessiter un changement d'attitude éducative et parfois une hospitalisation.

S

SAIGNEMENT DE NEZ. Voir à la fin de l'article *Hémorragie.*

SALMONELLOSE INTESTINALE. Les salmonelles sont des microbes du groupe des bacilles de la typhoïde. Chez le nourrisson, ces microbes peuvent entraîner des diarrhées aiguës, survenant parfois par petites épidémies dans les crèches ou dans les familles. L'évolution peut être assez sévère avec selles nombreuses et sanglantes, déshydratation, etc.

C'est la coproculture (examen des selles) qui permet d'identifier le microbe.

Actuellement, on ne recommande pas de traitement antibiotique, la guérison est obtenue par simple réhydratation et régime antidiarrhéique.

SCARLATINE. La scarlatine est due à une variété de streptocoques (hémolytiques). Elle est aujourd'hui moins fréquente et surtout moins grave qu'elle ne l'était autrefois.

L'incubation est courte, en moyenne 4 à 5 jours, et les premiers *symptômes* apparaissent brusquement. Il s'agit d'une angine avec fièvre élevée, enflure des ganglions du cou, souvent un état de malaise et des vomissements.

Très rapidement *l'éruption* apparaît, faite d'une nappe rouge continue avec de larges plaques qui peu à peu se rejoignent, aux contours irréguliers qui commencent aux plis de flexion : cou, aisselles, coudes. Ces plaques gagnent bientôt l'ensemble du corps y compris le visage ; seul le pourtour de la bouche et des yeux est épargné. La langue a un aspect très caractéristique : au bout de quelques jours, elle fait penser à une fraise.

En l'absence de complications, l'évolution de la scarlatine se fait en quelques jours ; la température baisse, l'éruption s'atténue puis disparaît. Néanmoins, parfois, au bout de 2 à 3 semaines seulement, la peau se met à desquamer ; c'est surtout visible au niveau des mains et des pieds d'où se détachent de grands lambeaux de peau.

Les *complications*, autrefois redoutables, sont devenues rares aujourd'hui, grâce au traitement par la pénicilline auquel le streptocoque est très sensible. Il s'agit essentiellement d'atteinte rénale (voir *Néphrite*) et d'atteinte articulaire. Il reste nécessaire cependant au cours de la scarlatine de surveiller les urines, et pour cela, le médecin fait faire des recherches systématiques d'albumine.

Actuellement, il est rare de voir de grandes scarlatines typiques, mais bien plus souvent des formes atténuées, incomplètes qui peuvent se limiter à une éruption peu intense et de courte durée, qu'il est plus difficile d'attribuer d'emblée à la scarlatine ; les éléments suivants aideront le médecin à reconnaître la scarlatine : contagion, angine préalable, présence de streptocoque hémolytique dans un prélèvement de gorge, desquamation de la peau des extrémités.

Il y a quelques années, la scarlatine était contagieuse pendant toute sa durée ; elle ne l'est plus après quelques jours de traitement par pénicilline.

De même, l'enfant atteint de scarlatine devait être exclu de l'école pendant 40 jours à dater du début de la maladie. Actuellement, ce délai est raccourci à 15 jours sur présentation d'un certificat médical attestant que l'enfant a été soumis à un traitement et que le prélèvement de gorge est négatif.

SELLES ANORMALES. Vous avez vu au chapitre 2 à quels signes on reconnaît que les selles du nourrisson sont normales. Voyons ce qui peut rendre les selles anormales — en dehors de la constipation et de la diarrhée (voir ces mots).

Grumeaux. En petit nombre, ils n'ont aucune signification particulière chez le nourrisson, s'il n'y a pas diarrhée.

Glaires. Ce sont des filaments visqueux, blancs ou verdâtres. Ils peuvent former soit des traînées grisâtres, soit des paquets de fils. Une irritation des intestins, aussi bien qu'un simple rhume, peuvent en être cause : dans le premier cas, l'intestin irrité a sécrété des glaires ; dans le second, l'enfant a avalé des glaires coulant de ses fosses nasales ou de sa gorge.
Si l'enfant est enrhumé, la présence de glaires dans ses selles est normale ; il faut simplement soigner le rhume.
Si l'enfant n'a aucune affection des voies respiratoires, les glaires sont le témoin d'une atteinte de la muqueuse intestinale elle-même. Ne tardez pas à en parler au médecin.

Pus. Si du pus se mêle aux glaires dans les selles, c'est qu'une infection existe quelque part dans le tube digestif : le pus n'est pas autre chose que des globules blancs du sang, des microbes et des déchets de muqueuse mêlés.

Sang. Si vous voyez une tache de sang dans les couches ou dans le pot de l'enfant, à plus forte raison si du sang s'écoule par l'anus, il est bien évident qu'il faut appeler aussitôt le médecin. Une chose à ne pas oublier : garder les couches, ne pas vider le pot qui contient la selle.

Cela dit, si par ailleurs l'enfant semble bien portant et n'a pas de fièvre, il s'agit très probablement d'une affection bénigne : une petite grosseur — un polype — s'est formée dans le rectum. Elle saigne. Une intervention minime permettra d'en débarrasser l'enfant. Il peut aussi s'agir d'un accident qui se produit quelquefois : vous avez pris la température de l'enfant ce jour-là. Sans le vouloir — et bien que le thermomètre ne soit pas brisé — vous l'avez blessé. Ce genre d'hémorragie est parfois délicat à soigner.

Autre cause possible de l'hémorragie : l'enfant est constipé (voir *Constipation*). Si l'enfant a de la diarrhée, l'intestin, irrité, peut saigner. Il faut soigner la diarrhée.
Enfin, une autre cause possible de cette hémorragie est l'invagination intestinale, dont nous vous parlons à l'article *Cris du nourrisson*.

Selles vertes. Cette couleur n'est pas forcément un signe inquiétant. Elle signale seulement une accélération du passage dans l'intestin : les aliments digérés ont traversé rapidement l'intestin et n'ont pas eu le temps de prendre leur couleur normale. Mais il faut savoir aussi que les selles s'oxydent à l'air : elles ont donc pu devenir vertes après avoir été évacuées par l'enfant.

Selles décolorées. Le lait de vache, le lait concentré donnent souvent des selles grises au nourrisson.
Selles très décolorées, presque blanches : c'est signe d'un mauvais fonctionnement du foie, parfois le premier symptôme d'une hépatite.

Selles colorées. Enfin, rappelons que les épinards et les betteraves donnent leur couleur aux selles, et que les carottes s'y retrouvent en petits fragments.

Une selle que vous jugerez anormale sera gardée pour être montrée au médecin.

SÉRUM. Il y a quelques années, lorsqu'on craignait qu'un enfant n'ait contracté une maladie contre laquelle il n'était pas vacciné, on lui administrait quelquefois du sérum ou des gammaglobulines. Le sérum apporte à l'organisme une protection provisoire, de deux ou trois semaines, contre la maladie contractée.
Quelle différence entre sérum et vaccin ? Le premier apporte des anticorps venus de l'extérieur — ils ont été prélevés sur un

organisme étranger auquel on avait inoculé la maladie — alors que le vaccin permet à l'organisme de fabriquer ses propres anticorps.

Autre différence entre sérum et vaccin : le sérum agit immédiatement, mais pour un temps limité ; le vaccin demande un certain délai avant d'assurer la protection, mais il agit pendant plusieurs années (voir *Vaccins*).

Les sérums sont de moins en moins utilisés. En effet, certains sérums peuvent provoquer de vives réactions dans l'organisme lorsqu'on les administre deux fois. Ce sont les sérums animaux (en général les sérums de cheval). Actuellement, les gammaglobulines remplacent presque toujours les sérums. En effet les gammaglobulines peuvent être administrées plusieurs fois sans danger, car elles sont d'origine humaine.

SINUSITE MAXILLAIRE. La sinusite est rare chez le très jeune enfant : en effet, les sinus maxillaires ne sont guère formés avant l'âge de 4 ans. Elle est alors souvent d'origine allergique. Il s'agit d'une sinusite chronique décelée seulement par une radio des sinus de la face. Cet examen est demandé chez un enfant ayant des rhinobronchites répétées, une toux persistante.

SOMMEIL (Troubles du). Au chapitre 3, dans *Il dort*, nous avons longuement parlé du sommeil (durée, importance, caractéristiques, etc.) et de toutes les circonstances qui favorisent un bon sommeil chez l'enfant. Ici nous voudrions évoquer ce qui peut le perturber.

Les troubles du sommeil sont fréquents chez le jeune enfant ; ils sont le plus souvent passagers et sans gravité. Mais, dans certains cas, par leur intensité et leur persistance, ces troubles peuvent retentir sur la santé de l'enfant et surtout sur l'équilibre de la famille.

Des causes simples, parfois minimes, peuvent perturber le sommeil de l'enfant : poussées dentaires, otite, rhinopharyngite, gêne pour respirer (végétations) ; ou bien l'enfant a trop chaud, il est trop serré dans ses vêtements, il est mouillé ; ou encore il y a trop de lumière ou trop de bruit autour de lui.

Ces incidents « pratiques » éliminés, la cause principale des troubles du sommeil est psychologique.

Lorsque l'anxiété provoque l'insomnie. A partir d'un an - un an et demi (mais cela peut aussi arriver plus tard), l'enfant fait souvent des difficultés pour aller se coucher. Pourquoi ? Tout simplement parce qu'il a peur du noir ; ou bien parce que le fait d'aller dormir lui donne une impression d'abandon et de solitude. Et pour se rassurer, l'enfant réclame une présence, des objets familiers, ou exige des gestes routiniers. Ces réactions de l'enfant montrent qu'il prend conscience de son environnement, et donc qu'il fait des progrès. Au premier abord, toute nouveauté déroute l'enfant mais le fait peu à peu grandir.

Il n'en est pas moins vrai que si cette anxiété survient de façon inattendue, ou bien prolongée, ou excessive, c'est une sonnette d'alarme et il faut essayer de comprendre ce qui se passe.

Tel enfant refuse depuis quelques jours d'aller se coucher, et c'est chaque soir le drame. Après « enquête », les parents se rendent compte que l'enfant ne supporte plus son lit à barreaux dans lequel il se sent enfermé. Tout rentre dans l'ordre avec l'installation d'un grand lit, duquel d'ailleurs l'enfant n'éprouve plus le besoin de sortir...

Ou bien dans cette famille, pour raisons professionnelles, le père part souvent en voyage. Chaque fois la mère est angoissée, ce qui retentit sur l'enfant : il a un sommeil agité et appelle plusieurs fois au cours de la nuit. Une conversation avec le pédiatre a permis à la mère de se rendre compte que son inquiétude ne devait pas (autant que possible) se communiquer à l'enfant.

Ou encore cette maman, infirmière, rentre souvent tard le soir. Et l'enfant ne veut pas aller se coucher tant qu'il n'a pas vu sa mère. Il est pourtant important de respecter les besoins en sommeil de l'enfant, et la mère devra faire en sorte que les besoins affectifs soient comblés à un autre moment, le week-end par exemple.

Lorsque l'excitation provoque l'insomnie. Les causes d'excitation pouvant empêcher un enfant de dormir sont nombreuses.

Cela peut être une méconnaissance des rythmes du sommeil : tel enfant fait de trop longues siestes chez la nourrice ou commence à s'endormir chez elle. Lorsqu'il arrive chez lui, il est repris par une phase d'éveil et n'arrive plus à trouver la détente qui lui permettrait de s'endormir.

Tel autre enfant est un « couche-tôt ». Mais comme c'est seulement le soir que la famille se retrouve, les parents jouent avec l'enfant et l'excitent à une heure où il n'est plus disponible. C'est bien compréhensible qu'il n'arrive plus à s'endormir.

Ou bien l'entourage — parents ou nourrice — stimulent trop l'enfant pour qu'il parle ou marche ; ou bien ils exigent trop de l'enfant pour qu'il soit propre.

Ou encore l'enfant est trop jeune pour passer une si longue journée à l'école. Et les adultes savent bien que la fatigue peut empêcher de dormir.

Le réveil précoce. Certains enfants, spontanément, se réveillent tôt ; c'est leur rythme personnel de sommeil, ce sont des « lève-tôt ».

Pour que l'enfant attende avec patience son petit déjeuner, il faudrait qu'il ait de quoi s'occuper. Le soir, quand l'enfant sera endormi, placez près de son lit ses jouets préférés. Il prendra l'habitude de s'amuser, assis dans son lit, tout en monologuant à voix basse. Vous pouvez aussi lui mettre un petit-beurre ou une tranche de pain d'épice près de son lit. Si l'enfant se réveille vraiment trop tôt, écourtez la sieste de l'après-midi, ou mettez-le au lit un peu plus tard.

Mais il y a aussi l'enfant qui est obligé de se lever tôt à cause des horaires de ses parents. Cette situation fréquente a une influence néfaste sur la santé des enfants. En effet, ce réveil provoqué entraîne non seulement un manque de sommeil total, mais surtout un manque de sommeil paradoxal, ce sommeil si important pour l'enfant (voir page 153), et qui prédomine en fin de nuit.

Les somnifères. Tout ce que nous avons dit à propos du sommeil et de ses troubles montre bien que la solution ne réside pas dans les somnifères. Tout au plus, et pendant une période limitée, le médecin pourra en conseiller pour sortir d'une situation qui paraît bloquée : il arrive en effet que les troubles du sommeil de l'enfant perturbent complètement la vie familiale et provoquent un énervement général, préjudiciable pour tous.

Des gestes simples, auxquels on ne pense pas toujours, peuvent être d'un grand secours : dans un biberon — ou un verre — un peu d'eau sucrée ou de lait tiède, ou d'eau de fleurs d'oranger, ou de tisane. Ce sont des calmants naturels qui peuvent apaiser l'enfant. Comme le dit le Docteur Soulé, parfois le meilleur somnifère, c'est la cuillerée d'eau sucrée qu'on donne à l'enfant en lui racontant une histoire à « dormir couché »...

En conclusion, comme beaucoup d'autres troubles, l'insomnie de l'enfant n'est pas un symptôme grave qu'il faut absolument faire disparaître par des médicaments. Il faut comprendre ce qui la provoque pour essayer d'y remédier. Les troubles du sommeil de l'enfant révèlent souvent des perturbations à l'intérieur de la famille ; et parfois une discussion avec un tiers (le pédiatre ou le psychologue, par exemple) pourra être très utile.

Petite bibliographie sur le sommeil :
— *Le sommeil de l'enfant*, R. Debré et A. Doumic, PUF (Collection « Païdeia »).
— *Bons et mauvais dormeurs*, Jeanette Bouton. Édition Gamma.

Voir aussi *Calmants, Cauchemars, mouvements rythmés*.

SPASME DU SANGLOT. Cet incident a été décrit à l'article *L'enfant qui Étouffe*. Répétons qu'il s'agit d'un arrêt respiratoire survenant au paroxysme d'une crise de cris et de pleurs. L'enfant bleuit et parfois perd connaissance pendant quelques instants. Parfois c'est après une douleur, pas toujours très violente et sans pleurs, que l'enfant pâlit et perd connaissance.

Bien que très impressionnant, ce trouble est sans gravité ; mais il a tendance à se répéter. Il est d'origine nerveuse, émotive, et le médecin vous conseillera sur l'attitude à adopter.

SPASMES EN FLEXION. Il s'agit d'un type de convulsions particulier au nourrisson, vers l'âge de 6 mois, qui s'accompagne d'un arrêt du développement psychomoteur.

La crise se passe habituellement de la manière suivante : une série de secousses brèves au cours desquelles l'enfant se ramasse sur lui-même, fléchissant brusquement la tête, le tronc et les quatre membres. Parfois, c'est au contraire une extension du corps et des membres.

La cause de ces spasmes n'est pas connue, sauf dans certains cas d'anomalies congénitales du système nerveux.

Le médecin sera vu sans attendre car un traitement doit être institué d'urgence.

SPINA BIFIDA — MÉNINGOCÈLE — MYÉLOMÉNINGOCÈLE.

Le terme de *spina bifida* désigne une anomalie congénitale des vertèbres : la partie postérieure, non soudée, reste ouverte en arrière, laissant éventuellement passage aux structures neurologiques sous-jacentes (méninges et moelle épinière). Cette anomalie se produit le plus souvent à la partie inférieure de la colonne (région lombaire et sacrum), plus rarement dans les régions dorsales ou la nuque.

Le défaut osseux peut être isolé, c'est le spina bifida occulte, en règle générale sans conséquence. Il peut être découvert lors d'une radiographie faite dans l'enfance pour une raison quelconque (traumatisme, énurésie, explorations rénales, etc.).

Dans une autre forme de spina bifida, le *méningocèle,* les méninges seules s'extériorisent par la fente osseuse sous forme d'une masse, recouverte de peau mince.

La *myéloméningocèle* est la forme la plus grave car la moelle épinière et les racines nerveuses sont contenues dans la tumeur qui fait saillie et sont à nu, sans revêtement de peau ; il en résulte un risque infectieux majeur et immédiat, une paralysie des membres inférieurs, une incontinence de la vessie et de l'anus ; d'autre part, une hydrocéphalie peut être associée.

Il s'agit donc de malformations majeures aux conséquences tellement graves que la décision d'une abstention ou d'un traitement actif se pose dès la naissance. Cette décision doit être prise par les parents, en toute connaissance de cause, après une information approfondie donnée par l'accoucheur, le pédiatre et après une consultation éventuelle du neurochirurgien.

Cette décision devra être prise dans les premières 24 heures de la vie.

Il y a malheureusement une possibilité de récidive. Cela entraîne une surveillance particulière lors d'une grossesse ultérieure.

Le dépistage anténatal est possible par l'échographie vers les 16e-20e semaines.

STÉNOSE DU PYLORE. C'est une malformation du tube digestif assez fréquente chez l'enfant, plus souvent chez le garçon que chez la fille. Il s'agit de l'épaississement de l'anneau musculaire (pylore) qui sépare l'estomac de la première partie de l'intestin. Cet obstacle empêche l'estomac de s'évacuer normalement, ce qui entraîne des vomissements ; ils commencent environ 15 jours après la naissance et deviennent de plus en plus abondants et « explosifs » ; l'enfant est à la fois affamé et constipé. Un examen radiologique permet d'identifier la malformation, et une intervention chirurgicale simple assure une guérison définitive.

STOMATITE. Dans cette affection — sans doute virale — l'intérieur de la bouche (joues, langue, gencives) est couvert de petites taches blanches qui recouvrent des plaies douloureuses. Lorsque cette membrane blanche tombe, une ulcération très pénible subsiste. Quand la bouche est couverte de ces ulcérations, l'enfant ne peut supporter le contact des aliments, même liquides. Le seul fait d'avaler sa salive est excessivement douloureux. Cela dure quatre à cinq jours. La stomatite entraîne une salivation excessive, une haleine fétide, et de la fièvre qui peut atteindre 40°.

Le médecin vous prescrira un traitement antibiotique et vitaminique et des soins locaux (badigeonnages). Attendez-vous à des difficultés et armez-vous de patience. Vous alimenterez surtout l'enfant en lui faisant boire des boissons sucrées et glacées et en lui donnant des bouillies. Donnez-lui ce qu'il acceptera le mieux : jus de fruits, lait, glaces, etc. Il est important que l'enfant atteint d'une stomatite évite tout contact avec un autre enfant. Voyez *Aphtes et Herpès.*

STRABISME. Durant les premiers mois, il est fréquent d'observer que le nourrisson louche légèrement, et de temps en temps, parce que les mouvements des deux yeux ne sont pas encore parfaitement coordonnés : habituellement ce strabisme intermittent se corrige spontanément.

Par contre, si le strabisme est important et permanent, l'enfant doit être montré sans tarder à l'ophtalmologiste, car un traitement a d'autant plus de chance de réussir qu'il est entrepris plus tôt.

Le strabisme résulte d'un défaut de vision d'un œil, et c'est cet œil qu'il convient de rééduquer en le faisant travailler. Pour cela, on prescrira le port d'un bandage occlusif de l'œil sain. Des verres correcteurs peuvent être également prescrits.

Ce n'est que lorsque l'enfant aura retrouvé une bonne vue qu'une correction chirurgicale, dans un but esthétique, pourra être réalisée entre 2 à 4 ans.

STRIDOR. Voir *Respiration bruyante*.

SUDAMINA. C'est une éruption due à la transpiration. Elle est faite de très petits boutons rouges siégeant plus particulièrement au niveau du cou et du dos. Elle disparaît aisément si l'on prend soin de s'assurer que la peau du nourrisson reste propre et surtout sèche.

SURDITÉ. La surdité n'est pas rare chez l'enfant, chez lequel elle a pour première conséquence, même quand elle est partielle, de gêner le développement du langage. Elle peut rester longtemps méconnue et l'on peut croire, à tort, à un retard du développement alors que l'intelligence est normale.

Le dépistage de la surdité est d'autant plus difficile que l'enfant est plus jeune. Les parents doivent observer les réactions de l'enfant aux bruits habituels (voix basse, radio, montre, bruits de porte, etc.). Au moindre doute, l'enfant doit être montré à des spécialistes qui utiliseront des méthodes de dépistage adaptées à son âge.

Le dépistage de la surdité fait partie de l'examen du 9e mois et du 24e mois.

Récemment, ont été introduits des tests simples qui permettent de reconnaître (ou tout au moins de présumer) la surdité profonde dès les premiers jours ou semaines de vie. Ce dépistage précoce de la surdité est maintenant souvent pratiqué dans les maternités. Il permet d'appareiller très tôt l'enfant et de prendre des mesures éducatives spéciales.

Les causes de la surdité sont diverses :
● surdité existante à la naissance, le plus souvent profonde ; cette surdité est, soit héréditaire, soit liée à une infection pendant la grossesse (en particulier la rubéole) ;
● surdité acquise, le plus souvent partielle, après certaines maladies infectieuses, en cas d'otites chroniques négligées, ou bien attribuée à certains antibiotiques (gentamicine).

T

TACHES SUR LA PEAU À LA NAISSANCE.
Les plus fréquentes des petites anomalies de la peau que peut présenter un enfant à la naissance sont les *angiomes :* voir à ce mot description, traitement, etc.

Les *naevus* sont des taches pigmentées, brunes, plus ou moins étendues, qui peuvent se trouver à n'importe quel endroit du corps. Le traitement varie avec chaque cas. Il faut consulter un médecin spécialiste qui en décidera.

Un cas particulier à signaler : la *tache mongolienne*, ainsi appelée parce qu'elle est très fréquente chez les Asiatiques ; elle est brun bleuté et se situe en bas du dos. La tache mongolienne s'atténue avec l'âge.

TESTICULES.

Testicules non descendus (ectopie testiculaire). Bien souvent, l'absence d'un ou des deux testicules dans les bourses du nourrisson ou du petit garçon est sans gravité. Il suffit d'examiner l'enfant dans de bonnes conditions : soit allongé, soit dans un bain chaud, ou bien d'appuyer doucement sur la région des aines (au-dessus des parties génitales), pour faire descendre la glande. Nul doute que ces « testicules migrateurs » prendront un jour, avant la puberté, leur place définitive.

Cependant, dans certains cas, on ne peut « abaisser » le ou les testicules. Il faut alors voir le médecin ; il vous conseillera peut-être d'abord un essai de traitement médical (hormonal), puis, si nécessaire, une intervention chirurgicale entre 2 et 6 ans. Il semble bien, en effet, qu'un testicule non descendu après cet âge ait peu de chances de descendre spontanément et soit exposé à certaines complications (stérilité notamment).

Bourses volumineuses. Chez le nouveau-né, c'est ce qu'on nomme un hydrocèle. Le liquide accumulé dans les bourses disparaît en règle générale spontanément, en quelques semaines.

Torsion du testicule. Chez le nourrisson et même le nouveau-né, la torsion du testicule se traduit par l'augmentation de volume d'une bourse qui est rouge, violacée ; bien que peu douloureuse et sans fièvre, ni autre trouble, c'est une urgence car sans une intervention chirurgicale la glande risque d'être gravement lésée.

TÉTANIE DU NOURRISSON.
C'est une maladie qui se caractérise par des convulsions et une tendance à la contracture des extrémités. Elle provient d'une insuffisance de calcium dans l'organisme. Comme l'organisme a besoin de soleil pour assimiler le calcium, il arrive que des nourrissons, nés en automne dans des régions brumeuses, présentent, associés au rachitisme, des signes de tétanie. Le médecin prescrira un traitement à base de vitamine D et de calcium.

Voir *Rachitisme*.

TÉTANOS.
Cette redoutable maladie — mortalité 50 % — a heureusement donné lieu à une vaccination, obligatoire en France (voir *Vaccins*.) Veillez à faire faire réguliè-

rement les rappels nécessaires : les bacilles et les spores qui causent le tétanos sont très répandus dans la terre, la poussière, les excréments humains et animaux ; donc les risques sont très grands, surtout à la campagne. Le plus redoutable n'est pas la blessure profonde ou étendue — en effet, celle-ci sera forcément vue par le médecin, lequel pensera au risque de tétanos — c'est le clou rouillé dans le pied, le barbelé dans les jambes, l'écharde sous l'ongle : ces bobos, oubliés au bout de quelques jours et parfois négligés.

De même, une piqûre d'insecte ou une morsure de chien ou de chat peuvent être une porte d'entrée pour l'agent du tétanos.

Ce qu'il faut faire en cas de blessure. Lavez soigneusement la plaie à l'eau et au savon, sans laisser subsister la moindre souillure (terre, etc.) dans la chair. Désinfectez au mercurochrome quand la plaie est propre. Pansez.

Le médecin jugera s'il y a lieu de faire une injection de rappel chez les enfants vaccinés. Chez les non-vaccinés, ou chez ceux dont la vaccination est ancienne et n'a pas été entretenue, il décidera s'il faut faire des gammaglobulines antitétaniques, parallèlement avec une injection de vaccin. Il faut alors en profiter alors pour poursuivre la vaccination.

Les symptômes du tétanos. Entre 5 et 14 jours après le début de l'infection apparaît une raideur des muscles, particulièrement de la mâchoire et du cou. Le malade, qui transpire abondamment, a de plus en plus de difficulté à ouvrir la bouche et à avaler. Il est agité, a mal à la tête et souffre de frissons et de douleurs dans les extrémités. Il a peu de fièvre. Il peut avoir des convulsions et la raideur gagne progressivement le corps tout entier. Le traitement est alors d'une extrême urgence, et l'enfant doit être transporté dans un centre hospitalier spécialisé.

TÊTE (Mal de) — CÉPHALÉE. Le mal de tête est fréquent chez l'enfant. S'il s'agit d'un mal de tête subit, violent, associé à des vomissements et de la fièvre, on pense bien sûr d'abord à la méningite, et le médecin doit voir l'enfant sans tarder. Bien souvent, il ne s'agira, heureusement, que d'un état grippal saisonnier, ou du début d'une maladie éruptive.

Un mal de tête fréquent et isolé, devenant peu à peu habituel, pose un tout autre problème : il faudra vérifier la vue de l'enfant, faire le rapprochement avec un autre membre de la famille qui est sujet à la migraine, penser à la sinusite, éliminer une lésion cérébrale, etc. Seul le médecin pourra entreprendre l'examen méthodique qui cherchera toutes les causes possibles. Elles sont nombreuses.

THYROÏDE. La glande thyroïde joue un rôle capital dans la croissance de l'enfant ; quand elle est absente, ou mal développée, il en résulte une insuffisance d'hormone thyroïdienne qui entraîne, en l'absence de traitement, un retard important de la croissance en taille, et un retard dans le développement intellectuel souvent très important. Il convient de reconnaître cette maladie le plus tôt possible car le traitement par l'hormone thyroïdienne est d'autant plus efficace, tant sur le plan de la croissance que sur celui du développement cérébral, qu'il est commencé plus tôt.

Les premiers symptômes qui doivent alerter dès les premières semaines sont l'absence de réactivité du nourrisson qui ne pleure pas, ne crie pas, ne réclame pas ses repas ; une activité motrice insuffisante : il dort beaucoup, gesticule peu. On peut être frappé aussi par l'existence d'une grosse langue qui gêne la prise des biberons, par une constipation, par la pâleur et la froideur de la peau.

Un examen radiographique permettra de mettre en évidence un retard et des anomalies dans le développement du squelette. Mais ce sont essentiellement des dosages hormonaux qui permettront d'établir le diagnostic et de commencer le traitement.

Une méthode de dépistage de la maladie dès la naissance, par prélèvement d'une goutte de sang, est appliquée de manière systématique chez tous les nouveau-nés, en maternité, comme le test de Guthrie pour la phénylcétonurie. Cette méthode permet un traitement précoce dès les premières semaines.

A l'inverse de l'insuffisance thyroïdienne, un bébé peut présenter à la naissance un hyperfonctionnement de la thyroïde, particulièrement chez un enfant né d'une mère présentant cette affection. Les principaux symptômes sont l'agitation du nouveau-né, les yeux saillants et le gonflement du cou (goitre), l'accélération du pouls, la diarrhée.

TICS. Chez l'enfant de 3-4 ans, les tics sont rares. Ce sont des mouvements anormaux, involontaires, liés à une contraction musculaire brusque et de courte durée, se répétant avec une fréquence variable, mais toujours identique à elle-même.

Les tics les plus fréquents sont les clignements de paupières, les bruits de bouche, certaines manipulations des cheveux, et des mouvements de la tête ou des épaules, etc.

Les tics témoignent d'une certaine tension et d'anxiété ; ils sont en fait surtout gênants et irritants pour l'entourage, dans la mesure où ni la persuasion et moins encore la contrainte n'ont d'effet.

Les médicaments sont peu actifs sur les tics. Il convient surtout de s'armer de patience et d'essayer d'affecter une relative indifférence, ce qui n'est pas toujours facile. Mais normalement les tics disparaissent spontanément.

Si ce n'était pas le cas, une aide psychologique serait indiquée.

TOUX. A l'état normal, les voies respiratoires sont nettoyées en permanence grâce au mouvement des cils vibratiles qui les tapissent. La toux est un phénomène réflexe qui permet d'expulser des corps étrangers, ou des sécrétions anormales par leur abondance ou leur viscosité. En ce sens, la toux est un mécanisme de défense utile qu'il ne faut pas vouloir calmer à tout prix, surtout lorsqu'elle est efficace, « productive », c'est-à-dire qu'elle évacue des sécrétions.

Pour soigner la toux, le médecin cherchera d'abord son origine, et pour cela vous posera un certain nombre de questions : date d'apparition, horaires, intensité, tonalité (sèche ou grasse). Il vous demandera si la toux est accompagnée de certains signes : fièvre, écoulement du nez, gêne respiratoire, glaires (visibles éventuellement dans les selles ou dans les vomissements), etc. Il vérifiera également une possible contagion, principalement pour la coqueluche et la rougeole (voir ces mots).

Il est possible de distinguer de nombreuses variétés de toux :

● les toux aiguës accompagnées de fièvre témoignent le plus souvent chez le jeune enfant d'une atteinte des voies aériennes supérieures (rhinopharyngite à répétition, voir ce mot) ;
● les toux chroniques sont dues également le plus souvent à des infections plus ou moins latentes des voies respiratoires supérieures (adénoïdite, sinusite, etc.) ;
● les toux sans fièvre font plus penser à des phénomènes d'allergie, comme l'asthme : ici la toux est souvent sèche et spasmodique ;
● la toux qui se produit la nuit est souvent liée, chez le nourrisson enrhumé, à l'accumulation et à la stagnation des sécrétions et glaires. Pour calmer l'enfant, il faut le redresser car c'est la position horizontale qui favorise cet encombrement ;
● une toux rauque, aboyante, est d'origine laryngée (voir *Laryngite*) ;
● les quintes, elles, sont caractéristiques de la coqueluche.

Un cas très particulier : celui de la toux survenant brusquement chez un enfant en pleine journée, sans fièvre, accès de toux éventuellement associé à une gêne respiratoire plus ou moins accentuée avec cyanose du visage : ces circonstances doivent immédiatement faire penser à la possibilité d'inhalation d'un corps étranger (voir *L'enfant qui Étouffe*).

Traitement de la toux. Dans une certaine mesure, la toux grasse, « productive », doit être respectée, et les calmants de la toux utilisés avec beaucoup de réserve chez le jeune enfant ; en effet, les calmants risquent de perturber la respiration ; le médecin conseillera le plus souvent des médicaments permettant de fluidifier les sécrétions et de faciliter ainsi leur évacuation.

Lorsque l'enfant a une toux sèche, persistante, qui se produit la nuit et l'épuise lui-même et son entourage (c'est typiquement les quintes de la coqueluche), dans ce cas, le médecin prescrira des sédatifs.

Chez les tousseurs chroniques, on aura recours à la kinésithérapie respiratoire : cette méthode est de plus en plus employée car elle est la plus efficace.

TOXOPLASMOSE. C'est une maladie due à un parasite transmis par de la viande peu cuite. Nous en avons parlé en détail dans *J'attends un enfant*, étant donné le risque majeur que constitue pour l'enfant la toxoplasmose contractée par la mère durant la grossesse (l'enfant peut naître porteur de séquelles neurologiques sévères).

A côté de cette forme dite congénitale, la toxoplasmose peut être contractée à tout âge par le nourrisson et l'enfant : c'est la toxoplasmose acquise, dont l'évolution est le plus souvent bénigne. Elle se manifeste par de la fièvre, des ganglions plus ou moins généralisés, de la fatigue, des douleurs musculaires, parfois des éruptions. Elle ne nécessite un traitement que dans les formes sévères ou prolongées. Il est tout à fait souhaitable pour une fille d'avoir la toxoplasmose (comme la rubéole) pour être immunisée avant l'âge de procréer. Mais sa forme est souvent si discrète que, la plupart du temps, on contracte la toxoplasmose sans le savoir. Résultat : 85 % des jeunes femmes sont immunisées.

TRANSPIRATION. La transpiration est le moyen le plus important dont dispose l'organisme pour lutter contre la chaleur.

Mon enfant transpire beaucoup. Vous le couvrez probablement trop. C'est mauvais pour deux raisons : d'abord parce que l'enfant en sueur est à la merci d'un refroidissement. Son corps baigne dans l'eau : s'il se découvre, toute cette eau se refroidira brusquement et il passera sans transition du chaud au froid. C'est mauvais aussi parce qu'un enfant habitué à être trop couvert n'exerce pas sa faculté de réagir contre le froid, et devient plus fragile. Cela dit, il y a des enfants qui transpirent plus que d'autres. C'est affaire de constitution. (Voir également *Sudamina, Mucoviscidose*.)

Que faire lorsqu'un enfant fiévreux transpire ?
1° Ne pas s'inquiéter, puisque c'est un moyen de défense naturel et des plus efficaces.

2° Le changer et le sécher, pour que cette transpiration ne soit pas suivie d'un brusque refroidissement. Mais il y a des précautions à prendre : voyez *Soigner son enfant*.

3° Faire boire l'enfant, surtout le bébé, est très important à cause du risque de déshydratation. Donnez de l'eau sucrée entre les biberons si c'est un nourrisson, de l'eau ou du jus de fruit s'il est plus grand.

TREMBLEMENTS. *Chez le nouveau-né* et durant les premiers mois, des excitations minimes peuvent entraîner des réponses excessives : brusques secousses des membres, tremblement du menton, frissons ; il en est souvent ainsi lors du bain ou des changes ; tout ceci est normal, lié à l'immaturité du système nerveux.

Chez l'enfant plus grand, des réactions de tremblements peuvent persister, particulièrement sous l'influence d'émotions ; là non plus, il ne faut pas s'inquiéter.

TUBERCULOSE (réactions tuberculiniques — B.C.G.). La tuberculose est aujourd'hui beaucoup moins fréquente qu'elle ne l'était il y a une trentaine d'années, depuis que des médicaments efficaces ont été découverts mais elle est loin d'avoir disparu et elle existe encore en France, particulièrement dans des milieux défavorisés (immigrés, etc.).

La tuberculose est due au *bacille de Koch* (B.K.), elle se transmet par contact direct. Le nourrisson, le jeune enfant sont particulièrement sensibles à cette contagion, et c'est pour les protéger qu'on les vaccine par le B.C.G. (bacille de Calmette et Guérin, noms des inventeurs du vaccin). Le contaminateur peut être un malade qui s'ignore, mais aussi parfois un ancien malade qui se croit guéri.

Le premier contact d'un enfant non vacciné avec le B.K. provoque la *primo-infection tuberculeuse.* Cette primo-infection peut rester muette, latente et se traduire seulement par des réactions tuberculiniques qui deviennent positives (voir plus loin) ; mais cette primo-infection peut aussi se manifester par une véritable maladie : fièvre, mauvais état général, anorexie et amaigrissement ; la radiographie des poumons révèle alors des anomalies (ganglions autour de la trachée et des bronches). Chez le nourrisson, la méningite tuberculeuse est l'éventualité la plus grave.

Lorsqu'une primo-infection est découverte, on recherchera le contaminateur ; pour le nourrisson et le jeune enfant, on le trouvera le plus souvent dans l'entourage proche. Un traitement médical simple (prise par la bouche d'antibiotiques antituberculeux) sera appliqué, sans modifier la vie de l'enfant mais pour une longue durée : de 9 mois à 1 an.

Les réactions tuberculiniques. A propos de la tuberculose chez l'enfant, il est essentiel de connaître la signification de ce qu'on appelle les réactions tuberculiniques ; ce sont elles qui permettent de savoir si l'enfant a été en contact avec le B.K., ou s'il a été vacciné par le B.C.G. Les réactions tuberculiniques sont des tests cutanés, c'est-à-dire que l'on examine la réaction de la peau au contact de la tuberculine, substance extraite de B.K. tués :
● lorsqu'il n'y a pas eu de contact avec le bacille, ou pas de vaccin B.C.G., la peau ne réagit pas, les réactions sont négatives ;
● s'il y a eu contact, ou vaccin B.C.G., la peau réagit, les réactions sont positives.

La cuti-réaction consiste à faire une scarification (petite coupure superficielle) sur le bras de l'enfant, sur laquelle on dépose une goutte de tuberculine. Le *timbre* consiste à appliquer sur la peau une pommade contenant de la tuberculine. Le procédé de la *bague* permet d'introduire, grâce à de petites pointes, la tuberculine dans l'épaisseur même de la peau. Il en est de même pour l'*intradermo-réaction* ; c'est la réaction la plus sensible (permettant de « doser » la quantité de tuberculine introduite), mais dont la réalisation est la plus délicate.

L'interprétation des résultats de ces différentes réactions n'est pas toujours facile et elle exige une grande habitude. C'est pourquoi, on demande toujours aux parents de présenter à nouveau l'enfant au médecin ou à l'infirmière pour la « lecture » du résultat : il faut respecter le délai de deux à quatre jours, selon la réaction ; la positivité se traduit par une rougeur plus ou moins étendue, accompagnée d'une « induration » (une petite boule dure) de la peau sous-jacente pour la cuti, la bague, et l'intra-dermo ; le timbre donne lieu à des petits éléments rouges et saillants.

En fait, de nombreuses réactions sont « douteuses » ou faussement positives, en particulier du fait d'une allergie au produit utilisé. C'est pourquoi il est habituel de pratiquer plusieurs réactions à la fois, par exemple le timbre et la bague. L'intra-

dermo, qui peut donner des résultats très fortement positifs, est en général faite dans un second temps.

Lorsque les réactions tuberculiniques se révèlent positives, elles témoignent donc, chez un enfant non vacciné antérieurement par le B.C.G., du contact avec le bacille de Koch. Quand les réactions sont fortement positives, il y a tout lieu de penser que ce contact est récent ; quand elles sont faiblement positives ou douteuses, il est plus difficile de situer la date de la contamination. C'est pourquoi il est très important de répéter ces réactions tuberculiniques au moins une fois chaque année, de manière à saisir le « virage », c'est-à-dire la positivation de réactions antérieurement négatives.

La vaccination par le B.C.G. Étant donné la gravité de la maladie, on vaccine contre la tuberculose. Le B.C.G. consiste à inoculer à l'enfant des bacilles tuberculeux bovins très atténués et inoffensifs, mais capables cependant de développer une immunité qui est valable pour les bacilles humains ; ainsi l'enfant vacciné mis en présence de bacilles virulents sera protégé.

Pratique du B.C.G. : le médecin s'assure que l'enfant a des tests tuberculiniques négatifs, puis le vaccine immédiatement après. Le vaccin se fait par différentes méthodes : par scarification, par voie intra-dermique, plus rarement par voie buccale ; la méthode la plus efficace est la voie intra-dermique.

Le résultat de la vaccination est contrôlé trois mois plus tard par de nouvelles réactions tuberculiniques qui, cette fois, devront être positives. Si elles restent toujours négatives, la vaccination n'a pas réussi, elle devra être recommencée.

La vaccination par le B.C.G. est obligatoire en France pour l'entrée dans une collectivité d'enfants (crèche ou école), de toute façon avant 6 ans. Jusqu'ici, on a recommandé une vaccination par le B.C.G. aussi précoce que possible : le B.C.G. prend place, dès la naissance, dans le calendrier vaccinal, pour que les autres vaccinations puissent ensuite être faites. En fait, cette recommandation est actuellement moins impérative ; certains pédiatres font faire le B.C.G. plus tard, après le vaccin diphtérie-tétanos-coqueluche.

Il n'y a *pratiquement pas de contre-indication* au B.C.G., ou tout au moins seulement des contre-indications temporaires du fait d'une maladie aiguë dont on attendra la guérison ; de même il conviendra de respecter les écarts avec les autres vaccinations (délai de trois mois minimum après le B.C.G.).

Le B.C.G. a parfois été critiqué : en fait il a largement fait la preuve de son innocuité et de son efficacité. Après le B.C.G. on n'observe ni fièvre ni réaction générale, tout au plus au bout de quelques semaines une réaction locale sous forme d'une petite croûte avec une rougeur à l'endroit de la scarification, avec parfois un ganglion dans l'aisselle, en cas de vaccination au bras par voie intradermique.

L'efficacité du B.C.G. semble bien établie, en particulier en ce qui concerne la protection vis-à-vis des formes les plus graves de la tuberculose, spécialement l'atteinte méningée. Encore faut-il que le vaccin ait été pratiqué de façon correcte et parfaitement suivie.

L'immunité apportée par le vaccin est proportionnelle à l'intensité de la réaction obtenue : moins la réaction est positive, moins l'immunité est forte ; c'est-à-dire que non seulement un B.C.G. qui n'a pas obtenu cette positivation doit être recommencé, mais que la positivité obtenue doit être suivie dans le temps, et vérifiée au moins une fois par an. En effet, cette positivité aura tendance à s'atténuer, et même à disparaître ; ce qui signifie donc que l'immunité apportée par le vaccin s'affaiblit et disparaît. Dans ce cas, il est nécessaire de renouveler la vaccination.

L'interprétation des réactions tuberculiniques chez l'enfant est souvent compliquée : soit que le B.C.G. reste ignoré de la famille, soit surtout qu'il ait été mal suivi ; il est donc très important de veiller à ce que le carnet de santé qui mentionne les réactions soit bien rempli et tenu à jour.

TYPHOÏDE (Fièvre). Cette maladie, qui se transmet par les eaux, le lait, les crèmes et glaces, et par les coquillages, reste relativement fréquente, particulièrement en été.

Elle débute par de la fièvre et les symptômes, au début, sont communs à bien d'autres maladies : perte de l'appétit, vomissements, mal au ventre, diarrhée. Ensuite, une fièvre élevée (40°) persiste malgré les premiers traitements ; elle est accompagnée de diarrhée liquide et d'une profonde altération de l'état général.

Étant donné la fièvre élevée, vous aurez appelé le médecin. S'il suspecte une fièvre typhoïde, il est probable qu'il fera hospitaliser l'enfant. Fort heureusement, on dispose d'antibiotiques efficaces ; mais il faut vous attendre à une convalescence longue. La typhoïde affaiblit considérablement le malade, qui en sort très amaigri et fatigué.

Si vous craignez, pour une raison quelconque (un voyage dans un pays où les conditions d'hygiène ne sont pas satisfaisantes, par exemple), que votre enfant ne soit exposé à la typhoïde, faites-le vacciner après en avoir parlé au médecin. La vaccination s'effectue en quatre injections sous-cutanées faites de 15 en 15 jours à dose croissante. On fait un rappel au bout d'un an, puis un rappel tous les cinq ans.

Les réactions au vaccin sont souvent vives : fièvre, douleurs.

A l'heure actuelle, le vaccin est conseillé, mais non obligatoire, et donc souvent délaissé. Il est pourtant souhaitable dans certaines circonstances, en particulier en cas de séjour dans un pays où la maladie est fréquente.

Un enfant qui a eu la typhoïde ne peut retourner à l'école pendant 20 jours après guérison, sauf présentation d'un certificat médical attestant que deux analyses de selles (coprocultures) pratiquées à 8 jours d'intervalle ont été négatives.

Enfants vivant au même foyer : pas d'éviction scolaire.

U

URINES. Symptômes qui doivent vous faire penser que l'enfant est peut-être atteint d'un trouble des voies urinaires : enfant de plus de 3 ans qui se mouille régulièrement dans la journée, qui a sans cesse envie d'uriner, enfant qui a mal quand il urine, urines rouges, urines troubles. Devant l'un de ces symptômes, il faut faire examiner l'enfant.

Vous devez savoir aussi, pour ne pas vous alarmer si le cas se produit, que certaines substances colorent les urines : betteraves, rhubarbe, certains colorants entrant parfois dans les bonbons ; des médicaments : le bleu de méthylène, la quinine (bleu-vert). Enfin, la fièvre donne à l'urine une couleur foncée (voir *Infection urinaire, Néphrite*).

Comment recueillir les urines chez le nourrisson et l'enfant ?

1) Pour faire une recherche d'albumine avant le vaccin, les urines n'ont pas besoin d'être stériles ; elles doivent être propres (non mélangées de selles). On peut les recueillir dans le pot, ou, pour les plus jeunes enfants, presser les couches humides.

2) S'il s'agit d'un examen bactériologique (recherche d'une infection urinaire par exemple), les urines doivent être recueillies avec le maximum de soin. Tout d'abord nettoyage méticuleux de la région génito-urinaire, puis recueil pendant le jet, chez l'enfant déjà grand. Pour le petit, on peut recueillir les urines au moyen d'une poche plastique. Si au bout de 3 heures, il n'y a pas de résultat, il faut changer la poche (vendue en pharmacie).

URTICAIRE. Plaques rose clair sur un fond blanchâtre, légèrement surélevées, ressemblant à des piqûres d'orties et causant d'intenses démangeaisons. L'urticaire peut se manifester dès l'enfance. Les causes en sont variées. Ce sont tantôt des aliments : œuf (le blanc surtout), poisson, viande de cheval, chocolat, jus d'orange, fraises ; tantôt des médicaments, quelle que soit la voie par laquelle ils ont été absorbés : par la bouche, par piqûre intramusculaire ou par pommade (la pénicilline en est un exemple) ; enfin des contacts de produits chimiques ou de végétaux (l'herbe, par exemple, si l'enfant s'est assis dans un pré). Avec l'aide du médecin, vous tenterez de reconnaître l'agent responsable, afin d'éviter de nouvelles crises. Pour calmer les démangeaisons, donnez une cuiller à café de sirop antihistaminique.

Certains vers intestinaux, les ascaris, peuvent être une cause d'urticaire.

L'urticaire est parfois associé à des œdèmes (gonflement) plus ou moins étendus (visage, organes génitaux, etc.). L'œdème du larynx peut provoquer une gêne respiratoire grave et doit être traité d'urgence.

V

VACCINS. *Attention :* un vaccin ne reste actif que si les rappels sont faits convenablement. Un conseil : quand le médecin vaccine votre enfant, demandez-lui la date du prochain rappel, et inscrivez cette date sur le carnet de santé pour ne pas l'oublier. Si un délai trop long s'écoulait, il peut être nécessaire de recommencer toute la vaccination.

Quels délais minimaux sont nécessaires entre un vaccin et un autre ?
Entre le B.C.G. et un autre vaccin : 3 mois.
Entre le D.T.-coq et un autre vaccin : 1 mois.
Entre l'antipoliomyélitique et un autre vaccin : 1 mois.
En pratique D.T.-coq et polio sont les plus souvent associés.
Pages suivantes, vous trouverez un tableau sur les vaccins.

Où vaccine-t-on ? En général, dans le dos, entre cou et épaule. On peut aussi vacciner dans le haut du bras ; ou encore à la cuisse.
Le problème des *contre-indications* aux vaccinations est un problème de cas particulier qui doit être discuté avec le médecin traitant. Il existe en effet des contre-indications formelles (maladies rénales, maladies du système nerveux, etc.) et des contre-indications relatives ou temporaires qui sont surtout des précautions à prendre et des techniques particulières de vaccinations,

essentiellement chez les allergiques. La découverte d'albumine dans les urines, en quantité faible et de manière intermittente, n'est pas une contre-indication si les examens ont révélé l'absence de lésions rénales.

Conservation du vaccin. Vous avez acheté un vaccin et vous ne l'utilisez pas tout de suite : mettez-le au réfrigérateur sur la clayette supérieure, celle qui est placée le plus près du freezer ; en effet, le vaccin doit être conservé à une température voisine de 0°, une température de 5° à 6° raccourcissant sensiblement la durée de son efficacité.

Voici, ci-dessous, résumé, le calendrier des vaccinations.

1er mois	B.C.G.
3e, 4e, 5e ou 4e, 5e, 6e	Diphtérie-tétanos-coqueluche (injectable) plus polio (voie orale)
1 an	Rougeole
15-18 mois	1er rappel D.T.-coq et polio (oral)
5-6 ans	2e rappel D.T.-coq et polio (oral)
10-11 ans	Rappel D.T. et polio (oral), rubéole
16 ans	Rappel D.T. et polio (oral)

Les vaccinations sont gratuites dans un centre de P.M.I.

Nom du vaccin	Age recommandé et mode d'adminsitration	Réactions après la vaccination	Age des rappels	Combien de temps le vaccin est-il efficace ?
B.C.G. contre la tuberculose	En général, le plus tôt possible après la naissance. Scarification. Moins souvent : injection intradermique ou voie orale.	Aucune réaction générale. 2 à 3 semaines après, zone rose à l'endroit de la scarification, puis bourrelets qui disparaissent en 6 semaines à 3 mois, mais laissent souvent une cicatrice blanchâtre. Injection : zone dure après 2 ou 3 semaines, et pendant 2 à 3 mois. Parfois elle suinte quelques semaines. Appliquer seulement une gaze stérile. Accidents possibles : lenteur de la cicatrisation (plus de 4 mois), plaie (ulcération), ganglions. Voir le médecin.	Pas de rappels. On revaccine quand le vaccin a perdu son efficacité (voir colonne ci-contre).	4 ou 5 ans. On contrôle tous les ans à partir de la 3ᵉ année. Voir l'article *Tuberculose.*
D.T. coq contre la diphtérie, le tétanos et la coqueluche	A 3 mois, 1ʳᵉ dose. A 4 mois, 2ᵉ dose. A 5 mois, 3ᵉ dose. Injections. Ce vaccin triple peut être fait en même temps que le vaccin polio. Le vaccin anticoquelucheux peut être fait isolément en 3 injections à 1 mois d'intervalle. On recommande de le faire tôt, à partir de 3 mois, spécialement chez les nourrissons qui seront mis en crèche, ou s'il y a dans la famille des enfants qui vont à l'école. Si l'enfant a été vacciné seulement contre la coqueluche, on complétera par le D.T. polio, à partir du 7ᵉ mois.	Parfois un peu de fièvre.	A 15 ou 18 mois, 1ᵉʳ rappel. Ensuite, rappel tous les 5 ans.	La vaccin est efficace pour une durée de 5 ans environ. Toute la vie si les rappels sont faits convenablement.
ANTIPOLIOMYÉLITIQUE	Elle est faite en même temps que les autres vaccinations (D.T. ou D.T. coqueluche). Injections, ou vaccin buccal.	Aucune.	Un rappel au bout d'un an, puis tous les 5 ans. Voie buccale : rappel un an après le vaccination, puis 2 ans après le 1ᵉʳ rappel, enfin 3 ans après le 2ᵉ rappel.	La vaccin est efficace pour une durée de 5 ans environ. Toute la vie si les rappels sont faits convenablement.
ANTI-TYPHOIDIQUE (Voir l'article *Typhoïde*)	A partir de 10 ans et dans les cas de voyage dans certains pays.	Souvent réaction forte : fièvre et douleur.		
RUBÉOLE	Fille 10-13 ans (ou après la puberté sous contraceptif). 1 injection		Pas de rappel	Durée d'efficacité encore mal connue.
ROUGEOLE	12-18 mois 1 injection		Pas de rappel	Durée d'efficacité encore mal connue.
OREILLONS	12-18 mois 1 seule injection groupée avec rubéole-rougeole.		Pas de rappel	Durée d'efficacité encore mal connue.

Obligatoire ou facultattif ?	Comment être sûr que le vaccin a pris ?	Contre-indications	Mesures à prendre avant la vaccination	Quand peut-on baigner l'enfant après vaccination ?	Le vaccin n'a pas pris. Quand et combien de fois faut-il recommencer ?
Obligatoire en France à partir de 6 ans. Obligatoire plus tôt si l'enfant fréquente une garderie ou une crèche.	Par cuti, timbre ou intradermo 3 mois après.	Maladie avec fièvre, néphrite.	Cuti, timbre ou intradermo. (Voir l'article *Tuberculose*.)	Attendez 4 jours avant de baigner l'endroit de la scarification.	4 à 6 mois après. Aussi souvent que nécessaire.
Le vaccin diphtérie-tétanos est obligatoire avant 18 mois. La vaccination anticoquelucheuse est recommandée, particulièrement chez le nourrisson.		Primo-infection, néphrite. Précautions à prendre en cas d'asthme ou d'eczéma. Signaler au médecin les antécédents familiaux d'épilepsie.	Recherche d'albumine.	Le jour même.	Du moment que l'enfant a été vacciné, il est protégé au moins pour 5 ans.
Obligatoire.		Asthme, eczéma, albumine, primo-infection, maladie en évolution. Allergie à la pénicilline (le vaccin anti-polio contient une petite dose de pénicilline).	Recherche d'albumine.	Le jour même.	L'enfant vacciné est protégé pour 5 ans.
Facultatif.					
Conseillé.				Le jour même.	
Conseillé.				Le jour même.	
Conseillé.				Le jour même.	

VARICELLE. Votre enfant a la varicelle. Elle a débuté par une éruption (précédée parfois par un malaise léger et 24 heures de fièvre). Vous verrez plus loin comment se présente cette éruption. L'*incubation* est de 15 jours en général, parfois davantage, mais jamais plus de 20 jours. Le malade est *contagieux* depuis la veille du jour où l'éruption s'est déclarée, jusqu'à 6 jours après.

Très probablement, vos autres enfants auront aussi la varicelle : c'est une maladie très contagieuse.

Tout le monde sait que l'éruption de la varicelle, si le malade se gratte, peut laisser des cicatrices définitives : de petites dépressions dans l'épiderme. Si votre enfant est en âge de comprendre, il faut lui expliquer pourquoi il ne doit pas se gratter. C'est une raison que les petites filles admettent mieux que les garçons. Par précaution, vous allez tout de suite couper court les ongles du petit malade. Cela aura l'avantage d'empêcher l'enfant d'infecter ses vésicules (les boutons) avec des ongles souillés.

Si l'enfant ne peut s'empêcher de se gratter et s'il s'écorche, même avec des ongles coupés courts, ne le grondez pas, car l'éruption de la varicelle cause des démangeaisons très vives. Demandez plutôt au médecin de lui donner un sédatif. Il existe, pour calmer les démangeaisons, des poudres et des sirops. Lavez-lui les mains avec un savon acide et nettoyez les ongles à l'alcool. Mettez à l'enfant un vieux pyjama ou une vieille chemise de nuit, dont le tissu usé n'irritera pas la peau. Pour la même raison utilisez plutôt de vieux draps.

Talquez souvent et abondamment votre enfant. Désinfectez chacun des boutons avec une solution antiseptique que vous indiquera le médecin. Ne donnez pas de bain, ne mouillez pas la peau, excepté les mains, pendant tout le temps que durera l'éruption. Coiffez l'enfant avec précaution pour ne pas l'écorcher et en vous servant d'une brosse très propre pour ne pas infecter les boutons.

La durée de l'éruption est variable. L'enfant a de la fièvre tant que dure l'éruption, c'est-à-dire tant que de nouveaux boutons sortent. L'éruption consiste en macules (taches) qui deviennent des papules (boutons), lesquelles se changent en vésicules (petites cloques transparentes) ; et celles-ci font place à des pustules (boutons contenant un liquide trouble). Mais ces quatre phases d'éruption coexistent, car il y a plusieurs poussées. Entre le 9e et le 13e jour, les croûtes des pustules séchées tombent. En 15 jours à 3 semaines, la maladie est terminée. L'éruption commence en général par le tronc. Elle peut envahir tout le corps, et même l'intérieur de la bouche et le cuir chevelu.

La seule complication à craindre (sauf quelques cas d'encéphalite, rares) est l'infection des vésicules parce que l'enfant se sera gratté avec des ongles souillés. Le médecin verra s'il y a lieu de prescrire un antibiotique local ou général.

Il n'y a pas d'éviction scolaire : l'enfant peut retourner à l'école dès qu'il est guéri. Les frères et sœurs non atteints peuvent continuer à aller à l'école.

VARIOLE. D'après l'O.M.S. (Organisation mondiale de la santé), la variole est une maladie qui a pratiquement disparu. C'est grâce à la vaccination dans le monde entier, aux mesures d'isolement rigoureux qui ont été prises dans tous les pays quand un cas était signalé (isolement qui frappe le malade lui-même, mais aussi tous ceux qui l'ont approché), et grâce enfin à la revaccination systématique en cas de menace d'épidémie.

Mais la menace de variole subsiste du fait des mauvaises conditions d'hygiène de certains pays. Il suffit d'un voyageur venant d'un de ces pays pour déclencher une épidémie. Cependant ces épidémies sont rares car les contrôles sanitaires aux frontières sont stricts. Tout cas dépisté est immédiatement signalé dans le monde entier, et on peut alors recourir à des vaccinations de masse.

En raison de la rareté actuelle de la maladie, la plupart des pays ont abandonné la pratique de la vaccination antivariolique. En France, depuis 1979, cette vaccination n'est plus obligatoire. Cependant elle est encore souhaitable si l'enfant doit voyager (Afrique, Inde, etc.). Se renseigner auprès du ministère de la Santé.

Contre-indications à la vaccination : l'eczéma. Si un enfant a de l'eczéma, non seulement il ne doit pas être vacciné contre la variole, mais de plus il ne doit en aucun cas être mis au contact d'un enfant qui vient d'être vacciné contre la variole.

Il y a d'autres contre-indications à la vaccination contre la variole : toutes les maladies de la peau et les maladies du rein ; et les atteintes du système nerveux — méningites, encéphalites.

La vaccination antivariolique peut exceptionnellement donner lieu à des complications cutanées et nerveuses (encéphalite). C'est d'ailleurs un des arguments qui ont poussé à supprimer l'obligation de cette vaccination.

VÉGÉTATIONS ADÉNOÏDES (voir Rhinopharyngites à répétition).

Il existe chez l'enfant, en plus des amygdales visibles au fond de la gorge, une troisième amygdale (appelée tissu adénoïde) ; elle est située dans l'arrière-fond des fosses nasales, derrière le palais, elle est invisible à l'examen direct de la gorge. Cette troisième amygdale a pour rôle de protéger les voies respiratoires contre les agressions microbiennes et virales. A la suite d'infections successives, il arrive que ce tissu s'hypertrophie et constitue un foyer microbien persistant au carrefour nez-gorge-oreille ; il va être à la fois conséquence et cause de nouvelles rhinopharyngites, compliquées très souvent d'otites et d'infections des voies respiratoires sous-jacentes.

Cette hypertrophie correspond à ce que l'on appelle les végétations, elles donnent lieu à l'adénoïdite chronique : nez bouché en permanence obligeant à respirer la bouche ouverte, ronflement, nasonnement, toux persistante, petite fièvre continue à 37°-38°, et parfois inversée (c'est-à-dire plus élevée le matin), ganglions cervicaux, mauvaise croissance, manque d'appétit et de tonus ; cet ensemble de troubles était jadis décrit sous le nom de lymphatisme.

Dans ce cas, le spécialiste O.R.L. peut proposer de supprimer les végétations (adénoïdectomie). Il s'agit d'une intervention simple et rapide, sans risque, ne nécessitant pas d'hospitalisation. Elle peut néanmoins difficilement se faire avant l'âge de 1 an.

VENTRE (Gros ventre).

Jusqu'à l'âge de 4-5 ans, l'enfant est hypotonique, « mou », sa musculature générale est peu développée, et en particulier sa paroi abdominale est faible. Il est donc fréquent et normal de constater, en position debout, un ventre proéminent, avec souvent une saillie, voire une petite hernie de l'ombilic (voir *Hernie*). Il en est de même de la cambrure exagérée du dos (voir *Scoliose, Lordose, Genu valgum*).

La manière dont se tiendra l'enfant s'améliorera avec la croissance, et ses muscles se développeront. Mais il peut être utile de faire faire à l'enfant, dès le plus jeune âge, une petite gymnastique abdominale adaptée. Parlez-en au médecin.

Cette hypotonie générale est cependant favorisée par une alimentation trop riche en féculents, et par l'insuffisance d'apport en vitamine D. Là également, le médecin prescrira un régime mieux équilibré.

Si le gros ventre est accompagné d'anomalies des selles, d'une insuffisance ou un arrêt de la croissance en poids et taille, des maladies sérieuses devront par contre être envisagées : voir les articles *Constipation* et *Mégacôlon, Diarrhée chronique, Intolérance digestive*.

VENTRE (Mal au ventre. Douleurs abdominales).

Les douleurs abdominales sont sans doute le problème le plus fréquent et le plus complexe de la médecine des enfants. En effet, les causes en sont très nombreuses, allant de l'organique au fonctionnel, de l'urgence chirurgicale au trouble psychologique.

En fait, l'urgence chirurgicale est en général facilement envisagée dans le cas d'une douleur survenant brusquement chez un enfant en bonne santé ; la douleur est de localisation précise, intense, et oblige l'enfant à se coucher ; cette douleur est accompagnée de fièvre, de vomissements. Il peut s'agir d'une *Appendicite aiguë*, d'une *Invagination intestinale*, d'une *Occlusion*, d'une *Hernie étranglée* (voir ces mots).

Si cette douleur ne disparaît pas au bout de quelques heures, le médecin devra être appelé, et il jugera si l'enfant doit être hospitalisé.

Cependant, des symptômes assez semblables peuvent être liés à des situations non chirurgicales ; en effet, les douleurs abdominales sont fréquentes lors d'une infection virale saisonnière et épidémique : « état grippal », angine, rhinobronchite, foyer pulmonaire ; les douleurs abdominales sont généralement présentes dans d'autres maladies, telles que *Hépatite, Infection urinaire*,

Purpura rhumatoïde (voir ces mots) ; enfin, elles peuvent accompagner une *Constipation* temporaire ou habituelle, ou encore être dues à la présence de *Parasites intestinaux* (voir ces mots).

A propos des douleurs abdominales, le médecin est souvent confronté à un problème bien différent : l'enfant a de temps en temps mal au ventre, cela souvent depuis plusieurs mois ; en général, ces douleurs sont bien supportées par l'enfant, mais elles inquiètent la famille par leur répétition, leur persistance, malgré différents traitements, et les nombreux examens déjà pratiqués sans résultat.

Ces douleurs sont le plus souvent d'origine psychologique et ont des caractères assez particuliers :

● localisées autour du nombril, elles apparaissent brusquement, surtout dans la matinée et autour du repas de midi, pour disparaître dans la soirée ;
● elles se produisent par périodes de plusieurs jours, séparées par des périodes de calme ;
● elles n'empêchent pas l'enfant de jouer ;
● enfin, souvent, elles sont associées à un état de fatigue avec manque d'appétit et troubles du sommeil.

C'est par cette douleur de ventre que l'enfant exprime ses difficultés psychologiques : il s'agit parfois d'un enfant « immature », surprotégé, ou le plus souvent d'un enfant anxieux et angoissé : il redoute l'école, des difficultés existent entre les parents, ou bien il a été séparé d'eux, etc.

Il est important, pour la famille comme pour le médecin, de ne pas passer à côté d'une maladie organique ; pour se rassurer, il conviendra donc de faire subir à l'enfant un examen complet, et également quelques examens complémentaires : numération, vitesse de sédimentation, examen des urines, examen des selles à la recherche de vers intestinaux (un traitement de principe sera souvent prescrit, même si les parasites ne sont pas formellement retrouvés). D'autres examens « plus lourds », en particulier les examens radiologiques de l'intestin et des voies urinaires, pourront être prescrits.

Si tous ces examens sont négatifs, ce qui sera le plus souvent le cas, il faudra rechercher l'origine de ces troubles dans le domaine psychologique, éventuellement avec l'aide d'un psychologue.

En même temps, il faut essayer de se convaincre — ce n'est pas toujours facile lorsque l'enfant a l'air de souffrir — de la non-gravité de ces douleurs abdominales ; c'est-à-dire que, une fois rassurés sur l'absence de maladie organique, ne pas dramatiser et savoir adopter une attitude « d'indifférence attentive », certes difficile mais souvent efficace.

VERRUES. Elles sont communes dans l'enfance. Elles ressemblent à des durillons. Elles apparaissent aux mains ou aux pieds. D'autres verrues, plus petites, aplaties et jaunâtres, peuvent apparaître en n'importe quel point du corps.

Contagieuses, elles sont peut-être causées par un virus. L'eau semble être un milieu propice à la contagion : il ne faut donc pas baigner dans la même eaux deux enfants donc l'un a des verrues.

On peut tenter de faire disparaître les verrues par une application, matin et soir, d'alcool iodé ou de pommade salicylée. Le médecin peut aussi prescrire des applications d'azote liquide. Le suc (jaune d'or) d'une plante (la grande chélidoine) est efficace si la verrue en est à son début.

Mais les verrues peuvent aussi disparaître spontanément.

VERS INTESTINAUX. Les parasitoses intestinales sont fréquentes chez le petit enfant ; c'est bien compréhensible, il touche à tout, et porte tout à sa bouche ; en plus, ces parasitoses sont très répandues dans les collectivités d'enfants car elles se transmettent facilement.

Comment savoir qu'un enfant « a des vers » ? Les signes sont nombreux et divers (et ne sont d'ailleurs pas propres aux parasitoses, ils peuvent être des indications d'autres troubles) : douleurs, alternées de diarrhée ou constipation, une altération de l'état général (mauvais appétit) et des troubles de comportement (instabilité, mauvais sommeil, etc.). La numération sanguine attire parfois l'attention (augmentation du taux des éosinophiles) ; la recherche des parasites (ou des œufs dans les selles) n'est pas toujours positive.

Les oxyures sont les plus fréquents, du fait d'une transmission facile dans le milieu familial ou scolaire, et d'une réinfestation par l'enfant lui-même. Un signe particulier est la démangeaison (prurit) et donc l'irritation de la région de l'anus ou de la vulve. Les vers peuvent être vus dans les selles sous forme de petits filaments blancs et mobiles, de quelques millimètres. La recherche des œufs est effectuée par le « scotch-test » : une cellophane adhésive est mise en place sur la région anale.

Les ascaris se transmettent par l'intermédiaire des aliments souillés. L'ascaris a la particularité d'avoir, dans l'organisme, un cycle compliqué : l'œuf donne une larve qui va séjourner successivement dans l'estomac et le foie puis traverser les poumons et les bronches pour finalement aboutir dans le tube digestif et être adulte. Ce cycle complet dure environ deux mois. Outre ceux déjà décrits, les symptômes sont des manifestations de type allergique (démangeaisons, urticaire) et des troubles respiratoires. Les ascaris et leurs œufs sont rarement trouvés dans les selles. Ils peuvent être mis en évidence par l'examen radiologique de l'intestin ; ils peuvent être rejetés par l'anus, ou lors de vomissements.

Le tænia est transmis par l'intermédiaire de la viande de bœuf mal cuite. Les œufs sont contenus dans les anneaux qui sont évacués par l'anus, mais en dehors des selles : on les retrouvera parfois dans les vêtements et la literie. Il n'y a pas de symptôme spécifique et, en dehors de l'identification des anneaux, on n'aura souvent qu'un simple doute.

Le traitement des parasites intestinaux est actuellement simple et efficace, grâce à de nouveaux médicaments. Chaque parasite a son traitement particulier. Une cure unique est suffisante dans le cas de l'ascaris et du tænia. Pour les oxyures, une deuxième cure à 3 semaines d'intervalle est nécessaire et il faut surtout insister sur les mesures d'hygiène qui éviteront la réinfestation : les ongles seront coupés courts, le pyjama fermé pour éviter le grattage et le linge soigneusement lavé ; il est également indispensable que tous les membres de la même famille, adultes compris, suivent en même

temps le traitement, sinon l'enfant ne guérira pas.

VOMISSEMENTS. Chez le nourrisson, les vomissements sont fréquents. Leurs causes sont multiples, et correspondent à des situations de signification et de gravité très différentes. Ce qui est important, c'est d'observer dans quelles conditions sont apparus les vomissements, et quels sont les signes qui les accompagnent.

C'est ainsi que des vomissements apparus brusquement, accompagnés de fièvre, de diarrhée, ne sont qu'un élément dans le cadre d'une maladie infectieuse, telle que la rhinopharyngite, l'otite, la gastro-entérite (voir ces mots), avec le risque de déshydratation que ces vomissements peuvent entraînés ; il peut s'agir aussi de méningite, d'infection urinaire, etc.

Une autre situation est représentée par des vomissements apparus brusquement aussi, mais sans fièvre, et s'accompagnant rapidement d'un refus de boire, de signes de souffrance (comme dans les coliques), d'un arrêt des selles : c'est ici la possibilité d'une occlusion intestinale, surtout d'une invagination (voir ce mot). Il est urgent de voir le médecin.

Le cas le plus habituel est celui des **vomissements répétés,** sans autre symptôme, en dehors d'un arrêt plus ou moins marqué de la prise de poids : encore une fois, le médecin pensera d'abord à la possibilité d'une infection masquée, particulièrement au niveau de l'oreille ou des urines.

La sténose du pylore, malformation dans laquelle les vomissements surviennent quelques semaines après la naissance, est facilement mise en évidence par la radiographie de l'estomac ; cette malformation relève d'un traitement chirurgical simple (voir *Sténose*).

Aujourd'hui, on sait que la cause la plus fréquente des vomissements répétés chez le nourrisson est le **reflux gastro-œsophagien ;** en raison d'un mauvais fonctionnement de la zone de jonction entre l'estomac et l'œsophage, le contenu liquide de l'estomac remonte à contresens dans l'œsophage. En dehors des vomissements qu'elle provoque, cette anomalie peut entraîner des lésions de l'œsophage (saignements), et des « fausses routes » alimentaires dans les voies respiratoires (toux, bronchites, foyers pulmonaires). Cette anomalie a également été mise en cause dans la mort subite du nourrisson. Ce reflux peut être mis en évidence par des examens radiologiques et des examens plus complexes qui permettent d'en apprécier la gravité (pH-métrie, c'est-à-dire la mesure de l'acidité, fibroscopie de l'œsophage).

Le *traitement* des vomissements répétés par reflux consiste à épaissir l'alimentation : on ajoute une préparation spéciale et/ou on introduit une alimentation diversifiée et semi-solide. Le médecin conseillera aussi de maintenir le bébé en position verticale, particulièrement après les repas.

Enfin, les vomissements peuvent être d'origine psychologique ; leurs causes sont à rapprocher de celles de l'anorexie (voir ce mot) ; les vomissements sont alors une réaction du bébé à un conflit dans le domaine des relations mère-enfant ou autre (voir également *Mérycisme*).

Chez l'enfant plus grand, les signes d'accompagnement des vomissements restent le meilleur fil conducteur. Des vomissements d'apparition soudaine avec fièvre et douleurs abdominales posent le problème d'une cause chirurgicale — appendicite aiguë en premier lieu — mais il peut s'agir aussi de méningite, d'hépatite virale, etc.

Le cas particulier des vomissements acétonémiques a été envisagé (voir l'article *Acétone*).

VULVITE, VULVOVAGINITE. Cette inflammation de la région génitale de la petite fille a été décrite à l'article *Inflammation des organes Génitaux*. Ajoutons que la vulvite est fréquente, et peut donner lieu à un écoulement purulent abondant et persistant. Dans ce cas, le médecin demandera un prélèvement de pus et prescrira un traitement antibiotique local. Une vulvovaginite rebelle doit aussi faire penser à la possibilité d'un corps étranger introduit dans le vagin.

Y-Z

YEUX. Les problèmes concernant les yeux ont été évoqués dans d'autres articles, voir *Amblyopie, Conjonctivite, Orgelet, Strabisme*, etc.

Traumatismes de l'œil. Qu'il s'agisse de contusions ou de plaies du globe oculaire, elles doivent être, dans tous les cas, montrées rapidement au médecin ou plutôt à l'ophtalmologiste ; en effet, ces plaies peuvent entraîner des lésions graves de la cornée, du cristallin ou de la rétine, susceptibles de se révéler ultérieurement par une baisse de l'acuité visuelle.

Dépistage des troubles visuels. Comme cela a déjà été dit pour les troubles de l'audition, il est important de dépister le plus tôt possible les troubles visuels chez l'enfant, non seulement le strabisme, mais les anomalies de l'acuité visuelle, de manière à débuter très tôt la rééducation.

Des tests ophtalmologiques adaptés (avec des dessins) permettent ce dépistage dès le plus jeune âge. L'enfant peut porter des lunettes très jeune, même à quelques mois.

ZÉZAIEMENT. Les défauts de prononciation sont dus à une mauvaise position de la langue. On pensait autrefois que c'était les dents qui étaient en cause. Aujourd'hui, on pense au contraire que le défaut de prononciation précède l'anomalie dentaire, qu'il en est la cause ; puis l'anomalie dentaire entretient ce défaut.

Les défauts de prononciation peuvent être corrigés par un orthophoniste dès l'âge de 4-5 ans.

ZONA. Le zona se manifeste par des petites vésicules dont la localisation est souvent très caractéristique : toujours d'un seul côté, en bande dans la région thoracique, c'est le zona intercostal ; ou bien regroupée au niveau du pavillon de l'oreille, ou encore du front et des paupières, c'est le zona ophtalmique, qui peut entraîner des lésions oculaires. Ces vésicules se dessèchent rapidement, remplacées par des petites croûtes qui tombent en une dizaine de jours. Habituellement, cette éruption est peu douloureuse chez l'enfant.

Le zona est dû au même virus que la varicelle ; il y a donc un rapport entre ces deux maladies et des contagions possibles.

Il n'y a pas de traitement particulier, le mieux est de recouvrir les lésions d'une compresse stérile sèche.

Le docteur T. Berry Brazelton tenant dans ses bras un nouveau-né.

Soigner son enfant

Votre enfant est malade. Que devez-vous faire ?

D'abord l'observer. Les symptômes que vous noterez seront précieux pour le médecin : certains d'entre eux — une éruption sur la peau, par exemple — peuvent avoir disparu quand le médecin sera là ; d'autre part, vous qui connaissez bien votre enfant, vous pourrez remarquer certains changements survenus dans sa mine, son humeur, son comportement. Je vous donnerai plus loin des points de repère qui vous permettront de répondre avec précision aux questions que vous posera le médecin.

Après la visite du médecin, vous continuerez à être attentifs à l'évolution de la maladie, et vous devrez appliquer le traitement qui vous aura été prescrit. Là aussi, je vous donnerai plus loin quelques indications utiles.

Enfin, sachez que votre présence pourra beaucoup pour la guérison de votre enfant, non pas seulement à cause des soins que vous lui donnerez, mais aussi à cause de l'apaisement que lui apporteront votre voix, votre sourire, votre main, le seul fait d'être là.

Les signes de bonne et de mauvaise santé

Pour vous permettre de l'observer avec le maximum d'utilité et d'efficacité, *voici les signes auxquels on reconnaît qu'un enfant est en bonne santé :*
- sa courbe de poids est conforme à la courbe moyenne ;
- il a bonne mine et les yeux vifs ; quand vous l'embrassez, vous sentez que ses joues sont fermes et fraîches ;
- il est de bonne humeur, il a de l'entrain, il aime jouer, il s'intéresse à ce qui l'entoure ;
- il a bon appétit, ses selles sont normales, il dort bien.

Au contraire, la santé d'un enfant laisse à désirer si :
- il a perdu du poids, c'est particulièrement vrai pour le nourrisson ;
- il a le teint pâle, les yeux cernés, le regard sans éclat, la langue blanche ;
- il est sans entrain, il suce son pouce en somnolant dans la journée, ne s'intéresse pas à ce qui se passe autour de lui, n'a pas envie de jouer ;
- ou, à l'inverse, il est agité, nerveux et fait des caprices pour un rien ;
- il dort mal ;
- il manque d'appétit, refuse de boire.

Enfin les parents un peu attentifs ont leurs signaux d'alerte personnels. Telle mère de mes amies avait remarqué que, quand sa fille réclamait à l'improviste du jus d'orange, c'était signe qu'elle avait de la fièvre (c'est normal puisque la fièvre déshydrate et, par conséquent, donne soif).

Mais inversement, il est parfois difficile de porter un jugement objectif sur un enfant qu'on a sans cesse sous les yeux : à cet égard, il peut être utile d'écouter l'avis d'un proche, moins constamment en contact avec l'enfant. « Tiens, il n'a pas bonne mine », ou « Ta fille n'est pas dans son assiette, aujourd'hui... » N'attachez pas trop d'importance à ce genre de réflexion, mais ne les négligez pas tout à fait. Elle peuvent parfois vous mettre sur la voie d'une maladie qui se prépare.

Quand faut-il consulter le médecin ?

Les parents inexpérimentés aimeraient qu'on puisse leur dire : en présence de tel symptôme consultez le médecin, en présence de tel autre ne le dérangez pas. C'est une liste impossible à faire. Chez l'enfant les symptômes sont difficiles à interpréter, ils changent vite, et ils doivent être considérés dans un contexte d'ensemble, d'où la nécessité de l'examen médical. Et c'est pourquoi un médecin ne reprochera jamais à des parents de l'avoir dérangé même en apparence inutilement.

L'appréciation de la gravité des symptômes est toujours difficile pour les parents, en particulier chez le très jeune enfant. Si l'on ne peut appeler ou consulter le médecin à tout moment pour le moindre symptôme, il vaut mieux parfois ne pas trop tarder ; du rhume à la bronchite ou de la diarrhée à la déshydratation, le délai peut être court chez le nourrisson.

Plus l'enfant est jeune, et plus rapidement il doit être examiné par le médecin en cas de fièvre, de toux, de vomissements ou de selles diarrhéiques qui se répètent, mais aussi devant des pleurs inexpliqués, un refus de boire (ceci à titre d'exemples).

Chez l'enfant plus grand en revanche, on se basera beaucoup sur un changement de l'état général pour apprécier la nécessité et l'urgence à voir le médecin. La fièvre élevée en particulier n'est pas un signe de gravité à elle seule. Par contre les crises douloureuses abdominales posent un problème que seul le médecin peut résoudre.

De toute manière, lorsque vous aurez décidé de consulter le médecin, préparez-vous à répondre aux questions qu'il vous posera sur la température, sur les selles, sur votre appréciation de l'état général. N'oubliez pas en plus de dire si l'enfant a été en contact avec un contagieux et quels sont ses antécédents. Le médecin se fera ainsi une première idée du malade, et décidera de l'urgence réelle de l'examen.

En attendant le médecin. Gardez l'enfant au calme. Évitez le bruit. Ne donnez aucun médicament sans prescription. En revanche, vous devez donner à boire à l'enfant s'il a de la fièvre.

Quelques questions que l'on peut se poser

Peut-on sortir un enfant qui a de la fièvre pour aller chez le médecin ? La visite à domicile devient de plus en plus rare ; sauf si l'on insiste sur la gravité de la maladie, le médecin demande souvent qu'on lui amène l'enfant. En fait, même avec une fièvre élevée, un enfant est transportable sans risque, d'autant plus qu'une fièvre élevée n'est pas automatiquement synonyme de gravité (voir l'article *Fièvre*, au début de ce chapitre).

Comment couvrir l'enfant malade ? Tant qu'il a de la fièvre, vous éviterez de trop le couvrir : vous feriez monter la température. Dans une chambre bien chauffée (20°-22°), où tout courant d'air est évité, où le degré d'humidité est suffisant, l'enfant, même s'il est assis dans son lit, sera seulement vêtu de son pyjama ou de sa chemise de nuit, sans chandail. Sur le lit, une seule couverture.

Le confort de l'enfant malade. Pensez à aérer la chambre ; pendant ce temps, mettez votre petit malade dans une autre pièce en prenant garde qu'il n'ait pas froid. Vous le remettrez dans son lit lorsque la chambre se sera réchauffée.

Chaque jour, faites-lui une bonne toilette : visage, cou, mains, pieds même ; cela le rafraîchira, et il se sentira plus à l'aise.

Vous pouvez très bien lui donner un bain, cela lui fera même du bien. Veillez seulement à ce que l'eau soit à bonne température (37°), et la salle de bains correctement chauffée (22° environ).

Changez les draps le plus souvent possible, rien n'est plus agréable que de se retrouver dans des draps frais lorsqu'on est fiévreux. Voici donc ce que vous pourrez faire pour son confort matériel. Pour son moral bien sûr, il aura besoin d'une présence : son père, sa mère, sa grand-mère, quelqu'un qui lui tienne compagnie, le comprenne, joue avec lui. Si vous ne pouvez lui consacrer beaucoup de temps, des images à colorier, des livres le distrairont.

Enfin, essayez, même si vous vous faites du souci, de ne pas le lui montrer, les enfants s'inquiètent de voir des visages anxieux.

L'enfant qui transpire. Lorsque l'enfant a de la fièvre, il transpire. C'est une bonne chose car la transpiration est un moyen qu'a l'organisme pour faire baisser la température. Donnez à boire à l'enfant pour compenser ce qu'il perd, et pensez à le changer de vêtement, il sera plus à l'aise.

Faut-il maintenir l'enfant au lit ? Si l'enfant est fatigué et abattu, il restera de lui-même au lit ; mais s'il refuse, inutile de le contrarier : laissez-le se lever et circuler dans la maison.

L'obligation de l'immobilisation au lit n'est plus considérée comme aussi nécessaire et impérieuse qu'elle ne l'était il y a encore quelques années, en particulier pour les maladies de longue durée ou les périodes de convalescence. Couvrez l'enfant en conséquence en lui mettant notamment des chaussettes de laine, et laissez-le jouer tranquillement. Il vaut mieux cependant que l'enfant joue seul ou avec un adulte, car en dehors des problèmes de contagion, il faut éviter l'excitation qui fatigue.

Le régime de l'enfant malade. Que donner à manger à un enfant malade ? Ce qu'il désire, dans des limites raisonnables bien sûr. Cela veut dire que s'il a envie d'un bifteck, ou d'une glace, il n'y a pas de raison de les lui refuser. En revanche, s'il ne veut rien manger, n'insistez pas.

Si l'enfant ne manifeste aucun désir particulier, que lui donner ? Le nourrisson, s'il n'a pas de diarrhée, peut avoir son régime habituel, mais sans forcer ; on peut éventuellement préparer les biberons avec une concentration de lait moins importante, et il faut lui offrir de l'eau à boire en dehors des tétées. S'il a de la diarrhée, il faudra arrêter le lait et faire une préparation antidiarrhéique (voir *Diarrhée*).

Au jeune enfant, on peut proposer : du bouillon, des légumes, de la compote (pommes, pruneaux sans sucre), de la banane, que vous écraserez cinq minutes avant et que vous pouvez passer un instant au four : elle aura plus de chance ainsi de plaire à l'enfant. Il peut aussi manger des gressins, des biscuits. Quand il commencera à aller mieux, vous pourrez revenir progressivement à un régime normal.

Mais, encore une fois, ne l'obligez jamais à manger.

En revanche, si l'enfant est fiévreux, vous le ferez boire autant que possible, même la nuit. La fièvre déshydrate, et un petit organisme n'a pas de grandes réserves d'eau. Que lui faire boire ? Ce qu'il aime, eau, jus de fruits, citronnade, tisane, bouillon, eau sucrée, etc.

Faut-il qu'il boive chaud ? Ce n'est pas nécessaire. Il aimera sans doute mieux boire frais : donnez-lui donc à boire frais (surtout s'il a tendance à vomir). Même si l'enfant ne s'alimente pas, un minimum de calories lui seront apportées par des aliments sucrés : miel, jus de fruit, compote, riz, eau sucrée.

Un horaire régulier. C'est souvent plus facile de donner les soins à des heures régulières et en les regroupant : en prenant la température le matin au réveil et le soir à 5 heures, profitez-en pour nettoyer les fosses nasales, administrer l'antibiotique ou appliquer la pommade, etc. Des soins qui s'échelonneraient toute la journée risquent de fatiguer l'enfant et de l'agiter inutilement.

Attention : s'il s'agit d'un enfant en âge de saisir les objets, ne laissez pas les médicaments près de son lit ; d'autant plus que souvent les laboratoires, pour faciliter l'absorption des médicaments par les enfants, les rendent le plus attrayant possible par la couleur et surtout par le goût. En contrepartie cela peut augmenter le risque d'intoxication.

Vous noterez la température sur une feuille quadrillée, en marquant les jours, divisés en matin et soir, ou sur une feuille de température à demander au pharmacien. Vous noterez de même les incidents : vomissements, diarrhées, toux... Pensez dès maintenant à la prochaine visite du médecin, ou à la conversation téléphonique que vous aurez avec lui.

Si le médecin indique un risque de contagion. Vous vous laverez bien les mains chaque fois que vous vous serez occupés de l'enfant, et vous isolerez le malade des autres enfants, et, pour certaines maladies, des futures mères.

Les soins

Comment prendre la température rectale. Assurez-vous que le thermomètre est propre, c'est-à-dire qu'il a été nettoyé depuis la dernière prise de température, faites baisser le mercure au-dessous de 36 ° en secouant le thermomètre ; mettez un peu de vaseline au bout.

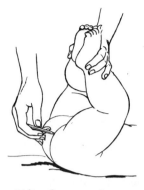

Si l'enfant est un nourrisson, couchez-le sur le dos, levez-lui les jambes d'une main et, de l'autre, introduisez le thermomètre (la partie argentée, voir figure ci-contre). La partie grise du thermomètre doit être introduite presque tout entière dans l'anus. Lorsque le thermomètre est en place, ne laissez pas votre bébé seul et tenez le thermomètre.

Si l'enfant est plus âgé, couchez-le sur le ventre pour introduire le thermomètre ; prenez garde à ce que l'enfant soit bien couvert pendant le temps où il garde le thermomètre.

L'enfant doit garder le thermomètre au moins 2 minutes. S'il s'agit d'un enfant qui vient de jouer, faites-le se reposer une heure avant de prendre sa température.

Attention en prenant la température : enduisez de vaseline le bout du thermomètre et introduisez-le doucement ; les hémorragies (très délicates à soigner) ne sont pas rares.

Dans beaucoup de pays, on prend de préférence la *température buccale,* avec un thermomètre spécial ; mais, en France, cet usage n'est pas répandu.

On peut aussi acheter en pharmacie des bandeaux que l'on met sur le front et qui indiquent soit par un changement de couleur, soit en chiffres, la température. Cette solution est pratique lorsqu'on est obligé de prendre la température souvent, mais c'est quand même moins précis que la prise directe *.

Comment prendre le pouls. Avec l'index, on cherche le battement du pouls au poignet, près de la base du pouce. On compte les battements pendant une minute. Le pouls est normalement d'autant plus rapide que l'enfant est plus jeune. Chez le nouveau-né, il bat 120 à 140 fois à la minute. A 2 ans, le pouls a 110 battements, à 6 ans, il en a 100. Ce n'est qu'à la fin de l'adolescence qu'il sera identique au pouls de l'adulte : entre 60 et 80 battements à la minute. Le pouls s'accélère quand l'enfant crie, ou s'agite.

Cela dit, la prise du pouls de l'enfant est difficile en soi et l'interprétation de l'accélération du pouls chez l'enfant (en cas de fièvre) est moins facile que chez l'adulte.

Comment examiner la gorge. Si l'enfant est trop jeune pour coopérer avec vous, faites-vous aider d'une autre personne. Il faut asseoir l'enfant face à la lumière, et lui maintenir la tête, les bras et les jambes. L'un des deux adultes assied l'enfant sur ses genoux, l'enfant étant adossé à l'adulte. Celui-ci maintient d'un bras les bras de l'enfant, et d'une main (posée sur le front) la tête de l'enfant. Il maintient les jambes de celui-ci entre les siennes. L'autre personne, placée face à l'enfant, mais sans s'interposer entre lui et la lumière, ouvre d'une main la bouche et, de l'autre, appuie le manche d'une cuillère sur la langue de l'enfant.

Mais si vous êtes seul, prenez l'enfant sur vos genoux, maintenez-lui les jambes entre vos genoux et les bras avec l'un de vos bras. Avec votre main libre, vous lui ouvrirez la bouche.

Quand il s'agit d'un enfant plus grand, on l'installe face à la lumière. On se tient en face de lui (sans s'interposer entre lui et la lumière). On lui fait ouvrir la bouche et on lui fait dire « a ». Les amygdales deviennent alors très visibles.

---

* Cette remarque m'a valu du courrier insistant sur l'imprécision de ce système ; je préfère le signaler.

Comment faire baisser la fièvre

■ *L'aspirine et le paracétamol* (Doliprane, Efferalgan) sont les deux médicaments utilisés pour faire baisser la température. Les doses vous seront indiquées par le médecin. Actuellement, on préfère utiliser chez le jeune enfant le paracétamol (voyez plus loin).

■ *Le bain.* Devant une forte fièvre, donnez un bain de la manière suivante : la salle de bains sera bien chauffée (au moins 22°). L'enfant, assis, aura de l'eau jusqu'aux épaules. L'eau aura un ou deux degrés de moins que la température de l'enfant. L'enfant séjournera dix minutes si possible dans le bain. En se refroidissant, l'eau va rafraîchir l'enfant.

On peut mettre sur la tête de l'enfant, quand il est dans le bain, un mouchoir trempé dans l'eau froide. Renouveler deux ou trois fois.

Si l'enfant pâlit ou frissonne, le sortir du bain et le sécher en le frictionnant.

Au sortir de la baignoire, sécher l'enfant avec une serviette éponge, lui mettre son pyjama ou sa chemise de nuit et le remettre dans son lit.

■ *L'enveloppement frais* peut remplacer le bain en cas de fièvre élevée.

Étalez sur le lit une feuille de plastique ou une toile caoutchoutée, ou toute autre toile imperméable.

Trempez dans l'eau tiède une grosse serviette éponge ; essorez-la. Sortez l'enfant de son lit et déshabillez-le.

Étalez la serviette sur la toile imperméable. Étendez l'enfant sur la serviette, enveloppez-le dedans, rabattez les deux côtés de la toile par-dessus. En se refroidissant, l'enveloppe rafraîchira l'enfant.

Gardez l'enfant dans cet enveloppement un quart d'heure (à moins que l'enfant ne frissonne ou ne pâlisse, dans ce cas vous cesserez aussitôt l'enveloppement).

Puis dégagez l'enfant, séchez-le en le frictionnant bien avec une serviette éponge. Un pyjama sec, et vite au lit.

■ *La vessie de glace.* Mettez de la glace en petits morceaux dans une vessie de caoutchouc, ou, à défaut, dans une serviette enveloppée elle-même dans de la laine.

Posez cette vessie sur l'oreiller, sous la nuque de l'enfant. Ou mettez une vessie de glace sous chaque bras, ou encore à la racine des cuisses, de chaque côté. Veillez à ce qu'il n'y ait aucune humidité à l'extérieur de la vessie. Laissez-la tant que vous sentez qu'elle contient de la glace. Si l'enfant frissonne, ôtez-la.

A défaut de vessie de glace, appliquez sur le front de l'enfant et sur ses tempes un gant de toilette trempé dans l'eau fraîche et essoré, que vous renouvellerez fréquemment.

Les gouttes nasales. Si le médecin vous a prescrit un antibiotique en gouttes nasales, avant de les mettre, nettoyez les narines de l'enfant avec du sérum physiologique tiède : videz lentement un plein compte-gouttes dans chaque narine. Pour tiédir le sérum, il suffit de mettre un moment le flacon dans un bol d'eau chaude.

Après chaque usage, nettoyez le compte-gouttes à l'alcool.

Si vous avez deux enfants malades en même temps, utilisez deux compte-gouttes.

L'inhalation (humidification). L'inhalation est difficile à faire faire à un jeune enfant. On peut la remplacer de la manière suivante.

Remplissez d'eau bouillante une petite baignoire ou une grande bassine. Versez dans cette eau bouillante la valeur d'une cuillère à soupe d'essence d'eucalyptus ou de teinture de benjoin. La salle de bains sera close. Laissez-y votre enfant un quart d'heure. Il n'est pas nécessaire qu'il respire la vapeur au-dessus de l'eau bouillante. L'air de la pièce sera suffisamment imprégné de vapeur pour que celle-ci pénètre dans ses voies respiratoires. Il suffit qu'il soit assis sur vos genoux, ou qu'il joue par terre sur un tapis. L'enfant sera enveloppé d'un peignoir ou d'une grande serviette éponge, sinon ses vêtements seraient trempés. La pièce sera bien chaude. L'inhalation faite, l'important est que l'enfant ne prenne pas froid en sortant de la salle de bains.

Vous pouvez employer ce procédé une fois par jour.

Comment donner un lavement. Faites tiédir de l'eau bouillie. Versez dans cette eau tiède, soit le médicament prescrit, soit, s'il s'agit de faire aller l'enfant à la selle, une demi-cuillerée à café de bicarbonate de soude, ou une cuillerée à café d'huile d'olive ou de paraffine pure, ou une cuillerée à soupe d'eau oxygénée à 20 volumes.

Pressez la poire à lavement pour en évacuer l'air. Remplissez-la de l'eau bouillie tiède.

Enduisez de vaseline la partie rigide de la poire. Introduisez dans l'anus (même position que pour la prise de la température) et pressez lentement. Quand la poire est vide, serrez les fesses du bébé quelques instants, ou, si l'enfant est plus âgé, faites-lui garder le lavement deux à trois minutes avant de le mettre sur son pot.

Il existe des préparations pharmaceutiques toutes prêtes pour lavements.

Soins divers

Compresses ou pansements humides alcoolisés. Si le médecin vous a prescrit des compresses (sur un furoncle par exemple), trempez les compresses dans de l'eau bouillie tiède, additionnée d'alcool à 90° (une cuillère à soupe pour un bol). Renouvelez les compresses plusieurs fois par jour pendant 10 à 15 minutes.

Affections de la peau et blessures. La première chose à faire quand un enfant est écorché est de nettoyer la plaie. Lavez à l'eau et au savon. Ne laissez aucune impureté (terre, épine, etc.) dans la chair. Ensuite, désinfectez avec un antiseptique. Laissez sécher le mercurochrome avant de panser. Voyez *Plaies* dans *La santé de A à Z.*

Pansements adhésifs. Dans la plupart des cas, les pansements adhésifs tout préparés, vendus en pharmacie, suffisent. Mais il faut les changer chaque jour, souvent plus, lorsqu'ils sont souillés.

Pansements de gaze. Si la plaie saigne, mieux vaut utiliser un pansement de gaze léger. Ne serrez pas trop : le sang doit circuler ; le membre ne doit ni gonfler ni être violacé, ni être froid. Ne couvrez pas la plaie trop hermétiquement : elle doit « respirer ».

Bandage. Ne serrez pas trop. (Voir le paragraphe précédent.)

Pansement à la tête. Pour que le pansement à la tête tienne pendant que l'enfant dort, coiffez l'enfant d'un bonnet.

Les soins à éviter. Les cataplasmes, les enveloppements chauds *, les bouillottes (chez le nourrisson) : trop d'accidents par brûlures ont été causés chez de jeunes enfants. Évitez également les frictions du thorax avec des produits mentholés ou camphrés, achetés sans avis médical.

Le nourrisson et les piqûres. Il peut arriver que le médecin prescrive une piqûre à votre bébé.

Vous devez savoir qu'on évite de piquer un nourrisson à la fesse ; il est préférable de faire la piqûre à la partie moyenne de la cuisse, sur la face extérieure.

Même si vous les faites très bien, je ne vous conseille pas — sauf urgence bien entendu — de faire vous-même des piqûres à votre enfant. Il doit vous voir comme sa mère qui l'aide et le soulage, et non comme une auxiliaire médicale associée à la peur et à l'agression.

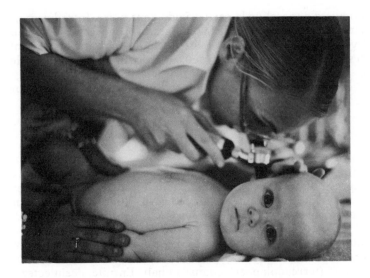

* Il s'agit ici d'enveloppements ayant pour but de *réchauffer* un malade, et non des enveloppements tièdes dont je vous parle plus haut, et dont le but est au contraire de le rafraîchir.

L'enfant
et les médicaments

Votre enfant a une angine, du moins c'est ce que vous pensez. A sa dernière angine — ou à celle de son frère ou de sa sœur — le médecin avait prescrit un médicament (antibiotique en particulier). Il en reste encore. Vous êtes naturellement tenté de vous en servir. N'en faites rien. Ce que vous appelez angine est peut-être le début d'une autre maladie : dans l'enfance, combien de maladies débutent par une gorge rouge !

Par ailleurs, chaque malade pose au médecin un problème particulier. En décidant le traitement vous-même, lorsqu'il s'agit d'un médicament aussi délicat à manier qu'un antibiotique, vous prendriez un risque extrêmement sérieux.

En outre, administrer un médicament sans prescription risque de faire disparaître des symptômes qui auraient orienté le diagnostic du médecin, et donc son traitement.

Quels sont les traitements simples que vous pouvez appliquer sans avoir consulté le médecin ?

- *Contre le rhume :* le sérum (ou soluté) physiologique en gouttes nasales, les suppositoires à l'eucalyptus, aux essences de pin, pour enfants.
- *Contre une diarrhée légère* chez l'enfant de plus de six mois : le régime sans lait ; les antidiarrhéiques : carottes, Arobon, pommes crues râpées, gelée de coings et banane.
- *Contre la constipation :* les suppositoires à la glycérine pour enfants, l'huile de paraffine.
- *Contre la toux :* un sirop simple aux essences végétales (sans codéine).
- *Contre l'agitation et l'insomnie :* la fleur d'oranger, le tilleul.
- *Contre le mal au ventre ou l'indigestion :* la camomille.
- *Contre bien des petits maux journaliers :* une simple infusion de tilleul est aussi efficace que bien des spécialités pharmaceutiques. Sans parler de la cuillerée de miel dissoute dans un verre d'eau, et que vous apporterez à l'enfant en lui disant : « Ceci va te faire passer ton mal au ventre. » Ce qui arrive en effet souvent.

Attention : danger. En dehors de ces remèdes inoffensifs, aucun médicament ne doit être administré sans prescription du médecin. *Vous éviterez tout particulièrement :* les antibiotiques et sulfamides, même en application externe (pommade, etc.), les solutions huileuses en gouttes nasales, les « vasoconstricteurs » type Privine, Tizine, Naphtasoline ; les vermifuges.

Et l'aspirine, contre la fièvre ? N'en donnez qu'à bon escient (voir ci-dessous). Son utilisation ne peut être faite au hasard et doit obéir à des règles précises.

Dose différente, effet différent

Si le médecin a prescrit un médicament et que vous n'êtes pas parvenu à le faire prendre à l'enfant, ou s'il n'en a pris que la moitié, informez-en le médecin. Un médicament jugé inefficace par les parents est souvent un médicament qui n'a pas été pris comme indiqué.

Dose prescrite, répartition dans la journée, durée du traitement sont à observer. Pour suivre l'évolution de la maladie, le médecin a besoin de savoir où le malade en est de son traitement.

Par ailleurs, aucun médicament n'est anodin : augmenter soi-même la dose en espérant une plus grande efficacité expose à des risques d'intoxication ; de plus, il y a toujours le risque d'une intolérance, d'une allergie, d'effets secondaires indésirables. En conclusion, méfiez-vous de l'automédication chez les enfants comme chez les adultes.

La dose suivant le poids : exemple l'aspirine. Pour fixer la dose à administrer, le médecin considère en général le poids de l'enfant. Par exemple, l'aspirine en comprimés * s'administre à la dose maximale de 10 centigrammes par kilo et par 24 heures.

■ *Exemple :* un enfant à partir de 5 kilos peut recevoir sans risque : 10 x 5 = 50 centigrammes d'aspirine par 24 heures = 500 milligrammes = 0,5 grammes.

En pratique, un enfant de moins de un an ne peut recevoir sans danger plus de 1 gramme d'aspirine (ou 2 comprimés de 0,50 g par 24 heures). *Cette dose totale doit être divisée et répartie dans les 24 heures en 6 prises,* parce que l'effet d'une prise dure en général de trois à quatre heures.

■ *Attention :* une erreur grave consisterait à donner une dose trop forte et unique pour faire tomber la fièvre plus vite. Le résultat serait que l'effet de l'aspirine une fois passé, la température remonterait brusquement. C'est à ce moment que le risque de convulsion est le plus grand.

Rappelons que pour l'enfant qui refuse d'avaler quoi que ce soit, l'aspirine existe en suppositoires. Mais il faut vérifier la dose indiquée sur la boîte.

Le paracétamol. C'est un médicament plus récent et utilisé également pour faire baisser la température. Le paracétamol est différent de l'aspirine ; il est actuellement de plus en plus employé et est bien toléré au point de vue digestif. Le paracétamol existe en comprimés, poudre ou soluté, suppositoires. Il existe de nombreuses présentations pharmaceutiques destinées aux enfants, où le paracétamol est soit isolé (exemple Doliprane ou Efferalgan), soit associé à d'autres produits (exemple Algotropyl).

Comme pour l'aspirine, la dose quotidienne est calculée en fonction du poids de l'enfant : 20 à 30 milligrammes par kilo et par 24 heures ; la dose sera répartie en 4 prises données à 6 heures d'intervalle.

Comment faire prendre un médicament à l'enfant malade. Il faut d'abord que, persuadé de la nécessité du médicament, du bien qu'il fera à votre enfant, vous y soyez

---

* La quantité d'aspirine contenue dans un comprimé est obligatoirement inscrite sur l'emballage, soit sous le nom d'aspirine, soit sous celui d'acide acétylsalicylique.

décidé. L'enfant sentira à votre attitude sans faiblesse que cette décision est irré-vocable. Mais attention, la pire serait l'attitude qui s'arme d'avance de sévérité, voire de colère. Cette attitude mène tout droit à l'épreuve de force. Or la capacité de résistance d'un enfant, même petit, même malade, est incroyable. Et l'adulte sera le plus souvent vaincu.

Aussi détestable que l'attitude autoritaire est l'attitude suppliante. Dans la plu-part des cas, les promesses ne servent pas à grand-chose, auprès d'un malade qui n'a guère envie de jouer...

Il faut vous y prendre comme si vous ne vous attendiez à aucune protestation de la part de l'enfant, ne pas chercher à le persuader alors qu'il n'a encore fait aucune opposition, enfin lui montrer clairement, par une attitude de fermeté et de dou-ceur, que le médicament lui sera donné malgré ses protestations. Raisonner un enfant malade ne sert pas à grand-chose. « Il le faut » : voilà votre unique argument.

Attention : il ne faut pas administrer de force un médicament, pas plus liquide que solide, à un enfant. Le médicament risquerait de se diriger vers les bronches et de provoquer un grave accident (fausse route).

Des moyens pratiques. Fort heureusement, il existe un moyen pratique de rendre acceptables certains médicaments (pas tous) : c'est de les mélanger à un aliment. Passons en revue les diverses présentations qu'on trouve en pharmacie.

■ *Comprimé.* On le réduit en poudre entre deux petites cuillères (voyez la figure). On mélange cette poudre à de l'eau sucrée (éventuellement avec quelques gouttes de citron). Il faut bien s'assurer, après avoir fait boire cette eau sucrée, que la poudre n'est pas restée au fond de la cuillère. En général,  l'enfant accepte facilement le comprimé donné sous cette forme. Mais pour les comprimés au goût très amer, il est préférable de faire un mélange solide : avec une confiture au goût acidulé, comme la fram-boise, la fraise, etc. ; avec du miel, du chocolat, de la banane écra-sée.

On peut ainsi, mieux qu'avec l'eau sucrée, contrôler que l'enfant a pris toute la dose. (En effet, si l'enfant crache le liquide, il est impossible de savoir quelle proportion il a gardée, et l'on risque, en renouvelant l'opération manquée, de lui donner une dose trop forte.) Cependant, ne mélangez pas un médicament à un aliment de base — lait, potage, etc. — car, si l'enfant en garde un mauvais souve-nir, il risque d'avoir ensuite de la répulsion pour cet aliment.

Un conseil : ne mélangez pas le comprimé pulvérisé à une trop grande quantité d'un aliment. Il est préférable que l'enfant prenne la dose en une seule fois et il n'est pas sûr de réussir une seconde fois à le lui faire accepter.

■ *Dragée et gélule.* Ne doivent pas être écrasées : si le médicament est présenté sous cette forme, il y a une raison. Il est possible par exemple que le produit doive, pour faire son effet, traverser intact l'estomac et ne se libérer que lentement dans le tube digestif.

■ *Sirop.* Ne pose en général pas de problème, parce qu'il a bon goût. (Les enfants en redemandent.) N'oubliez pas d'agiter le flacon pour rendre son contenu bien homogène avant de verser dans la cuillère.

■ *Suppositoire.* L'enduire de vaseline ou le mouiller. Commode si l'enfant accepte. Son inconvénient : on ne sait pas quelle quantité a été effectivement absorbée. Si c'est un nourrisson, maintenez serrées pendant quelques minutes les fesses de l'enfant pour éviter le rejet du suppositoire.

<u>Combien de temps doit durer le traitement ?</u> L'enfant avait 40° de fièvre. Le méde-
cin a prescrit un antibiotique. Ce matin, la température est tombée à 36°8.

Faut-il cesser le traitement, si, par hasard, le médecin n'en a pas précisé la
durée ? Un traitement aux antibiotiques doit être poursuivi quelques jours après la
disparition des symptômes. Le principal symptôme, dans une angine, un gros
rhume, etc., est évidemment la fièvre. Elle a disparu : poursuivez le traitement
pendant quelques jours encore (pour une durée totale de 8 à 10 jours).

Cela dit, ce qui concerne l'arrêt du traitement est l'affaire du médecin.

L'armoire à pharmacie

Sa place. Elle doit être placée assez haut pour être inaccessible aux enfants et
fermée à clé. Sinon un enfant, tout fier de pouvoir l'ouvrir, pourrait être tenté
de prendre un tube ou un flacon, de l'ouvrir et d'y goûter. N'oubliez pas que la
banale aspirine, dont on laisse si facilement traîner un tube, et les tranquillisants sont la première cause des intoxications graves des jeunes enfants.

L'armoire à pharmacie ne doit se trouver ni dans un endroit humide, ni au-
dessus d'un radiateur. En pratique, elle se trouve généralement dans l'endroit le
plus défavorable : la salle de bains. Il faut être d'autant plus prudent dans l'emploi
des médicaments qu'elle contient, et jeter impitoyablement tous ceux qui ont
dépassé la date de validité. Voir plus loin.

Son contenu

coton hydrophile,	1 flacon d'alcool iodé,
compresses stériles,	1 thermomètre médical,
pansements adhésifs,	1 flacon d'alcool à 90° (avec étiquette),
un rouleau de gaze,	1 flacon de savon liquide (type Mercryl),
sparadrap,	1 boîte de suppositoires à la glycérine pour
ciseaux,	enfants,
pinces à échardes,	1 tube de vaseline,
poire à lavement,	aspirine ou paracétamol (Efferalgan, Doli-
1 flacon de sérum	prane...) en comprimés ou suppositoires,
physiologique	1 flacon d'eau de fleurs d'oranger, des tisa-
1 flacon de mercurochrome,	nes variées.

On peut aussi avoir :
- une boîte de pansements type « Stéristrip » : ce sont des sortes de papiers collants
très utiles pour les petites coupures, car ils permettent de rapprocher les bords de
la plaie sans faire de suture ;
- une boîte type « Stop-hémo » : ce sont des compresses imprégnées d'une substance
anticoagulante. C'est très utile pour les hémorragies, notamment les saignements
de nez.

Quels médicaments garder ? Lesquels jeter ? De temps à autre — par exemple au retour des vacances — faites l'inventaire de l'armoire à pharmacie, en ôtant tout ce qui l'encombre et en y ajoutant ce qui lui manque.

Certains médicaments, dans certaines conditions, se conservent ; d'autres non. Voyons quelques cas particuliers :

- Ampoules : la date limite est indiquée.
- Antibiotiques et sulfamides (comprimés ou sirops) : il n'est pas conseillé de les utiliser soi-même sans prescription ; même si la date de validité n'est pas dépassée, le traitement terminé, jeter antibiotiques et sulfamides.
- Cachets, comprimés, dragées doivent être conservés à l'abri de l'humidité.
- Collyres : une fois ouverts, ils ne sont pas utilisables au-delà de quinze jours.
- Pommades : si, lorsqu'on presse le tube, il sort du liquide, puis de la pommade durcie, jeter le tube ; si la pommade contient un antibiotique ou un sulfamide, ne pas la conserver au-delà d'une saison.
- Poudres : se conservent à l'abri de l'humidité.
- Sérum physiologique : à conserver, mais en nettoyant le styli-goutte avec un coton imbibé d'alcool chaque fois qu'on s'en est servi.
- Sirops : une fois le flacon ouvert, il ne peut guère être utilisé au-delà de quelques semaines.

Suppositoires : se conservent à l'abri de la chaleur.

Des médicaments dont l'emballage n'a pas été ouvert peuvent-ils être conservés ?
Oui, jusqu'à la date indiquée sur la boîte.

Aujourd'hui, il y a indiscutablement un grand gâchis dans l'utilisation des médicaments. Les armoires à pharmacie sont trop souvent pleines de produits qui ne seront jamais utilisés. D'une manière générale, il vaut mieux renouveler la prescription si nécessaire plutôt que de stocker des médicaments dont on n'est pas sûr de se servir.

Le médicament n'est pas tout

Certains parents attendent trop des médicaments. L'enfant a-t-il de la fièvre ? ils lui donnent un sirop. Une éruption ? il leur faut une pommade. C'est confondre maladie avec symptôme. Si votre enfant est fiévreux, c'est qu'il est malade : soignez sa maladie. De même, malgré l'abondance des médicaments qui garnissent les étagères des pharmacies, il ne faut pas vous imaginer qu'il existe un remède particulier pour chaque symptôme qui peut se présenter : un remède contre la fatigue ; un fortifiant si votre enfant vous semble pâle ; un autre pour le faire dormir, etc.

La médecine doit tenir compte de la personnalité de l'enfant (un tel est plus pâle qu'un autre) et de l'environnement. Enfin il faut faire confiance à la nature : l'enfant récupère vite et les médicaments destinés à le fortifier sont moins importants qu'une bonne hygiène de vie (alimentation équilibrée, heures de sommeil respectées, etc.).

Le médecin

Le médecin va jouer un grand rôle pendant les premières années de votre enfant. Vous aurez à le voir souvent, même si votre enfant est en parfaite santé : la réglementation de la Sécurité sociale oblige, en effet, pendant l'année qui suit la naissance, à une visite médicale par mois, une tous les deux mois la seconde année, et une par semestre jusqu'à 6 ans. Cette obligation va peut-être vous étonner si votre enfant est en bonne santé. Inutile de voir un médecin, pensez-vous. Détrompez-vous : le petit enfant a besoin d'une surveillance médicale régulière. La diminution considérable de la mortalité infantile en un demi-siècle est due en partie au développement de cette surveillance régulière.

La surveillance d'un enfant peut être assurée par un médecin généraliste ; elle peut être faite également par un pédiatre, qui est un spécialiste, le spécialiste de l'enfant.

Le médecin sera indispensable pour établir le régime du nourrisson : comme vous l'avez vu au chapitre 2, entre 3 mois et un an, le régime change souvent. Puis, visite après visite, le médecin verra se former la personnalité physique mais aussi psychologique de votre enfant. C'est capital ; comme l'a dit un pédiatre : « Le médecin doit s'intéresser avant tout à l'enfant, ensuite à sa maladie. »

Vous avez une autre possibilité pour faire suivre votre enfant, c'est d'aller à la consultation des nourrissons du centre de protection maternelle et infantile de votre quartier. Mais il est important de savoir que ce centre, qui n'est d'ailleurs ouvert qu'à certaines heures, n'est pas un centre de soins ni de traitement : il est à votre disposition pour faire l'examen général de l'enfant, pour surveiller la croissance et le régime, faire d'éventuels dépistages, et des vaccinations ; mais le jour où votre enfant sera malade, vous devrez vous mettre en rapport avec un autre médecin. Si vous n'en connaissez pas, prenez la précaution d'avoir une adresse sous la main ; le carnet de santé fera le lien entre le centre et le médecin que vous serez amené à voir.

Si vous décidez de faire suivre votre enfant par un médecin généraliste ou un pédiatre, choisissez-le avec soin, afin que vous n'ayez pas envie d'en changer. Vous devez avoir entière confiance en lui : s'il vous ordonne un traitement, vous devez pouvoir le suivre sans hésiter.

Cette confiance deviendra vite réciproque : votre médecin saura ce qu'il peut attendre de vous. Quand vous lui téléphonerez, il se fera une idée de la gravité de la maladie d'après votre description, selon qu'il vous sait inquiet ou qu'il connaît votre sang-froid.

Le carnet de santé

Le carnet de santé * est un vrai document médical : des pages spéciales sont prévues pour y inscrire les circonstances détaillées de la grossesse et de l'accouchement, les poids et taille aux différents âges, les dates des vaccinations et rappels, les dates de sortie des dents, la date de la marche et autres acquisitions, les prescriptions médicales (en particulier la vitamine D), les principales maladies, les hospitalisations, les examens dentaires, éventuellement les interventions chirurgicales, etc.

Toutes ces annotations sont, en principe, écrites par le médecin traitant. Chaque fois que vous consulterez le médecin, il faut donc que vous pensiez à lui faire remplir le carnet et vous le compléterez éventuellement.

Bien rempli, ce carnet constitue un document important : il sera utile durant toute l'enfance et l'adolescence. D'un coup d'œil, grâce à ce carnet, tout médecin connaîtra les antécédents de votre enfant, et pourra reconstituer les courbes de croissance (poids et taille), si importantes pour apprécier le développement physique de l'enfant.

Le carnet de santé est différent du carnet de surveillance médicale de l'enfant remis par la Sécurité sociale, et contenant des feuillets correspondant aux visites médicales conseillées de la naissance à 6 ans. (Nous vous rappelons que, pour obtenir ce carnet de surveillance médicale de l'enfant, il faut envoyer à la caisse de Sécurité sociale le feuillet correspondant du carnet de maternité **.)

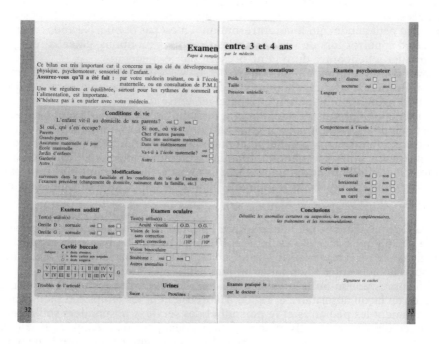

* Si le carnet de santé ne vous a pas été remis à la naissance de votre enfant, vous pourrez vous en procurer un à votre mairie.

** Voir *Mémento pratique*, fin du volume.

Et si l'enfant doit aller
à l'hôpital

De nos jours, un séjour à l'hôpital ne doit plus être une épreuve redoutée. Qu'elle soit décidée brusquement à l'occasion d'une maladie qui alarme, ou prévue et préparée à l'avance pour des examens complémentaires, l'admission de l'enfant à l'hôpital sera d'autant moins traumatisante que l'entourage familial, et spécialement la maman, sera — ou affectera d'être — calme, résolu et confiant.

Le départ accompagné d'objets familiers (jouets, vêtements) facilitera la prise de contact.

Par la suite l'enfant s'adapte en général très vite, grâce en particulier au contact avec les autres enfants, et supporte bien un séjour d'une ou deux semaines à l'hôpital.

Les visites que vous ferez seront fréquentes et courtes, plutôt que longues et espacées. Dès l'âge de 3-4 ans, l'enfant appréciera de recevoir par la poste une carte, un petit paquet qui lui montreront qu'il n'est pas oublié. Ne vous croyez pas obligés d'apporter lors de vos visites des friandises (bonbons, gâteaux) qui pourraient aller à l'encontre du régime prescrit par le médecin.

Soyez convaincus par ailleurs que le personnel d'un service pédiatrique (médecins, infirmières) aime les enfants et entourera le vôtre de sa compétence et de son affection même si celle-ci doit être partagée entre tous.

Renseignez-vous sans impatience ni agressivité : quelques jours sont nécessaires pour juger d'une évolution, pour avoir les résultats des examens. Sachez à qui vous adresser : à l'infirmière, à la surveillante pour les éléments de l'évolution quotidienne (fièvre, selles, état général, appétit...) ; au médecin pour le diagnostic (c'est-à-dire l'identification de la maladie), le pronostic (la prévision de l'évolution à court et long terme) et le traitement. Et plutôt que d'attendre dans un coin, demandez un rendez-vous.

Avant de terminer ce petit chapitre sur l'hôpital et de vous engager à lire le texte de la p. 268 qui concerne également l'hôpital mais plus particulièrement sous l'angle de l'intervention chirurgicale, je voudrais vous dire quelques mots sur les rapports actuels entre l'hôpital et les familles.

Il fut une époque où la présence des familles était tout juste tolérée et réglementée de façon autoritaire et rigide. Heureusement les temps ont bien changé : actuellement les pédiatres et le personnel des services hospitaliers souhaitent la présence des parents qu'ils encouragent à s'occuper eux-mêmes de leur enfant (repas, petits soins) ; et ceci est vrai aussi bien pour l'enfant déjà grand que pour le nourrisson pour lequel la séparation et l'isolement peuvent avoir des conséquences fâcheuses. On invite même les parents à s'occuper des petits prématurés, chose tout à fait impensable il y a encore quelques années.

Cette collaboration entre l'équipe pédiatrique de l'hôpital et les parents est d'un très grand intérêt pour l'enfant, elle peut en plus changer complètement les rapports entre l'hôpital et les familles.

L'enfant malade, ses rapports avec le médecin, avec l'équipe soignante, avec la famille, est un sujet sur lequel il y a beaucoup à dire. La manière dont l'enfant considère sa maladie dépend de son âge, de sa personnalité, de son entourage, le succès du traitement aussi. Sur ce sujet qui concerne tous les enfants, et donc les parents, à un moment donné ou à un autre, je vous signale un livre compréhensif et plein d'enseignements : *L'enfant et les sortilèges de la maladie* * qui peut rendre de grands services, tant aux parents qu'aux soignants.

* Simon-Daniel Kipman, éditions Stock.

Le petit monde
de votre enfant

CHAPITRE 5

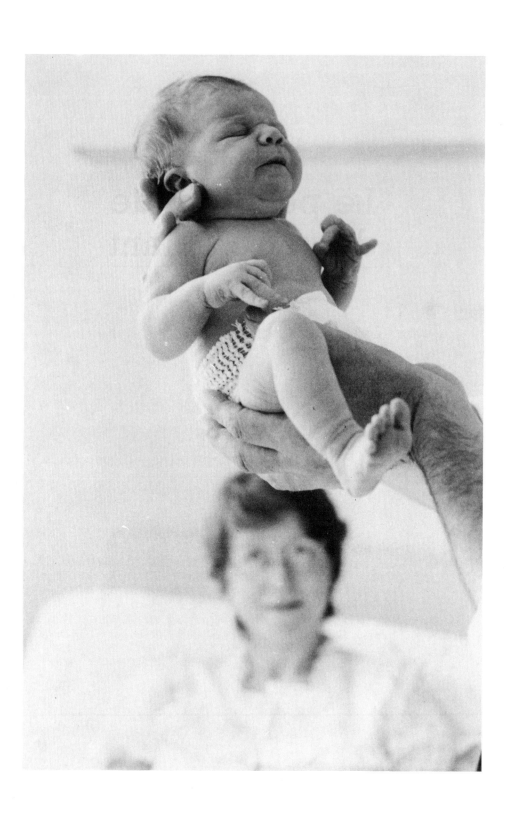

De 1 jour à 1 mois

Et l'enfant naît et sa petite tête mal fermée encore
Se met à penser dans le plus grand secret
Parmi les grandes personnes tout occupées de lui.

Jules Supervielle

« Pendant quelques secondes, j'ai eu une impression étrange : je croyais voir triple ; depuis des années j'avais dans la tête un enfant, celui dont je rêvais ; depuis neuf mois j'avais dans le ventre un bébé, celui qui remuait ; il était devenu mon compagnon, je lui parlais, je lui chantais ; lorsqu'il ne bougeait plus, je caressais fort mon ventre comme pour le " réveiller ".

« Tout à coup, c'est le grand silence, et voici que dans le berceau je vois comme un étranger qui ne ressemble pas à l'enfant de ma tête, qui ne bouge plus comme l'enfant de mon ventre ! Ah, vite, qu'il ouvre les yeux, qu'il me reconnaisse et que se renoue le dialogue. Passionnément je le regarde... »

Plus ou moins confuse, plus ou moins consciente, cette impression est souvent présente à la naissance. Les propos rapportés l'expriment en termes lucides. Mais parfois n'est dit que le désarroi, la mère ne se rendant pas exactement compte de ce qui le provoque et qu'il lui faudra un peu de temps pour accommoder le visage de l'enfant réel avec le visage de l'enfant du rêve et celui de l'enfant porté.

Presque toute femme passe par ce stade avant les « retrouvailles ». En revanche, la réponse que l'on fait à la mère qui demande anxieusement du nouveau-né : « Me voit-il ? », cette réponse est différente aujourd'hui de ce qu'elle était hier.

Hier, en effet, le nouveau-né était considéré comme fondamentalement passif, n'ayant ni sensibilité ni sensations, aveugle, sourd et muet, en un mot complètement démuni pour entrer en relation avec son entourage.

Aujourd'hui, la réponse officielle est différente ; le nouveau-né, dit-on, arrive programmé pour entrer en communication, par tous les pores de sa peau, avec la société qui le reçoit ; ses cinq sens fonctionnent ; il est équipé pour faire la conquête du monde, à commencer par sa mère.

Ce changement de conception, ce passage du « nouveau-né tube digestif », au « nouveau-né programmé, compétent » ne s'est pas fait en un jour : il a fallu des années de travaux, d'observations, de redites. Puis, à partir d'un certain moment — c'était dans les années 1970 — on a commencé à énumérer les talents et les dons du nouveau-né ; on allait aussi loin dans la « performance » qu'on l'avait été hier dans le démuni.

Comme Bertrand Cramer, je pense que si on a longtemps considéré les nouveau-nés comme passifs, « c'est qu'on n'avait jamais regardé les bébés de près. Surtout on ne s'était pas donné la peine de les regarder dans leurs échanges avec la personne qui s'occupe d'eux * ».

---

* « Objectif Bébé », n° 72 de la revue *Autrement*, p. 155.

C'était bien cela qui manquait : *regarder* ; la preuve, ceux qui s'étaient assez intéressés au nouveau-né pour l'observer de près avaient fait des constatations bien proches des découvertes d'aujourd'hui. Voici par exemple ce qu'avait remarqué un psychologue chinois, Lin Chuang Tin, dont les travaux m'avaient beaucoup frappée lorsque j'écrivais la première édition de *J'élève mon enfant*.

« Cherchant à établir à partir de quel moment un bébé pouvait ressentir joie ou tristesse, il observa, sur 556 nouveau-nés de 1 à 10 jours, les cris, gestes ou mouvements du nouveau-né avant et après la tétée. Il dénombra 58 réactions, mouvements des bras, des jambes, des mains, battements des cils, pleurs, cris, hoquet, toux, éternuements, mouvements de la figure, etc., et il en conclut que, dès le 10ᵉ jour, existent chez le bébé les deux pôles de la vie affective, la tristesse et la joie : angoisse de la faim, satisfaction d'avoir été nourri *. »

Avant lui, Arnold Gesell, génial observateur, publia dans les années 1930, un atlas consacré au développement du nourrisson et comportant 3 200 photos de bébés dans les situations les plus variées exprimant toute la gamme des comportements, des sensations, des émotions.

Personnellement d'ailleurs (sans évidemment avoir pu alors détailler les « compétences » du nouveau-né établies depuis grâce aux techniques modernes), je n'ai jamais cru à cette théorie du nouveau-né purement végétatif. Dans la première édition de *J'attends un enfant*, m'adressant au futur père, je lui disais :

« Le nouveau-né n'est pas un tube digestif comme on se l'imaginait autrefois, doué seulement de réflexes. Il est au contraire d'une extrême sensibilité et capable d'émotions d'autant plus fortes qu'il n'a pas de volonté pour les contrôler. Ces émotions, très rudimentaires au début, se développent rapidement. Vous pourrez le constater vous-même. »

Je le rappelais au père car, pour moi, la mère n'a jamais cru tenir dans ses bras un être n'ayant aucune sensation ; elle savait la vérité ; ce n'est pas possible autrement. Et cela a été vrai à toutes les époques.

Lisez ce récit qu'une jeune mère fait à son amie de son premier contact avec son enfant :

« Quels regards un enfant jette alternativement de notre sein à nos yeux ! Quels rêves on fait en le voyant suspendu par les lèvres à son trésor ! Il ne tient pas moins à toutes les forces de l'esprit qu'à toutes celles du corps, il emploie et le sang et l'intelligence, il satisfait au-delà des désirs. Cette adorable sensation de son premier cri, qui fut pour moi ce que le premier rayon de soleil a été pour la terre, je l'ai retrouvée en sentant mon lait lui emplir la bouche ; je l'ai retrouvée en recevant son premier regard, je viens de la retrouver en savourant dans son premier sourire sa première pensée. Il a ri, ma chère. Ce rire, ce regard, cette morsure, ce cri, ces quatre jouissances sont infinies : elles vont jusqu'au fond du cœur, elles y remuent des cordes qu'elles seules peuvent remuer ! »

Elle ne pensait pas, Renée de l'Estorade, tenir dans ses bras un petit être insensible. Renée est une des deux jeunes mariées dont Balzac raconte les mémoires **.

Avouez que ce texte écrit par un homme il y a plus de 160 ans est inattendu.

---

* *J'élève mon enfant*, 1ʳᵉ édition, p. 369.
** *Mémoires de deux jeunes mariées*, p. 156, t. 6 de l'édition du Club français du livre des œuvres complètes de Balzac.

On peut alors se demander pourquoi la mère ne parlait pas de ses certitudes. Mais qu'aurait valu sa conviction intime de femme en face des affirmations catégoriques des hommes ?

Cette connaissance de la mère n'était qu'une impression générale, une perception globale de la sensibilité du nouveau-né et la certitude de pouvoir communiquer avec lui. Aujourd'hui, depuis que les chercheurs ont trouvé dans le bébé un magnifique terrain d'étude, on a enfin découvert l'enfant et on s'est officiellement intéressé à lui. Depuis les précisions affluent et s'affinent.

Pour commencer, dans la lignée de Gesell, c'est simplement en observant le bébé qu'on a fait le plus de progrès, mais en le regardant de plus près, plus finement, avec les moyens techniques modernes ; car les réactions d'un nouveau-né sont si brèves, si fugaces que pour les comprendre et les interpréter, il faut les voir, les revoir, et s'arrêter souvent. C'est possible avec des cassettes vidéo : on filme le nouveau-né ; on passe l'enregistrement au ralenti ; on revient en arrière ; on examine chaque fraction de seconde comme au microscope ; on scrute ; on vérifie ; on note le moindre froncement de sourcil, la plus fine mimique ; c'est ainsi que la technique s'est mise au service de l'œil, et que des kilomètres de film ont été enregistrés. Le pédiatre américain T. Berry Brazelton, dont je vous ai souvent parlé dans *J'attends un enfant,* raconte qu'il a consacré avec son équipe 28 heures à étudier un vidéo film de 3 minutes !

Puis, chaque renseignement recueilli est classé par un ordinateur ; c'est nécessaire, le nombre de renseignements étant quasi illimité. Ceci vous en donnera une idée : on peut noter les différents moyens de communication du bébé, cris, pleurs, regards, vocalises, mimiques ; ses réactions émotionnelles, sursaut, effroi ou plaisir ; ses différents mouvements, pédaler, taper, se balancer, frotter * ; les différences de caractère, il peut être craintif, agité, calme. Après l'avoir filmé seul, on filme le bébé dans les bras de sa mère, dans ceux de son père, dans ceux du pédiatre. L'enfant peut être nu ou habillé ; vu en direct ou observé derrière un écran. Il peut être filmé à 60 minutes de vie, à 2 heures, à 2 semaines ou à 20. Ainsi, au fur et à mesure que grandit l'enfant, on voit par exemple le passage des mouvements spontanés à des mouvements intentionnels **.

Pour observer le bébé, on peut s'aider d'appareils sophistiqués, on peut aussi bricoler un dispositif tout simple : par exemple, une tétine reliée par un fil à un petit appareil enregistreur permet de savoir selon que l'enfant tète, s'arrête ou au contraire accélère la succion, s'il préfère le lait très sucré ou pas du tout, s'il est plus ému par l'apparition de sa mère ou par celle de son père. Un appareil

---

* J. de Ajuriaguerra et M. Auzias ont, par exemple, étudié pendant des semaines le seul mouvement du planeur chez des bébés entre 4 et 6 mois (« Le planeur », *Psychiatrie de l'enfant,* XXIII, 2, p. 461).
« Certains enfants « planent » d'une façon très dynamique, souriant largement, poussant des cris de joie, activant leurs membres en élévation : pédalage des membres inférieurs, « battements d'ailes » ou mouvement de prono-supination des mains (« marionnettes ») tandis que les doigts s'ouvrent et se ferment. D'autres enfants par contre ne manifestent aucune jubilation et sont comme étonnés, objets de cette activité compulsive qu'ils ne peuvent pas contrôler. Les mouvements du planeur surgissent souvent lorsque le bébé tente de s'élancer vers un objet convoité. »
** Pour avoir une idée de la variété des situations et du nombre des observations que l'on peut recueillir, vous pourrez lire dans la revue *Enfance* n° 2-3, 1985, p. 265, un article passionnant de J. de Ajuriaguerra.

mesurant les modifications du rythme du cœur ou de la respiration permet aussi de connaître les réactions du bébé à différentes stimulations.

Et ainsi, peu à peu, toute la sensorialité du nouveau-né est mise à jour, analysée, répertoriée. D'ailleurs chaque sens a son spécialiste.

En France, par exemple, l'équipe d'Hubert Montagner étudie spécialement l'odorat ; Éliane Vurpillot, la vue ; Marie-Claire Busnel, l'ouïe ; en Israël, Jacob Steiner étudie le goût, etc.

Vous raconter toutes les observations recueillies prendrait des volumes. Dans le monde entier sont faits des travaux. Rien qu'aux États-Unis, 700 chercheurs étudient le bébé et publient régulièrement ce qu'ils ont trouvé. Pour ceux qui souhaiteraient des détails, j'indique à la fin du chapitre une bibliographie succinte.

Mais j'imagine que ce qui vous importe le plus, pour le moment, c'est de connaître les conclusions auxquelles on est arrivé, de savoir d'après les observations faites ce que peut ressentir un nouveau-né, ce que vous pouvez attendre de lui, ce que vous pouvez lui demander et ce que vous pouvez lui apporter.

La vision. Lorsqu'une mère demande « que voit-il ? », c'est surtout « *me* voit-il ? » sa vraie question. C'est le premier signe de reconnaissance qu'elle attend avec impatience.

Oui, votre bébé vous voit, mais à sa façon : vous l'appelez, vous insistez doucement ; sensible à votre voix, il tourne la tête du côté d'où elle vient, et il ouvre les yeux. Comme dit Sophie, son premier regard est auditif. Puis votre visage l'attire, il le fixe quelques secondes, en détourne son regard, y revient et ainsi plusieurs fois de suite, et l'enfant semble dire « regarde-moi ». Le contact est établi.

En fait, lorsque vous tenez votre bébé dans les bras, votre visage est juste à la distance, 20 cm, où l'enfant peut le voir, car il ne sait pas encore accommoder, c'est-à-dire accorder sa vision à la distance. A cette distance de 20 cm, il voit, mais flou. Au-delà, c'est le brouillard.

Quand vous reconnaîtra-t-il ? J'ai peur que vous soyez déçue si je vous dis que votre enfant ne vous reconnaîtra, parmi d'autres, guère avant 3 mois. C'est l'avis des spécialistes. Mais il y a bien d'autres moyens de reconnaître que par les yeux : par l'odeur, par la voix, par le toucher. Et par ces sens-là, tout va plus vite : à 3 jours, un bébé reconnaît sa mère à son odeur. D'ailleurs toutes les perceptions sont si étroitement mêlées qu'il est difficile d'isoler l'une des autres. Un chercheur qui voulait absolument savoir quand l'enfant reconnaissait avec les yeux seuls, dut se servir d'une glace sans tain.

De la vision je pourrais ajouter ceci : le nouveau-né fait la différence entre le jour et la nuit ; en pleine lumière il ferme les yeux pour les rouvrir à la pénombre ; un flash lui fait baisser les paupières ; les couleurs il ne les distinguera que plus tard, mais dès la naissance ce qui est rouge, ce qui brille, l'attire.

La vision fera des progrès rapides ; vers 6 semaines l'enfant distinguera entre plat et volumineux ; vers 10 semaines, entre convexe et concave ; à 3 mois, il accommodera aussi bien qu'un adulte et à 4 mois, il verra toutes les couleurs.

La vision est le premier sens recherché, et c'est par le regard que se passera le principal des échanges entre la mère et son bébé.

L'audition. Puis le nouveau-né *entend*, de cela vous vous rendrez vite compte. Je dis *puis*, en fait c'est *avant*, car l'enfant déjà avant de naître entend. Sur l'audition prénatale, de nombreuses recherches et constatations ont été faites. Et la musique de *Pierre et le loup* a été si souvent au centre des tests d'audition prénatale que le petit héros du livre de François Weyergans * en parle.

« Ma mère vient de mettre *Pierre et le loup* ! Est-ce qu'elle a regardé l'heure qu'il est ? Elle croit me calmer en m'assommant avec ce disque que je connais par cœur. Le chat, c'est la clarinette. Le grand-père, le basson. Les coups de fusil des chasseurs : timbales, grosse caisse. " Un beau matin, le petit Pierre ouvrit la grille du jardin... " Bientôt, le loup va attraper le canard et il n'en fera qu'une bouchée. Je déteste écouter cette histoire. Pour qui me prend-on ? C'est de la musique pour enfants. »

Avant de naître le bébé reconnaît la voix de son père et celle de sa mère. Dans ces conditions, en arrivant au monde, l'audition du bébé est déjà aiguisée. C'est facile de s'en rendre compte : un bruit le fait vite sursauter, il se tourne vers la voix qui l'appelle.

Le goût. Le Pr Steiner, de l'université de Jérusalem, a fait des photos devenues des classiques : au sucré, bébé tout juste né sourit ; au salé, il fait la grimace ; avec une odeur d'ail, il prend vraiment une mine dégoûtée **.

Ce qui est peut-être encore plus raffiné : très vite le nouveau-né fait la différence entre diverses concentrations de sucre.

« Il est sensible aux moindres variations, et deux ou trois gorgées lui suffisent pour faire la différence entre une eau contenant 5 pour cent de sucre, puis 10 pour cent — soit l'équivalent, dans un demi-litre d'eau, d'une cuiller à café de sucre, puis de deux ! *** »

L'odorat. Les observations ont depuis longtemps montré que l'odorat est tôt développé chez le bébé et qu'il joue un rôle important dans la reconnaissance par l'enfant de sa mère et dans leur attachement réciproque. En 1975, pour le chercheur américain Mac Farlane, c'est à 6 jours que le nouveau-né reconnaît parmi deux compresses celle qui a été en contact avec le sein de sa mère. Aujourd'hui, pour Hubert Montagner, le bébé peut reconnaître cette odeur dès le 3e jour !

D'ailleurs, et c'est valable pour tous les sens, au fur et à mesure que les observations deviennent plus fines, on se rend compte que l'éveil des sens chez le bébé est plus précoce que ce qu'on croyait : pour Gesell le bébé pouvait suivre des yeux la fameuse balle rouge vers 3-4 semaines, pour Brazelton, c'est dès les premiers jours.

Dans un domaine bien différent, relevant presque de l'anecdote, René Zazzo, parlant de son fils, disait : « Pour m'imiter il m'a tiré la langue à trois semaines. » « Eh bien moi, c'est à deux jours que Laura l'a fait », réplique 30 ans plus tard Brazelton !

Pour en revenir à l'odorat, la reconnaissance de l'odeur de la mère par le bébé peut même avoir une valeur thérapeutique. Le chercheur Benoist Schaal rapporte

---

* *La vie d'un bébé*, paru en 1986 chez Gallimard.
** Vous pouvez voir ces photos dans *J'attends un enfant*, p. 369.
*** Ces observations ont été recueillies par des chercheurs américains, Lipsitt et son équipe, de l'université de Brown dès 1963.

qu'un neurologue marseillais a utilisé les propriétés apaisantes des odeurs maternelles pour traiter des troubles du sommeil. Grâce à l'odeur d'un mouchoir porté
par leur mère et placé sur l'oreiller, certains enfants ont réappris à s'endormir sans
médicament.

Le toucher. Le nouveau-né est très sensible à la manière dont on le touche, aux
manipulations. Certains gestes le calment, d'autres au contraire l'agitent. Cela les
parents le découvrent très vite, mais cette sensibilité de la peau et du contact
remonte très loin dans la vie de l'enfant : dans le ventre de la mère, il a senti le
liquide l'entourer ; il s'est frotté aux parois de l'utérus ; au moment de l'accouchement, ce n'est que par une action violente et répétée des contractions sur son
corps que l'enfant a pu sortir du ventre de sa mère.

Voilà ce que sait en général le bébé en arrivant au monde. D'autres vous en
diront plus, vous parleront de performances, vous montreront les photos saisis-
santes de T. Berry Brazelton avec un nouveau-né dans les bras. C'est vrai que c'est
fascinant de le voir comme je l'ai vu faire plusieurs fois à Boston : en 20 minutes et
40 gestes, avec douceur, sans brusquer le bébé, sans élever la voix, il fait le tour de
toutes les réactions du nouveau-né, de tous ses réflexes, de tous ses sens. Le bébé
suit des yeux la balle rouge, il réagit à une petite sonnette, à un hochet, il grimace si
on lui touche la plante des pieds avec une petite plume, il cherche des lèvres les
doigts qui les ont caressées, etc.

Mais ce bébé n'est dans le service que pour 3-4 jours, et avant qu'il parte le
Dr Brazelton doit faire son examen complet en une seule séance. C'est pourquoi il
a mis au point une série de tests *auxquels il soumet le nouveau-né pour faire le
bilan de toutes ses possibilités. Or plusieurs d'entre elles ne se révèlent que si
l'observateur les recherche expressément.

Vous, vous n'allez pas agiter une sonnette aux oreilles de votre bébé ni lui
chatouiller la plante des pieds avec une plume pour savoir s'il « fonctionne » bien ;
vous avez tout le temps de faire vos découvertes jour après jour. D'autant plus que
si votre bébé ne réagit pas immédiatement aux différents tests décrits vous risquez
de vous inquiéter. Or, dès le départ, les bébés sont très différents les uns des
autres.

Chacun a son rythme, certains sont plus éveillés, certains moins réceptifs, des
bébés à la naissance ont les yeux presque fermés et les paupières gonflées, d'autres
les yeux entrouverts, d'autres grands ouverts dès le premier cri. Dès les premiers
jours, il y a le lent, le rapide, le « moyen ». A âge égal, les bébés sont déjà tous
différents.

Mais ce qui vous importe c'est de savoir les possibilités « globales » d'un bébé à
la naissance ; de savoir que par tous ses sens, par les yeux, par les oreilles, par
l'odorat, par le toucher, par la bouche, il est prêt à entrer en contact avec vous,
avec le monde extérieur. C'est cela ce que l'on a appelé la compétence, *les* compétences du bébé : votre enfant est prêt à communiquer. Il n'y a plus qu'à lui
répondre.

---

*Ces tests font partie du NABS, le Neonatal Behavior Assessment Scale, échelle
d'évaluation des comportements néo-natals destinée à évaluer les réponses du
nouveau-né à divers stimuli sensoriels. Le NABS est pratiqué dans la plupart des
États d'Amérique, souvent au Japon et commence à se répandre en France.
L'échelle de Brazelton a été publiée en français dans la revue *Neuropsychiatrie de
l'enfance et de l'adolescence*, février-mars 1983.

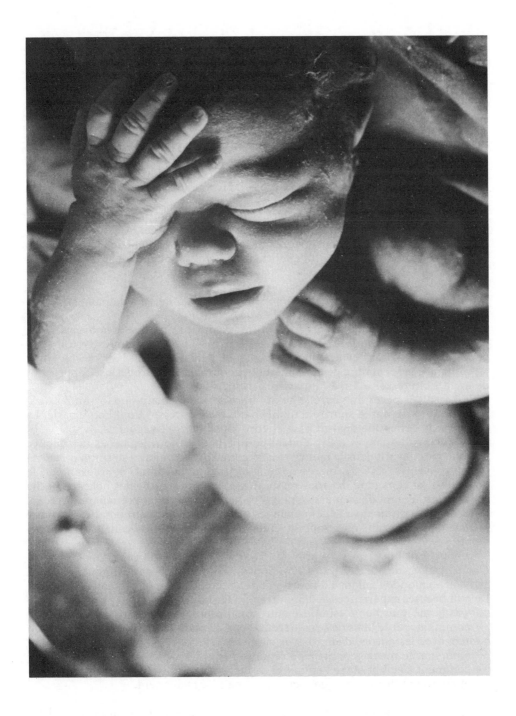

Je suppose que vous n'attendez d'ailleurs que cela. Alors commencera le dialogue, ce dialogue inépuisable, interminable, fait de caresses, de paroles, de sourires, de vocalises, de jeux de miroirs indéfinis où l'enfant s'agite et la mère bouge, où l'enfant vocalise et la mère répond, indéfiniment.

Vous allez voir d'ailleurs. Bébé a faim, il tète ; si vous le caressez, il s'arrête de téter ; si vous continuez à le caresser, il prolonge la pause tant il est heureux de ce signe de reconnaissance qui lui est plus cher que la satisfaction de la faim. Ou bien : son père « parle » gentiment au bébé, « areu... gligli... », tendrement, mais sans attendre vraiment de réponse ; or, miracle, le nouveau-né, délicatement, presque imperceptiblement, réagit, clignote d'un œil, soulève légèrement un coin de lèvre. Comment le père ne serait-il pas bouleversé, et aussi conforté dans son rôle ?

Être averti de la compétence du nouveau-né, c'est bon pour les parents, c'est bon pour l'enfant : attendris, le père et la mère en deviennent encore plus attentifs ; écouté, le bébé en devient encore plus causant et s'épanouit ; chaque nouveau geste, chaque nouveau baiser lui apporte un nouvel échange, une nouvelle sensation.

« A quoi sert de raconter la compétence du nouveau-né, m'a demandé une lectrice, cela se voit vite. »

Pas toujours : certains parents sont intimidés, et leur dire que le nouveau-né est prêt à les écouter, qu'il attend leurs gestes, les aide à se manifester. Certains parents sont agressifs : cela peut arriver lorsque l'enfant n'a pas l'air très réceptif ; de connaître la sensibilité de l'enfant peut encourager les parents à se rapprocher de lui, à s'intéresser à lui, à lui parler.

Et j'ai vu des pères du genre je-ne-m'intéresserai-à-l'enfant-que-lorsqu'il-saura-parler fondre devant le sourire d'un bébé qui a été caressé, à qui l'on a parlé. La tradition du bébé-tube digestif pèse encore lourd dans l'imaginaire...

Les enfants d'Adam et d'Ève étaient compétents, et tous les bébés nés depuis, puisque c'est inscrit dans la nature ; mais on ne l'a pas toujours su sinon on aurait moins souvent séparé les mères de leur enfant. Aujourd'hui, heureusement, la nouvelle s'est répandue dans les maternités que la pratique était néfaste : on ne sépare plus l'enfant de sa mère, sauf cas exceptionnels, et en prenant des précautions, car c'est du va-et-vient des échanges, des *interactions*, pour employer là aussi le mot d'aujourd'hui, que vont se créer des liens, et que va naître l'attachement.

La boucle est bouclée : il y a près de 15 ans, un livre devenu depuis un classique, *L'attachement*, de René Zazzo (livre dont je vous ai déjà parlé) montrait qu'en arrivant au monde l'enfant a d'abord soif de s'attacher, plus que du lait de sa mère. De nombreuses expériences le démontraient. On constatait le fait, on n'en démontait pas le mécanisme ; c'est chose faite aujourd'hui, le processus est détaillé :

— comment, par le biais de ses différents sens, l'enfant entre, dès la naissance, en contact avec les autres, d'abord avec sa mère ;
— comment le message attire une réponse ;
— comment s'établit entre l'enfant et sa mère un va-et-vient, un dialogue ;
— et comment de ce dialogue, peu à peu, naît l'attachement.

Mais revenons à votre nouveau-né : quand vont se passer vos premiers échanges ? Avec la tétée, et dans les moments qui suivent, lorsque le bébé en général encore éveillé est prêt à vous écouter ou à parler. Mais pour le moment il dort, allons le regarder.

Il dort d'un sommeil calme et profond, si profond d'ailleurs qu'il en est inquiétant, rien ne bouge des traits du bébé, on se penche pour vérifier qu'il respire...

Puis soudain changement total : l'enfant s'agite, tressaille, grimace, soupire, sourit ; un mauvais rêve l'agite ? Il fronce le front et les sourcils, pleurniche, mâchonne, ronchonne, suce son pouce... On le croit en train de se réveiller, on est tenté de le prendre, il faut bien s'en garder, il est dans ce sommeil léger qu'on dit précisément paradoxal, où il a l'air éveillé tout en étant encore endormi. Non, il n'a pas faim, laissez-le poursuivre son sommeil, le moment venu il saura bien le dire en pleurant assez fort jusqu'à ce que vous veniez.

Puis il retombe dans un sommeil profond, et ainsi plusieurs fois de suite il passe par ces différentes phases du sommeil, jusqu'au moment où il réclamera brusquement sa tétée. C'est le moment qu'il faut attendre pour prendre le bébé, afin de ne pas risquer de dérégler son sommeil, ce qui troublerait pour longtemps ses nuits et les vôtres *.

A l'approche du sein ou de la tétine, l'enfant tremble d'excitation. Alors ce bébé qui paraît encore si fragile tète avec vigueur, s'arrête pour reprendre son souffle, se remet à boire jusqu'au moment où véritablement épuisé il ferme les yeux, apaisé, avec aux lèvres un sourire de béatitude. C'est vraiment cela le sourire aux anges.

La tétée représente un maximum d'échanges entre la mère et son bébé car tout y participe : les gestes, l'odorat, la bouche, les mots, le regard.

Après la tétée, parfois le bébé se rendort aussitôt ; il lui arrive aussi de rester éveillé quelques instants, heureux. Son expression est « alerte », il semble dévisager sa mère et attendre les mots ; lorsqu'ils lui parviennent, l'enfant s'agite, cligne des yeux, semble se concentrer encore plus fort pour suivre à la fois le visage et la voix. Et il peut se montrer complètement absorbé pendant quelques minutes. Au bout d'un moment, fatigué, il tourne la tête comme pour dire : « C'est fini, je n'en désire pas plus... » Il faut respecter ce désir et attendre, pour reprendre la conversation, que l'enfant spontanément la recherche. Il le montrera par son expression à nouveau « alerte ».

Je ne voudrais pas tomber dans l'imagerie d'Épinal de la maternité, mais ce qui vient aux lèvres de la mère lorsqu'elle voit son bébé attentif, éveillé, c'est pourtant bien souvent tout l'éventail de la tendresse et des petits mots câlins. Des années d'imagination et des mois d'attente semblent alors se libérer.

« Oh ! mon boubou ! tu te réveilles ? Tu souris ? Tu es bien ici ? Tu es bien ici comme cela avec moi ? »

C'est ce que disait Emmanuelle Avignon à Juliette, 2 jours. Spécialiste du langage des mères avec leur enfant, elle a voulu noter ce qu'elle-même disait à Juliette dès la naissance. Pour cela, elle a choisi une méthode d'éthologue, et branché dès le premier jour un magnétophone glissé entre deux brassières pour ne pas perdre un mot de la conversation **.

A deux jours cela donnait aussi : « Ma belle toudinoune... ma doudoune chéritoune. »

---

* C'est cette habitude de prendre l'enfant au premier soupir, en fait en plein sommeil, qui est souvent à l'origine des troubles du sommeil.
** Voir « Juliette au pays des phatèmes » dans « Objectif bébé », n° 72 de la revue *Autrement*.

A cinq jours : « Montre-moi, t'es belloute ! t'es belloute comme tout comme ça ! hein, t'es belloute la doudoune, oh oui ! »

Tous les petits noms y passent. « Dans la première série d'enregistrements j'en ai compté, dit E. Avignon, 123 et 92 différents, parmi lesquels 59 construits à partir de "boubou". »

Bien sûr Juliette répondait à sa façon par des petits cris, des bruits de succion, de respiration haletante, des pleurs avec ou sans hoquet. Le plus souvent d'ailleurs c'est elle qui prenait l'initiative de la conversation.

Les premiers jours, l'état alerte du bébé ne dure que quelques minutes. Au fur et à mesure que les jours passent, les périodes d'attention s'allongent, l'éventail des échanges s'étend par l'œil, les mots, les gestes, les caresses, les chansons. Tout s'invente et se découvre. On guette chaque changement ; le bébé a de nouveaux « mots », de nouveaux cris, il ouvre plus souvent les yeux, il cherche, il *me* cherche sûrement, il s'agite, on dirait qu'il sourit, on note, on interprète.

Les liens deviennent chaque jour plus forts et déjà l'inquiétude mesure l'attachement.

Il y a parfois des malentendus et des pleurs, mais peu à peu l'ajustement se fait. A tâtons, « l'enfant fait la mère » pour reprendre la célèbre phrase de Juan de Ajurriaguerra, et la mère fait l'enfant.

Vous voyez surtout le mot « mère » dans tous ces échanges. C'est certain qu'elle est la première partenaire et la partenaire privilégiée, pour des raisons évidentes : elle attend, elle accouche, elle allaite, et naturellement au début elle consacre plus de temps au bébé que le père.

Pourtant ce père, qui aujourd'hui est souvent beaucoup plus près du nouveau-né, a toutes les capacités pour échanger avec lui. Mais il ne le fait pas de la même manière que la mère. Dès les premiers jours, il est plus joueur que regardeur, plus actif que contemplatif. (Par la suite la différence se confirmera, c'est le père qui emmènera son enfant au cinéma, et la mère qui lui fera faire ses devoirs...)

Quels sont les effets de cette relation précoce père-enfant ? En France, on a encore fait peu d'études sur ce sujet, mais plus aux États-Unis, en particulier le docteur Michael Yogman *.

Les conclusions, on pouvait s'y attendre : lorsque le père s'occupe du nouveau-né, lui parle et l'entoure dès la naissance, ce qui semble se répandre de plus en plus, on peut noter que par la suite les liens de l'enfant avec son père sont renforcés, que l'enfant est sociable plus tôt, supporte mieux la séparation, et pleure moins devant l'étranger. Il a plus confiance en lui-même, et aurait... un plus grand sens de l'humour !

Les difficultés de l'attachement. L'attachement, on l'a vu, naît par une succession d'événements ; qu'un maillon manque au processus décrit plus haut, les difficultés surgissent, c'est alors l'anxiété qui s'installe.

Il peut se passer bien des choses qui retardent l'adoption réciproque de la mère et du bébé.

---

* Qui a publié dans « Objectif Bébé » (cité plus haut) un article intéressant comportant une bonne bibliographie.

Parfois le sentiment d'étrangeté, dont je vous ai parlé et qui est fréquent à la naissance, persiste : que vais-je faire de cet inconnu qui en plus me persécute par ses cris, se demande la mère. Elle a l'impression que cet inconnu l'agresse.

Parfois, tout simplement, le bébé est lent à s'éveiller, moins mature qu'on ne l'imaginait, il déçoit : pourquoi ne tient-il pas encore sa tête ? Pourquoi crache-t-il ? Pourquoi pleure-t-il toujours ? Le bébé qui pleure beaucoup — et il y en a — énerve beaucoup.

Ou bien la mère refuse de changer son bébé, l'odeur la dégoûte, elle attend le père et le rend responsable de la mésentente qui peut s'installer alors dans le couple.

Parfois, la mère est si déprimée après l'accouchement qu'elle ne s'intéresse pas à son bébé, qu'elle n'arrive pas à s'occuper de lui. Elle est dans le brouillard total, et le bébé manque de stimulations.

Dans ces divers cas, l'enfant en fait mal accepté n'est pas traité comme il le voudrait ; cela l'empêche de dormir, le fait pleurer et lui donne mal au ventre : il en perd sa capacité à attirer la sympathie et les bonnes réponses.

L'enfant ne va pas bien, les parents non plus, c'est le cercle vicieux. Pour en sortir, il faut demander l'aide d'un pédiatre, d'un psychologue.

Lorsque se présentent ces difficultés, elles empêchent les parents de profiter des premiers mois de la maternité et de la paternité. Or, les spécialistes peuvent aider, les parents ne doivent pas hésiter à leur parler. On n'est plus dans la période où ce genre de souffrances entraînait honte, agressivité, ou refus d'accepter la réalité. Au contraire, on sait que la prévention de difficultés ultérieures plus importantes commence par des aides d'autant plus efficaces qu'elles sont plus précoces.

Dans d'autres cas, le nouveau-né est loin des parents, il a dû être hospitalisé d'urgence dans un service de prématurés ou en néonatalogie ; l'éloignement, l'impossibilité de faire connaissance dans l'échange des soins quotidiens augmentent les difficultés décrites plus haut. C'est pourquoi presque partout les parents sont encouragés à venir voir leur nouveau-né et à participer aux soins. N'hésitez pas à le demander.

Valentin, né à 6 mois, pesait 900 g, ses chances de survie n'étaient quand même pas immenses... Il a été sauvé grâce à la compétence et au dévouement de tout le personnel médical, mais beaucoup aussi grâce aux visites biquotidiennes de ses parents. Sa mère, Françoise Loux, le raconte dans *Une si longue naissance* *. Son récit est bouleversant.

A l'éloignement s'ajoute une autre difficulté à surmonter lorsque l'enfant naît avec un handicap, une malformation, petite ou grande, qui nécessite des soins particuliers. Contre toute raison la mère se croit coupable et souvent refuse d'aller voir l'enfant. La situation est particulièrement difficile pour le père qui doit soutenir sa femme et rendre visite au bébé. Aujourd'hui, heureusement, les parents ne sont plus seuls face à ces graves problèmes : pédiatres et psychologues sont prêts à les soutenir, à les aider.

Les retards, les difficultés ne signifient pas pour autant que l'attachement ne se fera pas. Les premières semaines représentent une période privilégiée certes, mais pas une période au-delà de laquelle tout est fini. Rien n'est jamais joué, ni perdu, il faut en être particulièrement convaincu lorsqu'on a un enfant ; les possibilités d'adaptation de l'être humain sont quasiment sans limites.

---

* Éditions Stock.

De 1 jour
à 1 mois

La position du nouveau-né est la même que celle du bébé avant la naissance. Si l'on étend ses jambes et ses bras, ils reviennent comme un ressort. Si on le lange, il importe de respecter cette position.

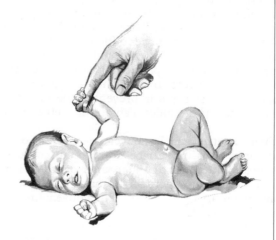

Si vous touchez de l'index la paume du nouveau-né, sa main se referme. Il serre si fort que ses doigts deviennent blancs. Le même réflexe existe aux pieds. Le nouveau-né a plusieurs autres réflexes : marcher si on le maintient sur ses pieds, téter si on touche ses lèvres, etc. Le médecin vérifie ces différents réflexes pour s'assurer que tout est normal.

Les muscles du cou, chez le nouveau-né, ne sont pas contractés comme ceux des membres : si on le soulève, il ne peut pas redresser sa tête.

Voici ce qui fera plaisir à votre nouveau-né. Son plus grand plaisir, c'est d'être avec vous, dans vos bras. Il aime la tétée, être bercé, être baigné, et, après le bain, pouvoir remuer librement ses jambes avant d'être rhabillé. Quand il gigote ainsi, il aime que l'on participe à sa joie. Il aime votre voix, le contact de votre main.

Il aime le calme, la lumière, mais pas trop vive.

Si vous voyez votre bébé « contracté » (les poings très serrés, ou se tortillant sans pouvoir se détendre), essayez de l'apaiser par quelques massages légers, par des effleurements, des tapotements très doux. Vous verrez, cela lui fera grand plaisir *.

Voici ce qui lui sera désagréable. Avoir faim. Être trop ou pas assez couvert. Avoir des vêtements serrés. Ne pas être changé régulièrement. Qu'on le fasse sauter en l'air, car cela lui donne le vertige. Les allées et venues bruyantes dans sa chambre, les éclats de voix, la radio, la télévision, les portes qui claquent, la fumée de cigarette autour de son berceau. Et ne dites pas, s'il pleure la nuit, qu'il est méchant : il ne fait pas encore de différence entre le jour et la nuit.

Pour en savoir plus sur les premiers mois du bébé, lisez d'abord « L'aube des sens », car tout le développement sensoriel du nouveau-né y est traité (*Cahiers du nouveau-né*, n° 5, sous la direction de Étienne Herbinet et Marie-Claire Busnel, éditions Stock).

Dans *Trois bébés dans leur famille* vous verrez, exemples à l'appui, à quel point les enfants peuvent être différents les uns des autres (T.B. Brazelton, aux éditions Stock et Livre de Poche).

Je vous conseille aussi : *Est-ce ainsi que les enfants naissent ?* pour les chapitres sur les premiers jours et le retour à la maison (C. Amiel-Tison et A. Grenier, éditions Robert Laffont).

Un peu plus difficile à lire mais très intéressant : *La dynamique du nourrisson* (T.B. Brazelton, B. Cramer, L. Kreisler, R. Schäppi, M. Soulé, aux éditions E.S.F.).

---

* Jeanine Lévy en parle très bien dans son livre : *L'éveil du tout-petit*, éditions du Seuil.

1 à 4 mois

Petit enfant
connais ta mère à son sourire.
Virgile

Premier mois, premier bilan : à un mois on peut dire que tous les bébés voient bien les ombres, les lumières, les contours, les visages, certaines couleurs ; c'est beaucoup. Avec plus ou moins d'intérêt, plus ou moins de vivacité, le bébé ne cesse d'exercer sa vue. Inlassablement, jusqu'à ce que ses yeux se ferment de fatigue, il regarde tout : le bord de son lit, les objets que l'on balance au-dessus de sa tête, ses mains, les feuilles des arbres lorsqu'on le promène. A exercer ainsi son regard sur toutes choses, ce regard s'aiguise, il devient plus expressif.

Au troisième mois, ses yeux changeront de couleur, ils prendront leur couleur définitive, avant ils étaient bleus (tous les bébés naissent avec les yeux bleus). Dans les yeux, autre nouveauté : les larmes. De vraies larmes. Les glandes lacrymales se sont mises à fonctionner.

Très tôt, les bébés sont capables de tourner la tête librement ; alors, ils explorent leur horizon en tous sens. Mais il est vrai que tous les enfants ne réagissent pas aussi vivement aux mêmes excitations. Tous les bébés ne sont pas sensibles à ce qui les entoure de la même manière. Ce qui ne signifie pas que ceux qui réagissent moins rapidement à ce qu'ils voient soient moins éveillés. Ils se montreront peut-être plus tard, pour d'autres acquisitions, plus précoces (marche, langage).

L'enfant examine avec soin l'entourage, scrute avec attention les visages, et voilà tout à coup un événement important : parmi les objets que le bébé regarde, un jour, l'un d'eux lui paraît justement plus *intéressant* que les autres. Cet « objet » émet des sons, des sons qui lui rappellent beaucoup de bons souvenirs. Intensément, le bébé fixe les yeux dans sa direction. Et, un jour, le miracle se produit.

Ce visage qui se penche au-dessus du sien, « comme c'est curieux, semble dire l'enfant, ça bouge, les lèvres remuent, les yeux se plissent ». L'enfant essaie d'en faire autant. Sur le visage d'en face, le sourire s'étend, la bouche s'ouvre, il en sort un cri de joie. L'enfant a souri, sa mère aussi. Qui a commencé ? Nul ne le sait. On peut bien appeler cela « une réponse par imitation » : pour la mère, c'est simplement le bonheur. Son enfant lui montre qu'il la reconnaît vraiment. Ce n'est pas la première fois qu'il sourit. Mais avant c'était « aux anges », aujourd'hui c'est à elle. Cette fois la mère en est sûre.

Du premier sourire aux premières paroles, il se passera plusieurs mois. Qu'importe ! Il y aura d'autres manières de se « parler », de communiquer : des vocalises, des roulades, des éclats de rire, quelques syllabes, la musique, des chansons. Ce dialogue ne sera d'ailleurs pas le seul privilège de la mère, il s'engagera aussi bien avec le père, pour peu que celui-ci en manifeste de l'intérêt. Il en sera de même pour toutes les personnes de l'entourage qui s'intéresseront au bébé : frères, sœurs, nourrice, etc.

Les rythmes

Au cours de cette deuxième étape de sa vie, l'enfant va donner des nuits calmes à ses parents que, jusque-là, il avait peut-être empêchés de dormir. Car peu à peu, entre un et quatre mois, les pleurs diminuent. Les chiffres le prouvent : l'enfant pleurait en moyenne trois heures par jour à six semaines ; il pleure une demi-heure à trois mois *.

Ce n'est pas que le nourrisson apprenne soudain la sagesse. Pas davantage le nouveau-né qui pleurait ne le faisait par méchanceté. Si un petit enfant pleure, c'est un moyen de communiquer, c'est sa manière de dire que beaucoup de choses le dérangent : il est trop couvert ou — c'est plus rare — pas assez ; ses couches sont mouillées ; il a faim et la tétée ne vient pas ; il a des coliques, ses nerfs sont à fleur de peau, tout le fait sursauter, et, comble de malchance, il n'arrive pas à sombrer dans le sommeil profond qui lui ferait oublier tous ses malheurs.

Si, entre trois et quatre mois, tout s'arrange, c'est que peu à peu l'enfant arrive à bien faire deux choses essentielles : dormir et manger, et qu'ainsi ses occupations rincipales ne lui donnent plus de soucis. La somnolence quasi permanente du début fait peu à peu place à des périodes de vrai sommeil, à d'autres de vrai réveil, surtout en fin de journée : quinze minutes le premier mois, une heure à trois mois. Dormant mieux, l'enfant dort moins. Aux vingt heures de sommeil léger et fragile du début succèdent, à seize semaines, dix-huit heures d'un sommeil détendu et profond, dont sept à huit d'affilée, la nuit, sans larmes ni cris. Même la séance de pleurs de la fin de la journée, si régulière chez certains nourrissons, cède vers trois mois. Car à cette date disparaissent ces coliques qui tourmentent beaucoup de bébés.

Tout d'ailleurs dans la digestion du bébé s'améliore : les vomissements et les renvois disparaissent pratiquement, en partie parce que le bébé ne se jette plus sur le sein ou le biberon avec la voracité des premières semaines, voracité qui lui faisait avaler autant d'air que de lait. Il commence par attendre sagement l'heure de son repas (sauf le matin, où il pleure encore parfois), trouve facilement le sein ou la tétine, prend le temps de bien téter sans s'étrangler, certains jours même s'offre le luxe de refuser une tétée.

Ainsi, pleurant moins, dormant mieux, mangeant bien, l'enfant de trois mois atteint déjà un certain équilibre. En plus, on remarque qu'à cet âge, lorsque l'enfant est réveillé, il commence à s'intéresser vraiment à ce qui se passe autour de lui.

Les repères

Sa vie semble réglée comme du papier à musique : les tétées, les changes, suivis d'autant de siestes ; les sorties, le bain quotidien, et cela recommence. Et à chaque fois, les mêmes gestes, les mêmes personnes (et la régularité est d'autant plus grande qu'il s'agit d'un premier enfant). A travers ces scènes et une répétition si régulière, l'enfant va peu à peu se constituer une vision du monde cohérente et stable. Jean Piaget appelle d'ailleurs ces scènes des « tableaux » parce que, pour le petit bébé de 5 ou 6 semaines, les personnes et les objets apparaissent comme des

---

* Certains enfants pleurent plus que d'autres. Ces chiffres sont des moyennes.

taches et des couleurs assemblées sur une toile. Mais ces taches et ces couleurs bougent continuellement : ces tableaux sont des tableaux vivants.

Bien sûr, le premier jour, l'enfant ne voit pas distinctement les « tableaux », et encore moins leurs détails ; comme vous l'avez vu plus haut, il lui faut du temps pour bien voir et tout voir. Mais à force de voir les mêmes tableaux reparaître avec régularité, il finit par distinguer les uns des autres, chacun accompagné de ses sensations particulières.

Il y a tout d'abord le « tableau tétée » : les bras, le sein, la chaleur, le parfum de la mère, le plaisir de téter qui se prolonge bien au-delà de la faim apaisée, et puis la « conversation » qui suit. La maman sourit, parle à son bébé, le bébé lui répond et fait des roulades.

Il y a le « tableau bain » : le bruit de l'eau qui coule, l'eau tiède dans laquelle on est si bien, le plaisir de gigoter un moment tout nu après le bain.

Il y a le « tableau sortie » : la porte qui s'ouvre, maman qui porte un manteau, papa qui me met dans la voiture au balancement que j'aime ; dans la rue, il y a beaucoup de bruit, mais cela me distrait ; au jardin, je regarde les feuilles bouger au-dessus de ma tête.

Pour l'enfant de cet âge, la vie est donc essentiellement une succession de tableaux centrés autour des mêmes personnes ; ils se reproduisent selon un rythme et des rites bien établis. Cest tableaux deviennent des habitudes, des repères qui rassurent l'enfant, qui lui permettent de se retrouver. En effet, l'enfant peut prévoir ce qui va se reproduire dans sa journée, il peut ainsi attendre son repas — évidemment s'il n'a pas trop faim — car il sait qu'il va arriver. Et c'est tout cela qui va créer la confiance qui le rassure. Mais si les repères sont brouillés, si les habitudes changent, l'enfant est désorienté.

Quelle conclusion pratique en tirer ? Que quel que soit le déroulement de la journée du bébé — chacun a sa manière de vivre — ce déroulement ne doit pas trop varier. Par exemple :
— qu'il n'y ait pas trop de changement parmi les personnes qui s'occupent de l'enfant ;
— que l'enfant ait un coin à lui, si petit soit-il, afin que son cadre soit le même tous les jours ;
— que le bain et la sortie soient réguliers, qu'ils se fassent sans précipitation, que la personne qui s'en occupe soit si possible la même. Bien sûr, au fur et à mesure que votre enfant grandira et que sa personnalité s'affirmera, il sera capable d'apprécier la nouveauté, il la recherchera même. Mais pour le moment il a besoin de régularité.

Et lorsqu'un changement est nécessaire, il faut le préparer.

Justement, si vous nourrissez votre bébé, vous allez, dans quelques jours ou dans quelques semaines, être obligée d'introduire dans sa vie un changement considérable, le sevrage. Et peut-être qu'il y aura un changement plus considérable, c'est que vous allez retourner travailler, c'est-à-dire que votre enfant va être avec quelqu'un d'autre toute la journée. L'enfant mettra un certain temps à s'habituer, certains peuvent en souffrir, mais c'est cela la vie, ce sont des séparations successives. Et c'est à ce prix que l'enfant grandira. C'est par des détachements successifs qu'il acquerra son autonomie. L'important est que ces changements, ces séparations soient aménagés, préparés.

Mais revenons aux séparations du moment. Comment faire pour que l'enfant les supporte bien ?

1 à 4 mois

Bébé suit des yeux une personne qui se déplace. Il commence à sourire d'un véritable sourire. Son visage devient expressif.

Mis sur le ventre, Bébé relève vigoureusement la tête. Son cou est devenu ferme et, quand il est couché sur le dos, si on le soulève, il tient bien la tête.

Il a desserré les poings. Ses mains commencent à lui obéir ; il sait les amener devant ses yeux, jouer longuement avec elles, agiter ses doigts, palper, griffer ou gratter. S'il voit un objet approcher, il tremble d'excitation. ; il voudrait s'en emparer, mais s'il commence à savoir saisir le portique qui est en travers de son lit, il laisse tomber le hochet qu'on lui a mis dans la main et ne sait pas le reprendre.

Le sevrage

A proprement parler, le sevrage n'est qu'un changement de nourriture, le passage du sein au biberon *. Mais c'est également un événement d'ordre affectif, et qui peut profondément retentir sur tout le comportement de l'enfant : vous l'avez vu, tout changement le déconcerte. Or celui-ci est de taille. Rendez-vous compte : depuis le premier jour, le grand plaisir de l'enfant est de téter, parce qu'il a faim, parce qu'il est dans les bras de celle qu'il aime.

De plus, pour ce petit enfant qui ne sait pas encore s'asseoir ou se servir de ses mains, la bouche est vraiment le centre de toutes ses activités et de tous ses plaisirs : manger bien sûr, mais aussi appeler, sourire, vocaliser, crier. Et le sein de sa mère est pour lui un objet de consolation, de progrès, de plaisir.

Ce sein qui est son bonheur, on veut le lui retirer, le remplacer par un instrument de forme étrange, contenant des aliments au goût bizarre : un biberon. Le changement est d'ailleurs difficile aussi pour la mère qui souvent repousse le sevrage aussi longtemps qu'elle le peut.

C'est pourquoi, afin que mère et enfant ne se retrouvent pas dans une situation délicate, il est important de prévenir ce passage difficile en comprenant et en aidant l'enfant.

Cela veut dire que puisque l'enfant met quelque temps à s'habituer à son nouveau mode d'alimentation, il faut étaler le sevrage sur plusieurs jours, parfois si nécessaire sur quelques semaines ; c'est le sevrage progressif dont je parle p. 84.

Les mères savent maintenant qu'il est important de faire un sevrage progressif. D'ailleurs grâce aux recommandations tant répétées ces dernières années par tous les spécialistes, aujourd'hui le sevrage se passe souvent plus simplement. Ainsi franchi, le sevrage est une étape positive du développement de l'enfant. Mais sachez que, même si l'enfant met quelque temps à s'habituer, s'il retrouve, ce délai passé, tout son équilibre, il sort grandi de cette épreuve et plus mûr pour affronter la suivante.

Les difficultés du sevrage. Lorsqu'on a été obligé de le décider brusquement, le sevrage peut être difficile : l'enfant peut refuser tout autre lait que le lait maternel, ou refuser tout nouvel aliment, ou vomir (ou avoir la diarrhée), ou refuser la tétine, en un mot, l'enfant peut s'opposer à tout changement. Même si ces difficultés sont réelles, elles seront passagères : l'enfant s'habituera à son nouveau régime, mais ne le forcez pas, un enfant ne se laisse jamais mourir de faim.

En attendant, afin que ce sevrage brusqué ne reste pas dans sa mémoire comme une souffrance, une épreuve douloureuse, renforcez autour de lui votre présence — vous ou le père —, votre affection.

En prenant des précautions, cette épreuve ne laissera pas de cicatrice mal fermée qui pourrait se rouvrir à chaque difficulté : éducation de la propreté, séparation de la mère, entrée à l'école, maladie, puberté, difficultés familiales, etc., et provoquer une petite dépression.

---

* Par extension, on parle souvent de sevrage pour les enfants nourris au biberon quand on commence à les nourrir à la cuiller. Mais dans le cas de l'enfant nourri au sein, il s'agit d'une vraie séparation (sevrer vient d'ailleurs du latin *separare*). Dans le cas de l'enfant nourri au biberon, il y a seulement changement d'instrument (cuiller après tétine).

Le sevrage peut aussi être rendu difficile parce que c'est la mère qui redoute cette nouvelle séparation : elle hésite à renoncer au plaisir d'allaiter. La aussi, c'est le sevrage progressif qui lui permettra de continuer à donner quelques tétées, et d'arriver ainsi en douceur à l'autonomie réciproque.

Le sevrage peut rendre la mère mélancolique : comme après la naissance, elle est déprimée. C'est compréhensible, sevrer c'est une nouvelle séparation, et c'est également un bouleversement hormonal.

La reprise du travail

On ne peut pas dire d'une manière précise à quel âge de l'enfant la mère reprend son travail, mais je ne suis pas loin de la vérité en disant que même si certaines reprennent leur travail dès la fin du congé de maternité, la majorité des mères attendent que l'enfant ait 4 mois. Le problème de la séparation à la suite du travail de la mère, je le traiterai donc au stade prochain (4-8 mois). Je vous parlerai aussi en détail des différents modes de garde, comment choisir, etc. Mais dès maintenant, je voudrais attirer l'attention sur certaines précautions à prendre.

Dans toute la mesure du possible il faut éviter que les changements, sevrage et garde de l'enfant, coïncident.

Et comme pour le sevrage, l'enfant doit s'habituer progressivement à son nouveau mode de garde.

Progressivement, cela veut dire, par exemple, mettre son enfant à la crèche deux heures un jour sur deux pendant une semaine. Et la semaine d'après, temps complet. Aujourd'hui, la plupart des crèches acceptent ces horaires.

Cela veut dire agir de même avec les nourrices : il est en général possible de trouver des aménagements.

Et il est souhaitable, la première fois, de rester avec le bébé pour faire connaissance avec lui des nouveaux visages et du nouveau décor.

Il est souhaitable aussi, pour des raisons psychologiques et matérielles, que le père participe à cette introduction de l'enfant dans un monde différent ; en conduisant son enfant à la crèche ou en le recherchant, le père lui montrera qu'il s'intéresse à lui.

En plus, il n'y a pas de raison que ce soit la mère seule qui se charge de cette tâche, au moins au début, de laisser l'enfant ailleurs.

Il y a encore quelques années — 10 ou 20 ans — lorsqu'on conseillait aux parents de parler à leur bébé, en expliquant que l'enfant comprenait le sens, même sans connaître les mots, les parents étaient souvent sceptiques. Aujourd'hui, cette notion a fait son chemin, elle commence à être généralement admise.

N'hésitez pas à parler à votre bébé, et parlez-lui notamment au moment des changements. Ce n'est pas la peine de lui donner des explications compliquées. Dites-lui avec des mots simples ce qui va arriver, et pourquoi vous devez vous séparer de lui. Dites-lui qui va le garder, comment cela se passera. Vous vous direz peut-être : « Mais il ne comprend pas les mots. » Nous n'en sommes pas si sûrs, et de toute façon l'enfant se rendra compte que vous ne le traitez pas comme un paquet que vous avez l'intention de déposer à la crèche, et vous-même l'y mettrez avec un état d'esprit différent. Comme le dit Françoise Dolto : « Parler à un enfant, c'est éviter les comportements de fuite, c'est prendre son temps avec lui, c'est lui donner ce dont il a besoin. »

Au cœur des progrès

Vers l'âge de 3-4 mois, le développement psychomoteur du bébé repose essentiellement sur les *réactions circulaires* *. Ce mot recouvre quelque chose de très concret, observable par tous, et que vous avez sûrement déjà remarqué : la possibilité de refaire volontairement quelque chose qu'on a découvert par hasard, d'y mettre une intention, un but. Il y a deux types de réactions circulaires. Celle qui se produit avec son propre corps : je cherche mon pouce, je l'ai trouvé et je le suce avec plaisir, je recommence ; c'est pareil pour les vocalises : un jour l'enfant découvre qu'il peut faire du bruit avec sa voix, cela lui plaît, et il se rend compte qu'il peut recommencer quand il veut ; ou encore avec ses mains que le bébé fait bouger et bouger à nouveau, à volonté.

L'autre type de réaction circulaire se passe avec des objets extérieurs, ou des personnes : l'enfant tape par hasard sur le boulier, les boules se déplacent ; intrigué, l'enfant recommence et se rend ainsi compte que c'est lui qui a fait bouger le boulier.

Avec les personnes, l'exemple même de réaction circulaire, c'est le sourire : l'adulte sourit, l'enfant pour l'imiter, fait le même mouvement. Devant la réaction que ce mouvement involontaire provoque en face, l'enfant recommence. C'est la réponse par imitation dont nous avons parlé au début de ce stade.

L'enfant prend conscience de son pouvoir sur les objets et les personnes ; il commence à savoir adapter un moyen à une fin : agir d'une certaine façon pour provoquer une certaine réaction.

Les progrès que l'enfant fait à cet âge sont donc à base d'imitation et de répétition : il s'exerce, il apprend, il comprend.

Bien évidemment, il faut que l'adulte se rende compte de ces jeux de l'enfant avec son pouce, sa voix, etc., et des progrès qu'il fait, sinon l'enfant y perdra tout plaisir. Les parents répondent en général aux « a-re » de leur bébé, mais quelquefois ils l'oublient ou hésitent en craignant de bêtifier ; mais non, c'est très bon pour l'enfant.

Les réactions circulaires sont en fait des échanges d'un nouveau genre, de nouvelles interactions ; la nouveauté c'est que ces échanges-là sont déclenchés par le désir d'imiter une personne, ou de reproduire une action provoquée fortuitement sur un objet.

Entre 1 et 4 mois, les échanges de toutes sortes se développent :
- parce que le bébé dormant moins a de plus longs et plus fréquents moments d'éveil ;
- parce que autour de lui souvent le décor, les personnes, les bruits se renouvellent (par exemple, si le bébé est tôt mis à la crèche ou chez la nourrice), et ainsi le bébé se développe un peu plus chaque jour ;
- parce qu'enfin, voyant le bébé plus éveillé, on multiplie autour de lui les stimulations de tout genre : on lui parle de plus en plus, on lui chante de nouvelles chansons, etc.

---

* Selon les termes employés par Jean Piaget, dont on peut lire : *La naissance de l'intelligence chez l'enfant*, Delachaux-Niestlé ; ou bien ce livre plus accessible : *Pour comprendre Piaget* par Jean-Marie Dollé, éditions Privat.

Là, d'ailleurs, peut pointer un petit risque : c'est que voyant le bébé si bien réagir, on cherche à le stimuler un peu plus, un peu trop. Je parle de petit risque car la surstimulation peut fatiguer le bébé ; heureusement il a des moyens d'avertir « c'est assez » et de se protéger : il ferme les yeux, tourne la tête et s'évade.

Que se passe-t-il lorsque les parents passent outre les signaux ? L'enfant s'excite, se fatigue, à l'extrême il peut être vraiment perturbé, je vous en parle d'ailleurs p. 440.

Un jour je parlais de tout cela avec une jeune et charmante maman. « C'est dur cette réserve que vous me demandez, me disait-elle, je voudrais sans cesse parler à mon bébé, lui sourire, le faire sourire, m'assurer qu'il m'entend, qu'il est heureux de ma voix. » Je tâchais de raisonner sa hâte : « Même si votre bébé ne vous répond pas activement, rien n'est perdu pour lui de vos attentions, de votre voix, de vos caresses, de vos baisers, il accumule, il enregistre tout dans son inconscient. Continuez à l'entourer, à lui dire vos petits mots, seulement ne lui demandez pas de vous répondre s'il n'en a pas envie, ne cherchez pas à le forcer. »

L'inconscient

En effet les sensations et les émotions qui jalonnent les premiers moments de la vie du bébé ne sont pas perdues, elles vont s'inscrire fidèlement, meubler jour après jour, cette partie profonde, « souterraine » de la personnalité, l'inconscient.

L'évolution de la psychologie et les travaux des psychanalystes ne laissent aucun doute sur l'existence de cet inconscient qui pourtant suscite encore, pour certains, des réserves et des interrogations. Comme si l'on pouvait nier la fantastique complexité et la richesse des mécanismes psychologiques et organiques sous le seul prétexte qu'ils fonctionnent à notre insu et en dehors de notre contrôle : par exemple, les rêves, les explosions émotionnelles (colères, manifestations de joie, dépressions), les lapsus, aussi bien que la circulation sanguine ou la digestion.

En fait, s'il est difficile d'avoir accès à cette notion de l'inconscient, c'est parce qu'il se forme à cette période de notre vie, les premières années, dont, adulte, nous n'avons plus le souvenir. Si le tout petit enfant a une mémoire remarquable des premières années de sa vie, vers 4-5 ans survient un phénomène universel que les psychanalystes appellent « l'amnésie infantile » : petit à petit, les multiples émotions vécues intensément et passionnément par le bébé et le jeune enfant sont enfouies ou refoulées, voire réprimées selon les cultures et l'éducation. Mais l'empreinte de ces émotions laisse une trace, elle reste dynamique, prête à faire remonter à la conscience des images, des sensations, des bribes de phrases, des réactions. Cette personne que vous avez croisée et regardée sans la voir, voilà qu'elle apparaît cette nuit dans votre rêve ; ce moment de votre vie que vous n'aviez pas cru capital, voilà qu'il ressurgit et pèse lourdement sur l'événement d'aujourd'hui. Ainsi comme les racines de l'arbre, comme les fondations de la maison, qui ne se voient pas mais supportent tout l'édifice, l'inconscient détermine et structure nos angoisses, nos mécanismes de défense ; comme une source, il alimente nos résistances, nos capacités d'aimer et nos attirances.

Tout ce que la conscience du bébé n'est pas encore capable d'ordonner, de contrôler, d'expliquer, va ainsi « s'emmagasiner » : l'agréable et le désagréable, les satisfactions et les déceptions, les expériences heureuses, ou malheureuses, les attentes vaines et les attentes comblées. Dès les premiers jours, l'inconscient tisse patiemment sa toile.

Ces quelques lignes sur l'inconscient sont très sommaires. Pour en savoir plus, voici quelques livres que vous pouvez consulter.

D'abord, bien sûr, un ouvrage de Freud : *Introduction à la psychanalyse*, aux éditions Payot.

Si l'œuvre de Freud vous paraît trop difficile à aborder, je vous conseille un livre court et clair, celui d'Anna Freud : *Introduction à la psychanalyse pour les éducateurs*, éditions Privat.

La connaissance de l'enfant par la psychanalyse (P.U.F.) de Michel Soulé et Serge Lebovici, et *La psychanalyse des enfants* (Paideïa, P.U.F.) de Victor Smirnoff, sont des ouvrages plus complets mais plus denses.

Ce qu'aime un enfant d'un à quatre mois. Il aime sucer : le sein, la tétine, son pouce, le hochet qu'on lui met dans la main.

Et regarder : ce qui l'entoure, ses mains, les arbres, papa qui se penche sur le berceau, les autres enfants, un mobile accroché au-dessus de son lit.

Répondre aux sourires.

Écouter la voix des autres et, dès la fin du deuxième mois, exercer la sienne en faisant des roulades, des « a-re », des vocalises qu'il écoute sans fin et auxquelles il aime qu'on réponde.

Écouter sa boîte à musique.

Être porté, ou se promener dans les bras.

Quand il est bien réveillé, il aime être changé de position.

Être de temps en temps dans un petit transat pour participer à la vie familiale. Vers 3 mois-3 mois et demi, le bébé éclate de rire : c'est ce que fait Clémence en regardant son frère Grégory qui fait le pitre.

Il aime qu'on le laisse tranquille et au calme avant de trouver le sommeil.

Ce qu'il redoute. Trop de bruit ; le changement ; l'irrégularité, les brusqueries.

Quels jouets lui donner. Lisez à ce sujet au chapitre 3 le paragraphe : *Il joue*.

Attention ! Si votre enfant n'a pas les réactions que nous avons décrites (réaction à la lumière, au bruit, au son de la voix), s'il ne montre pas qu'il reconnaît les différents « tableaux » de la journée (tétée, bain, promenade), il sera prudent de consulter un pédiatre. Bien sûr, il y a des différences importantes entre les comportements, mais il y a des limites au-delà desquelles il ne faut pas s'aventurer.

Si votre enfant est prématuré, vous devez savoir ceci : le système nerveux d'un prématuré est encore moins développé que celui d'un enfant né à terme. Aussi votre enfant sera plus fragile et plus vulnérable. Cependant, s'il pèse à la naissance plus de 2 000 grammes, il posera peu de problèmes. Son développement se fera normalement, avec seulement un petit décalage dans les acquisitions (tenue de tête, station assise, langage, marche...), décalage qui deviendra de moins en moins apparent au fur et à mesure de sa croissance. S'il pèse moins de 2 000 grammes à la naissance (on utilise pour ces nouveau-nés le terme de « grands prématurés »), il devra faire l'objet d'une surveillance particulière. Vous ferez suivre régulièrement son développement dans un centre spécialisé ou par un praticien compétent (voyez aussi l'article *Prématuré* au chapitre 4).

4 à 8 mois

*Un seul être nous manque
et tout est dépleuplé.*

Lamartine

Au fur et à mesure que les semaines passent, le bébé apprécie de plus en plus les joies du plaisir partagé et des découvertes personnelles. On dirait qu'il s'amuse de ces échanges qui chaque jour lui ouvrent un peu plus son champ de vision et ses possibilités d'agir.

En même temps que son entourage comble ses désirs et ses besoins, il ouvre à l'enfant le monde infini des sentiments, et tout se passe dans la quotidienneté la plus ordinaire : l'enfant a faim, on lui donne à boire. Il est mouillé, on le change. Il pleure, on le prend dans les bras. Il ne trouve pas le sommeil, on le berce. Il esquisse un sourire, on lui répond par un sourire. Il vocalise, on l'écoute. En un mot, c'est de son entourage que lui vient la satisfaction de tous ses besoins, que lui sont donnés tous ses plaisirs *. C'est-à-dire que l'enfant est entouré de gens qui normalement ne demandent qu'à le satisfaire. De ce va-et-vient de demandes, de réponses, d'échanges naissent des liens affectifs.

L'affectif, il y a des années cela s'appelait tout simplement l'amour. Puis on a préféré un nom plus raisonnable, l'attachement, terme moins sentimental qui convenait mieux à une époque qui avait la pudeur des mots : le vocabulaire a suivi la mode...

Paradoxalement, en même temps qu'on prenait ses distances par rapport aux sentiments en choisissant des mots plus froids, on décrivait avec force détails (attendrissants) la genèse de l'attachement : une caresse minime, un baiser furtif et voilà que sur les charmantes lèvres du bébé s'esquissait un sourire.

Au-delà des nuances de vocabulaire remarquons que attachement, amour et affection, ces mots commencent tous trois par un A ; le début, l'alpha est toujours affectif ; c'est le premier besoin de l'enfant ; sans affection il ne peut vraiment vivre.

L'enfant vit mal s'il n'est pas aimé. S'il n'a pas autour de lui ceux qui lui sont attachés, il s'angoisse. Le premier à l'avoir démontré c'est le docteur Spitz dès 1938 : il avait été frappé par le fait que dans des institutions bien équipées sur le plan des soins, des bébés aient l'air de s'étioler comme des fleurs. Sa conclusion : il manquait aux gestes précis des infirmières un peu de chaleur humaine. Aujourd'hui, la découverte a l'air toute simple, elle fait un peu penser à celle de Semmelweis à propos de la fièvre puerpérale : comment, se demandait cet obstétricien célèbre, éviter la mort à tant de femmes en couches ? En se lavant les mains...

---

* De tous ? En fait, pas autant qu'on l'écrivait il y a quelques années. On sait que déjà tout petit l'enfant a en lui des possibilités d'éveil, de consolation, de compensation remarquables.

Cette découverte de Spitz (que je suis obligée de résumer en quelques lignes mais qui est basée sur de très nombreuses observations durant plusieurs années) a débouché à l'époque sur une révolution fondamentale ; aujourd'hui encore, on en tient compte partout : dans les crèches, dans les services hospitaliers, les pouponnières qui sont préoccupés de l'accueil fait à l'enfant, de la tendresse qui doit lui être manifestée, mais aussi de lui fournir les meilleures possibilités d'éveil.

Un enfant, même bien soigné, même bien traité, ne s'élève bien, ne se guérit vraiment que si l'on tient compte de ses besoins affectifs. Les enfants mal entourés, mal aimés dépérissent peu à peu.

Les mal-aimés

La maladie des mal-aimés s'appelle la carence affective.

Lorsque l'enfant souffre de carence affective, il manifeste des troubles plus ou moins importants ; leurs conséquences peuvent être plus ou moins graves selon les conditions où l'enfant se trouve et les circonstances de ces frustrations. De nombreuses observations ont d'ailleurs permis d'établir des étapes dans la progression du mal.

Au début, l'enfant manifeste colère et révolte, c'est-à-dire qu'il est encore capable de réclamer son dû.

Si l'on n'y répond pas, l'expression de sa colère devient rapidement un comportement de détresse.

Dans une troisième phase, l'enfant se résigne au manque d'intérêt et à la perte d'affection *. Cette phase de résignation est certainement la plus dangereuse car le bébé sage ne dérange plus, ce qui fait qu'on s'occupe de moins en moins de lui.

A ce stade, les conséquences de la carence affective atteignent tout le développement de l'enfant : il ne s'intéresse plus à rien, ne joue plus, et le retard pris dans tous les domaines (pour se tenir assis, pour marcher, pour parler) peut être souvent considérable. Le comportement de l'enfant est également inquiétant : il se replie sur lui-même et renonce ; c'est toute l'évolution de sa personnalité à venir, de son adaptation future à l'environnement, qui peut être déjà touchée.

Ces carences et leurs graves conséquences peuvent se voir chez des enfants totalement privés de présence et d'affection maternelles, et placés dans des institutions où le personnel n'est pas assez formé sur le plan pédagogique et psychologique, et où il n'y a pas assez de jeux. Il peut s'agir, par exemple, d'enfants orphelins ou abandonnés et qui ont été confiés à l'Aide sociale à l'enfance.

On peut observer les mêmes carences chez des enfants qui vivent chez leurs parents, mais qui en reçoivent des soins insuffisants parce que leur père et leur mère ne les aiment pas et n'ont avec eux, en dehors des contacts indispensables (toilette, sortie, biberon), aucun échange affectueux.

Laissés trop longtemps seuls dans leur berceau, à la merci d'une mère indifférente ou instable, d'un père qui n'apporte aucune compensation, ou bien confiés à une garde peu maternelle, ou encore ballottés entre diverses personnes, ces enfants font chaque jour l'expérience de la privation affective et sont, en fait,

---

* Dans *Enfants en souffrance*, F. Dolto, B. This et D. Rapoport abordent, avec d'autres auteurs, l'ensemble des problèmes posés actuellement par ces enfants (Éditions Stock).

moralement abandonnés. Il leur manque, jour après jour, la sécurité affective, les stimulations à l'éveil de leur intelligence, et une présence régulière indispensable à la construction de leur personnalité. Ils sont eux aussi vulnérables dans tous les domaines, et fréquemment en retard dans leur développement.

La carence affective de ces enfants, moins connue, est pourtant grande. L'enfant est plus isolé, plus malheureux au sein de sa famille que s'il en était séparé. Car dans une crèche, une pouponnière, ou chez une assistante maternelle compétente et stimulante, ces enfants retrouvent leur équilibre, font des progrès spectaculaires ; comme soulagés d'avoir trouvé la sécurité, ils peuvent enfin s'épanouir.

Ces dernières années cependant, une nouvelle tendance se dessine : retirer l'enfant à ses parents est une décision si grave que, chaque fois qu'ils le peuvent, les travailleurs sociaux font tout pour s'occuper de la famille, éviter le retrait de l'enfant, envisager son retour s'il doit être bon pour tous, ou encore aménager des conditions de placement qui ne coupent pas l'enfant de sa famille.

Les séparations

Des effets parfois si tragiques de la carence affective, le parent le plus affectueux peut tirer un enseignement. En effet, même lorsqu'ils sont aimés, les enfants souffrent d'être séparés de leur environnement familial pour une durée plus ou moins longue : déménagement, divorce, maladie de la mère, hospitalisation de l'enfant, difficultés matérielles, etc. Leurs troubles, quoique infiniment moins importants, s'apparentent un peu à ceux que nous avons décrits, et c'est d'ailleurs pourquoi nous l'avons fait.

Certains bébés auront des troubles de l'appétit, d'autres du sommeil. L'enfant peut devenir grognon, ou coléreux, ou au contraire apathique, ou « trop sage ». Certains bébés ne manifesteront rien sur le moment mais souffriront quand même. Évidemment les réactions dépendront aussi de l'âge de l'enfant, de son tempérament, de son histoire, de la façon dont s'est constituée sa personnalité, de la manière dont il a été entouré, enfin des conditions de la séparation.

Avant d'envisager une séparation, et pour la préparer, il faudra tenir compte de ces différents éléments.

Age de l'enfant. Jusqu'à 3 ans environ, tant qu'il ne peut pas dire lui-même, donc extérioriser ce qu'il ressent, l'enfant est perturbé par toute séparation ; et il y reste sensible * tant qu'il ne peut pas maîtriser les causes et les effets de ce qui lui arrive (entre 5 et 7 ans, selon les enfants).

Tempérament de l'enfant. Dès les premiers jours, on peut parler du tempérament d'un enfant. Certains enfants sont robustes, peu exigeants et supportent assez bien une rupture ou des changements divers dans leur vie. D'autres, plus actifs, plus nerveux, ont besoin de beaucoup de régularité dans leurs horaires : tout retard, tout imprévu se traduisent par de l'excitation. Pour d'autres encore, plus

---

* Des enfants plus âgés peuvent y être également sensibles : par exemple les enfants qui ne s'adaptent pas aux colonies de vacances, ou aux classes de neige, ou aux changements d'institutrices.

fragiles, le moindre changement dans leurs habitudes a une répercussion déme-
surée sur leur santé. Ce ne sont là que quelques exemples : chaque enfant réagira
différemment à la séparation.

Les précautions. Il est illusoire de se dire qu'on devra éviter toute séparation dans
la première enfance. Pratiquement, ce n'est pas possible, ce n'est même pas souhaitable : tous les progrès du développement psychomoteur se font dans le sens de
l'autonomie et du détachement. Mais ce qui est important, c'est d'aménager les
séparations en fonction des besoins de l'enfant à chaque âge.

Si vous devez vous absenter et que, pour s'occuper de votre enfant, vous ayez le
choix entre une personne peu habituée aux enfants mais les aimant, et une personne très expérimentée mais sans tendresse, donnez la préférence à la première.
Et il est souhaitable que la même personne s'occupe de votre enfant pendant toute
la durée de votre absence. « Les vrais soins d'un bébé ne peuvent venir que du
cœur. La tête ne peut les donner seule, et ne peut les donner que si les sentiments
sont libres », comme le dit Winnicott *.

Aménager la séparation, c'est aussi prévenir l'enfant de ce qui va lui arriver, le
lui expliquer avec des mots simples comme je vous le disais déjà p. 345.

C'est également laisser à l'enfant quelques jours pour s'habituer aux nouvelles
personnes, au nouveau cadre ; qu'il apporte ses jouets, son ours, les objets qu'il
aime. Demandez gentiment à la personne qui le garde de ne pas faire... de zèle :
« Je vais rendre service à ses parents et en profiter pour le passer à la cuiller, ou lui
supprimer cette affreuse sucette », etc. Ce n'est pas le moment.

Lorsque vous reviendrez, votre enfant aura un moment de désarroi ; peut-être
même détournera-t-il la tête quand il vous verra. Certains parents s'étonnent et
sont déçus lorsque, par exemple, à un retour de vacances, ils retrouvent leur
enfant chez la nourrice ou chez une grand-mère : celui-ci ne leur fait pas la fête, et
se détourne, comme s'il leur en voulait. Cela prouve que l'enfant s'était bien
habitué à un autre visage, et qu'il s'était attaché à ceux qui l'avaient consolé et
stimulé. Et pour l'enfant, les retrouvailles avec ses parents marquent alors une
deuxième séparation : celle d'avec le milieu qui l'a accueilli.

D'autres parents constatent que leur bébé n'a plus le même rythme, ni les
mêmes habitudes, et sont déroutés ; ou que leur bébé est devenu anxieux, fragile,
exigeant, ce qui peut accroître la culpabilité des parents, ou leur agacement, ou
leur fatigue.

Les précautions à prendre avant une séparation sont d'autant plus importantes si
les conditions de la séparation ne sont pas favorables, par exemple s'il s'agit d'une
hospitalisation : l'enfant est malade, la séparation est brutale, il se retrouve dans
un milieu inconnu, etc. (voir à ce sujet les pages 268 et 322).

La séparation la plus courante, vers quatre mois, c'est la reprise du travail professionnel par la mère. La première question qui se pose alors est de savoir à qui
confier son enfant, et les précautions à prendre pour que la séparation qui, elle, est
quotidienne, soit bien supportée par tous.

---

* Pédiatre et psychanalyste anglais dont les observations représentent un apport
essentiel sur la relation précoce mère-enfant.

QUAND LES PARENTS TRAVAILLENT

A qui allez-vous confier votre enfant : nourrice, crèche, personne à la maison ? La question est d'ailleurs un peu faussée dans la mesure où le choix n'est pas toujours possible.

La nourrice

La majorité des mères qui travaillent à l'extérieur ont comme solution de garde la « nourrice de jour ». Il existe aussi des nourrices chez qui l'enfant passe toute la semaine : dans la mesure du possible, c'est une solution à éviter si l'on veut que l'enfant connaisse bien ses parents et s'attache à eux : à cet âge, l'enfant s'attache à la personne qui s'occupe le plus de lui.

Comment choisir une nourrice ? Avant tout, il faut qu'elle soit agréée par la mairie. Elle aura passé un examen de santé — ce qui est essentiel — et, régulièrement, une assistante sociale, ou une puéricultrice, viendra surveiller l'état de santé des enfants qui lui sont confiés et leur comportement. Ces nourrices agréées s'appellent aujourd'hui « assistantes maternelles ».

Malheureusement il n'y a pas assez d'assistantes maternelles, et de nombreuses nourrices ne sont pas déclarées, donc pas surveillées. L'important pour vous est de constater que la nourrice ne prend que deux ou trois enfants, dans de bonnes conditions d'accueil : aération, coin de jeux, coin de sommeil, etc.

Vous devez sentir la nourrice experte, affectueuse, bien organisée, sans trop de rigidité, c'est-à-dire prête à accepter les différents rythmes de l'enfant. Il est également souhaitable qu'elle soit ordonnée sans être maniaque.

Observez votre enfant au bout de quelques jours : s'il continue à bien dormir, « bien profiter de la vie », s'il ne pleure plus en franchissant la porte de la nourrice, s'il lui sourit, si la nourrice vous fait part de détails de la journée avec gaîté et gentillesse, c'est gagné, faites-lui confiance.

Par la suite veillez à ce que la nourrice accompagne et suscite les progrès de votre enfant, échangez vos idées sur l'éducation : donnez-lui des idées, et elle vous en donnera. (Et de temps en temps prêtez-lui ce livre...)

La crèche collective

Il y a vingt ans, les crèches avaient mauvaise réputation et c'était justifié. Aujourd'hui le changement est considérable ; il existe dans les crèches un personnel compétent qui connaît les besoins de l'enfant.

Il y a d'abord une puéricultrice diplômée d'État (D.E.), qui s'est spécialisée par trois ans d'études. C'est elle qui, comme directrice de la crèche, est responsable de la santé et du développement psychomoteur des enfants. A ses côtés, les auxiliaires de puériculture s'occupent des soins quotidiens des bébés.

Il n'est pas rare qu'à partir de 2 ans, ce rôle soit tenu par une éducatrice de jeunes enfants. Un pédiatre vient deux fois par semaine pour la surveillance médicale. Souvent un psychologue est également attaché à la crèche, aussi bien pour répondre aux difficultés individuelles d'un enfant et de sa famille, que pour aider l'établissement à répondre aux besoins psychologiques des enfants.

En effet, la vie collective à un si jeune âge nécessite certaines précautions psychologiques, précautions bien connues actuellement. Car même si l'on s'occupe bien de votre enfant à la crèche, et même si l'enfant n'a pas de difficulté particulière à s'adapter à un nouveau cadre, à un autre rythme que celui de sa famille, la collectivité porte en elle-même certains inconvénients.

Le nombre des enfants, donc du personnel qui s'en occupe, multiplie les points de repères auxquels l'enfant doit s'habituer ; cela peut entraîner pour certains une fatigue, un sentiment d'insécurité que les parents perçoivent ; alors ils s'inquiètent, deviennent anxieux, ils ont l'impression que leur enfant est perdu dans le groupe. L'enfant le ressent. En général, la directrice de la crèche, l'auxiliaire qui s'occupe particulièrement de l'enfant, parviennent à faire franchir ce cap.

Il peut aussi y avoir des difficultés si la mère a des réticences envers la reprise de son travail et n'accepte pas vraiment que l'enfant soit gardé par d'autres. Dans ce cas, l'enfant a de la peine à s'adapter, cela peut même obliger à renoncer à la crèche et à chercher un autre mode de garde.

Enfin, il n'est pas rare que des difficultés surgissent lorsqu'un bébé change de section, ce qui n'arrive pas chez une nourrice... quand on peut garder la même trois ans.

C'est pourquoi l'intégration en crèche se fait toujours progressivement, en quelques jours, avant la fin du congé de maternité, et les enfants changent de section également de façon progressive, et par petits groupes. Il existe même des crèches où le décloisonnement des âges est tout à fait réalisé : les enfants sont répartis en petits groupes d'âges mélangés. N'hésitez pas à parler de cette organisation avec la directrice qui vous accueillera.

Dans la majorité des cas, la crèche est stimulante à cause de l'environnement varié qui entoure l'enfant, de la socialisation précoce dont il bénéficie et de la compétence du personnel.

Détail pratique à propos de la crèche : lorsqu'un enfant est malade, on ne peut le garder. Cela oblige à avoir en réserve une solution pour le jour où l'enfant est malade. Signalons que certaines entreprises prévoient un crédit congé de 12 jours que, le cas échéant, le père ou la mère, peuvent prendre dans l'année.

La crèche familiale

Elle se situe entre la nourrice et la crèche collective. C'est un système qui se développe de plus en plus. Il s'agit d'un réseau d'assistantes maternelles encadrées par une petite équipe : puéricultrice, pédiatre, etc., et qui est installé dans un petit local, un appartement privé, ou appartenant à la mairie.

La crèche familiale s'occupe du recrutement des assistantes maternelles, de leur formation, de l'accueil des parents, du paiement, des locaux, du matériel.

C'est un système plus souple que la crèche collective puisque les enfants y sont peu nombreux.

Renseignez-vous pour savoir s'il y a une crèche familiale près de chez vous.

Crèche ou nourrice : à quel âge ? Les spécialistes pensent que pour mettre l'enfant à la crèche ou chez une nourrice, le bon âge c'est autour de 6 mois, avant le moment où peut apparaître la peur de l'étranger et de tout ce qui est inconnu. Six mois c'est aussi le moment où la mère s'est faite à l'idée de la séparation.

Cela dit, rappelons que l'adaptation de l'enfant va dépendre de l'accueil qui lui est fait, de son tempérament, de l'aménagement progressif, de la manière dont les

4 à 8 mois

Son grand plaisir : être assis, plaisir que vous lui accorderez sans dépasser, au début, 10 à 15 minutes et en le calant bien sur un coussin. Couché, il soulève la tête comme s'il voulait s'asseoir seul. Pour l'habituer par paliers à la station assise, on peut, à partir de 4 mois, mettre le bébé dans un petit fauteuil inclinable, une ou deux fois par jour, mais pas plus d'une demi-heure en tout.

De la main droite, ou de la gauche indifféremment, il sait saisir l'objet qu'on lui tend, en resserrant quatre doigts. On dirait qu'il gratte, mais c'est qu'il évalue mal la distance. Si un second objet apparaît, il oublie le premier.

Son bras s'est allongé, sa main a plongé sur l'objet comme sur une proie. Il fait passer l'anneau d'une main dans l'autre, le saisit avec avidité, mais parfois le laisse tomber.

Ayant mis son pied dans sa bouche, après s'être débarrassé du chausson, il éclate de rire : adorant sucer, il a découvert un nouvel objet à cet usage, et un nouveau jeu, comme il découvre et joue aussi avec ses mains, ses cheveux, ses oreilles, son corps tout entier.

parents ressentent la séparation. C'est surtout cela qui compte, et qui permet à l'enfant de s'habituer à des âges variés.

Une personne chez vous pour vous remplacer

Une autre solution, lorsque c'est possible, est d'avoir à domicile une personne qui sait s'occuper d'un bébé. Cette personne peut être la grand-mère de l'enfant, si vous vous entendez bien avec elle, et à condition qu'elle ne soit ni trop anxieuse, ni trop exclusive. Cependant, il faudra penser souvent à la fatigue de la grand-mère, et à la responsabilité que vous lui confiez. En plus, il ne faudra pas abandonner totalement à une grand-mère le rôle qui vous appartient.

Si vous choisissez une aide qui vienne à la maison, assurez-vous de ses qualités humaines, de sa compétence et de son état de santé. Qu'elle s'installe dans la maison avant que vous ne repreniez votre travail, afin que l'enfant s'habitue lentement à elle, et qu'il sente aussi qu'elle a votre confiance : c'est important pour lui.

Grand-mère ou aide à domicile, cette solution a l'avantage de maintenir l'enfant dans son cadre habituel.

Les étudiantes au pair

Pour s'occuper des tout-petits il faut une réelle compétence et de la maturité. Sans généraliser, il faut reconnaître que les jeunes filles au pair n'ont parfois ni l'une ni l'autre...

Je pense qu'il faut réserver cette solution pour des dépannages, quelques heures par jour, ou des gardes le soir.

En plus, les étudiantes étrangères, pour la plupart, parlent encore mal notre langue, ce qui n'est pas très bon pour l'oreille de l'enfant qui commence à vocaliser, puis à parler.

Quelques suggestions à propos du travail des parents

Selon vos goûts personnels, selon ce que vous trouverez, vous choisirez l'une ou l'autre solution. Dans tous les cas, il y a un certain nombre de précautions à prendre.

■ Tout d'abord, et c'est une chose que j'ai eu plusieurs fois l'occasion de dire, toute séparation doit être préparée, aménagée : il faut donc habituer l'enfant à être loin de vous ; cela peut prendre plusieurs jours.

■ Il est important d'établir avec la crèche ou l'assistante maternelle un lien étroit. Car, pour que l'enfant se sente en sécurité il faut qu'il n'y ait pas de rupture. Et cela dépend de votre attitude. Il y a en effet plusieurs manières de mettre son enfant à la crèche ou chez la nourrice. On peut le déposer, ou le confier. Dans le premier cas, on emmène son enfant le matin, on le reprend le soir, on rencontre éventuellement la directrice ou le médecin, mais on ne cherche pas à savoir comment l'enfant se comporte, qui s'occupe de lui, s'il a fait des progrès, s'il a des difficultés, ce qu'il a mangé.

Le confier, c'est tout autre chose : ce n'est pas abandonner à d'autres son privilège et ses devoirs de parents, c'est partager les responsabilités, c'est aider les puéricultrices ou la nourrice, comme elles vous aident, à rendre l'enfant heureux.

C'est questionner sur l'appétit, sur le sommeil de l'enfant, sur ses progrès, ses besoins particuliers ou ses difficultés ; c'est aussi raconter comment votre enfant se comporte à la maison. Ainsi vous entretiendrez l'intérêt de ceux à qui vous avez confié votre enfant et, pour votre enfant, la crèche ou la nourrice continuera la maison.

A noter : de plus en plus souvent, les crèches sont ouvertes aux parents, elles organisent des réunions, et ainsi la continuité est facilitée pour le plus grand bien de l'enfant.

■ Vous saisirez toutes les occasions pour être avec votre enfant, en sachant que ce n'est pas la quantité qui compte mais la qualité. Cette formule qu'on répète est vraie. Essayez de vous organisez pour préserver cette qualité.

Par exemple ce bébé revient de la crèche, épuisé, n'ayant qu'envie de dormir ; ses parents disent : « Nous ne le voyons pas de la journée, il faut en profiter maintenant » ; alors ils le maintiennent éveillé, et le bébé ne veut pas manger, rejette, crache. Les parents, voyant alors que quelque chose ne va pas, observent le bébé et comprennent son rythme ; désormais ils couchent l'enfant quand il revient de la crèche, et c'est le matin, avec un bébé réveillé et en forme, que parents et enfant peuvent profiter les uns des autres, pour le repas, la toilette, le trajet jusqu'à la crèche.

Tel autre enfant au contraire, en revenant de chez la nourrice, est tout content de retrouver ses affaires, et n'a qu'un désir : jouer.

Pour un autre enfant, son grand plaisir sera de rester longtemps dans le bain, ou bien de jouer avec son père et sa mère. L'essentiel est de comprendre et de s'adapter au rythme de l'enfant.

■ Enfin, essayez d'être là pour les changements importants. Et s'ils ont déjà été faits à la crèche, ou chez la nourrice, profitez du dimanche pour les confirmer à la maison, par exemple la petite cuiller ou la première purée.

Ce que l'enfant découvre entre 4 et 8 mois

L'enfant apprend à se servir de ses mains, comme les images de la page précédente le montrent. C'est l'âge de la « préhension » qui change tout dans la vie de l'enfant.

En premier lieu, la main lui permet de faire la connaissance de son corps : avec ses mains, il découvre ses pieds, ses cheveux, ses organes génitaux.

Ensuite, la main procure au bébé mille moyens de se distraire car il va pouvoir prendre, palper, jeter, tirer, lâcher, explorer, faire du bruit.

Enfin la main fournit à l'enfant un nouveau plaisir : la possibilité de prendre tout ce qui l'entoure pour le sucer. La bouche reste en effet longtemps le premier instrument de connaissance de l'enfant, et lorsqu'il suce, il se détend ; lorsqu'il a mal aux dents, sucer un objet dur le calme.

Entre 4 et 8 mois, à partir du moment où l'enfant peut tenir assis, il s'habitue à voir le monde à l'endroit. Il peut rester assis dix minutes à 6 mois, une heure à 8. Dans cette position, il peut explorer à présent toute sa chambre, à gauche, à droite, devant lui et au-dessus de lui. On peut même de temps en temps le mettre debout, les pieds bien à plat, cela l'amuse et il prend conscience d'un certain équilibre vertical, autrement que dans les bras des adultes.

Ce qui l'amuse aussi, c'est, dans son lit, de se rouler sur lui-même.

Il commence aussi à reconnaître les particularités de chacun, leur voix, leur odeur, comment les appeler, etc., et petit à petit, à avoir des interactions différentes suivant les personnes : le bébé ne communique plus de la même façon avec la nounou, le frère aîné, les parents.

Mais s'il sourit aux visages familiers, il n'est pas rare à partir de 7-8 mois de voir le bébé s'inquiéter devant des visages étrangers. Au stade suivant nous verrons que cette angoisse, cette peur devant la disparition de ceux qui l'entourent et le consolent, est une étape nécessaire pour que l'enfant prenne conscience de son individualité et de celle des autres ; c'est un petit pas, une amorce vers l'autonomie.

Le langage, appelons-le ainsi bien que ce n'en soit que le tout début, témoigne aussi de progrès très subtils : des progrès qui ne prendront leur valeur et leur force qu'à l'étape suivante, mais ils sont la base des futurs mots : c'est en effet vers 7-8 mois que l'enfant passe des vocalises aux syllabes. Or « m m m mama » deviendra maman ; « p p p » deviendra papa ou pain ; « t t t tata » deviendra attends ou tiens ; « a ba a ba abe » à boire, ou la balle selon le sens que l'adulte va donner aux sons exprimés par l'enfant.

Ne laissez pas passer cette phase des syllabes, répondez-y, donnez-leur un sens, mettez des mots dessus (ceux-là ou les vôtres). La richesse ultérieure du langage de l'enfant en dépend pour beaucoup.

On serait tenté à chaque étape de dire que l'enfant fait des progrès à pas de géant. Ce serait vrai chaque fois ; mais à cette étape, c'est saisissant. Il n'y a plus guère de rapports entre le petit bébé de 4 mois, couché dans son berceau, « suceur et regardeur », dormant encore dix-sept heures sur vingt-quatre, et le grand bébé de 8 mois, « palpeur et attrapeur », passant chaque jour plusieurs heures à jouer, et, bien calé dans son lit ou dans son petit siège, à suivre d'un œil vif les gestes de tout le monde, attentif à ce qui se passe autour de lui.

8 à 12 mois

Penser : du latin pensare...,
fréquentatif de pendere,
suspendre au bout de son bras...
Littré

Cela peut paraître arbitraire de découper la vie d'un enfant en tranches, et de décrire, pour chacune d'elles, les possibilités de l'enfant. Cela ne l'est guère plus que de dire qu'on est raisonnable à 7 ans et majeur à 18.

Bien sûr, les enfants ne parlent pas tous à une date précise ou n'ont pas tous leur première dent au même âge, mais pour apprécier le développement de l'enfant, il est nécessaire d'avoir des points de repère. Simplement, ce qu'il faut, c'est ne pas devenir esclave des chiffres, les utiliser comme points de comparaison, et savoir que, passé certaines limites, on sort du normal. En cela d'ailleurs les points de repère sont indispensables. Exemple : un enfant de 10 mois n'arrive pas à se tenir assis. Vu son âge, on s'inquiète. Fort heureusement, car le médecin découvre une faiblesse des os due au rachitisme. Bien soigné tout de suite, dans quelques mois il n'y paraîtra plus. Six mois plus tard, tout le développement de l'enfant risquait d'en souffrir. Les limites de ce que l'on peut considérer comme normal, nous vous les indiquerons chemin faisant. Vous avez pu remarquer, par ailleurs, que nous ne parlons pas d'un enfant de 4, 8 ou 12 mois, mais toujours de l'enfant de 4 à 8 mois, de 8 à 12 mois, etc. Ainsi, lorsque nous vous racontons ce qui se passera au cours de ces périodes, cela peut valoir aussi bien pour le début, le milieu ou la fin du stade.

Et il peut y avoir de grands décalages selon les enfants : certains parlent à 18 mois, d'autres à 15, d'autres à 24 mois. Ces différences tiennent d'une part à l'hérédité biologique, d'autre part à l'influence du milieu.

De toute manière les acquisitions sont progressives, elles peuvent prendre quelques mois comme pour la marche, ou quelques années comme pour le langage.

Au stade précédent, nous avons parlé des besoins affectifs de l'enfant, ici nous voudrions aborder le développement de l'intelligence.

L'enfant en face d'un objet, ce qu'il en fait au fur et à mesure que les mois passent, cela pourrait illustrer l'histoire de l'intelligence, son éveil, ses progrès. Une histoire si passionnante que nous allons vous la raconter. Elle pourrait s'intituler : « L'objet et moi. »

Et dans ses rapports avec l'objet, l'enfant va exprimer toute la gamme des sentiments connus, de la joie de pouvoir saisir à la tristesse de devoir lâcher, de l'allégresse à réussir un nouveau geste, à la colère de ne pas y arriver.

L'objet et moi

Le premier chapitre de cette histoire nous fait faire un bref retour en arrière.

1er mois : l'enfant ne distingue que les personnes, les objets qui bougent près de lui.

Entre 1 et 4 mois, son plus grand plaisir, c'est de voir, de regarder tout, inlassablement. Vers la fin de ce stade, il commence à s'agiter pour saisir, mais n'y parvient pas.

4 à 8 mois : il peut enfin prendre. Dès qu'on approche de lui un objet, il fait tout pour le saisir. Lorsqu'il y est arrivé, il le palpe longuement, ou, le portant à sa bouche, il le suce.

A 8 mois, on peut dire que les sens de l'enfant coucourent à lui faire connaître l'objet sous tous ses aspects : ses yeux le renseignent sur sa couleur, ses mains sur sa forme et sa taille, sa bouche sur son goût, son nez sur son odeur. Ainsi, peu à peu, il se familiarise avec les objets qui l'entourent. Il les connaît et les reconnaît. Souvenez-vous : 4-8 mois, c'est la pleine période de reconnaissance des tableaux familiers. Mais à ce stade, et ceci est important, l'objet disparu n'existe plus pour l'enfant. Il ne le cherche pas, pas plus la cuiller tombée par terre que le cube qu'on a caché sous sa serviette.

Passons maintenant au deuxième chapitre de cette histoire de l'intelligence : 8-12 mois est un stade important. C'est vers 8 mois en effet que, pour la première fois, l'enfant cherche la cuiller tombée ou le cube caché.

Qu'est-ce à dire, si ce n'est que la cuiller est devenue un objet dont l'enfant garde une image et le souvenir ; il est donc capable de faire le raisonnement suivant : « J'avais une cuiller ; elle n'est plus là. Elle doit être ailleurs. » Et alors il se penche pour regarder par terre.

Vous pourrez faire avec votre enfant l'expérience que j'ai faite avec Emmanuel, 9 mois. Je jouais avec lui, me servant d'une petite balle rouge. Tout à coup, profitant de ce qu'il regardait ailleurs, je cachai la balle sous la couverture. Emmanuel, se retournant, ne vit plus la balle, me regarda, l'air stupéfait. Il eut un moment d'hésitation, puis il se mit à soulever la couverture : un coin, puis l'autre. Arrivé au troisième, il aperçut la balle. Il me la tendit avec un air qui signifiait : « Regarde de quoi je suis capable ! » A côté de moi, Jérôme traduisit : « Il est malin ! » En termes simples, il avait raison : Emmanuel venait de me prouver son intelligence avec sa main.

Avec les personnes, l'enfant fait la même découverte qu'avec les objets. Il sait maintenant que sa mère existe même lorsqu'il ne la voit pas, ce qu'il ignorait hier. C'est pourquoi il pleure maintenant lorsqu'elle part. C'est pourquoi aussi il peut maintenant jouer à cache-cache : on peut bien chercher des objets ou des personnes, lorsqu'on a découvert qu'ils continuaient à exister même hors de sa vue. « Coucou ! Le voilà », nous songeons rarement à reconnaître dans ce jeu bien classique une preuve de l'intelligence de l'enfant. « Coucou » est d'ailleurs un jeu universel qui, lorsqu'on réapparaît, fait rire l'enfant ; et s'il rit, c'est qu'il est rassuré de nous revoir.

A cet âge, un enfant a encore bien d'autres manières de montrer l'éveil de son intelligence. Corinne, 9 mois, prend son chat en peluche et, du premier coup, met son doigt à l'endroit qui fait miauler l'animal.

Gilles, 11 mois, joue avec une boîte, la pose sur son lit, parle à sa mère en faisant des roulades, puis, se retournant tout à coup vers la boîte, la reprend, très à l'aise, montrant ainsi qu'il ne l'avait pas oubliée : la mémoire est une des facettes de l'intelligence.

Anne, 10 mois, laisse tomber son jouet une fois, cinq fois, dix fois. Autant de fois, patiemment ou non, sa mère ramasse le jouet, mais sans toujours réaliser qu'à chaque fois l'enfant l'a lancé d'une manière différente, et à chaque fois a regardé où le jouet tombait, comme si elle voulait vérifier les lois de la pesanteur.

D'ailleurs, au cours de son développement, l'enfant est tour à tour Newton :
8-12 mois, découverte de la pesanteur ; Nietzsche ou la volonté de puissance, à
2 ans et demi lorsque l'enfant veut affirmer son pouvoir ; Descartes, à 30-36 mois,
« Je pense, donc je suis », découverte du Je.

La main a révélé l'intelligence, elle va maintenant se mettre à son service. Permettant au bébé d'explorer tous les coins, elle sera son organe de renseignements.
Cette exploration, ces renseignements apprendront à l'enfant mille choses qui lui
seront utiles et de jour en jour développeront son intelligence : entre 12 et 18 mois,
son esprit se livrera à un jeu de puzzle, cherchant à assembler les objets qui
l'entourent, à établir entre eux des rapports. Et un jour, l'enfant parviendra par
exemple, à mettre le plus petit cube dans le plus grand. Une autre fois, il arrivera à
enfiler un anneau sur une tige prête à le recevoir, alors que, jusque-là, il posait
l'anneau à côté de la tige *. Jean Piaget a appelé cette période, qui va de la naissance à 18 mois, la période sensorimotrice de l'intelligence ** ; car c'est par des
activités mettant en jeu la perception des objets que l'enfant résout ces problèmes :
emboîter, empiler, etc.
Les semaines passeront, les expériences se compliqueront. C'est à 18 mois que
Jérôme éclaircit un mystère qui le tracasse depuis quelque temps : comment faire
sortir de la musique de cette boîte ? Il touche tous les boutons de la radio jusqu'au
jour où — euréka ! — il trouve la solution.
A 14 mois, Catherine voit une montre sur un coussin, veut l'atteindre, n'y parvient pas, tire le coussin, remarque qu'ainsi la montre s'approche, tire encore
jusqu'à pouvoir la toucher. Elle a obtenu ce qu'elle voulait et découvert le rapport
« posé sur ».
A 16 mois, Frédérique veut jouer avec l'âne de Corinne, mais l'âne est trop loin.
Soudain, Frédérique remarque que la laisse qui pend au cou de l'animal arrive à
portée de sa main. Elle tire la ficelle, l'âne suit. Frédérique a découvert « attaché
à ». Ce faisant, Frédérique a satisfait au « test de la ficelle », comme Catherine a
réussi le « test du support » ***.
Mais un petit chat est bien capable d'en faire autant, de tirer par exemple sur le
fil pour faire venir la pelote avec laquelle il veut s'amuser ; et le chien semble
fréquemment donner les preuves d'une véritable intelligence.
Certes l'intelligence de l'enfant paraît ressembler à celle du petit animal ; mais
alors que celle-ci va rester à cet état embryonnaire, l'intelligence de l'enfant est
déjà en pleine évolution, et le fait que l'enfant utilise le langage rend la comparaison vraiment difficile.

Plus tard, le stade 18-24 mois sera le règne du bébé-touche-à-tout. Comme, à cet
âge, l'enfant saura marcher, il n'y aura plus de limites à sa curiosité. A chaque

---

* L'idée excellente de Hillary Page a été de construire des jeux correspondant
très exactement aux travaux de Jean Piaget, tant au point de vue des formes que des
couleurs. Ses jouets, les « Kiddikraft », comme tous ceux auxquels ils ont servi de
modèles (Fisher-Price, Fernand Nathan, par exemple), se vendent maintenant dans
le monde entier.
** A propos de l'intelligence sensorimotrice, de la « permanence des objets » et
de l'« angoisse de séparation », je vous conseille le livre de Thérèse Goin-Decarie,
Intelligence et affectivité, Delachaux et Niestlé.
*** La plupart de ces expériences ont été faites par Jean Piaget ; elles sont
maintenant reprises par les psychologues lorsqu'ils examinent un enfant.

8 à 12 mois

Premiers efforts pour se mettre debout : vers 10 mois, il commencera, une fois debout, à lâcher les barreaux de son parc. Mais ses premières chutes, sur la couverture, le laissent un peu désemparé. Pour aller chercher l'objet dont il a envie, il a trouvé son moyen de locomotion : à quatre pattes, sur les genoux, sur les pieds, à plat ventre, à moitié assis, sur le côté comme un crabe...

Chaque enfant a sa façon de se déplacer qui est souvent un reflet de sa personnalité.

Capable de s'asseoir seul, il peut rester assis longtemps dans son parc. Il sait aussi, sans tomber, se tourner et se pencher pour attraper un objet.

Tenu par les mains, il marche les pieds bien à plat, mais a tendance à porter en avant la tête et le tronc.

Son grand plaisir : jeter les objets par-dessus bord. Quand il saisit, la main n'est pas encore très sûre (parce qu'il n'évalue pas bien la taille des objets), mais l'index acquiert du « doigté », et lui permet de prendre de tout petits objets, même une miette de pain.

instant, il fera une nouvelle découverte, une nouvelle expérience, et son intelligence accomplira ainsi un nouveau progrès.

A force d'essais, d'échecs, de tâtonnements, de hasards et d'imitations, les gestes de l'enfant deviendront de plus en plus adroits et il trouvera des solutions aux problèmes qu'il n'avait pu résoudre quelques mois plus tôt. Ainsi, pour chercher la balle disparue derrière le canapé, Corinne en fera le tour. Pour attraper la confiture placée sur la table, Frédérique poussera une chaise contre la table. Ce sera l'âge de l'intelligence empirique : c'est en faisant les choses qu'on apprend à les faire.

Nous avons anticipé afin de ne pas interrompre le récit de l'intelligence vue à travers l'enfant et l'objet. Mais ici, il faut nous arrêter. Car, lorsque votre enfant aura deux ans, sa main aura guidé son intelligence déjà bien loin. Elle continuera à la développer mais le langage prendra le devant de la scène. Les mots, peu à peu, ouvriront l'esprit de l'enfant ; une nouvelle étape de l'intelligence commencera. Nous vous donnons rendez-vous à 2 ans. En attendant, revenons à notre petit nourrisson à la fin de sa première année.

Du gazouillis au premier mot

En fait de mots, pour le moment il n'en connaît (en général) qu'un seul, et même pas toujours : ce mot, c'est papa ou maman. C'est d'ailleurs à peine un mot, plutôt une double syllabe, qu'un jour l'enfant a prononcé par hasard, et auquel l'entourage a donné un sens en le reprenant. Nous avons eu l'occasion d'en parler brièvement au stade précédent.

Nouveau-né, le bébé vagissait, mais les sons n'étaient guère harmonieux. Puis, nourrisson, il gazouilla, il prit plaisir à émettre certains sons que les linguistes appellent des phonèmes. Ces phonèmes sont identiques chez tous les bébés du monde car ils sont sans rapport avec la langue maternelle. Un bébé n'imite pas tout de suite ce qu'il entend : il joue avant tout avec sa voix. Les enfants sourds gazouillent ; et, alors que les adultes anglais ne prononcent pas les r comme nous, leurs bébés disent a-re comme les nôtres. Chose curieuse, ces r que les bébés de 4 mois roulent si bien, ils seront incapables de les répéter avant longtemps. A 2 ans, ils diront « Papa pa'ti ».

Vers 4 mois, le gazouillis fait place à ce que les spécialistes appellent le « pré-verbiage ». L'enfant n'imite pas vraiment, mais des observateurs attentifs ont noté que certaines modulations se rapprochent de ce qu'entend le bébé. Ces exercices vocaux s'enrichissent des syllabes qu'il répète en les rythmant : ba-ba, da-da... Il brode à l'infini sur les sons qui plaisent à son oreille. Il essaie les consonnes, dit : be-be, ba-ba. Puis, un jour, on l'entend s'exercer à pa-pa, ou ma-ma. Ce jour-là l'émotion de la famille est considérable : les deux syllabes, même mal articulées, plongent les parents dans le ravissement [*].

Les spécialistes sont là pour dire que c'est pur hasard : que ce pa-pa ou ce ma-ma, n'a pas plus de sens au départ que les da-da, ou les ta-ta. Mais, rapidement,

---

[*] Si votre enfant n'est pas passé par cette période où il répétait les syllabes, il serait quand même prudent de consulter un spécialiste (voir au chap. 4 l'article *Surdité*).

devant l'émotion qu'il provoque, les sourires qu'on lui prodigue, les encouragements qu'il reçoit, l'enfant finit vraiment par établir un lien entre sa maman et les
deux syllabes qu'il a prononcées par hasard. Après quoi, il les répète, et c'est
naturel puisque, visiblement, elles font tellement plaisir ! En plus, le bébé avait
découvert qu'elles étaient très utiles pour appeler, attirer l'attention. Signalons en
passant que lorsque l'enfant dit pa-pa plutôt que ma-ma, ou ma-ma plutôt que
pa-pa, cela ne traduit pas une préférence, mais simplement une plus grande facilité à prononcer les *p* ou les *m*.

Il s'écoulera plusieurs semaines avant que l'enfant ne prononce d'autres mots.
Normalement, son vocabulaire à 18 mois n'en comprendra que six à huit. Car,
pour parler, il faut pouvoir imiter les sons entendus. Cela, le bébé n'en est pas
encore capable. Il ne le sera que vers 1 an, parfois plus tard, mais dans l'intervalle,
ce premier mot va prendre de l'importance, grossir comme la grenouille de la
fable, et bientôt il aura plusieurs sens ; à lui seul, maman va signifier : « Je veux
Maman... Maman arrive... Je suis content de voir Maman... » Un peu plus tard, ce
mot pourra même dire toutes les « dames », comme papa signifiera tous les « mes-
sieurs ».

Ce qu'aime un bébé entre 8 et 12 mois

■ Que l'on fasse cercle autour de lui. Maintenant il lui faut un public. Confortable-
ment installé dans sa chaise, il participe à la vie de famille, rit aux éclats — et
recommence lorsqu'on a apprécié sa gaieté. De la vocalise et du geste, il indique ce
qu'il veut, et, lorsqu'on lui propose quelque chose qui ne lui plaît pas, il fait non
avec la tête ou la main.
■ Avec son père, ou un adulte qu'il connaît bien, avec ses frères et sœurs, il aime
jouer aux marionnettes, à coucou, à cache-cache, à dire au revoir de la main et
bravo ; lorsqu'il est à quatre pattes, il est ravi si l'on court derrière lui en faisant
semblant de l'attraper. Ces premiers jeux à deux l'amusent un moment, mais le
fatiguent vite.
■ Il passe la plus grande partie de son temps — très heureux d'ailleurs — à jouer
seul, à condition qu'on lui donne de quoi le faire ; en particulier des animaux qui
crient — vous avez vu qu'il savait appuyer au bon endroit (vous trouverez au
chapitre 3 les autres jouets que l'enfant aime à cet âge). Il s'amuse à taper avec les
objets sur sa table, à agiter une sonnette. A certains moments au contraire, il
apprécie particulièrement la compagnie de ses frères et sœurs, ou d'enfants de son
âge, et leur manifeste une très grande joie.
■ Dans son bain, il éclabousse tout autour de lui en battant l'eau vigoureusement des
pieds et des mains. A table, il joue avec sa tasse et son assiette, essaie de se servir de
sa cuiller et voudrait manger seul, n'y arrive pas et plonge ses doigts dans le
potage.

Ce qu'il n'aime pas

■ Ce qui est nouveau, ce qui est soudain, ce qui fait du bruit (par exemple les
appareils ménagers : aspirateur, moulin à café, mixer, etc.).
■ Il n'aime pas qu'on lui fasse attendre son repas,

■ qu'on change quelque chose à ses habitudes,
■ qu'on le laisse avec un étranger : cela va de la simple crainte à la peur panique,
■ qu'on le laisse seul en face de son assiette.

Vous savez maintenant ce qu'un enfant a dans la tête entre 8 et 12 mois et ce qu'il aime ou n'aime pas. Ne croyez pas que je me sois trompée quand je vous ai dit que l'enfant voulait manger seul mais ne pouvait supporter que sa mère ou la personne qui s'occupe de lui s'en aille.

C'est en effet à partir de cet âge qu'apparaît la coexistence de deux tendances en apparence contradictoires (mais conformes à la nature humaine) : le désir qu'il y ait du nouveau et le souhait que rien ne change. (Plus loin je reviendrai sur cette ambivalence.)

Sa peur est un progrès

A cet âge on peut faire une autre observation : lorsqu'il est dans une maison qu'il ne connaît pas, l'enfant est inquiet ; lorsqu'un étranger veut l'embrasser, il recule. Depuis Spitz c'est ce qu'on appelle « l'angoisse du 8ᵉ mois ». Mais on peut l'observer parfois plus tôt : dès 6-7 mois. Et parfois aussi cette angoisse persiste jusqu'à l'âge où l'enfant marche. Enfin, il peut arriver qu'elle laisse des traces, elle peut expliquer par exemple la crainte de certains enfants en face d'une nouvelle institutrice ou la peur de certains adultes devant des inconnus.

Lorsqu'il est angoissé, lorsqu'il a peur de s'endormir ou lorsqu'il a peur de voir partir sa mère, ou la personne qui a l'habitude de s'occuper de lui, l'enfant serre contre lui son ours qui n'a plus de poils ni de forme, une couche toute mâchonnée, ou simplement un bout de tissu de laine, qui sont devenus en quelques semaines son trésor. Comment ?

Au début l'ours était un simple objet qu'il avait sous la main, et peu à peu il s'est chargé de toute une gamme de sentiments et de sensations : il est à moi, j'en suis devenu propriétaire, il faut qu'on me le laisse, je l'aime, je le défendrai à tout prix, et surtout avec mon ours je ne suis plus seul quand on me quitte. C'est cet objet que D.W. Winnicott a appelé l'*objet transitionnel*, car, dit-il, « il représente la transition du bébé d'un état de fusion avec la mère à un état de relation avec la mère en tant que personne extérieure et séparée * ».

« Doudou, ninnin, ptissu, moufoir », entrés dans le petit monde de votre enfant, ne le quitteront pas avant de nombreux mois, parfois même jusqu'à l'entrée à l'école. Même plus âgé, lorsque l'enfant est fatigué, il peut encore rechercher son « doudou ». C'est un besoin de beaucoup d'enfants, jusqu'au jour où ils s'en débarrassent spontanément. Il n'y a vraiment à faire de zèle ni pour le donner ni pour le retirer.

Mais que signifient ces craintes ?

D'abord que l'enfant s'est si bien habitué à reconnaître ses « tableaux » (le cadre de sa vie quotidienne, le visage de sa mère, de son père, celui des familiers de la maison, des éducatrices de la crèche, etc.) que tout changement le désoriente.

---

* D.W. Winnicott, *L'enfant et sa famille*, Petite Bibliothèque Payot.

Pour cette raison, dans les crèches, on essaie d'éviter les changements de section entre 7 et 10 mois.

Ensuite, cela signifie, non pas que l'enfant régresse, mais au contraire qu'il fait des progrès en distinguant maintenant l'inconnu du connu.

S'il tient tant aux rites établis, aux habitudes prises, c'est qu'ils lui apportent le confort du déjà-vu. Le fait que les choses ne se déroulent pas comme d'habitude l'inquiète : pourquoi papa ne vient-il pas me chercher comme tous les soirs ? Pourquoi y a-t-il un nouveau bébé chez la nourrice ? Pourquoi m'a-t-on changé de lit ? Mais il est bien difficile d'éviter tout changement. Ce qu'il faut, c'est parler à l'enfant, lui répondre, lui expliquer ce qui se passe.

En même temps, l'enfant a des aspirations vers l'indépendance : c'est dans la nature des choses. Son avenir, c'est de s'éloigner. Résultat : il est sans cesse tiraillé entre le confort du connu et le désir de l'aventure ! Les adultes se trouvent souvent dans ce cas, eux aussi. Mais, eux, ils peuvent être heureux en choisissant l'une ou l'autre voie. Un bébé, lui, a besoin des deux. Et, pour les concilier, il a besoin de vous.

Ces changements de cadre, d'horaire, de nourriture, l'enfant les accepte s'il se sent en sécurité près de vous, s'il les comprend, en un mot s'ils ont été préparés. Il les refuse s'il est brusquement plongé dans une situation angoissante. En un mot, sûr de votre présence, il veut bien s'aventurer seul.

A moins que l'enfant ne cherche à s'opposer à vous, ce qui est aussi une manifestation d'indépendance.

« Sûr » : c'est l'un des mots-clés de l'enfance. Lorsqu'il se sent en sécurité, l'enfant est confiant, heureux, hardi à tous les âges *. Jérôme rentre de l'école. Il s'assure que je suis là, m'embrasse très vite, ôte son manteau, se précipite sur un livre, goûte en lisant, entend à peine les questions que je lui pose sur l'école, y répond distraitement. Mais lorsqu'il m'entend dire : « Je sors », il laisse tout et s'écrie : « Non ! ne sors pas ! Reste avec moi ! »

Les parents qui ne comprennent pas que leur enfant doit satisfaire cette double tendance — et cela dès la première année — peuvent réagir de deux manières :
- Soit dire : « Ah, tu veux tout faire tout seul ? Eh bien, je te laisse. Je m'en vais. » L'enfant se sentira alors abandonné, sentiment très angoissant pour lui, le contraire de la sécurité.
- Ou bien on peut dire : « Tu as besoin de moi, je ne te quitte pas. » Dans ce cas, l'enfant aura de la peine à voler de ses propres ailes.

Ces deux extrêmes sont à éviter, c'est parfois difficile, j'en conviens.

Quelques suggestions

Sortez votre enfant de son lit, mettez-le dans son parc ; il a besoin de mouvement. La tentation des parents occupés, c'est de laisser le bébé dans son lit trop longtemps. Or, pour se développer, l'enfant à cet âge a autant besoin de mouvement qu'il avait besoin de sommeil pendant les premiers mois.

Le parc est son territoire. Il y reste volontiers si vous ne lui donnez pas l'impression de l'y abandonner. Mais ce sera un territoire temporaire. Assez vite, il sera

---

* La sécurité : c'est tellement capital que nous lui avons consacré un article dans l' *Éducation silencieuse.*

heureux d'en sortir. De temps en temps installez-le à côté de son parc, à l'extérieur ; il continuera à utiliser les barreaux pour se lever et pour s'amuser à attraper les jeux à l'intérieur.

Si vous voulez acheter un parc, prenez le modèle le plus simple et le plus classique : en bois, carré, avec des barreaux. Dans un parc rond à filet, l'enfant a de la peine à s'agripper au filet et à se relever ; en outre il a moins d'espace.

Il commence à beaucoup s'agiter dans sa chaise haute : ouvrez l'œil.

Procurez-lui suffisamment d'objets, puisqu'il aime tellement toucher, sucer, manipuler, cacher.

Ne laissez pas traîner de sac en plastique. Il risquerait de s'en coiffer et de s'asphyxier.

Il aime mordiller tout ce qu'il peut (fût-ce à l'occasion celui qui le porte). Cet enfant qui mord, il ne faut pas le traiter de méchant, même s'il fait mal. C'est un passage normal, à cet âge.

Un peu plus tard, mordre prendra une autre signification : mécanisme de défense de l'enfant, en particulier lorsqu'il est en compagnie d'autres enfants (au jardin, à la crèche, etc.) et qu'il ne s'y sent pas à l'aise.

Mais l'enfant qui mord peut aussi « se décharger » des tensions qu'il sent de la part des adultes qui s'occupent de lui. Par exemple : à la crèche, une « Tatie » enlève brusquement un jouet à un enfant pour l'obliger à se mettre à table en même temps que les autres. Frustré, furieux, l'enfant se tourne vers son voisin et le mord, n'osant pas agresser l'adulte.

Cette réorientation d'agression est une attitude que nous, adultes, pouvons bien comprendre car nous la pratiquons sans cesse : par exemple, en restant aimables et soumis avec ceux qui ont de l'autorité sur nous et qui nous ont agressés, et en défoulant tension et inquiétudes dans la famille, ou dans les embouteillages...

12 à 18 mois

Mon père, ce héros au sourire si doux...
Victor Hugo

Le grand événement des six mois qui vont maintenant se dérouler, c'est la marche, pas du jour au lendemain, mais tôt ou tard acquise au cours de cette période.

Il faut environ six mois à l'enfant pour passer du « je-m'accroche-aux-barreaux-du-parc-pour-me-redresser » au « je-lâche-la-main-de-papa-pour-marcher-tout-seul ». Six mois d'efforts quotidiens avec des hauts et des bas : les bons jours où l'on progresse à pas de géant, les mauvais où l'on sait à peine se tenir debout. Et le bébé mettra tant d'ardeur à apprendre à marcher, qu'il ne fera presque aucun progrès dans les autres domaines.

A un an, avec le premier mot, le langage avait l'air de démarrer ; entre 12 et 18 mois, il semble piétiner. Certains enfants disaient par exemple « ci » — pour merci — et ne le disent plus. Les parents ont l'impression que l'enfant l'a oublié, en fait il s'intéresse à autre chose. A un an, l'enfant dormait très bien ; lorsqu'il se met à marcher, il a des insomnies. C'est d'ailleurs une notion qui sera valable pendant toute la croissance : lorsqu'un enfant fait un progrès dans un domaine, il ne faut pas s'étonner des pauses qui peuvent se produire dans les autres.

Lorsque l'enfant saura marcher seul, pendant un certain temps il semblera ne rien apprendre de nouveau. En fait il enregistre tout, de nouvelles acquisitions se mettent en place qui ressortiront au prochain stade. Ainsi 2 ans-2 ans et demi marquera un autre bond en avant : l'enfant fera d'énormes progrès de langage.

12-18 mois, c'est donc pour la grande majorité des enfants l'âge de la marche, ce que les spécialistes appellent une « période sensible ». Mais nous ne le répéterons jamais trop, les étapes sont élastiques. Ajoutons que l'âge de la marche n'a pas de rapport avec le développement de l'intelligence, alors que la préhension en avait, ainsi que vous l'avez vu.

Période sensible, c'est une expression due à Maria Montessori et que vous retrouverez tout au long de l'enfance : c'est l'âge où l'enfant apprend avec le plus de facilités quelque chose de nouveau. Il y a une période sensible pour toutes les acquisitions : marche, langage, couleurs, comme, plus tard, lecture et calcul. Mais c'est particulièrement vrai pour le langage : sans aucun effort, l'enfant apprend sa langue maternelle. Adulte, il lui faudra des années pour apprendre, avec effort, une langue étrangère qu'il parlera d'ailleurs rarement aussi bien que sa langue maternelle. Et ce que l'expérience enseigne, c'est qu'il ne faut pas laisser passer les périodes sensibles sans encourager l'enfant ; sinon, plus tard, il aura plus de mal à apprendre. Il est aussi dommage d'empêcher un enfant d'apprendre qu'il est vain de le presser. L'enfant apprend mieux lorsqu'il en a envie.

Apprendre à marcher veut d'abord dire apprendre l'équilibre, puis savoir avancer ; cela ne va pas sans difficultés. Ne relevez pas votre enfant chaque fois qu'il tombe ; l'effort qu'il fait pour se relever fortifie ses muscles. Il tombe, il se redresse en s'appuyant sur les mains, il se relève, retombe. C'est un dur apprentissage, mais un apprentissage nécessaire. Pour apprendre à parler, il va aussi répéter indéfiniment les mêmes syllabes, comme, pour apprendre à saisir, il a passé des semaines à s'exercer. Ce qui aidera votre enfant, c'est votre approbation pour ses efforts, votre compréhension pour ses besoins .

La marche va transformer votre enfant. Jusqu'alors, il était complètement dépendant de son entourage, maintenant, sans rien demander à personne, il est capable d'aller voir de près ce qui l'intéresse, ce qui l'intrigue, et de faire ainsi chaque jour mille découvertes et expériences. Il devient un personnage remuant, actif, incroyablement occupé, jamais fatigué.

La marche va avoir une autre conséquence, moins visible. Grâce à elle, votre enfant va vraiment réaliser qu'il a un corps car, maintenant, il fait des chutes, il se cogne, il retombe, il se fait mal, il se heurte à un meuble, il se pince les doigts dans une porte. Ces coups, ces bleus, ces bosses sont autant d'expériences qui se répètent dix fois par jour et que l'enfant ressent comme autant de petites douleurs. Le résultat c'est qu'à 18 mois il fait un détour pour éviter le meuble qui pourrait lui faire mal.

Ainsi, ayant fait des expériences se rapportant à son corps, il s'y intéresse maintenant prodigieusement : s'il voit sur son bras un petit bouton, il le regarde pendant des heures, d'où l'effet magique du pansement qui « recolle » les morceaux. Mais si le bouton sèche et que la peau se détache, l'enfant pleure, il a l'impression qu'une partie de lui-même s'en va. Une égratignure, une goutte de sang l'inquiètent également, surtout lorsque l'entourage exagère l'importance de ces petits incidents.

Quatre mots pour tout dire

Boileau disait : « Ce qui se conçoit bien s'énonce clairement, et les mots pour le dire arrivent aisément. »

Notre petit 12-18 mois n'est pas de l'avis du poète : il comprend beaucoup, mais il a peu de mots pour le dire.

Jérôme a 15 mois. Il ne sait dire que deux mots ; mais lorsque son père lui demande le mouchoir rouge qui est dans son lit, il se dirige vers le lit, soulève l'oreiller, prend le mouchoir rouge (ne touche pas au jaune) et le rapporte à son père, très à l'aise. Et l'on pourrait citer bien d'autres exemples de ce genre.

L'enfant fait peu de progrès de langage, car, pour le moment, c'est la marche qui mobilise ses forces. Pour se faire comprendre, il se sert des quatre ou cinq mots qu'il connaît mais qui sont essentiels car il les charge des sens les plus variés en s'aidant de gestes et de mimiques. Par exemple, quelque chose lui déplaît : il fait la moue et un geste très net de la main pour signifier son refus. En général, un ou deux mois plus tard, il sait dire « pas » puis « veux pas » **. En valorisant ces quelques mots, en les reprenant, on habitue l'enfant à échanger, à communiquer avec son entourage.

---

* Vous trouverez quelques indications pratiques au sujet de l'apprentissage de la marche à la fin de ce stade.

** Dans *Le non et le oui, de la naissance à la parole* (P.U.F.), Spitz a été le premier à mettre en valeur la possibilité de dire non, en en faisant même un moment « organisateur » de la personnalité.

Cela dit, la compréhension est en général, à cet âge, en avance sur l'expression parce que, en présence de leur bébé, les parents commentent ses faits et gestes. Écoutez ce père qui aime bien donner le bain à son bébé : « Viens ma jolie, ton bain est prêt, regarde le poisson et le canard, ils sont déjà là. On va se laver et après on mettra le beau pyjama bleu... »

Et cette mère à l'heure du déjeuner : « Ne t'impatiente pas, ton déjeuner sera bientôt prêt. Ne bouge pas, je vais chercher la purée. La voilà. Oh, la jolie serviette avec le petit chat ! Regarde le chat. Mange mon bel ange, encore une cuiller... Attends, je vais chercher une pomme... », etc.

Et l'enfant, ravi, écoute ces paroles qui sont pour lui comme une musique qu'il reproduit en chantonnant. Il est vraiment avide d'écouter non seulement ce que lui disent ses parents, mais aussi ce qui se dit autour de lui. Ainsi peu à peu, son oreille enregistre certains mots ; à force de les entendre, il comprend « chat », « pomme », « purée », « bain », « pyjama ». Puis il reconnaît les objets que ces mots désignent, et, un beau jour, il est capable d'aller tout seul chercher la pomme que sa mère lui a demandée.

Papa !

Lorsque le père, comme la mère, s'occupe du bébé pour les soins quotidiens, l'enfant le connaît bien, dès les premiers jours.

Sinon, c'est à partir du moment où l'enfant marche et parle qu'il s'impose vraiment à son père. L'enfant de cet âge tient suffisamment de place dans la maison pour que son père doive compter avec sa présence.

En dehors du plaisir réciproque que peuvent avoir un enfant et son père, ce dernier a un rôle important à jouer : empêcher que le duo mère-enfant ne devienne trop exclusif, et favoriser les contacts de l'enfant avec les autres. Un exemple : l'enfant veut dormir avec ses parents, le père y est opposé, mais la mère cède. L'enfant se rend alors bien compte que son père n'a pu s'interposer entre lui et sa mère, et voyant qu'elle a cédé sur ce point, il va devenir de plus en plus exigeant. En plus, pour l'enfant, ce n'est pas une bonne préparation à la vie en société : habitué à cette relation de couple, à cette vie à deux, il aura de la peine à faire la part des autres. Les instituteurs connaissent bien ce type de réaction qui caractérise les enfants très exclusifs : ils cherchent à attirer l'attention, ne travaillent que si on s'occupe d'eux, etc.

Que se passe-t-il lorsque l'enfant dans la première année n'a pas encore noué de vraies relations avec son père ? Il est grand temps d'y songer. Certains pères attendent encore plus tard pour nouer le dialogue, que leur enfant soit capable de parler convenablement. Mais le père ne doit pas trop tarder pour manifester son intérêt, son enfant a besoin de lui. De plus, l'enfant vit ses premières années dans un univers encore essentiellement féminin : mère, nourrice ou puéricultrice à la crèche, puis maîtresse à la maternelle ; il est nécessaire qu'une image d'homme s'impose à lui assez tôt.

Et si le père ne manifeste ni tendresse, ni intérêt pour l'enfant, celui-ci le ressent-il ? La première année, il semble qu'il ait assez de sa mère pour vivre heureux ; si son père l'ignore, il n'en souffre pas vraiment. Cela peut quand même avoir un inconvénient, c'est de rendre le rôle de la mère plus délicat, elle peut avoir tendance à surprotéger son enfant. Elle peut aussi en vouloir au père et il n'est jamais bon qu'un enfant sente le désaccord autour de lui.

Mais à partir d'un an, s'il fait des avances qui sont ignorées, l'enfant, d'abord déçu, finit par craindre ce père. A la place de la confiance s'installe la méfiance. De neutre, ce père devient hostile, et l'enfant est rejeté dans les jupes de sa mère, seule présence accueillante. Là encore le risque est la surprotection ou le ressentiment de la mère. Plus tard, vers 3-4 ans, le problème du père se posera d'une manière différente, au moment du complexe d'Œdipe.

Dans les rapports père-enfant, la mère a un rôle important à jouer. L'enfant fait plus vite connaissance avec son père lorsque sa mère prend l'habitude de parler de lui. Mais si la mère aide souvent à établir de bonnes relations père-enfant, parfois au contraire elle peut les perturber. Ainsi, certaines mères couchent systématiquement l'enfant avant le retour du père, soi-disant pour que la maison soit calme, en fait pour avoir son mari tout à elle. C'est compréhensible *, après une journée fatigante et des enfants bruyants, de rechercher le calme, et une bonne soirée en tête à tête. Mais le faire tous les jours serait dommage pour l'enfant, et aussi pour le père : ils ont plaisir à se voir et en ont besoin.

Un progrès bien apprécié

Dans ce chapitre, j'essaie de vous montrer comment l'enfant se développe dans sa tête, son cœur, son corps. Vous avez vu que tout se tient, qu'un progrès en affecte un autre, combien le psychisme dépend du moteur et inversement (tout le développement est global), que les circonstances familiales, celles tenant à l'environnement, aux amis, etc. influencent aussi.

Si vous m'avez suivie jusqu'ici, vous admettrez qu'un événement ayant pour cadre la salle de bains trouve sa place dans ce chapitre car il dépend du développement de l'enfant en même temps qu'il l'influence : je veux parler de l'apprentissage de la propreté.

C'est vers 18 mois que l'enfant est prêt pour ce fameux apprentissage, fameux car pour certaines générations tout en dépendait (normal, c'était le règne du bébé-tube digestif...).

A cet âge donc l'enfant est prêt, d'abord parce que ses muscles se sont bien développés ; vous l'avez d'ailleurs vu, c'est ainsi que l'enfant a marché, et que bientôt, il pourra, tenu par la main, monter l'escalier. Ensuite l'enfant peut « se retenir » ou au contraire « pousser » (qu'il s'agisse d'urines ou de selles). Enfin les progrès de langage font que l'enfant sait lui-même demander le pot par un mot. Et s'il ne parle pas bien, il sait alors indiquer par un geste, en tirant sur sa culotte, ou en se tortillant, ce qu'il veut.

C'est donc lorsque l'enfant aura atteint cette maturité musculaire et ces possibilités d'expression qu'on pourra commencer l'apprentissage de la propreté. Et c'est surtout dans les mois qui suivront que cet apprentissage occupera une place importante. Nous situons ce moment ici, un peu à la charnière de deux stades, autour de 18 mois.

En fait, il y a longtemps que l'enfant a commencé son apprentissage. Chaque fois qu'on le change, il peut apprécier le confort d'être propre. De même, lorsqu'ils

---

* En écrivant cela, je ne peux m'empêcher de penser à cette phrase de Raymond Chandler : « J'adore le bruit des pas des petits enfants qui s'éloignent dans les couloirs... »

12 à 18 mois

Jambes écartées, torse en avant, bras en balancier, il marche. Les virages sont encore difficiles et les chutes fréquentes. Les escaliers se montent encore à quatre pattes. Dans sa chaise, l'enfant se met debout ; il essaie de grimper sur les autres chaises.

Ses mains apprennent à être indépendantes l'une de l'autre, alors qu'au début l'une se contentait d'aider l'autre.

Il peut donner un cube, ne sait pas lancer une balle, sait mettre un petit objet (perle) dans un grand (bouteille), essaie en vain de faire, avec ses cubes, une tour.

Il sait tourner les pages d'un livre (mais plusieurs à la fois), pointer l'index sur les images. Quand il en a assez, il repousse le livre.

savent s'asseoir, certains enfants acceptent de rester quelques minutes assis sur le pot, tout en continuant à avoir des couches le reste de la journée.

Et quand l'enfant demande le pot, d'une manière ou d'une autre, c'est alors que commence vraiment l'apprentissage.

De toute manière, à ce moment-là, ses besoins sont moins fréquents donc plus faciles à régulariser. Alors si ses parents s'y prennent bien, avec souplesse, tout se passera bien. Et devenu propre, l'enfant en appréciera le confort, en plus il sera fier de se contrôler.

Mais les choses ne se passent pas toujours ainsi. Car c'est l'âge où précisément l'enfant s'intéresse à tout ce qui se rapporte à son corps, sans se donner de limites. Il peut par exemple explorer ce qu'il a mis dans le pot et son plaisir se heurte à un interdit. Quelque chose semble illogique à l'enfant. On lui demande de faire dans son pot ; lorsqu'il s'exécute on le félicite, mais aussitôt on vide ce pot qu'il est si fier d'avoir rempli.

De plus certains parents, certaines mères surtout, sont trop pressés ; ils pensent qu'un enfant propre très tôt, c'est une preuve de bonne éducation. D'autres parents sont trop sévères et grondent l'enfant qui n'apprend pas assez vite.

D'autres, les maniaques du microbe, de l'hygiène et de l'ordre, prennent des airs dégoûtés en vidant le pot.

Certains parents, au nom du respect de la liberté ou pour « laisser faire la nature », se refusent à une éducation systématique de la propreté. D'autres enfin parlent avec une jovialité qui confine à la complaisance de la production attendue. L'enfant trône sur son pot au milieu de la famille ; ce qu'il fait ou ne fait pas est l'objet de mille plaisanteries. Ainsi Aragon a-t-il pu dire que le premier mot qu'entendait le jeune Français était le mot « caca » : ce n'est pas tellement exagéré.

Enfin, si l'enfant est chez une nourrice ou dans une crèche, les attitudes éducatives à ce sujet peuvent être en totale contradiction avec ce qui se passe en famille et l'enfant ne s'y retrouve plus.

Les réactions de l'enfant sont alors diverses. Il peut manifester son refus de faire ce qu'on lui demande de deux manières : soit en salissant ses couches ; soit en se retenant : c'est pire, car il devient constipé et lorsqu'il essaye finalement de s'exécuter, il a mal ; il se retient encore davantage, la constipation s'installe. Pour la soigner, la mère emploie lavements, suppositoires, etc. C'est un cercle vicieux. La séance du pot devient une affaire de famille : chacun s'en mêle, chacun suggère un nouveau moyen pour obtenir un résultat. Les uns menacent d'une punition, d'autres humilient d'un mot, d'autres promettent une récompense.

Si ce n'est que le but recherché est différent, c'est exactement le même scénario qui préside aux repas de l'enfant qui refuse de manger. Et dans les deux cas, l'agressivité naturelle de l'enfant prend des proportions dramatiques *. Il a envie de frapper, de griffer, de battre ceux qui emploient des moyens si maladroits pour le forcer à faire quelque chose dont il n'a pas envie. Il se met en colère, tire avec

* Une certaine dose d'agressivité est normale ; elle est la preuve que l'enfant a du caractère, qu'on ne peut lui imposer une obligation sans que ce caractère se manifeste (celui qui n'a pas de personnalité ne réagit à rien). C'est d'ailleurs, finalement, cette force qui lui permettra de surmonter l'obstacle.

rage les cheveux de sa mère, la pince, la mord *. Si, dans cette atmosphère, l'enfant finit par devenir propre, ce n'est pas sans avoir enfoui en lui-même sa rancœur et son désarroi.

Certains enfants peuvent développer plus tard des réactions de trop grande méticulosité, d'inhibition ou de timidité.

Enfin, cet acquis apparent peut être fragile et se perdre lors d'une nouvelle difficulté d'adaptation : nouvelle naissance, entrée à l'école, etc.

L'apprentissage de la propreté pose encore certaines fois des problèmes, vous les avez vus et sinon, d'ailleurs, on n'en aurait pas parlé. Mais dans l'ensemble, on peut dire que dans ce domaine la situation s'est beaucoup améliorée depuis dix ans. L'information est passée : les parents ont aujourd'hui une attitude plus décontractée, plus sereine, plus adaptée à la personnalité et à la maturité de leur enfant. Ils réalisent que l'acquisition de la propreté commencée trop tôt est un dressage qui a toutes les chances d'échouer, alors que si elle est envisagée plus tard comme un apprentissage, elle se fait naturellement. Ajoutons un détail pratique : le fait qu'il y ait des changes complets et qu'on ne soit plus obligé de laver les couches, simplifie tellement la vie des parents qu'ils sont moins pressés vis-à-vis de leur enfant.

Les crèches ont également évolué : on ne voit plus ces séances de pots, interminables, et à heures fixes, où tous les enfants sont assis en rang d'oignon, sans trop savoir pourquoi. Les auxiliaires de puériculture et les assistantes maternelles font un apprentissage progressif et adapté à la maturité de chacun, en collaboration avec la famille.

Quant aux suggestions pratiques pour l'apprentissage de la propreté, vous les trouverez au chapitre 3, page 201.

Les plaisirs et les jeux

Vers 1 an-1 an et demi, l'enfant aime les animaux et s'y intéresse : des poules aux vaches en passant par les chiens, les chats, les chevaux, aucun ne lui fait peur. Il aime jouer avec le sable et l'eau, la pâte à modeler, pas très proprement. D'abord parce qu'il est encore maladroit ; ensuite parce qu'il ne fait pas la distinction entre le sale et le propre : ce sont les adultes qui trouvent que c'est sale. Toutes les activités de jeux avec l'eau (transvaser, remplir, vider, etc.) sont essentielles à cet âge. L'eau a un rôle calmant pour l'enfant ; jouer avec des entonnoirs, des bouteilles, le détend et mobilise sans effort son attention. Observez votre enfant jouer avec de l'eau, vous verrez qu'il y prend un grand plaisir. Le matériel est simple : l'équivalent de 3 à 4 verres d'eau dans une petite cuvette, des éponges, des entonnoirs.

Bien que capable d'une étonnante persévérance, par exemple, lorsqu'il veut mettre un cube dans l'autre, il aime changer souvent de jeux ; et s'il en a assez à sa disposition, il peut jouer longtemps. Il aime construire une tour, ça l'amuse aussi

---

* Cette agressivité — parfois très spectaculaire dans ses manifestations — doit tomber assez vite, si l'on adopte une attitude compréhensive et souple. Si l'agressivité persistait au-delà de 2 ans en gestes impulsifs vis-à-vis de la mère et des frères et sœurs, en destructions volontaires, etc., il faudrait consulter le médecin.

de la détruire, d'ailleurs à ce stade il commence à démolir et déchirer. (Voir au chapitre 3 les jouets qu'il aime à cet âge.)

Attention ! Il commence à escalader les barreaux de son lit ; c'est l'âge « acrobate et déménageur ». Mettez par terre un tapis pour amortir les chutes.

Conseils pour l'apprentissage de la marche

Il existe, pour l'âge où l'enfant commence à marcher, toute une gamme de « trotteurs » et de « porteuses » qui ont pour but de préparer à la marche. Que peut-on en penser ?

Je m'étais laissé convaincre par certains pédiatres et des mamans qui trouvaient ces trotteurs pratiques et amusants. Mais finalement, je crois qu'il est préférable de déconseiller. Non pas qu'ils soient dangereux, mais parce qu'ils privent l'enfant du plaisir d'apprendre et des efforts à faire.

Un bon moyen de faciliter l'apprentissage de la marche est de laisser l'enfant pousser sa poussette au jardin, et une chaise à la maison. Et lorsque votre enfant apprendra à marcher, tenez-le alternativement d'une main et de l'autre pour que son bras ne se fatigue pas.

A la crèche, les enfants sont également stimulés : ils ont un matériel varié à leur disposition, petites échelles, petites tables, ils ont envie d'imiter les plus grands qu'ils voient évoluer autour d'eux, mais ils ne sont pas pressés par les éducatrices, elles savent que chacun marchera à son heure.

Attention ! 12-18 mois : c'est un stade « moteur » pour *tous* les enfants. Si votre enfant ne marche pas à 18 mois, il faut en parler au médecin. Même si vous pensez que votre enfant est paresseux et qu'il se « laisse vivre », ce n'est pas normal qu'il n'ait pas envie de marcher à cet âge.

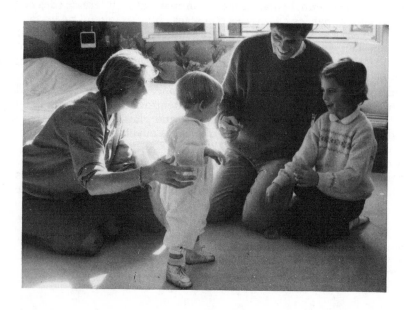

18 à 24 mois

... toujours se vautrait par les fanges, se mascarait le nez,
se chaffourait le visage, éculait ses souliers...
patrouillait par tous lieux et buvait en sa pantoufle...
ses mains lavait de potage,
mordait en riant, riait en mordant...
Rabelais

Maintenant que l'enfant sait marcher, va-t-il se reposer sur ses progrès conquis au prix de tant de chutes, de bleus et de bosses ? Ce serait mal connaître son extraordinaire vitalité et surtout son intense désir de tout voir, de tout essayer, de tout examiner. Jusqu'alors, il palpait ce qui était à portée de sa main ; maintenant qu'il peut toucher tout ce qu'il voit, il ne va pas se priver de cette nouvelle possibilité. Il va au contraire s'en donner à cœur joie.

A gauche, à droite, en haut, en bas, toucher à tout, quel extraordinaire plaisir ! Mettez-vous à sa place. Toucher à tout ! Rien n'arrête un bébé de cet âge : il grimpe sur les chaises, les canapés, les fauteuils, au risque de tomber dix fois. Il glisse sous les lits pour rattraper sa balle, monte les escaliers, essaie de les redescendre, n'y arrive pas. Ouvre les portes, allume les lumières, vide les tiroirs, met les cigarettes dans sa bouche pour jouer au grand. Dévisse la bouteille d'eau de Cologne (ou d'eau de Javel), ouvre un tube de rouge à lèvres (ou de pilules pour dormir). Prend les allumettes et les frotte pour faire une jolie lumière. Essaie de mettre une épingle à cheveux dans la prise de courant, pour voir. Déchire la page d'un livre posé sur la table, griffonne sur la couverture avec un feutre, jette sa tartine par la fenêtre, pousse sa chaise vers la commode pour attraper une pomme rouge dans le compotier : le plat tombe, les pommes aussi, le bébé avec. Qu'importe : il se relève. Il tire son train, traîne sa poupée par les cheveux. Tout cela fait beaucoup de bruit, beaucoup de désordre. Cela ne dérange absolument pas l'enfant, il ne les remarque même pas. Il parcourt des kilomètres dans la journée. On a l'impression qu'il ne se fatiguera jamais. Puis, tout à coup, plus un son. Le silence semble alors plus inquiétant que le bruit qui précédait. On se précipite. L'enfant s'est endormi par terre, vaincu. Mais non, il rassemble ses forces avant de repartir pour de nouvelles conquêtes.

Un appartement livré à un enfant qui sait bien marcher et qui est un peu turbulent, fait au bout d'un moment penser aux champs catalauniques. Les enfants de cet âge ne sont pas tous des petits Attila. Certains sont plus calmes, les filles en particulier, mais c'est quand même l'âge de l'enfant terrible, du touche-à-tout. Et il ne faut pas se féliciter mais plutôt s'inquiéter d'avoir un enfant de 2 ans exceptionnellement calme, qui reste dans son coin sans toucher à rien (« Lui, on ne l'entend jamais ! »). Le silence n'est pas de cet âge.

On doit d'ailleurs préciser que l'enfant de cet âge n'est pas spécialement destructeur. Lorsqu'il casse un objet, c'est par maladresse. Il ne le jette pas avec rage, il le laisse tomber, simplement parce que ses mains ne savent pas encore bien tenir.

Que doit-on faire lorsque l'enfant touche à tout et court partout, que ce soit chez vous, chez la nourrice ou à la crèche ? Tout interdire ou tout permettre ? Ni l'un ni l'autre. Dans le premier cas, ce serait contrarier une tendance essentielle de la croissance. Grimper, découvrir, explorer, palper, courir développent sens, muscles et intelligence. L'enfant qui pousse une chaise pour attraper une pomme posée sur la commode prouve par là son intelligence, et en même temps développe ses muscles. Dans une pièce sans objets et sans meubles, l'enfant ne peut rien abîmer, mais son intelligence sommeille, ses muscles aussi. En revanche, tout permettre serait dangereux.

Ce qu'il faut, c'est créer une atmosphère de liberté « aménagée ». A la crèche, c'est facile car tout est conçu en fonction des enfants : jeux et meubles sont adaptés à leur taille et à leurs besoins. Dans un appartement, c'est plus difficile. Pour mettre l'enfant à l'abri des dangers, il faut des barrières aux escaliers, des barricades aux fenêtres, des caches aux prises de courant ; les meubles fragiles à l'abri des coups et les bibelots préférés et produits dangereux dans les placards ; puis laissez l'enfant s'ébattre dans un coin, que celui-ci soit petit ou grand. Et d'ailleurs, on se rend bien compte lorsqu'on va chez quelqu'un qu'il doit y avoir un enfant de cet âge dans la maison : tout est bien placé en hauteur, hors de portée, plantes vertes, disques, lampes, livres, bibelots.

Votre enfant maintenant bien installé, et à l'abri des dangers dans toute la mesure du possible, tendez l'oreille pour surveiller ce qui se passe, mais ne venez pas lui dire toutes les deux minutes : « Attention, tu vas te faire mal ! » Il a besoin d'un peu de liberté. Laissez-le partir à l'aventure, cela lui donnera confiance. L'aventure, à cet âge, c'est grimper tout seul sur la petite chaise, ouvrir tout seul une boîte. En un mot, il a besoin de savoir que la personne qui s'occupe de lui est à portée de sa main ou de sa voix, mais pas toujours sur son dos. D'ailleurs, de temps en temps, il viendra vérifier qu'elle est bien là ; rassuré, il retournera à ses occupations. Puis il appellera pour montrer sa dernière découverte, ou pour avoir une aide en vue de la prochaine.

Depuis quelques mois, je vous l'ai dit, et pour longtemps encore, se mêlent chez l'enfant le goût de l'aventure et le besoin de sécurité. Or, la sécurité, c'est vous. Mais souvenez-vous que la curiosité de l'enfant est inlassable, qu'elle l'emporte sur sa peur, que son imagination est débordante, parfois même démoniaque, qu'il n'a d'ailleurs pas encore le sens du danger, et que les goûts bizarres et les odeurs désagréables ne le rebutent pas. Puis, peu à peu, expliquez à votre enfant ce qui est permis, ce qui est défendu, ce qui est dangereux. L'enfant comprend tous les jours davantage, mais ce qu'il a le droit de faire et ce qui lui est interdit, il ne peut le deviner. Comment voulez-vous qu'il sache qu'il est normal d'ouvrir une boîte pour voir ce qu'il y a dedans, mais qu'il est mal d'ouvrir un réveil pour voir d'où vient le tic-tac ? Vos explications le lui apprendront ; mais ne lui en demandez pas trop. Si vous voulez vraiment qu'il n'aille pas dans une certaine pièce, rendez cela impossible par un obstacle matériel et expliquez à l'enfant pourquoi. L'enfant apprend très vite à respecter le monde des adultes.

Et le jour où il fera une bêtise, ne le grondez pas trop fort ; votre colère l'inquiéterait et lui ferait peur. En grondant souvent un enfant de cet âge, en criant beaucoup, on finit par lui donner le sentiment qu'il est coupable. D'ailleurs, à cet âge, les parents appellent souvent bêtises un geste normal de l'enfant dicté par son intelligence, et qui signifie pour lui une nouvelle découverte. Lorsqu'un enfant déplace un meuble pour chercher la balle qui s'est glissée dessous, ce n'est pas une bêtise, c'est de l'ingéniosité. Et si vous grondez votre enfant, que votre colère ne soit pas proportionnelle à la valeur de l'objet cassé ; un enfant ne fait pas de différence entre une porcelaine de Sèvres et un bol de Prisunic.

Certains adultes qualifient automatiquement un enfant de méchant ou de vilain, lorsqu'il touche à tout. Mais c'est sa manière d'apprendre. Lui en faire grief, c'est comme reprocher à une personne affamée de se servir du plat qu'on pose devant elle. Les adultes eux-mêmes adorent toucher ce qu'ils voient pour la première fois ; la preuve : dans tous les musées du monde, il y a des écriteaux « Défense de toucher ». Et dans les magasins, voyez comme, pour apprécier un objet, les femmes le touchent, le retournent, le palpent.

Ainsi, bien guidé par ses parents, l'enfant acquiert en six mois une grande aisance. Pour son deuxième anniversaire, il est devenu habile de ses mains, adroit de son corps, il sait bien se faire comprendre, il devient plus sociable. Cela est vrai dans tous les cas. A 2 ans, le peloton s'est reformé, les retards se sont rattrapés. Jusque-là il y avait, à côté du bébé classique (première dent, 6 mois ; premiers pas, 12 mois ; première « phrase », 18 mois), le petit phénomène qui marchait à 9 mois, le plus lent qui n'avait fait ses premiers pas qu'à 18 mois, la petite fille qui ne souriait pas encore à 4, celle qui avait reconnu son entourage à 2 mois, etc. Tous ces enfants étaient normaux : simplement, leur constitution, leur tempérament, leur environnement étant différents, les acquisitions ne s'étaient pas faites au même âge. De la même manière ils n'avaient pas percé leurs dents tous au même moment. Maintenant, le lièvre a rejoint la tortue ; à 2 ans, tous les enfants savent faire la même chose ; une seule différence subsiste, elle concerne le langage : tel enfant connaît 20 mots, tel autre au même âge 50, un troisième 100. Ils ont un point commun cependant : le verbe ; ils en usent abondamment.

Le verbe exprimant l'action, il est normal que l'enfant s'en serve à l'âge où il est si actif. Pour commencer, il l'emploie à l'infinitif et au participe : *Bébé p(r)omener, Papa pa(r)ti*, etc. Les personnes, les temps, viendront plus tard. Pour l'instant, la phrase se compose donc essentiellement d'un mot ou de deux, plus le verbe. Exemple : *Papa ouv(r)i(r) tic-tac*. A l'étape précédente, le mot était à lui seul la phrase.

Ce « parler bébé » * dure jusqu'à un an et demi-deux ans, mais se prolonge lorsque les parents l'adoptent, sous prétexte de se faire mieux comprendre. L'enfant dit *poupe* car il ne sait pas dire *soupe*, mais il a très bien compris que la soupe était ce liquide qu'on lui donnait au repas. Peu à peu, à force d'entendre dire soupe, il y arrivera bien, puisque le langage est avant tout affaire d'imitation. Mais lorsque l'entourage déforme les mots, l'enfant répète indéfiniment *poupe, sisite, lolo*, etc. **. C'est dommage, car, à cet âge, l'enfant commence à s'intéresser aux noms des objets qui l'entourent. Il est ravi quand il entend des mots nouveaux. Certains même le fascinent. Lorsque à 22 mois Frédérique pleurait, il suffisait de lui dire « saladier », pour arrêter ses larmes.

* Les spécialistes l'appellent le « jargon ». L'enfant utilise les mots qu'il connaît pour entrer en communication, pour échanger avec les autres. Il imite le rythme de la phrase adulte, et sa reproduction des mots est plus ou moins réussie.
** Apprendre à parler, pour l'enfant, c'est imiter l'adulte. Si l'adulte imite l'enfant, il ne remplit pas son rôle.

18 à 24 mois

Plaisir de découvrir, plaisir de transporter : les mains et les jambes sont maintenant assez sûres d'elles pour permettre au jeune explorateur de s'en donner à cœur joie.

Il tient bien son crayon (indifféremment de la main droite ou de la main gauche), mais le trait qu'il tente de tracer verticalement est encore bien incertain. D'ailleurs, il n'y attache pas de prix, et froisse le papier avec le même plaisir qu'il a pris à le griffonner.

Pousser du pied un ballon, marcher à reculons, monter un escalier en tenant la rampe, et le descendre quand on est tenu par la main sont les conquêtes de cet âge.

Il sait tenir sa cuiller et sa timbale mais se salit beaucoup en mangeant. Il mange d'ailleurs avec bruit, et aspire bruyamment entre deux gorgées, quand il boit.

Courir est sa grande joie : il aime qu'on le poursuive, et se heurte beaucoup aux meubles. Il tire, pousse, arrache, frappe, en criant beaucoup.

Il ne s'agit pas de parler à un enfant comme un dictionnaire, mais de ne pas simplifier tous les mots délibérément sous prétexte qu'un enfant comprend mieux *lolo* que lait, *dada* que cheval. L'enfant n'a pas de préférence.

Mais s'il dit *poupe* parce que le s lui est encore difficile à prononcer, ne le reprenez pas (vous n'en finiriez pas, sans aucun profit d'ailleurs, avec le risque en plus de décourager l'enfant ou qu'il se mette à bégayer) ; simplement continuez à dire soupe et spontanément un beau jour, il dira « soupe ».

Et puis il y a des mots « affectifs », créés par chaque enfant, ceux-là n'y touchez pas. Nounours, pour Benjamin, ce n'est pas *un* ours (de la famille des plantigrades qui vivent dans les montagnes), c'est le compagnon sans lequel il ne peut pas s'endormir, qui est si doux et qui sent si bon.

Ce qu'il aime

- Manger seul comme un grand, mais aussi faire ce que tante Jeanne appelait « des pastrouilles », c'est-à-dire : taper avec sa cuiller dans la soupe en éclaboussant, verser l'eau dans la compote, ou mettre les épinards dans le yaourt.
- Glisser des objets dans les fentes du parquet, dans le trou de la serrure.
- Jeter par la fenêtre les objets les plus variés. C'est le moment de prendre une assurance contre les accidents qu'il pourrait causer.
- Dire non, par opposition certes, mais aussi par jeu. Pour obtenir ce que l'on veut, à cet âge, on peut parfois distraire. Exemple : il refuse de se déshabiller ? Allez à la fenêtre et dites : « Oh ! la belle voiture bleue, le gros pigeon gris ou le petit chien brun », suivant les cas. L'enfant accourt, regarde par la fenêtre ; pendant ce temps, vous lui ôtez sa chemise...
- Pour taquiner, il aime faire le contraire de ce qu'on lui dit. Si vous voulez qu'il vienne, dites-lui : « Au revoir » en faisant mine de partir.
- Faire des câlins à sa mère et l'embrasser, sauf quand elle le demande.
- Faire le singe pour faire rire ceux qui le regardent. En un mot, il est taquin, câlin, comédien.
- Il aime qu'on comprenne vite ce qu'il désire. Ce n'est pas toujours facile, car si ses goûts sont précis, son vocabulaire est encore limité.
- Pour les jeux et jouets de cet âge, reportez-vous au chapitre 3.

Attention !
- Il ne faut pas s'inquiéter de la mauvaise articulation, de la prononciation défectueuse de certaines lettres ou syllabes. Avant 4 ans, aucune difficulté de langage n'est significative ni inquiétante. Mais on peut quand même consulter une orthophoniste pour prendre conseil.
- A ce stade d'activité motrice très intense, certains enfants sont particulièrement turbulents : il faut veiller au sommeil et à la régularité des horaires.

2 ans à 2 ans et demi

Il lui demandait la cause de toutes choses,
et toujours savoir le pourquoy.

Amyot

2 ans-2 ans et demi représente une période de calme, d'équilibre, entre le stade de l'enfant terrible et l'étape de l'enfant capricieux (2 ans et demi-3 ans) dont nous parlerons plus loin.

Entre 2 ans et 2 ans et demi, l'enfant commence à être plus sociable et plus facile à comprendre, car il s'exprime mieux.

En effet, ce qui l'intéresse avant tout maintenant c'est de parler, comme au stade précédent il ne se lassait pas de toucher. Après avoir bien repéré les personnes et les objets, il veut maintenant mettre sur tout une étiquette. Pour connaître le nom des objets, il les désigne d'un index interrogateur en disant : « Et ça ?... et ça ?... » Et lorsqu'on lui a répondu, il répète la réponse en écho. Puis, il pose la même question à une autre personne, pour vérifier, pour entendre encore une fois le mot nouveau. Répéter, faire répéter, c'est sa façon d'apprendre.

Tout lui est bon pour enrichir son vocabulaire. Il récite les noms des personnes qui l'entourent, il énumère ses jouets, ceux de ses frères et de ses sœurs : « Toto Bébé... Toto Jé(r)ôme... Toto F(r)édé(r)ique... » désignant les objets qui l'entourent. Il en nomme le propriétaire : « Chaussures maman... Livre papa... » Avec sa logique d'enfant, il n'aime pas voir les objets changer de propriétaire. Emmanuel, 2 ans et demi, s'étonne de voir sa grand-mère porter les chaussures de sa mère. C'est vraiment le magasinier en train de dresser son inventaire.

Il fait la liste de ce qu'il a mangé, à midi, le soir, hier, jusqu'où sa mémoire peut aller. Il veut savoir où se trouvent son père, sa sœur, l'ami qui a l'habitude de venir jouer avec lui. De tout ce qu'il dit se dégage un intense désir de s'orienter dans ce monde, de s'y retrouver, de s'y reconnaître ; et, lorsqu'il est seul, il répète les mots qu'il a appris et commente tout ce qu'il fait. C'est le début d'un long monologue qui durera des années, jusque vers six-sept ans.

Écoutez Gilles, 2 ans et demi, il fait rouler son auto : « Allez, toto... (l'auto s'arrête). Vilaine toto !... Tiens !... » Il la jette en l'air, l'auto retombe. Gilles la ramasse. « Pauvre toto... pleure pas... » Il l'embrasse : « Dodo toto... » Il la pose sur un rayon, etc.

Passant ainsi des heures à parler avec les uns ou les autres, ou à sa poupée, l'enfant fait d'immenses progrès de langage. Ce ne sont pas seulement des mots nouveaux que l'enfant acquiert, c'est une manière plus aisée de s'exprimer. Peu à peu, il s'éloigne du langage bébé.

D'abord interviennent les liaisons *de, pour* ; il les a apprises au cours de ses inlassables interrogatoires et énumérations. Il dit à présent « la poupée *de* Frédérique », « l'auto *de* Jérôme ». Puis il s'amuse à dire ce qu'il a entendu cent fois, « une cuillère *pour* Papa, une *pour* Maman... ».

Un beau jour enfin surgissent les adverbes : *bientôt, maintenant, alors, ensemble, aussi, tout à l'heure.* Ils font une entrée timide, mais très remarquée. Le lendemain, c'est le pronom qui entre en scène. Souvent d'ailleurs il double le sujet : « Corinne, *elle* est sage. »

Ainsi, de jour en jour, le vocabulaire s'enrichit-il ; mais les verbes dominent : on en dénombre jusqu'à 90 ou 100 quelquefois.

Dans ces nombres nous comptons, bien sûr, les mots déformés : ils sont encore nombreux, soit parce que l'enfant ne prononce ni les *f*, ni les *r*, ni les *v*, soit parce qu'il imite mal (*parapluie* devient *ta'apie, cornichon* et *artichaut* font un seul légume, le *fornichau*). La phrase naguère esquissée *(Papa veni'auto)* se structure : « *Papa veni' dans l'auto* », « *aussi Maman a un manteau bleu pour deho'* ». Les mots, remarquez-le, sont à leur place.

Que de progrès accomplis en six mois ! 2 ans à 2 ans et demi, c'est une étape particulièrement importante pour le langage.

Mais attention ! Ce que nous vous avons souvent dit est valable ici encore : il n'y a pas de domaine où les différences d'un enfant à un autre soient plus grandes que dans celui du langage. Tel enfant connaît 70 mots à 2 ans et 300 à 2 ans et demi. Tel autre n'en connaît que 50 à 2 ans et 100 à 2 ans et demi. Dans les deux cas, il s'agit d'enfants parfaitement normaux. Et ces différences peuvent subsister toute la vie : le vocabulaire de base de l'adulte moyen contient 1 500 mots, celui de l'adulte cultivé 3 000, celui de l'érudit 5 000.

D'où viennent ces différences ? D'abord des dispositions individuelles qui font que certains enfants parlent très tôt, comme d'autres marchent plus tôt. (D'ailleurs souvent un enfant en avance pour le langage est en retard pour la marche.) Dans une même famille, avec la même éducation, c'est particulièrement sensible : la sœur aînée connaissait cinq mots à 1 an, le frère cadet dit deux mots à 1 an et demi. Mais les dispositions individuelles n'expliquent pas tout. Le rôle de l'entourage est essentiel. Pour qu'un enfant parle normalement, il faut qu'il vive entouré d'affection et de compréhension. Il faut aussi qu'il entende parler et qu'on lui parle, qu'on réponde à ses questions, qu'on encourage ses efforts, le tout sur un ton gentil et sans déformer les mots.

Il est évident qu'un enfant auquel on dit gentiment : « Va te laver les mains, ensuite viens m'aider à mettre le couvert... C'est très bien. Va vite t'asseoir. Je vais t'apporter ta soupe... Attention, tu vas te brûler !... Bravo ! tu manges maintenant comme une grande fille », il est évident que cet enfant fera des progrès de langage beaucoup plus rapides que la petite fille livrée à un adulte indifférent, et qui n'entend tout le jour que des phrases de ce genre : « Mange ta soupe... Fais pipi... Dépêche-toi... Tu n'as pas honte ! Lave-toi les mains, vite !... Hou, la vilaine ! Encore une tache !... Bouge pas, je vais te l'ôter... Tu as sali ta serviette, tu n'auras pas de dessert !, etc. »

De même, dans certaines crèches, lorsque les puéricultrices n'ont pas le temps de parler aux enfants — et qu'à la maison on ne leur parle guère plus —, les enfants ne font pas de progrès de langage, ils se replient peu à peu sur eux-mêmes et deviennent taciturnes. Les psychologues voient parfois dans ces retards du langage dus à un manque d'intérêt de l'entourage, l'origine de difficultés qui se présenteront au moment où l'enfant apprendra à lire et à écrire.

Lorsque vous sentirez que votre enfant a atteint la période sensible du langage (c'est facile : il vous posera beaucoup de questions et sera très intéressé par vos réponses), vous lui parlerez souvent et clairement, et vous essaierez de lui répondre avec patience. Ce qui n'est pas toujours facile. Et quand il connaîtra les mots courants, ceux qu'il entend tous les jours, vous élargirez son vocabulaire en employant des mots nouveaux ; ils ouvriront son intelligence.

Il vient un moment où l'esprit a besoin de mots pous se développer, de même que le corps a besoin de nourriture pour s'épanouir. La comparaison n'est pas exagérée. Vous allez voir comment cela se passe.

L'enfant pose sans cesse des questions, même si elles sont encore posées d'une manière bien sommaire ; vous l'avez vu, sa curiosité est inlassable. Il a envie de connaître les noms des choses comme il a eu envie de voir celles-ci, puis de les toucher. Cette curiosité est normale, elle manque à l'enfant en retard ou à l'enfant déficient.

Lorsque l'enfant demande : « Et ça... Et ça ?... T'as vu ? » en désignant un objet, on lui en donne le nom, mais presque toujours en ajoutant une explication : « Ça s'appelle un aspirateur et ça sert à enlever la poussière. » Puis, même si on ne fait pas une démonstration exprès pour lui, l'enfant regarde mettre la prise, presser le bouton, aller d'une pièce à l'autre. Et bientôt « aspirateur » est, pour l'enfant, non seulement un mot nouveau, mais le nom d'un objet blanc ou vert qui fait du bruit, qu'on roule dans l'appartement pour faire le ménage ; pendant qu'il marche, on ouvre la fenêtre, etc. Ainsi, l'enfant augmente son vocabulaire d'un mot, mais sa mémoire enregistre en même temps tout ce qui entoure le mot « aspirateur » : les gestes, les images, les circonstances, etc.

Les questions reviennent, et à chaque fois le même scénario, le même mécanisme se déroule :

curiosité qui pousse l'enfant à demander : « Et ça ?... Et ça ?... » ;

compréhension qui permet à l'enfant de saisir l'explication donnée ;

mémoire qui enregistre le mot et tout ce qui l'accompagne : circonstances, décor, etc.

A faire sans cesse cette gymnastique, l'esprit y devient très habile et le mécanisme fonctionne de plus en plus vite, car

la curiosité grandit : avec l'âge, l'enfant pose de plus en plus de questions ;

la compréhension augmente : plus l'enfant sait de mots, mieux il comprend ce qu'on lui explique ;

la mémoire se perfectionne : plus elle fonctionne, plus elle se développe, c'est sa caractéristique bien connue.

Ainsi, chaque jour, l'enfant ajoute un mot ou plusieurs à son vocabulaire, et étend le champ de ses connaissances. A telle enseigne qu'à 2 ans et demi l'enfant connaît, en général, près de 300 mots. C'est beaucoup lorsqu'on sait qu'un vocabulaire de base de 1 000 mots suffit pour passer le baccalauréat.

Alors, avec ce bagage, l'intelligence gagne en étendue et en audace. Elle s'intéresse à des choses de plus en plus difficiles. Elle s'attaque à des objets nouveaux, à des mots bizarres, elle s'essaie à des situations inconnues, elle les compare à des expériences déjà faites, elle tire des conclusions.

Exemple : Gilles veut dormir avec son nouveau jouet. Sa maman refuse. Elle prend le jouet et le pose sur une commode. Gilles ne dit rien ; il attend qu'elle ait quitté la chambre, que ses sœurs soient endormies, puis il se lève, prend le jouet, le pose sur son oreiller où sa maman le retrouve le lendemain. Ainsi Gilles a remarqué que, lorsque Maman dit bonsoir, elle ne revient plus, que lorsque ses sœurs dorment, elles ne l'entendent pas bouger. Il en a conclu : « Pour réaliser mon désir, il suffit d'attendre. » Il a trouvé une solution dans sa tête. C'est la grande nouveauté. Avant, il n'avait que ses mains pour l'aider.

D'empirique, l'intelligence est devenue réfléchie. Voyez d'ailleurs comme elle a vite évolué. A un an, voyant l'objet sur la commode, l'enfant ne trouvait aucun moyen pour l'atteindre. A 18 mois, il poussait une chaise, montait dessus, prenait l'objet, ou s'emparait d'un bâton pour le faire tomber. Mais lorsqu'on l'en empêchait, il n'avait pas encore l'idée d'attendre pour exécuter son projet. Aujourd'hui il attend la nuit pour se glisser vers l'objet désiré. Ainsi l'enfant ne trouve plus seulement les solutions en tâtonnant, mais en réfléchissant. Il en est arrivé là grâce au langage, c'est ce que nous voulions vous démontrer.

Lorsque l'enfant a à sa disposition l'outil « langage », son intelligence se développe rapidement. Le rôle du langage dans le développement de l'intelligence est si important que les enfants qui ne peuvent pas parler — parce qu'ils sont sourds, — ont deux ans de retard au point de vue intellectuel sur les autres enfants *, et les enfants hospitalisés auxquels on ne parle pas assez risquent d'avoir, à 2 ans, un vocabulaire de 5 mots au lieu de 100, et un coefficient de développement de 60 au lieu de 90.

L'élan est donné. L'intelligence maintenant révèle quelques-unes de ses possibilités :
- Suite dans les idées, Gilles vient de nous le prouver.
- Capacité d'enregistrer deux ordres : Emmanuel, 27 mois, comprend : « Va dire bonsoir *et* viens te coucher » ; « Ote ta serviette *et* sors de table ». Faire une chose, *puis* une autre, c'est avoir déjà le sens de la succession dans le temps. Corinne tend une main pour la faire laver ; immédiatement après, elle donne l'autre main en disant : « Et l'aut'. »
- Raisonnement : après son vaccin, Blandine a reçu une sucette parce qu'elle n'avait pas pleuré. Deux jours plus tard, elle dit à sa mère : « Encore piqûre, encore sucette. »

A partir du moment où intelligence et langage sont à ce point liés, on ne peut plus parler de l'un sans l'autre. Ils s'aident, ils s'épaulent, ils se développent mutuellement. C'est particulièrement remarquable maintenant que l'enfant fait des progrès quotidiens de langage.

Pour vous en donner une idée, voici quelques-unes des acquisitions que l'enfant fait en six mois :
- La phrase s'affine : l'imparfait apparaît ; la négation aussi, d'une manière bizarre souvent : « Maman pas baigner Corinne. »
- Les précisions affluent : *trop, un peu, assez, autant, plus, moins, beaucoup* (il y a longtemps qu'il dit *encore*, c'est un de ses premiers mots). D'ailleurs, à travers

---

* Nous disons seulement retard : lorsque la surdi-mutité n'est pas accompagnée de déficience mentale, le retard se rattrape vers 10 ans.

2 ans
à 2 ans et demi

Il court, est capable, en courant, de regarder à droite et à gauche. Il sait lancer une balle avec la main et donner un coup de pied dans le ballon. Pour se lever, quand il est assis par terre, il se penche en avant, pousse de l'arrière-train, puis de la tête. Il aime sauter d'un banc ou d'une marche d'escalier, pourvu qu'on lui donne la main.

S'aidant de ses mains — l'une qui tient le papier, l'autre le crayon — il trace grossièrement un cercle qui ne s'arrête pas, comme un escargot infini.

Imitant sa maman, il donne à manger à son ours ou à sa poupée. Et il s'y applique si bien que l'ours ou la poupée sont plus propres que lui. D'ailleurs, tous les gestes familiers l'intéressent : tourner un bouton de porte, par exemple, ou imiter les gestes de celui qui conduit une voiture.

Sur une image, il reconnaît la tasse, l'ours ou la balle — même s'il les regarde à l'envers — et les montre triomphalement. Il tourne une à une les pages d'un livre.

toutes ces phrases qu'il prononce avec un plaisir évident, l'enfant montre que ce qui l'intéresse le plus, ce n'est pas tant le nom des choses que leur raison d'être. Et il demande si souvent *pourquoi*, qu'à son tour il prend l'habitude d'employer le *parce que*.

A 3 ans, il y aura un « boom » sur les adjectifs : nous vous donnons rendez-vous à cet âge.

« C'est fou ce qu'il a changé. »

Il n'y a pas d'âge où l'expression soit plus vraie que lorsqu'elle s'applique à un enfant de deux ans comparé à ce qu'il était six ou neuf mois plus tôt. Pouvoir parler transforme complètement la vie, l'horizon d'un enfant. Grâce au langage, il pénètre dans le monde des adultes. Jusqu'alors, il ne pouvait guère se faire comprendre que de ses parents ou des familiers, seuls habitués à son babillage. Maintenant, avec son vocabulaire plus élaboré, plus compréhensible, l'enfant peut communiquer avec d'autres ; par exemple, dans un magasin, il est capable de répondre ou de questionner.

Demander, exprimer, recevoir, répondre, ces nouvelles possibilités donnent à l'enfant de 2 ans et demi confiance en lui-même, et de l'aisance. Il va même bientôt en concevoir le sentiment d'une certaine puissance, croire que « c'est arrivé », que ce monde nouvellement conquis est à lui, et se fâcher lorsque les choses n'iront pas assez vite à son gré. Mais n'anticipons pas. En attendant, il est très gai, très content de cette nouvelle marque d'indépendance comme il l'a été lorsqu'il a su marcher. La marche et la parole ont fait de lui un membre de la communauté à part entière.

A noter que la petite fille est en avance pour la parole sur un petit garçon du même âge. Elle conservera cette avance pendant plusieurs années.

Quelques suggestions

2 ans et demi, c'est l'âge des jeux « parallèles ». Chacun s'affaire de son côté avec ses cubes, ses autos, ses poupées, monologuant sans arrêt, sans s'entendre ni se gêner mutuellement. Lorsque des enfants de cet âge jouent ensemble, il y a rapidement des coups et des pleurs. Ils peuvent quand même être heureux ensemble, surtout si l'adulte, sans intervenir dans leurs activités, évite cependant qu'elles ne dégénèrent ; en effet à cet âge-là les enfants ne comprennent pas encore les règles des jeux. Ne forcez donc pas votre enfant à jouer avec les autres, mais plutôt parmi les autres, s'il le souhaite. C'est d'ailleurs ce qui est fait dans les crèches.

A cet âge, la société que l'enfant recherche, est celle de ses aînés et des adultes, car il peut sans cesse leur poser des questions. Et c'est cela qu'il aime.

Si le frère ou la sœur s'irrite que le cadet de 2 ans ne puisse pas jouer avec lui à des jeux plus compliqués, avec des règles précises, expliquez-lui : « Ce n'est pas qu'il ne t'aime pas ou ne s'intéresse pas à toi, il est encore trop petit pour des jeux difficiles. Dans quelques mois, vous pourrez être les meilleurs amis du monde. »

Il ne veut pas prêter sa voiture ? Ne vous fâchez pas. Il est en train de découvrir ce qui est à lui, ce qui est aux autres. Il est normal qu'il refuse de se séparer de son nouveau bien.

S'il monologue dans son coin tranquillement, ne le dérangez pas. L'interrompre à chaque instant le mettrait de mauvaise humeur. Il commence à se déshabiller seul ? Encouragez-le.

Il veut aider à faire le ménage ? Donnez-lui une brosse, un chiffon, un balai ; montrez-lui comment s'en servir. Un enfant est très fier de pouvoir aider une grande personne.

A 2 ans-2 ans et demi, il a une période de sensibilité à la musique ; il prête une oreille attentive à un disque. Il commence à chanter — parfois faux d'ailleurs. Si c'est le cas de votre enfant, faites-lui de temps en temps entendre un peu de musique. Les progrès qu'accomplit son oreille sont sensibles à la manière dont il imite la phrase de l'adulte. Il chantonne des syllabes privées de sens, mais dont le rythme et l'intonation reproduisent ceux de la langue qu'il entend. Chez un enfant en retard pour la prononciation, cette mélodie est un bon signe : elle prouve que l'enfant est capable d'entendre et d'imiter. C'est la base même du langage.

C'est souvent vers 2 ans-2 ans et demi que s'accentue la différence entre garçon et fille. En effet, c'est l'âge où l'enfant imite, de façon de plus en plus fine et évoluée, les adultes, et s'identifie à celui du même sexe que lui. Par exemple, la petite fille de la mère un peu coquette aime se regarder dans la glace, et elle est sensible aux vêtements qu'elle met. En général les filles aiment s'occuper de leur poupée : elles les lavent, les couchent, les promènent, les grondent.

Le petit garçon, lui, se tourne plus volontiers vers tout ce qui a un moteur et fait du bruit : avions, camions, tracteurs, bulldozers. Il collectionne les petites voitures. Il fait un train avec trois boîtes ; d'un carton, il fait un garage, une gare, ou un hangar pour avions.

Et l'entourage, naturellement, renforce cette attitude en donnant spontanément des dînettes aux filles et des Playmobil aux garçons.

Il n'empêche que certains garçons aiment jouer à la poupée (en jouant le rôle du papa), ce qui étonne certains pères soucieux de virilité. Qu'ils se rassurent. Cela prouve seulement que l'enfant de cet âge a besoin d'un compagnon, ours ou poupée, et qu'il éprouve le besoin de jeux affectifs et tendres.

Et il existe toujours des « garçons manqués », des petites filles qui aiment jouer au train ou aux avions, et ne veulent porter que des pantalons comme d'ailleurs bien des jeunes femmes d'aujourd'hui.

Cette remarque sur la séparation entre jeux de filles et de garçons est valable surtout pour l'enfant élevé chez lui, sauf si les parents n'ont fait aucune différence entre jeux de filles et de garçons, comme c'est le cas dans les crèches : là on propose les mêmes jeux à tous, et ce n'est que vers 4 ans que filles et garçons ont chacun leurs préférences.

D'autres jeux et jouets que l'enfant de 24-30 mois aime sont indiqués au chapitre 3, au paragraphe : *Il joue.*

Attention ! A cet âge, apparaissent souvent, même chez les enfants les plus intrépides, des craintes nouvelles, des peurs inhabituelles : de la nuit et de l'obscurité, de la pluie, des moteurs, de l'avion, de certains animaux ou même de certaines personnes.

L'enfant lutte souvent contre ses peurs et son insécurité en se créant un certain nombre d'habitudes, de rites, et même parfois de petites manies. A table il proteste si l'on change sa timbale de place ou si on lui donne une nouvelle assiette. Mais c'est surtout au moment du coucher qu'il se montre exigeant, qu'il s'agisse de la place des vêtements sur sa chaise, ou de la fermeture de la porte, ou de la manière dont le lit est bordé, ou de la présence d'une lumière dans le couloir, ou bien encore de l'inséparable chiffon que l'on retrouve chaque soir ; l'enfant veut que chaque soir tout se déroule de la même manière.

Ces habitudes, ces rites, qui sont d'ailleurs propres à chaque enfant, lui permettent de faire la transition entre le rythme et les activités de la journée, et le moment où tout va s'apaiser. Les parents doivent donc respecter ces habitudes du coucher (d'ailleurs ils ont souvent les mêmes besoins).

Si l'enfant retarde l'heure du coucher, s'il est long à s'endormir, c'est que la nuit met fin à une journée d'aventures. Au moment de se coucher, son esprit est assailli par les multiples expériences de la journée. Fatigué, souvent surexcité, c'est comme s'il appréhendait le sommeil qui le laissera brusquement seul, face à ses découvertes qu'il ne parvient ni à mettre en ordre ni à emmagasiner.

Pour certains enfants, cette appréhension se transforme en véritable anxiété lorsque ses parents le quittent ; à ce moment-là il réalise que lui va rester seul, et qu'eux vont se retrouver ensemble. Cette idée lui devient insupportable, il se sent exclu.

Que faire pour le rassurer ? Racontez-lui une histoire qu'il aime, laissez, s'il le désire, la porte entrouverte, avec une lumière dans le couloir, mais ne le prenez pas dans votre lit pour l'endormir : il faut que peu à peu, et avec votre aide, il accepte de rester seul dans son lit. Faire dormir seul un enfant, c'est lui faire admettre le couple que forme ses parents, c'est l'aider à franchir un pas important vers son autonomie et lui donner des limites bénéfiques pour son équilibre. C'est tout à fait le genre de situation où le « Non, c'est comme ça » est une aide pour l'enfant.

2 ans et demi à 3 ans

Pourtant, quand je me tâte et que je me rappelle,
Il me semble que je suis moi.

Molière

Ici, changement total.

Jusque-là, il y avait une succession de stades, les uns surtout « psycho », les autres surtout « moteurs * », parfois des régressions, parfois de grands progrès, mais c'était quand même du train-train journalier.

Un événement important survient à ce stade, qui va changer la vie de votre enfant et la vôtre en même temps. Il avait d'abord découvert sa mère. Puis il s'était rendu compte qu'à côté, une autre personne jouait un rôle important : son père. Il va maintenant découvrir un troisième personnage : lui-même. Il ne fait pas cette découverte en un jour, certes : les acquisitions sont toujours progressives. Mais c'est vraiment entre 2 ans et demi et 3 ans qu'un enfant réalise qu'il est une personne au même titre que celles qui l'entourent. Ainsi peut-on dire qu'à 3 ans l'enfant sait qu'il est un garçon ou une fille, que les garçons sont différents des filles, qu'il est votre enfant et non celui du voisin, qu'il a des cheveux blonds et des yeux bruns (il se reconnaît dans la glace et il connaît les couleurs). A cet âge, il a pris conscience de ses possibilités physiques. Il dit : « Je suis fort, je suis grand. » Il connaît son nom et le répète. Il sait qu'il est une personne distincte de sa mère, de son père. Deux mots dont il se sert sans arrêt le prouvent : « je » et « non ».

« Je », c'est son rôle, indique la personne : moi qui vous parle, je suis différent de vous qui m'écoutez.

On dit « non » pour s'opposer à quelqu'un.

« Je », « non » marquent définitivement la place que votre enfant occupe dans le monde des adultes, place qu'il entend maintenant agrandir, quitte à vous bousculer.

Il y a trois ans à peine, il était un nourrisson qui n'avait pas encore conscience d'exister, qui ne se distinguait pas de vous, qui ignorait que la main qu'il contemplait fût la sienne, qui mordait son pied comme si c'eût été un objet, et lorsqu'il entendait une personne prononcer son nom, il était à cent lieues de réaliser qu'il s'agissait de lui-même. Il aura fallu environ trente mois à ce bébé pour se rendre compte qu'il existait, pour savoir qu'il avait un corps, pour découvrir ce qu'il pouvait en faire, et pour s'apercevoir qu'il avait un esprit capable de raisonner, de se souvenir et de vouloir.

Ces découvertes, cet apprentissage forment l'un des chapitres les plus longs et les plus intéressants de la psychologie, mais aussi l'un des plus arides. Les processus sont délicats, les progrès parfois difficiles à remarquer. Et au début, l'enfant

---

* En réalité, rien n'est vraiment séparé. Le développement de l'esprit et celui du corps s'influencent mutuellement. C'est pourquoi on englobe d'habitude les acquisitions sous le nom général de développement *psychomoteur*.

n'aide guère à le comprendre puisqu'il ne dit pas un mot. Enfant veut d'ailleurs dire « qui ne parle pas » (du latin *infans*). Mais, en attendant les mots, dès le premier jour, un geste, une mimique, une réaction, un regard permettent de savoir le degré de conscience atteint par l'enfant, aident à se renseigner sur ce qu'il ressent.

Pour savoir quand l'enfant comprend qu'il a un corps, deux observations sont particulièrement utiles : l'attitude de l'enfant devant un miroir, et la manière dont il regarde ou saisit ses mains ou ses pieds. Pour savoir comment il réalise l'existence des autres, comment il se distingue de ceux-ci, c'est le langage qui nous renseignera le mieux, et particulièrement l'usage des pronoms. Suivons ensemble les changements qui se produisent dans ce domaine, de la naissance à 3 ans.

Jeux de miroirs

A 3 mois, lorsqu'on place le bébé devant un miroir, il regarde ce miroir comme n'importe quel objet.

Il a 6 mois. Si vous le tenez dans les bras et que vous vous placez devant un miroir, le bébé manifeste une certaine surprise, comme s'il soupçonnait quelque rapport entre vous et l'image reflétée par le miroir. Si vous parlez, ses yeux vont du miroir à vos lèvres, sans comprendre encore, en ayant l'air de se demander comment il peut y avoir à la fois un visage de maman ici et un visage de maman là-bas. En revanche, il est encore loin de se douter qu'il y a un rapport entre son visage dans le miroir et lui-même, bien qu'il sourie à l'image qui est en face de lui.

Au même âge, il passe des heures à regarder ses mains, les tourne, les retourne, joue avec ses doigts, met une main dans l'autre, mais il ne fait pas de différence entre sa propre main et celle de sa maman : il porte indifféremment l'une ou l'autre à sa bouche. Lorsqu'une maman appelle son bébé par son prénom, le bébé tourne la tête, non pas qu'il distingue encore bien son prénom, mais parce que la voix lui est familière, et qu'il aime l'entendre.

Lentement, le rapport bébé-miroir évolue. A 8-10 mois, si un bébé tend les mains vers son image, il s'étonne du contact dur qu'il rencontre. On dirait qu'il réalise soudain que l'image qu'il voit est celle d'un autre bébé, et que, cherchant à toucher cet autre, il est surpris de ne pas y arriver.

Il a 12 mois : il voit son papa dans le miroir, le regarde attentivement, puis se tourne vers son papa, « le vrai » comme disent les enfants, et dit « papa » aux deux. Un grand pas est fait. L'enfant a découvert qu'une même personne pouvait être *devant* et *dans* le miroir. De lui-même, il n'est pas encore question, mais nous sommes sur la bonne voie.

C'est lorsqu'il apprend à marcher que l'enfant réalise vraiment qu'il a un corps, que ses jambes et ses mains sont bien à lui, vous l'avez vu au stade 12-18 mois. Alors tout change. Il fait quelques pas, on l'applaudit, il sait que c'est lui qu'on félicite. La preuve : il recommence. Il tombe, sa tête heurte le plancher, il découvre ainsi qu'une partie de lui-même est douloureuse : les fois suivantes, il se protège la tête en tombant, ou s'arrange pour tomber assis. Il mord son bras, cela lui fait mal ; avant, il ne se rendait pas compte, et il continuait. Or, maintenant, il s'arrête : « Ce bras est à moi ». De même, en voulant ouvrir un tiroir, il se pince, il ne recommence pas. Cela veut dire : « Je me suis pincé au tiroir de la commode. Je suis différent de la commode. Elle est méchante. Je ne la touche plus. »

Ces découvertes le passionnent. Vous avez d'ailleurs vu que c'est entre 12 et 18 mois qu'un enfant est curieux de tout ce qui concerne son corps et de ce qui en provient. Au même âge, lorsqu'on l'appelle, il reconnaît maintenant bien son prénom.

Vers 18 mois, l'enfant découvre que ce bébé qu'il voit dans le miroir (et qui l'intrigue depuis longtemps) et lui-même sont un seul et même personnage. Ravi, il commence à faire des grimaces, des mimiques de toutes sortes, devant toutes les glaces de la maison.

Se reconnaître dans un miroir est un grand progrès. La première année, l'enfant n'avait de lui qu'une image fragmentaire, il ne se connaissait pas encore sous toutes les coutures.

A présent les morceaux du puzzle se rapprochent et l'image se complète.

Frédérique, 2 ans, passe de longs moments à arranger ses cheveux, telle la Marguerite de Faust (« Je ris de me voir si belle en ce miroir »...) ; elle regarde sa jupe voler tandis qu'elle tourne sur ses pieds. Ce n'est pas seulement vrai des filles ; les garçons aussi s'examinent longuement devant les miroirs, en essayant des mimiques variées.

2 ans. En quelques mois, il comprend ce qu'il peut faire avec chaque partie de son corps. Avec son pied, donner un coup dans le ballon, avec sa main lancer une balle, ou manger seul, avec sa bouche souffler les deux bougies de ses 2 ans.

En propriétaire consciencieux, après avoir dressé la liste de ses possibilités, il fait l'inventaire de ses biens : « Toto Jérôme, balle Emmanuel », et se fâche lorsqu'on y touche. Il est en train de découvrir « le mien différent du tien », et ainsi il se distingue lui-même des autres.

Après, il vérifie qu'il peut agir sur les autres, les faire rire, les faire pleurer, leur faire plaisir, leur refuser quelque chose, les amuser. Vous vous souvenez du petit câlin-taquin-comédien du stade 18-24 mois.

Bien qu'il commence à se détacher des autres, l'enfant parle encore de lui à la troisième personne, ou en employant son prénom ou son surnom : « Papa, sortir avec Pauline. » Il ne sait pas encore bien exprimer que l'acteur et le spectateur sont un seul et même personnage : lui-même.

3 ans. Le miroir n'a plus d'attrait pour lui, car il n'offre plus de mystère. L'enfant en a fait le tour. Ce sont maintenant les photos qui l'intéressent : il a compris que c'était lui. Jusqu'à maintenant sur les photos, il reconnaissait les autres. Cela rejoint ce que nous avons déjà dit : l'enfant reconnaît les autres avant de se reconnaître lui-même. Ces photos, il les regarde et dit : « C'est moi petit. » Il sait donner son prénom, son nom, il peut commencer à apprendre son adresse. Il ne dit pas seulement « je », il y ajoute « moi » pour que nul n'ignore que maintenant il sait qui il est : « Moi, je suis une grande. »

Mais parfois, le « je » semble spécialement long à venir. Cela arrive lorsque les adultes s'adressant à l'enfant parlent d'eux-mêmes à la troisième personne, en disant par exemple : « Papa fait ceci, ou cela » ; l'adulte parle ainsi croyant mieux se faire comprendre, mais il est normal que l'enfant l'imite.

« Nous », l'enfant ne le dit que vers 3 ans et demi-4 ans : alors, il fait vraiment son entrée dans la société. En disant « nous », il s'assimile aux autres.

Remarquons en passant la manière bien personnelle dont un enfant apprend à conjuguer les verbes. Il commence par la troisième personne, ensuite il emploie la seconde, il termine par la première, d'abord au singulier, ensuite au pluriel. Cet ordre montre bien les étapes parcourues par l'enfant à la découverte des autres et de lui-même :

■ dans un premier stade, il emploie la troisième personne pour parler de sa mère aussi bien que de lui-même. Cette troisième personne englobe donc tout le monde, indistinctement ;

■ deuxième stade : « toi » (l'enfant dit rarement « tu » avant 3 ans) c'est maman et papa, en un mot tous ceux qui ne sont pas lui. « Viens, papa, regarde. » Et le bébé parle encore de lui à la troisième personne, comme s'il s'agissait aussi de quelqu'un d'autre ;

■ troisième stade : « je », c'est moi, Bébé. « Moi, j'ai un beau manteau » ;

■ dernier stade : « nous ». L'enfant prononce fièrement « nous ». C'est une promotion. Il a l'air de dire : « Vous et moi avons maintenant laissé loin derrière nous tous ces bébés qui ne savent pas qui ils sont. »

La découverte du « je », la prise de conscience de soi, s'acquiert donc peu à peu comme la marche ou le langage, et, comme eux, peut être précoce ou tardive. Par exemple, elle est plus tardive chez les jumeaux : parce que ce double de leur personne empêche chacun d'eux de se découvrir distinct des autres. Ils sont déjà deux à être pareils ; pourquoi pas tous ?

Cette prise de conscience dépend aussi de l'ambiance dans laquelle est élevé l'enfant : ce qui lui est nécessaire, c'est un milieu stable, stimulant, affectueux.

Stable, car si les personnes, le cadre, les choses changent sans cesse, l'enfant n'a plus de repères ; il n'arrive pas à s'y reconnaître et à se connaître.

Stimulant car l'enfant prend peu à peu conscience de lui grâce aux expériences qu'il fait sur les objets (il faut donc qu'on lui en procure), grâce à la marche (il faut donc qu'on l'encourage à faire ses premiers pas), grâce au langage (il faut donc un interlocuteur patient, intéressant et intéressé en face de lui).

Enfin, il faut que les passages délicats (sevrage, propreté, etc.), les petites périodes de crise soient bien franchis, et pour cela il faut que l'enfant se sache aimé. Les enfants mal aimés disent « je » beaucoup plus tard que les autres : ils continuent longtemps à parler d'eux à la troisième personne. D'autres, par suite d'un drame familial qui les a beaucoup affectés, cessent tout à coup de dire « je ».

Chez les adultes, les troubles de la personnalité peuvent prendre de tout autres formes : des malades se regardent dans la glace pour s'assurer qu'ils sont bien eux-mêmes ; les schizophrènes se prennent pour un autre ; d'autres malades parlent d'eux-mêmes en disant « nous », formant un avec une personne connue ou imaginaire, et Rimbaud, halluciné, se sentant dépossédé de son moi, disait : « Je est un autre. » Ces troubles de l'adulte sont bien plus graves que les blocages passagers de la petite enfance, mais ils nous aident à les comprendre et à y être attentifs.

On pourrait croire que cette découverte de lui-même (écoutez-le dire : « Papa est un monsieur, maman est une dame, et moi je suis une grande fille. ») va donner à l'enfant une certaine sagesse. Il n'en est rien. Au contraire. Il n'est pas du tout « raisonnable ». C'est à cet âge qu'il offre le tableau classique de l'enfant rouge de colère qui refuse de faire un pas de plus, et qu'un père horriblement gêné tire par la main. Il refuse de manger, de se coucher, il ne sait plus dire oui, il dit non à tout : « Veux-tu jouer ?... sortir ?... prendre un bain... ?... » C'est toujours : « Non !... Non !... » Mais le cri qui suit explique tout : « Moi tout seul ! Moi tout seul ! »

Il dit non parce qu'il voudrait pouvoir décider lui-même de ce qu'il va faire, pour le faire sans aide, par exemple décider que c'est l'heure du bain et se déshabiller

2 ans et demi
à 3 ans

Jusqu'alors, il montait l'escalier en posant sur chaque marche les deux pieds : à présent il alterne. Il sait aussi marcher sur la pointe des pieds, sauter à pieds joints.

Pas encore très maître de ses gestes, il s'élance sans être capable de s'arrêter aussi vite qu'il le faudrait, d'où beaucoup de bleus, de bosses et... de pleurs.

Il met ses chaussures seul, mais se trompe souvent de pied.

Il réussit une tour de plusieurs cubes et, quand il tient un crayon, ce n'est plus avec le poing serré, mais avec les doigts.

Il monte seul sur le tricycle et sait pédaler tout en se guidant, donc associer plusieurs gestes.

seul. Or, il ne peut pas encore y arriver, on doit l'aider. Il en pleure, et c'est la scène classique. C'est cela son drame. Il a découvert qu'il était quelqu'un et il le proclame. Cela lui donne des goûts d'indépendance et de liberté. Or, il a encore grand besoin des adultes. Alors il leur en veut d'être encore si nécessaires, et il s'en veut d'être encore si dépendant.

Ce n'est pas la première fois que l'enfant est tiraillé entre ces deux désirs : partir et rester ; « C'est dommage que je pars, mais c'est bien que je m'en vais », dit Gilles, 4 ans, au moment de s'en aller.

Il avait déjà souffert de cette contradiction auparavant. Mais cette fois-ci la crise est plus sérieuse. Il en sortira grandi avec votre aide et au prix de beaucoup d'efforts, d'échecs et de larmes. Mais ne croyez pas qu'il va pleurer pendant des mois. De même qu'il est tiraillé entre deux tendances contraires, de même il est capable d'être tour à tour odieux et charmant. Il peut vous tyranniser, donner des coups, des vrais ; un moment après, sans transition, être adorable, tendre, câlin.

Versatile dans ses sentiments, il l'est aussi dans ses occupations. Il joue avec un jouet dix minutes, puis le jette avec dégoût. Il est un instant calme dans son coin, puis fait beaucoup de bruit, exprès. Certains jours, il fait une longue sieste, d'autres jours il s'assoupit à peine dix minutes. Un jour, il dévore ; le lendemain, il fait la petite bouche. D'ailleurs, d'une manière générale, il ne veut plus seulement d'une nourriture de petit enfant (purée, viande hachée, yaourt, compote) ; il veut aussi les plats des grands : steak-pommes frites et lorsqu'on lui donne des rillettes, il dit : « C'est délicieux ! » De même, pour les vêtements, il ne veut plus voir le pull-over qu'il a mis toute l'année. En tout, on dirait qu'il veut faire peau neuve ; c'est comme une première puberté. Un jour, il mouille son lit et parle comme un bébé, le lendemain il dit sans erreur une phrase de six mots.

Selon les enfants, la crise dure quelques jours, quelques semaines ou quelques mois. Parfois, elle se limite à deux ou trois scènes mémorables. Mais dans tous les cas, la crise, qu'elle soit courte ou longue, pose à l'entourage des problèmes. On dirait d'ailleurs que l'enfant sent que les rapports entre les adultes et lui-même ont changé : il leur pose de vraies colles. Il essaie de les attirer dans ces redoutables pièges que sont les épreuves de force. Il tâte le terrain pour savoir si les « non » sont des « non non », des « non peut-être », ou des « non » qui ne demandent qu'à se transformer en « oui ». Il cherche à connaître leurs points faibles pour savoir « jusqu'où il peut aller trop loin », à faire l'inventaire de ce qui est défendu et impossible, de ce qui est permis et possible. Il est d'ailleurs stupéfiant de voir avec quelle rapidité un enfant sait qu'il faut pleurer cinq minutes avec grand-mère, dix minutes avec la nourrice, quinze avec maman, pour obtenir un bonbon alors qu'avec papa ça ne vaut même pas la peine de commencer ! Comment réagir ?

■ Ne vous laissez pas tyranniser si votre enfant demande quelque chose d'impossible. Dites non fermement. Si vous accordiez tout, il perdrait vite pied.

■ En revanche, si au jardin il veut circuler librement et courir tout seul, assurez-vous seulement qu'il reste dans les limites de la sécurité.

■ Il veut se servir tout seul ? Montrez-lui comment faire et confiez-lui la cuiller. Il veut lacer ses chaussures ? Laissez-le faire et prendre son temps. Il essaiera, vous l'aiderez pour finir. Mais si vous faites tout pour lui, sous prétexte qu'il ne sait pas, il n'apprendra jamais, et vous le dégoûterez de l'effort.

■ Il dit toujours non : n'en faites pas un drame. Il ne le fait pas pour désobéir ou contrarier. Il a en tête bien d'autres soucis. Il veut prouver qu'il existe, qu'il a ses goûts, ses idées, qu'il est capable de décider lui-même. Vous lui avez d'ailleurs si souvent dit non vous-même depuis qu'il marche, touche à tout et trotte, qu'il est bien en droit de considérer que dire non est un des privilèges des adultes. Il se croit grand, il veut dire non à son tour.

Pour éviter l'épreuve de force, il suffit parfois de détourner l'attention, de distraire, de raconter une histoire ; mais il faut choisir avant les pleurs ou la colère, sinon l'enfant n'entend plus rien.

— Emmanuel, viens te laver les mains.

— Non.

— Eh bien, nous allons d'abord laver les mains de ton ours. Tu n'as jamais vu un ours se laver les mains ? Regarde... etc.

Variante personnelle (il y en a dix autres possibles) :

— Quand tu étais petit, tu ne voulais pas te laver les mains. Alors je faisais comme ça, comme ça...

Emmanuel, fier d'être traité en grand, tendait les mains sans s'en rendre compte.

Et si un jour l'enfant fait un gros caprice, ne le grondez pas trop, il traverse une crise. Il y a bien des fièvres de croissance. En ce moment, tous les soirs, votre enfant a (au moral) 38°. Si vous restez tendres mais fermes, il sera plus vite « guéri ».

Pour conclure, montrez à votre enfant que vous ne le considérez plus comme un bébé.

Faites-lui un cadeau de grand, par exemple un porte-monnaie avec deux pièces dedans, mais des vraies, pas des pièces en chocolat. Cela lui fera sûrement plaisir.

Si vous partez en voyage, envoyez-lui des cartes postales. Il ne sait pas lire, bien sûr, mais il regardera l'image, et l'idée que le facteur est venu aussi pour lui le ravira.

Emmenez-le une fois faire une sortie exceptionnelle tout seul, le restaurant par exemple, l'effet est souvent magique. Corinne avait la fâcheuse habitude de baver : c'était sa manière de s'opposer. Au restaurant, elle se tint comme une grande. La fierté qu'elle éprouva, les compliments qu'on lui fit, la rendirent propre pour toujours.

C'était un bébé. Il est en passe de devenir un petit compagnon, une petite compagne. Mais pour l'aider, évoluez en même temps que lui, il a besoin de moins de protection, de plus d'indépendance. Comme le dit Arnold Gesell : « Trois ans est une sorte de majorité. »

Pour les jeux et jouets de cet âge voir au chapitre 3, paragraphe : *Il joue.*

3 ans

Si Peau d'Ane m'était conté
J'y prendrais un plaisir extrême.
La Fontaine.

Chaque étape apporte à l'enfant un nouveau don. Celui des 3 ans, c'est l'imagination : elle couvre tout l'édifice. Les étapes précédentes avaient apporté le sourire, le cœur, l'intelligence, le langage. Mais sans l'imagination il n'y aurait pas vraiment un être humain. Cette imagination est tout de suite exigeante, tyrannique même. Pour l'alimenter, l'enfant réclame des histoires ; il lui en faut souvent, et beaucoup. Parfois il est satisfait de toutes celles qu'on lui raconte ; d'autres fois, il a des goûts très précis, des exigences particulières. Emmanuel fournissait les thèmes principaux. Il disait : « Raconte-moi l'histoire d'un lion, d'un crocodile et d'un singe », ou celle « d'un petit lapin blanc perdu dans la forêt ». Jérôme était plus sensible à l'ambiance. Il voulait « des histoires tristes mais vraies ».
Corinne désirait avoir peur. Elle le disait elle-même. Frédérique, pendant des semaines, réclamait tous les soirs Cendrillon, sans jamais se lasser. Gilles était fidèle à Mickey. Les héros de Pauline étaient Boucle d'Or et ses trois ours. Quant à Grégory, son histoire préférée, c'était : *Choura et la baronne Oczy* *.

Le meilleur moment pour raconter des histoires, c'est en général le soir. Papa, ou Maman, s'assied près du lit, nous prend la main, nous parle d'une voix douce. Eux, si occupés dans la journée, ont enfin l'air disponible. Et on peut vraiment dire que les histoires sont le meilleur moyen de faire se coucher un enfant.

Alors, l'art d'un enfant pour retenir sa mère, son père ou une sœur aînée est stupéfiant. Pour les garder, il met tout en jeu, astuce, charme, intelligence, flatterie. Il commence par manier avec habileté le « Et alors ?... » pour montrer l'intérêt prodigieux qu'il porte à vos paroles et faire rebondir l'action. Puis, d'un air pénétré, lorsque celle-ci a l'air de faiblir, il demande des détails, des précisions : « Où ? Quand ? Comment ? » (son vocabulaire a fait de grands progrès ; il en est aux circonstances). Pour finir, lorsque décidément vous avez l'air de vouloir partir, il ne reste qu'un moyen brutal, demander une autre histoire : « Une seule, la dernière, je te le promets, je te le jure ! »

A partir du moment où l'enfant s'intéresse aux histoires, « Il y avait » devient une formule magique.
« Il y avait dans la rue une petite dame verte qui promenait un chien noir... »
« Il y avait un chat qui courait derrière un pigeon... »
« Il y avait une grosse voiture qui faisait beaucoup de bruit... »
Si l'histoire racontée empêche l'enfant de faire pendant ce temps ce que vous lui avez demandé, vous ne la continuerez que si l'enfant obéit.
Pour sortir des histoires connues, à vous d'en inventer : toutes les personnes, toutes les situations peuvent donner lieu à histoires. A vous de trouver la suite et la fin. Ce n'est pas difficile. L'enfant est un public charmant qui écoute bouche bée. Il est prêt à tout croire, à tout apprécier, à tout accepter, pourvu que l'histoire qu'il entend vienne meubler son imagination, et pourvu qu'on respecte les règles.

---

* Patrick Modiano, Gallimard.

L'enfant aime écouter des histoires, il aime aussi les inventer. Les personnages sont tout trouvés. Il y a l'ours, la poupée. L'enfant les habille, les lave, les nourrit, les couche, leur raconte... des histoires, les punit. Écoutez Corinne parler à Sophie, sa poupée préférée : « Tu vas sortir avec moi. Je vais te mettre ta belle robe rose. Tu ne vas pas la salir ! Et puis je vais te coiffer. Oh, tu es belle ! »

L'enfant ne parle d'ailleurs pas qu'à son ours ou à son cheval, il s'adresse aussi bien aux objets qui l'entourent. Il se heurte à la table : « Méchante table ! M'as fait mal ! Vais te punir ! » Car, pour l'enfant, tous les objets vivent, les cailloux comme les arbres ou les nuages.

Ils parlent du « papa des étoiles », du « lit du soleil » ; c'est d'ailleurs normal puisqu'on leur dit que le soleil se couche.

Écoutez cet enfant de 3 ans : il est petit pour son âge et il l'entend dire souvent. Un jour il se promène sur le chemin, au soleil. Apercevant soudain son ombre, qui le dépasse, il s'écrie, triomphant : « Mais alors, le chemin, lui, il me croit grand ! »

Un autre personnage tout trouvé pour être le héros des histoires les plus variées, c'est lui-même. L'enfant raconte les aventures qui lui sont arrivées, soit qu'il les invente de toutes pièces : « Je l'ai tué avec mon pistolet », et donne les détails du meurtre — il fabule et se vante ; soit que ses aventures, il les vive vraiment, il les mime — alors il devient acteur.

L'enfant est un acteur-né, cela commence à cet âge et cela durera longtemps. Nous encouragerons d'ailleurs son goût de se mettre dans la peau d'un autre en lui offrant une panoplie de cow-boy, ou d'infirmière. Il sera alors tour à tour, et « en vrai », pionnier du Texas, cosmonaute, conducteur de voiture de course ; elle sera infirmière, danseuse, marchande des quatre-saisons.

Et plus tard, quand il sera avec des petits amis, l'enfant se mettra à distribuer des rôles : « On dirait que je serais le chef, toi l'ennemi. Je serais la maman, tu serais le bébé... » Pour lui, l'enfant essaiera toujours de se réserver le beau rôle.

Lorsque ni les jouets, ni les objets, ni ses propres aventures ne suffisent à peupler son imagination, l'enfant s'invente un compagnon à qui il parle beaucoup et dont il parle encore plus. Le compagnon imaginaire est soit le vilain qui fait toutes vos sottises, qui a cassé l'assiette, mis ses doigts dans la confiture et désobéi à Papa, soit l'ami fidèle qui partage votre vie, sort avec vous, s'amuse avec vous. Frédérique avait inventé Margaret. Margaret viendrait bientôt en vacances, c'était son anniversaire, elle avait acheté une voiture, elle était chez sa grand-mère, elle était malade d'avoir mangé trop de cerises. Bref, seule ou avec sa sœur Corinne, Frédérique parlait tout le temps de Margaret.

Margaret lui tenait vraiment compagnie. Avant elle, Frédérique n'osait pas aller seule la nuit au fond du jardin ou monter seule dans sa chambre. Avec Margaret, Frédérique n'avait plus peur, elle ne s'ennuyait plus.

Certains parents croient que le compagnon imaginaire est inquiétant. Non, lorsqu'il reste cet ami, ce camarade de jeux avec lequel l'enfant s'amuse. Oui, lorsqu'il est trop envahissant, lorsqu'il devient le centre de la vie de l'enfant, lorsque l'enfant, à cause de lui, ignore son entourage, déserte ses jouets habituels. Pour détacher l'enfant de cet ami imaginaire, mais tyrannique, il faut non pas se moquer de lui, mais lui en procurer un vrai ; c'est le meilleur moyen. D'ailleurs, lorsqu'un enfant invente un compagnon imaginaire, c'est en général qu'il est à l'âge de l'école et qu'il a besoin de camarades.

Dans certains cas, si l'enfant a besoin de s'inventer un compagnon, c'est pour combler certains manques, certaines angoisses, ou pour résoudre un conflit.

L'enfant croit-il vraiment à ce compagnon imaginaire ? Plus ou moins. Lorsqu'on s'étonne que Margaret ne soit pas là alors qu'elle semblait accompagner Frédérique partout, Frédérique trouvait une excuse : « Margaret est en voyage... Elle est au lit. » Frédérique savait donc, jusqu'à un certain point, que Margaret n'existait que dans son imagination.

Le compagnon imaginaire est d'ailleurs souvent un peu flou. Margaret, un jour, allait à l'école, un autre elle achetait une voiture, le lendemain elle était un bébé.

Et lorsque Frédérique eut six ans, elle ne parla plus de Margaret, sinon pour en dire : « C'était une amie de quand j'étais petite. » De toute façon, l'imagination de l'enfant a des limites, elle ne lui masque pas la réalité.

Emmanuel s'est occupé de son ours toute la journée. Il l'a fait manger. Il lui a mis un manteau, car il faisait froid. Le soir, je dis à Emmanuel : « Couche d'abord ton ours parce qu'il est fatigué. Puis tu feras ta toilette. » Il me répond : « Il peut pas être fatigué puisqu'il est en " p'tissu ". »

Un jour, Corinne joue avec sa mère et lui demande de s'allonger sur son petit lit. « Tu serais le bébé et moi la maman, dit-elle. Je te déshabillerais. » Elle lui ôte ses chaussures. Sa maman ferme les yeux et entend Corinne monologuer : « Si tu étais mon bébé, et moi la maman, je ne te gronderais jamais, je ne te donnerais jamais de flocons d'avoine, je te ferais tous les jours du clafoutis et je t'emmènerais partout avec moi. » Puis, la maman interrompt le monologue pour dire : « Mais si je suis ton bébé, où vais-je mettre mes jambes et mes pieds dans ton petit lit ? »

Corinne éclate de rire : « Mais c'était pour du pas vrai ! »

On dirait que l'enfant veut montrer qu'il n'est pas dupe de son imagination, qu'il ne se laisse pas prendre à toutes ces histoires d'enfant.

Quelle est la vérité ? Y croit-il ou non ? La réponse est : oui et non.

C'est comme vous. Au cinéma, vous êtes capable de pleurer aux malheurs de l'héroïne. L'instant d'après, sur le trottoir du même cinéma, vous dites : « Elle joue bien », ou « Elle gagne tant par film... » Vous étiez pris, mais vous n'êtes pas dupe. Pour l'enfant, c'est pareil.

La ressemblance va même plus loin. Vous ne tenez pas tellement à montrer que vous avez pleuré. L'enfant non plus : il fait la guerre, il attaque l'ennemi, il monte à l'assaut, il est complètement pris par l'action. Vous entrez. Il s'arrête net et, suivant son caractère, il est furieux, ou gêné, que vous l'ayez surpris en plein « faire semblant ».

Mais si, comme vous, l'enfant est capable de croire à des histoires (pas vraies), il y a pourtant entre vous et lui de grandes différences qui expliquent que le monde de l'enfance soit si fermé à tant d'adultes.

L'enfant a beaucoup plus de peine que l'adulte à quitter l'histoire qu'il vit : il joue au cow-boy, et quand vous l'appelez pour déjeuner, il se fâche car vous avez fait irruption dans son domaine. D'où ce conseil, prévenez l'enfant et dites-lui : « Je t'appellerai pour déjeuner *dans un instant*. » Ainsi il aura le temps de s'habituer.

Dans ce monde imaginaire, l'enfant y vit beaucoup plus que vous. Ne serait-ce que pour des raisons pratiques. Vous ne pouvez passer la journée au cinéma ou à lire un roman ; un enfant, lui, passe la journée à jouer, c'est son occupation principale. Or, le jeu, à 3 ans, vous l'avez vu, est essentiellement envahi par l'imagination. L'enfant voyage donc perpétuellement entre l'imaginaire et le réel, et cela va durer plusieurs années.

Gilles montre à sa maman un trou dans l'encadrement de la fenêtre et, avec un air effrayé, dit :

— Le loup est là, maman !

— Comment, là ?

— Oui, dans le petit trou, là !

Il a toujours son air affolé.

— Mais prends donc ton pistolet et tue-le !

Réponse :

— Mais alors, peux plus jouer !

Le vrai et l'imaginaire sont étroitement enchevêtrés. L'enfant les concilie d'ailleurs souvent : comme lorsque Frédérique emmenait Margaret déjeuner à côté d'elle.

Enfin et surtout, le réel des enfants est très différent du vôtre par ses limites, ses formes, ses couleurs, par ce que l'enfant choisit d'y voir. Vous lui montrez le mont Blanc ; il ne voit qu'un petit point noir qui bouge, et que vous aviez à peine remarqué : un alpiniste qui grimpe. Et pour l'enfant, derrière le paysage vu de sa fenêtre, il n'y a plus rien ; le monde est fini.

Trois ans, c'est vraiment le monde enchanté de l'enfance. L'imaginaire, le féerique le peuplent. C'est le triomphe de l'imagination. C'est elle qui donne cette poésie et cet humour à son langage.

« La fumée, c'est pour dire aux gens qu'on peut venir se chauffer dans la maison... »

Les mots d'enfants, toutes les familles les conservent précieusement. On les raconte aux amis, on se les répète entre soi en disant d'un air faussement naïf : « Mais où va-t-il donc chercher tout cela ! » (On s'étonne tout haut, mais on s'émerveille tout bas.) C'est vers 3 ans que commence l'âge d'or des mots d'enfants. La plupart de ces mots d'enfants, qui ravissent d'autant plus qu'on les croit le fruit d'une imagination débordante, souvent proviennent tout simplement de la manière de penser et de voir de l'enfant à cet âge.

Comment procède cette pensée ? Elle emprunte à l'adulte ses formes, et, dans ce contenant, met son propre contenu. En effet, que répond l'adulte aux questions de l'enfant ? Presque toujours ses réponses commencent par « C'est pour... » ou « C'est comme... »

C'est pour : explication d'un objet par l'usage qu'on en fait.

Exemples :

— Dis, papa, le moteur, c'est pour quoi faire ?

— C'est pour faire avancer la voiture.

— Dis, maman, l'électricité, c'est pour quoi ?

— C'est pour nous éclairer.

C'est comme : explication d'un objet inconnu de l'enfant par un objet qu'il connaît. Exemples :

— Dis, papa, qu'est-ce que c'est, un hélicoptère ?

— C'est comme un avion, mais sans ailes et avec l'hélice au-dessus.

Entendant sans cesse ces explications, « C'est pour... », « C'est comme... », l'enfant est prêt à adopter ces deux manières d'expliquer les choses qui l'entourent : par l'usage et par l'analogie.

Mais par ailleurs, l'enfant, nous l'avons vu, a une manière très personnelle de voir les choses. Par exemple, il remarque des détails infimes. Il est fasciné par certains objets, certaines couleurs : on lui montre des capucines géantes d'un orange éclatant, il remarque le minuscule puceron posé sur un pétale.

Le résultat, c'est que l'enfant va procéder par comparaison comme fait l'adulte, mais qu'il rapprochera entre eux des objets qu'il ne vous viendrait jamais à l'idée de rapprocher. La mer, c'est une grande piscine ; un cailllou, c'est un noyau très dur. J'ai entendu un enfant dire : « Une souris, c'est comme un éléphant. » Il avait vu entre ces deux animaux un trait commun : la couleur grise.

Mais l'enfant ne se borne pas à imiter l'adulte. Il a sa propre manière de raisonner. Et cette manière est une logique très cartésienne, la fameuse logique enfantine. L'enfant enregistre ce qu'il a entendu dire, et il en tire ses propres conclusions. Exemple, il a demandé : C'est qui la maman du veau ? On lui a répondu : — La vache. — C'est qui, la maman du poussin ? — La poule. Sur quoi, il déclare : — La maman de l'eau, c'est le robinet !

Il y a aussi des cas où, ni l'imitation de l'adulte, ni la logique n'expliquent les propos de l'enfant. Il lui arrive de dire une phrase absolument gratuite, incompréhensible et poétique. L'explication est alors le plaisir qu'il éprouve à prononcer un certain mot. Un mot l'a enchanté, il cherche une occasion de l'employer, et il fera alors une phrase qui n'a aucun rapport avec la réalité, ni la vôtre ni la sienne.

Il est sensible à la magie des mots. Jérôme ayant entendu l'électricien dire d'un de ses collègues : « C'est un pote à moi », invente « la potamona », et ce vocable servit pendant des années à désigner tout ce qui lui arrivait d'heureux. Georges avait, d'une histoire racontée par son grand-père, gardé une peur obsédante des Uhlans. Qui d'entre nous n'a pas, gravé dans sa mémoire, de ces mots magiques attrapés au vol jadis dans des conversations d'adultes et revêtus d'un prestige intact ? Les contes de fées sont pétris de cette magie verbale ? (« Est-ce vous, mon Prince, dit-elle. Vous vous êtes bien fait attendre... »)

Cette sensibilité aux sons a d'ailleurs donné lieu à un véritable genre littéraire : les comptines (Am, stram, gram). Et les Anglais, peut-être plus fidèles que nous à l'esprit de l'enfance, ont inventé le *nonsense*, sorte d'incantation, d'essence nettement enfantine.

Ainsi l'enfant de 3 ans se grise de mots ; son vocabulaire est d'ailleurs de plus en plus riche, en particulier d'adjectifs.

En les utilisant, l'enfant développe son sens critique, son aptitude à avoir des opinions personnelles. Frédérique dit à son petit frère : « C'est *incroyable* ce que tu es bête ! » Et un peu plus tard à Gilles qui s'est déguisé : « Tu es *ridicule* ! » Par ailleurs, les temps qu'il emploie, de même que les adverbes, prouvent qu'il commence à mieux distinguer hier, aujourd'hui, demain. Quand on dit « hier soir », il comprend qu'il s'agit d'un fait passé. Il demande : « Est-ce que c'est l'heure de... » Quand on dit « demain », il comprend qu'il s'agit d'une chose à venir, sans cependant distinguer entre demain et dans quinze jours.

Enfin, l'enfant affectionne le conditionnel. Il dit : « Si je serais sage, tu me donneras une surprise. » Il a aussi, nous l'avons vu, une formule favorite : « On dirait que tu serais... » Son esprit vagabonde. Vous voyez qu'ayant bouclé notre tour d'horizon de la pensée à trois ans, nous voilà revenus par le biais du langage à notre point de départ : l'imagination, qui règne vraiment sur tout cet âge.

Une autre caractéristique de l'enfant de 3 ans, c'est la découverte des autres. Certes, pour les enfants qui vont à la crèche, cette socialisation est plus précoce, et la découverte des autres moins spectaculaire. Mais, si en général les enfants savent bien avant trois ans que les autres existent, ils ne leur prêtent guère attention, ils ne s'intéressent qu'aux intimes.

Et voilà que maintenant, ils dépassent le cercle des familiers, observent les autres, leurs expressions, cherchent à les imiter ; et surtout ils essaient de les situer et d'entrer en relation avec eux :

— L'oncle Pierre, c'est le frère de qui ?
— Bonne-Maman, c'est ta maman ?
— Et pourquoi Nounou, elle, a ses enfants à la maison ?

Il veut savoir leur âge, ce qu'ils font dans la vie, les rapports qui les unissent les uns aux autres. Puis il découvre une chose qui a l'air de beaucoup le surprendre : que ces personnages, si familiers qu'ils font presque partie de lui-même, Papa et Maman, ont des points communs avec d'autres personnes qu'il ne connaît pas : Papa est un monsieur, Maman est une dame, comme ceux et celles que l'on croise dans la rue. Et l'enfant a envie, et même besoin, de se rapprocher peu à peu des autres, grands ou petits. Il disait « Moi tout seul. » Maintenant on l'entend parfois dire : « Tous les deux. »

Ce qui marque son goût pour la société, c'est qu'il est heureux de prendre ses repas avec les adultes, qu'il aime rendre de menus services (porter le journal à Papa, aller chercher le panier à pain, etc.), qu'il recherche l'approbation des autres. Il demande souvent : « C'est bien comme ça ? » Il est prêt à inventer des moyens de plaire ; il est en un mot aussi conformiste qu'il a été opposé à tout ce qu'on lui demandait six mois plus tôt.

Bien qu'il ait découvert les autres, il continue néanmoins à penser que la personne la plus intéressante qu'il connaisse, c'est lui-même. Cela pourrait paraître contradictoire avec sa sociabilité naissante, mais ne l'est pas. Écoutez un enfant de 3 ans ; il dit : « Je veux quelqu'un pour jouer avec moi. » A 6 ans, il dira : « Je veux jouer avec les autres. » A 3 ans, sociabilité et égocentrisme se concilient fort bien.

Puis, de même qu'il a cherché les tenants et aboutissants de son entourage, de même il recherche les siens. Il demande : « Où j'étais quand j'étais pas né ? » La naissance des bébés, celle des animaux commence d'ailleurs à l'intéresser. Il pose des questions à ce sujet. Il remarque parfois une femme enceinte ou demande à sa mère si elle l'a allaité.

Il se sent déjà de l'autre côté de la barrière, chez les grands, et aide volontiers les petits à manger. D'ailleurs, après avoir découvert les adultes, il va s'intéresser de moins en moins à eux et de plus en plus aux enfants.

Cet intérêt qu'il porte aux autres, le désir qu'il manifeste de nouer des contacts avec l'extérieur font que l'enfant de 3 ans est en général mûr pour l'école.

Après la pluie, le beau temps. Mais c'est ainsi qu'on fait les bonnes récoltes. Il avait été souvent désagréable, entre 2 ans et demi et 3 ans ; il avait souffert et vous avait fait souffrir, avec ses prétentions à l'indépendance. Maintenant, le problème qui le tracassait — faut-il rester ? faut-il partir ? — a l'air oublié. Il est calme, apaisé, détendu. Il a acquis un vrai équilibre, il est heureux et le montre. Trois ans est vraiment un âge charmant, il en viendra d'autres. Il y aura aussi d'autres passages difficiles, c'est cela la croissance. C'est à ce prix que se forme la personnalité.

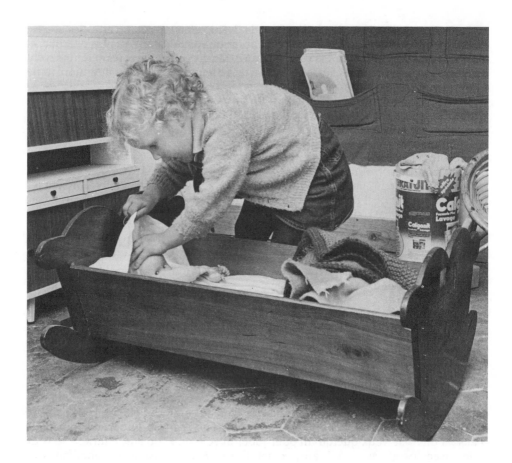

Certains parents, devant le charmant compagnon de 3 ans, disent : « Ah ! s'il pouvait rester ainsi ! » Mais rester serait le contraire de grandir, pour le corps comme pour l'intelligence. L'enfant ne reste pas à quatre pattes, il faut qu'il se relève, qu'il marche, qu'il coure pour vivre. Par exemple, adolescent, il passera par un « âge ingrat », qui lui aussi n'aura qu'un temps, mais qui est une étape nécessaire. D'ailleurs, les crises surmontées font progresser chaque fois d'un cran, et entre elles, il y a des pauses. Dès aujourd'hui sachez qu'un enfant a un nouvel âge charmant vers 5 ans, et que 10 ans est considéré comme un autre âge exquis. Vous trouvez peut-être bien catégorique qu'on dise avec cette précision : il se passera ceci à 2 ans, cela à 3 ans, cela à 5 ans ; et vous vous demandez si vous vous en rendrez bien compte vous-même, de ces changements. Peut-être pas tout de suite car vous êtes trop près de votre enfant. Mais d'autres, qui ont plus de recul, s'en apercevront probablement avant vous, par exemple les grands-parents qui le voient moins souvent. N'avez-vous pas souvent entendu dire : « Il est beaucoup plus gentil maintenant. L'an dernier, il n'y avait pas moyen de le tenir ? * »

---

* Vous voyez tout de suite l'importance essentielle qu'aura pour l'éducation la connaissance de ces étapes : l'enfant qui fait une crise est à traiter comme l'enfant qui fait ses dents. Nous en reparlerons plus loin.

Et plus les années passeront, mieux vous connaîtrez votre enfant et plus vous remarquerez qu'il passe d'une étape à une autre. Les passages n'ont pas toujours lieu exactement aux dates prévues, mais ils ne peuvent être absents.

Trois ans est un âge charmant non seulement parce que l'enfant est sorti de sa crise de personnalité, mais parce que le gros des acquisitions est fait : il a 20 dents, il marche, il parle, et en tous les domaines, il a atteint une sorte d'équilibre.

Physiquement, la gaucherie du bébé a disparu ; l'enfant de 3 ans est habile de ses mains, de ses jambes ; il est à l'aise pour faire tous les mouvements, il les fait même avec adresse : si l'on prend le temps de lui montrer comment couper son melon ou comment s'habiller, il y arrive très bien.

Intellectuellement, il s'exprime bien, ce qui facilite les rapports avec l'entourage. Autrefois, quand on ne le comprenait pas, il était furieux. Et dans son cerveau, il y a maintenant presque au complet la panoplie de l'intelligence : mémoire, compréhension, logique, jugement, volonté, imagination.

Affectivement, il est moins tiraillé entre son envie de rester petit et son désir de partir à l'aventure. Il a vu qu'il pouvait concilier les deux ; à l'école, il en aura une preuve tangible. L'entrée à l'école va d'ailleurs être le troisième problème affectif que l'enfant devra résoudre. Avant, il y avait eu le sevrage, puis l'éducation de la propreté ; il commence à avoir l'habitude. Il est moins tyrannique dans ses besoins de répétition. Pour « être bien avec quelqu'un », il est capable de renoncer à un rite ; il est plus obéissant, il cherche à faire plaisir. Comme, par ailleurs, le gros des corvées est terminé — l'enfant est propre, il mange comme les grands, il n'y a plus de repas spéciaux à lui faire — il est devenu le petit compagnon qu'on tient par la main pour se promener, avec lequel on échange questions et explications dans un dialogue qui annonce déjà une vraie conversation.

Quelques suggestions

Au sujet de sa logique. L'enfant de 3 ans ne connaît encore que l'action. Il ignore l'intention. Il ne comprend pas qu'on le gronde parce qu'on a trouvé une chaise devant la commode où il y avait des bonbons, puisqu'il n'en a pas pris. Il avait seulement eu l'intention de le faire. C'est illogique.

Il ne comprend pas qu'on lui permette de jouer aujourd'hui au salon où il lui était défendu d'aller hier parce qu'il y avait des invités. Mais si on le lui explique, il l'accepte.

Au sujet du temps. Il conjugue le présent, l'imparfait, le futur. Mais sa notion du temps est encore floue. Dans un an, dans un jour, pour lui c'est la même chose : c'est « après ». Et de toute façon, après, ça n'a guère de sens pour lui. Si vous voulez lui faire une surprise, ne lui dites pas : « Tu auras ceci demain ou ce soir », mais : « Quand je rentrerai, ou quand tu seras couché. » Il ne comprend que le futur lié à un fait concret.

Cela durera longtemps. A 4 ans, il dira encore : « Il fait froid, donc c'est l'hiver », et à 5 ans : « Ma sœur est à la maison, donc c'est mercredi. » Emmanuel à 7 ans me demande, d'une dame qu'il voit pour la première fois : « De quelle époque est-elle ? »

Étant donné sa compréhension. L'enfant comprend beaucoup plus qu'on ne le

3 ans

*Il acquiert le sens de l'équilibre :
plus de gestes brusques, ni désordonnés. Il marche déjà avec le
même balancement qu'un adulte,
et descend l'escalier en se tenant
à la rampe (mais pose encore les
deux pieds sur chaque marche, à
la descente).*

*Autres preuves de maîtrise de ses
gestes : il remplit un verre d'eau
sans le faire déborder, et peut
dessiner une croix sur un
papier.*

*Il commence à se brosser les
dents et en est fier.*

croit, même s'il ne le montre pas. Si vous ne voulez pas qu'il soit au courant de tel événement, ou de votre opinion sur telle personne, n'en parlez pas devant lui.

Gesell cite l'exemple d'un enfant de 3 ans qui dit : « Maman est très dépensière. »

Vis-à-vis de son imagination. Il rentre de la promenade et il raconte : « J'ai vu un singe dans la rue. » Ne dites pas : « Ce n'est pas vrai. » Ou bien il a inventé : 3 ans, c'est l'âge d'or de la fabulation. Ou bien il a vraiment vu un singe et il sera très choqué que vous ne le croyiez pas. Ne traitez pas ses fabulations de mensonges. S'il imagine des personnages extraordinaires dont il raconte les aventures, il deviendra peut-être un grand romancier.

Faut-il raconter des histoires imaginaires, des contes de fées ? Certaines personnes disent non, cela fait vivre l'enfant dans un monde irréel. Moi je dis oui, car ces histoires, ces contes, permettent aux enfants d'exprimer et de libérer leurs peurs, leurs envies inconscientes. Et d'ailleurs Bruno Bettelheim me confirme dans cette conviction *.

Les jeux qu'on donne à l'enfant, les livres qu'on lui montre font d'ailleurs tous appel à l'imagination. Comment, sinon, admettre que Babar prenne l'ascenseur ?

L'imagination est indispensable à la vie de tous les jours, à 3 ans comme à 30 ans ; elle nous accompagne quotidiennement.

Vous regardez une photo des Seychelles, vous vous voyez sur la plage, bronzés et détendus : imagination.

Vous achetez une vieille ferme en ruine dans un champ en friche. En la regardant, vous voyez déjà vos enfants dans un jardin plein de fleurs : imagination.

Tous les savants, tous les inventeurs, tous les pionniers auraient-ils entrepris quelque chose sans imagination ?

Ce n'est donc pas un mal de nourrir l'imagination. Et il ne faut pas rire du compagnon imaginaire, ou se moquer de l'histoire que l'enfant se donne beaucoup de mal à vous raconter en ajoutant toutes les deux minutes des « C'est vrai de vrai ! ».

Il ne faut pas non plus jouer de l'imagination d'un enfant, ni s'en servir pour lui faire peur, par exemple : « L'homme noir va venir te chercher. » D'abord c'est mentir, l'enfant s'en rend vite compte et il ne vous croira plus. Puis c'est abuser de sa sensibilité ; quelle tête feriez-vous si une personne en qui vous avez toute confiance vous annonçait : « Il y a un cambrioleur dans la maison » ?

Les histoires et leurs règles. A 3 ans, l'enfant ne distingue encore que vaguement le bien du mal. Mais il commence à comprendre que l'enfant propre et sage est récompensé, et l'enfant désobéissant puni, et tout de suite : c'est la justice immanente. Dans l'histoire, cela doit se passer de la même manière : comme au cinéma à la dernière image, le méchant doit avoir payé. D'ailleurs, l'enfant demande souvent des personnages dont on lui parle ou qu'il voit sur des images : « Est-il bon celui-ci ? Est-il méchant ? »

---

* Dans son livre *Psychanalyse des contes de fées*, Livre de Poche.

Lorsqu'à un même personnage il arrive de nombreuses aventures, il aime que le personnage garde les mêmes qualités, les mêmes défauts. Le chat Noiraud ne peut pas être courageux un jour, poltron le lendemain. L'action doit être rapide : si trop d'explications sont nécessaires, c'est que l'histoire n'est pas bonne. Il faut qu'on comprenne, et que « ça bouge ». Mais un peu de mystère est indispensable ; l'attention doit être en suspens : « Tout à coup, on frappe à la porte... »

Un personnage un peu ridicule, intervenant épisodiquement, est un élément de détente qui n'est pas à négliger.

On peut employer des mots-clés et des phrases qui reviennent périodiquement dans la bouche d'un même personnage.

Éléments qui plaisent : ce qui roule, ce qui vole, la route, le chemin de fer ; les gros animaux qui font peur : crocodiles, hippopotames, lions, etc. ; les petits animaux gentils, les héros légendaires. Les enfants adorent que, dans les histoires, un enfant ou au moins un faible soit vainqueur du méchant costaud (David et Goliath sont transposables à l'infini), ou encore qu'un enfant sauve la situation. Dans les histoires d'animaux, c'est sur le petit que se concentrera l'intérêt, soit qu'il coure un danger, soit qu'il fasse preuve de courage ou d'intelligence. Le danger couru par un innocent, les difficultés surmontées par le courageux sont des éléments éternels de toute histoire.

Ce qu'il aime à 3 ans

Jouer avec un enfant plus âgé.

Les surprises : quelque chose ne va pas, promettez-lui une surprise, ses yeux s'éclaireront de joie. Dites-lui aussi : « Devine » (n'importe quoi, « ce que j'ai dans mon sac », par exemple) ; cela l'amusera beaucoup.

Les travaux que l'on peut voir faire dans la rue par un maçon, un peintre ou un terrassier, etc.

Il aime soigner un animal familier : chat, chien, oiseau, poisson.

Il aime dessiner ces personnages étranges et classiques, à tête de fœtus, les yeux près des oreilles. Prévoyez du papier et des crayons pour qu'il ne soit pas tenté de dessiner sur les murs.

Il aime aussi maintenant le spectacle d'un aéroport (sauf certains enfants que le bruit affole), les allées et venues des bateaux dans un port.

C'est aussi l'âge où il apprécie les pique-niques ; l'idée qu'on puisse s'asseoir dans l'herbe pour manger de la salade de pommes de terre le fait beaucoup rire.

Il peut, des heures durant, s'amuser avec une simple ficelle : par exemple il attache les meubles de sa chambre les uns aux autres.

Les jouets qu'aime l'enfant de 3 ans, vous les trouverez au chapitre 3, paragraphe : *Il joue.*

Après 3 ans

*La jalousie
est le plus grand de tous les maux
et celui qui fait le moins pitié
aux personnes qui le causent.*

La Rochefoucauld

Après 3 ans, et jusqu'à la puberté, il n'y a plus dans la vie d'un enfant d'événement aussi considérable que le premier sourire, le premier mot ou le premier pas ; de faits aussi marquants que l'éveil de l'intelligence ou la découverte de soi-même. Les grandes acquisitions sont faites, les bases sont posées ; il suffit de « fignoler » (par exemple l'équilibre) ou de développer (par exemple l'intelligence). Cela prendra, suivant les cas, des mois ou des années. Ainsi peu à peu, l'enfant deviendra-t-il plus grand, plus fort, plus habile, plus adroit ; son intelligence se développera, ses connaissances s'agrandiront.

Dans les domaines physique et intellectuel, la progression sera plus ou moins rapide, mais elle sera continue, sauf accroc. Dans celui des rapports avec les autres — la vie en société, la vie du cœur — il y aura des hauts et des bas, des périodes de calme, d'autres de nervosité, car il faudra que peu à peu l'enfant admette de partager la vie des autres, qu'il s'incorpore à cette société qui l'entoure, qu'il ne se considère plus comme le centre du monde ou de sa famille.

Ainsi entre ces deux âges réputés charmants de trois et de cinq ans, se situe un passage difficile : la vie affective de l'enfant est troublée par une découverte qu'il fait et qui le rend perplexe. La découverte provoque des réactions parfois incompréhensibles pour l'entourage : exigences, colères, régressions, etc.

Qu'est-ce qui provoque cette crise ?

Vous l'avez vu, vers trois ans l'enfant atteint une sorte de maturité, de conscience de sa propre personne qu'il traduit d'ailleurs dans son langage en disant « moi » et « je » ; il ramène tout à lui : « A moi, à moi. » Il ramène tout à lui, en particulier sa mère et son père, avec lesquels il a des liens particulièrement tendres.

Mais peu à peu, il réalise que ces relations qu'il a avec chacun de ses parents ne lui sont pas réservées, que son père et sa mère ont également entre eux des rapports tendres et intenses : l'enfant s'aperçoit que sa mère ne fait pas un duo qu'avec lui, que son père n'est pas seulement disponible que pour lui. Et ce qui va le plus choquer l'enfant, c'est qu'il ne fait pas partie des relations privilégiées de son père et de sa mère : leur lit, leur chambre sont leur domaine exclusif, ils ont une intimité qui lui échappe complètement.

Comme dit le docteur Léon Kreisler * : « L'enfant se sent envahi par des sentiments multiples, ambivalents, contradictoires : intérêt passionné et curiosité pour les relations qui lient ses parents entre eux, sentiments de jalousie, d'exclusion, d'abandon. »

---

* Dans L'*encyclopédie de l'enfant,* éditions Elina.

Dans son désarroi, l'enfant tente de rompre le duo des parents. Pour cela, on dirait une vraie tactique : l'enfant essaie d'attirer à lui le parent du sexe opposé et, chaque fois que possible, il tente de séparer ses parents.

Le petit garçon « courtise » sa mère, se montre possessif avec elle, tyrannique même, lui demande plus de démonstrations, plus de baisers ; il l'interrompt lorsqu'elle s'adresse à quelqu'un d'autre.

La petite fille fait du charme à son père, se blottit dans ses bras, et par tous les moyens cherche à attirer son attention.

Et tous deux, la fille avec sa mère, le fils avec son père, sont souvent exigeants, agressifs ; parfois, moitié par jeu, moitié sérieusement, ils essaient de les frapper. Ou au contraire accaparent l'un pour l'éloigner de l'autre. Car, et ceci est la deuxième « manœuvre », l'enfant va essayer à tout prix d'empêcher ses parents de se retrouver seuls, ou il va essayer de les séparer : dès qu'il les voit ensemble, il se jette dans leurs bras pour être avec eux deux, entre eux deux.

Le soir, c'est le grand jeu, l'enfant a peur de se retrouver seul alors que ses parents sont ensemble. C'est le chantage aux histoires : « Une autre, encore une autre. »

Tous les soirs, Nathalie demande à sa mère des histoires de plus en plus longues. La mère est ravie, elle voit dans cet intérêt une marque particulière d'attachement. Jusqu'au jour où elle découvre le dessein que sa fille lui révèle : « Je veux que tu restes avec moi, je ne veux pas que tu ailles avec papa. »

Le résultat c'est qu'à cet âge l'enfant a souvent des cauchemars, parle moins bien : soit qu'il cherche à attirer l'attention puisqu'il se croit délaissé, soit qu'il veuille simplement retrouver le temps où il était heureux.

Comment l'enfant va-t-il se sortir de cette situation « complexe » ? Si complexe d'ailleurs que Freud l'a appelée le *complexe d'Œdipe*, du nom de ce jeune héros de la mythologie grecque qui tua son père et épousa sa mère *. (Pour les psychanalystes, le complexe est un croisement de relations enchevêtrées comme un nœud ; mais comme un nœud ferroviaire qui, avec de bons aiguillages, permettra de s'en sortir et de passer à l'étape suivante.)

Puisqu'il ne peut éliminer son père ou sa mère, pour se sortir de la situation compliquée dans laquelle il se trouve, l'enfant va adopter une autre politique (bien sûr, tout cela est inconscient) : il va tout faire pour ressembler à son rival, la fille à sa mère, le garçon à son père, ce qui n'est d'ailleurs qu'une nouvelle forme de séduction.

Et d'avoir sous les yeux un modèle auquel il cherche à rassembler, à s'identifier, va lui permettre de se sexualiser, et par là de grandir.

Par sexualiser, je veux dire que l'enfant va se rendre compte qu'il est un garçon, qu'elle est une fille, que l'un est différent de l'autre. On le remarque à des attitudes, à des jeux, à des mots : la petite fille jouant à la poupée n'accepte pas d'autre rôle que celui de la maman ; réciproquement du côté du garçon : il est le papa, sans hésitation. La petite fille parlant du métier qu'elle fera n'évoque pas *cosmonaute*, mais *infirmière* ou *maîtresse d'école*, comme les femmes qui l'entourent. Le

---

* La légende d'Œdipe est, comme beaucoup de mythes, le symbole des sentiments inconscients que chacun porte en soi. Vous trouverez un peu plus loin, très résumée, l'histoire de ce drame qui inspira un grand nombre de tragédies tant anciennes que modernes. Les plus célèbres sont celles de Sophocle et de Voltaire.

petit garçon se voit pilote de course comme celui qui le fait rêver à la télévision. (Avec l'évolution des mentalités, les choix changeront peut-être, pour le moment il reste encore des métiers féminins, différents des métiers masculins.) A cet âge également les enfants réalisent mieux les différences anatomiques. La petite fille voit bien maintenant, si elle ne l'a pas encore remarqué plus tôt, qu'elle est différente du petit garçon.

Voici, brièvement raconté, le complexe d'Œdipe, ses causes, la manière dont l'enfant le vit et ses conséquences.

Pour certains enfants, la crise passe presque inaperçue : ils admettent facilement le partage. Pour d'autres, plus passionnés, la crise peut être difficile. Mais, avec ou sans problème, cette situation « complexe » est une étape que l'enfant doit connaître : il faut qu'il ait passé par là pour avoir des relations normales, non seulement avec sa famille, mais aussi avec ses semblables. C'est précisément lorsque l'enfant découvre que son père et sa mère ont des liens particuliers, qu'il découvre aussi que c'est la même chose pour son entourage. Jusqu'alors centré sur lui-même, l'enfant ramenait tout à lui ; maintenant, il voit que les autres ont des liens entre eux, dont il est exclu, et que les autres ont une vie à eux.

Et après ? L'enfant sera prêt, entre cinq et sept ans, à sortir de sa petite enfance, toute-puissante, exigeante et dépendante, pour devenir ce petit garçon, cette petite fille qui quittera l'école « maternelle » pour entrer au cours « préparatoire ». Il entrera alors dans ce que les psychologues appellent la *période de latence*, période plus calme qui durera jusqu'à la « crise pubertaire ».

Quelques suggestions

Pour les parents, dire à l'enfant agressif, en paroles ou en gestes : « Vilain ! Tu es méchant ! », serait ajouter à sa tristesse, confirmer ses craintes.

Si l'enfant demande plus d'affection, c'est qu'il en a besoin. Rester naturel devant l'enfant, ne pas croire qu'il faut pour l'aider supprimer tout geste de tendresse l'un pour l'autre ; mais, si l'on dit un mot gentil à son mari, à sa femme, devant l'enfant, lui en dire un, à lui aussi. Et lorsque l'enfant est là, éviter de faire de longues conversations dont il semble exclu. Cela dit, dès cet âge, les parents doivent commencer à apprendre à leur enfant à respecter les relations qui existent entre eux : il ne faut pas laisser un enfant s'interposer systématiquement entre son père et sa mère.

Si l'on est le parent momentanément moins aimé, surtout ne pas s'en plaindre, faire comme si de rien n'était.

Si l'on est le parent préféré, mettre en valeur l'autre en disant, par exemple : « Va vite embrasser maman », ou « Maman est très gentille, etc. », ou « Maman fait tout si bien ! » ou « Va jouer avec papa , ou « C'est papa qui a eu la bonne idée de faire un pique-nique ».

Qu'arrive-t-il lorsque le passage se fait mal ? L'enfant déçu en veut à tout l'univers. Ses relations affectives ultérieures peuvent en être plus ou moins perturbées.

Et au cours de la crise, des troubles peuvent apparaître, dont il faut être prévenu : il a peur la nuit, il parle moins bien, il revient en arrière. Mais lorsqu'il aura dépassé ce seuil délicat, il en sortira grandi, c'est une étape nécessaire de son développement. La naissance d'un frère ou d'une sœur à ce moment-là peut aggraver la crise. Vous devez y penser et redoubler d'affection envers votre enfant.

Il faut également savoir que si vous le mettez à l'école au moment où il traverse cette crise, il peut, dans la méfiance qu'il éprouve alors à votre égard, croire que vous cherchez à l'éloigner. Soyez attentifs à ses réactions ; dans certains cas, il est même conseillé de retarder l'entrée à l'école dans la mesure du possible. Parfois, au contraire — la réaction est moins fréquente, mais il faut quand même la signaler — chez un enfant sociable, l'école, par la nouveauté et les distractions qu'elle apporte dans sa vie, peut l'aider à sortir d'une situation difficile.

Œdipe est le fils de Laïos, roi de Thèbes, et de Jocaste. Un jour, alors qu'il n'est encore qu'un enfant, un oracle apprend à ses parents qu'il tuera son père et épousera sa mère ; pour conjurer la prédiction, on éloigne Œdipe du palais paternel. Recueilli par un berger, Œdipe est élevé à la cour du roi de Corinthe qui l'adopte. Devenu adulte et revenant à Thèbes sans rien savoir de son origine, Œdipe se querelle avec un voyageur, sur une route de Phocide, et le tue : c'était Laïos, son père.

Arrivé à Thèbes, il débarrasse la ville d'un monstre, le Sphinx, qui dévorait les passants qui ne savaient pas répondre aux énigmes qu'il leur posait. Œdipe, lui, sait les résoudre et le monstre meurt. Pour le remercier, les habitants de Thèbes proclame Œdipe roi, et Jocaste devient son épouse. Sans que personne le sache, l'oracle se trouve donc accompli.

Mais une enquête minutieusement menée pour retrouver l'assassin de Laïos révèle à Œdipe qu'il n'est autre que le coupable. A cette nouvelle, Jocaste se pend, Œdipe se crève les yeux.

Chassé par ses fils, Œdipe part sur les routes de l'Attique, guidé par sa fille Antigone. Dans un bois, il disparaît mystérieusement au milieu des éclairs et des grondements de tonnerre.

L'école maternelle

J'ai appris à chanter en allant à l'école,
Les enfants joyeux aiment les chansons,
Ils vont les crier au passereau qui vole,
Au nuage, au vent, ils portent la parole,
Tout légers, tout fiers de savoir des leçons.
Marceline Desbordes-Valmore

A quel âge mettre son enfant à l'école maternelle ?

Il y a quelques années, on se posait la question : l'enfant peut-il aller à l'école dès trois ans, ou faut-il attendre un peu ? Les choses sont allées vite : maintenant, près de 93 % des enfants de cet âge sont scolarisés. En effet, l'enfant de trois ans a, en général, suffisamment le goût des autres, les moyens de se débrouiller seul, un vocabulaire assez riche, pour entrer à l'école maternelle, ou au jardin d'enfants, qui est le nom donné dans les écoles privées.

Aujourd'hui, c'est à propos de l'enfant de deux ans qu'on se pose des questions sur son entrée à la maternelle * : est-ce bien, mauvais, souhaitable ?

Mais, d'abord est-ce matériellement possible ? En principe oui, car aujourd'hui l'école maternelle est ouverte aux enfants de deux ans, mais il n'y a pas encore de place pour tous les enfants de cet âge.

Peut-être serez-vous tentés de mettre votre enfant à la maternelle dès deux ans. Nous ne vous le conseillons pas, sauf cas de force majeure pour les raisons suivantes.

D'abord, dans sa structure actuelle, l'école maternelle n'est pas faite pour l'enfant de moins de 3 ans : il y a beaucoup trop d'enfants, les locaux ne sont pas aménagés pour cet âge, en particulier pour ses besoins en sommeil ; l'enfant de 2 ans a souvent besoin de dormir encore deux fois dans la journée et, pour cela, il faut des locaux de repos disponibles en permanence.

Si depuis quelques années, on admet des enfants si jeunes, c'est parce que les crèches, trop peu nombreuses, peuvent rarement garder les enfants au-delà de 2 ans. Alors, aux parents qui travaillent, se pose le difficile problème du lieu qui pourra accueillir leurs enfants.

Certains proposent d'augmenter les places de crèche pour les 2-3 ans. D'autres de faire des « classes spéciales » à l'école maternelle pour les enfants de cet âge. (En passant, il faut noter combien le mot « classe », déjà déplaisant pour les plus âgés, devient inacceptable à 2 ans.) Ni l'une ni l'autre de ces solutions n'est satisfaisante car elles maintiendraient toutes les deux une séparation regrettable entre crèches et écoles maternelles. Ce qui serait logique et souhaitable, c'est qu'il y ait cohabitation et continuité, comme cela existe dans certains pays, de sorte que le passage d'une institution à l'autre se fasse de façon progressive et en tenant compte des possibilités d'adaptation de l'enfant.

---

* Bianka Zazzo a d'ailleurs fait un livre sur ce sujet : *L'école maternelle à deux ans : oui ou non ?* (éditions Stock). Ce livre traite aussi, d'une manière plus générale, de la première entrée à l'école et comporte une étude comparant la crèche et l'école maternelle.

Il y a donc actuellement un gros effort à faire pour combler le « trou » qui existe dans notre équipement social pour les enfants de 2 à 3 ans et les enfants font les frais de ce manque. Il est important que les parents le sachent : certains, mal avertis, qui pourraient garder leur enfant chez eux, cherchent pourtant à le mettre à l'école dès 2 ans (parfois, c'est déjà le souci de cette fameuse année d'avance dont je vous parlerai plus loin).

Et même après trois ans, vous allez le voir, certaines circonstances conseillent d'attendre un peu pour faire de l'enfant un petit écolier.

Dans les pages qui suivent, je vais vous décrire ce qu'est l'école maternelle, vous donner les éléments qui vous aideront à vous rendre compte si votre enfant est mûr pour aller à l'école, et les précautions à prendre s'il n'est jamais allé auparavant à la crèche ou dans une halte-garderie.

Ce qu'est l'école maternelle

Encore un peu la famille et déjà l'école.

Ce qu'elle a de maternel : d'abord une maîtresse * qui a une formation spécialisée pour s'occuper de très jeunes enfants et qui le fait avec affection et sollicitude ; comme une mère, elle s'efforce de trouver le rythme de chacun, elle est attentive à chaque personnalité.

Ensuite, l'école maternelle est une maison conçue pour les enfants avec de l'espace pour jouer, des pièces où le mobilier est à leur taille (étagères, porte-manteaux, casiers), des jeux variés, où tout est prévu pour créer une atmosphère gaie et accueillante. Le bac à sable ou à laver, les animaux et les plantes à soigner, la maison de poupée, tout rappelle encore la vie à la maison.

Ce qu'elle a d'une école : d'abord le cadre ; il y a des classes et une cour de récréation ; puis il y a une directrice et des institutrices ; il y a aussi des règles, des horaires d'entrée et de sortie, et déjà une discipline. Enfin les enfants sont déjà de petits élèves : ils ont une table et des crayons, et ils vont apprendre à se servir de leurs mains, de leurs yeux, de leurs oreilles, de leur voix, en exécutant toutes sortes d'exercices.

Mais si l'école maternelle prolonge la famille, elle ne la remplace pas. La maîtresse est là pour stimuler l'intelligence, pour développer l'imagination, la sociabilité. Son influence est grande sur l'enfant, mais elle ne peut ni ne veut remplacer les parents.

Avantages. L'école maternelle, d'une manière générale, cela veut dire des amis de son âge, mais en outre, pour une petite fille qui n'a que des sœurs, l'occasion de voir des garçons, et pour un petit garçon au milieu de frères, celle de voir des petites filles. Pour l'enfant unique qui vit parmi des adultes, c'est un univers d'enfants. L'école maternelle, cela signifie des jeux qu'on n'a pas chez soi, des jeux de groupe et également des jeux pédagogiques conçus spécialement pour ces écoles.

L'école maternelle c'est aussi apprendre à parler. Plus d'enfants qu'on ne pense arrivent à l'école avec un langage pauvre car chez eux, on les a peu encouragés à

---

* J'emploie le mot « maîtresse » ou « institutrice », car, en maternelle, elles sont la majorité ; dans 3 % des cas ce sont des instituteurs, et cette proportion d'hommes augmente lentement mais sûrement.

s'exprimer (comme le dit une institutrice, on voit très vite ceux à qui on dit « tais-toi » » et ceux à qui on dit « raconte »). Ces enfants seraient très capables de parler comme les autres si on leur en donnait l'occasion et le goût. C'est ce que l'école maternelle voudrait faire car savoir parler est indispensable pour apprendre à lire un jour. Cela semble évident, pourtant on rencontre fréquemment des parents et même des enseignants qui s'évertuent à apprendre à lire à des enfants qui ne savent pas encore bien parler.

L'école offre des activités nouvelles, que l'on essaie toutes avant de trouver celle qui vous plaît le plus : la terre glaise, les marionnettes, la peinture, les gommettes, les tissages, les découpages, avec une maîtresse pour vous guider et vous encourager. A la maison, maman ou papa n'ont pas toujours le temps, et c'est plus facile quand d'autres enfants font la même chose à côté de vous. D'ailleurs, vers cet âge, certains enfants semblent s'ennuyer à la maison, surtout s'ils n'ont pas d'amis dans le voisinage ; et il n'est pas toujours possible aux parents de leur procurer des occupations qui peuvent les intéresser. Ainsi à l'école, l'enfant trouvera ce qui lui manque à la maison.

L'école « dégourdit ». C'est l'apprentissage de la vie en société. On devient indépendant. La maîtresse ne se consacre pas à un seul enfant. Elle appartient à tous. Il faut apprendre à s'habiller seul, à ranger ses affaires, à attendre son tour. C'est une grande découverte qui rend souvent l'enfant moins exigeant en famille.

Inconvénients. L'école, c'est fatigant ; il faut se lever plus tôt, ne plus faire de sieste dans bien des cas, aller et venir quatre fois par jour avec le souci d'être à l'heure. C'est aussi courir le risque de la contagion : rhumes, maladies de l'enfant.

L'école, c'est le bruit et le nombre : même aujourd'hui où on essaie de les réduire, les effectifs des classes sont encore trop importants, y compris dans les sections des petits. C'est pourquoi l'institutrice la plus dévouée et la mieux préparée à son métier ne peut pas toujours remplir sa tâche comme elle le souhaiterait et avoir assez de contacts avec chacun des enfants, ce dont ils auraient vraiment besoin étant donné qu'ils sont si petits. Ce sont alors les silencieux, les timides, les lents qui font les frais de ces classes surchargées. 35 enfants, le chiffre autorisé actuellement, c'est beaucoup trop, il n'en faudrait pas plus de la moitié.

Quelques précautions. Pour l'enfant qui n'est pas en parfaite santé, l'école représente une fatigue et un effort qui peuvent accentuer son manque de résistance. Pour cet enfant, le mi-temps, les siestes doivent être respectés.

Si vous êtes enceinte, essayez, si c'est possible, de mettre votre aîné à l'école pendant votre grossesse pour qu'il n'ait pas l'impression que vous vous débarrassez de lui au moment de la naissance du bébé.

Si cela n'a pas été possible et que la jalousie de votre enfant pour le nouveau-né est grande, soyez souple : maintenez l'inscription de votre enfant à l'école, mais retardez de quelques semaines son entrée ; les directrices d'école maternelle sont en général compréhensives pour ce genre de situation.

De même, si l'enfant vient d'être éloigné de vous et de sa famille pour une raison quelconque (maladie, difficulté familiale ou autre), il a besoin de combler un manque d'affection, et de retrouver l'équilibre qui lui est nécessaire pour s'adapter à l'école.

Plein temps ou mi-temps ? La structure de l'école maternelle heureusement est assez souple, l'enfant peut y aller à plein temps ou à mi-temps. La première année, le mi-temps est souvent souhaitable compte tenu de la fatigue dont on vient de parler. En plus à cet âge tendre, tout proche de la petite enfance, l'enfant ne doit pas ressentir l'école comme une obligation pesante à laquelle il a de la peine à faire face, mais comme un plaisir adapté à ses possibilités.

Et la cantine ? Si vous pouvez reprendre votre enfant pour déjeuner, ou bien s'il peut aller chez une nourrice — et ceci est valable pour tous les âges de l'école maternelle —, il n'y a pas de doute, c'est moins fatigant que la cantine ; en plus l'enfant peut parler de ce qu'il a fait.

Vous avez décidé de mettre votre enfant à l'école. Même s'il est équilibré, joyeux, sans problème, cette séparation sera peut-être un peu difficile. L'école, c'est un nouveau monde, un nouveau cadre, d'autres visages. C'est être loin de la maison six heures par jour, même plus, si l'on reste à la cantine. C'est s'adapter au rythme et aux exigences d'une collectivité. Selon les enfants, cette adaptation est plus ou moins rapide, mais dans tous les cas on doit la préparer et la surveiller.

<u>Comment préparer la rentrée ?</u> Dans la gaieté d'abord, et en la présentant, pour certains, comme une promotion : « Tu es grande maintenant, tu vas aller à l'école, tu auras des amis comme ton frère ou ta sœur, la maîtresse te fera faire des dessins que tu nous montreras. » Pour d'autres, il vaut mieux leur présenter l'école comme un endroit où on joue (ce qui est vrai) : « Tu trouveras de nouveaux jeux, des livres, vous écouterez de la musique ; peut-être verrez-vous des films, ou des marionnettes, etc. » Et bien sûr il ne faudra pas faire de menaces du genre : « Tu verras, la maîtresse, elle au moins, saura te faire obéir... Si tu ne manges pas, je te laisse à la cantine. »

<u>Et s'il pleure ?</u> Le jour de la rentrée, conduisez vous-même, le père ou la mère, votre enfant à l'école, même si les autres jours c'est une voisine ou la nourrice qui s'en chargera. Si, au moment de vous quitter, il pleure, c'est classique ; je dirais presque normal. Mais partez bravement. Si vous restez, votre enfant s'attendrira sur son sort (et vous sur le sien). Si vous partez, il sera distrait par la nouveauté. Puis allez le chercher à la sortie. Au début, c'est *vraiment* nécessaire.

Si, au bout de quinze jours, votre enfant pleure encore au moment de partir, voyez avec l'institutrice la conduite à tenir. Il est possible qu'il ne soit pas encore mûr pour l'école. La directrice vous dira s'il lui est possible de le reprendre en cours d'année.

Peut-être est-ce vous, sa mère, qui n'êtes pas « mûre » pour la séparation, et qui, par votre anxiété, rendez l'adaptation de votre enfant difficile ? Dans ce cas, le père peut prendre le relais, et accompagner l'enfant, jusqu'à ce que le cap soit passé.

Il semble bien adapté ? C'est parfait. Mais sachez que parfois des difficultés surgissent trois semaines, un mois après la rentrée. Un matin, sans raison apparente, au moment du départ l'enfant fond en larmes, ou bien il a des cauchemars, ou encore, parce qu'on l'a gardé un ou deux jours à la maison pour un rhume, le troisième jour il refuse de se lever.

Que se passe-t-il ? Les quinze premiers jours, ou le premier mois, il y avait l'attrait du nouveau, la joie d'être avec les autres, la fierté d'aller à l'école comme les aînés. Puis, parce que l'enfant a été un peu trop vite livré à lui-même ou à d'autres (c'est une voisine qui l'emmène le matin, ou le ramène le soir), ou bien il s'est senti perdu au milieu de tous ces enfants ; il mesure ce qu'il n'a plus depuis

qu'il va à l'école : des habitudes confortables, un petit groupe chez la nourrice ou à la crèche, les courses avec sa mère, etc. Et c'est le drame au moment où l'on ne s'y attendait plus.

En fait, l'adaptation d'un enfant à l'école ne peut être sûrement acquise avant deux ou trois mois. Et, tout au long de cette période, il faut prendre certaines précautions pour que l'enfant n'ait pas l'impression d'une nette coupure avec la vie d'avant l'école. Par exemple : accompagnez ou allez chercher vous-même l'enfant le plus souvent possible. S'il reste déjeuner à l'école, soignez ses repas le soir et, le mercredi, faites-lui faire son menu. Et puis, montrez-lui que vous vous intéressez vraiment à ce qu'il fait à l'école ; écoutez ce qu'il raconte ; gardez les dessins et piquages qu'il rapporte : la curiosité et l'enthousiasme naissent et se cultivent, comme le langage ou la marche, dans l'affection et grâce aux encouragements. Si votre enfant a envie d'apporter des fleurs à la maîtresse, c'est normal. S'il a envie d'inviter un petit ami de l'école, réjouissez-vous, cela prouve que pour votre enfant il n'y a plus deux vies distinctes, celle de la maison, celle de l'école, mais que désormais l'une prolonge l'autre.

Et maintenez avec l'école des contacts étroits. Allez régulièrement voir l'institutrice. D'ailleurs elle vous dira sûrement sur votre enfant des choses que vous ignorez et qui vous seront utiles. Souvent les enfants ont à l'école un comportement différent et révélateur de petits problèmes que l'institutrice peut aider à résoudre. Et vous-même, en parlant avec elle, vous pourrez l'aider à mieux comprendre les réactions de son petit « élève ».

L'adaptation de l'enfant qui vient de la crèche. Lorsque l'enfant est déjà allé à la crèche, on pense qu'il n'aura pas de problème d'adaptation à l'école maternelle puisqu'il était déjà séparé de sa famille et habitué à la compagnie des autres. Ce n'est pas aussi simple, l'adaptation est parfois plus facile, mais elle existe quand même.

La vie de la crèche et celle de l'école sont bien différentes. Les « grands » de la crèche sont au maximum 12 ou 15, en première section de maternelle, ils se retrouvent en général 30 ; à la crèche les horaires sont souples, en maternelle il faut arriver à l'heure ; à la crèche les enfants ont un matériel « bébé », à l'école c'est déjà un matériel d'écolier. Tout cela fait un changement complet de cadre de vie.

Au programme de l'école maternelle

Et maintenant entrons dans la classe. Les parents aimeraient bien savoir ce que l'enfant fait loin d'eux pendant tant d'heures. Et en général l'enfant raconte peu ou mal. C'est pourquoi vous trouverez détaillé ci-après ce qui est fait dans chacune des trois sections de l'école maternelle.

La section des petits, qui accueille les enfants de 3 ans mais aussi, vous l'avez vu, parfois ceux de 2 ans, cherche à habituer l'enfant à vivre loin de sa famille, loin de sa mère, avec des enfants de son âge. Les premières activités sont conçues dans ce but. On veut aider l'enfant à acquérir peu à peu son autonomie, à se déshabiller tout seul, boutonner son manteau, lacer ses chaussures. On veut aussi qu'il acquière une certaine aisance physique, on lui fait faire des mouvements variés, de la danse ; on cherche à développer son adresse par divers jeux de fabrication, de modelage et d'enfilage. On veut qu'il enrichisse son vocabulaire, en lui racontant des histoires, en lui chantant des chansons.

Toutes ces activités prennent la forme de jeux individuels ou collectifs, l'enfant à l'école n'est pas vraiment un élève. Le but est d'éveiller les enfants dans les différentes directions indiquées.

Dans la section des moyens, qui accueille les enfants de 4 ans, toujours dans le même but d'éveiller l'enfant dans toutes les directions et d'enrichir ses moyens d'expression, on trouve les mêmes activités mais développées : l'exercice physique devient plus difficile, il faut coordonner les mouvements ; on demande à l'enfant une plus grande habileté manuelle en lui faisant faire des collages, des puzzles, des emboîtements. Les fruits et les fleurs de saison, le marron ou la marguerite, fournissent des thèmes de conversation. Dans le domaine du langage, l'enfant retient en général facilement les poèmes ou chansons qu'il entend ; et, grande nouveauté, on commence une petite initiation au calcul en lui demandant de grouper les objets de même catégorie.

La section des grands : là débute la préparation au cours préparatoire ; on commence vraiment à faire des exercices d'initiation à la lecture, à l'écriture. En fait, il ne s'agit pas tant d'apprendre les lettres à l'enfant que de lui montrer d'abord l'intérêt et l'utilité de l'écriture et de la lecture : par exemple, la maîtresse chante une chanson, elle en inscrit les paroles au tableau. Les enfants voient le lien entre la chanson et l'écriture. Puis la maîtresse lit les paroles écrites sur le tableau ; les enfants voient l'intérêt de la lecture qui permet de retrouver les mots. Initiation au calcul également (toujours par groupement d'objets). Et des exercices de langage en posant des questions sur des histoires racontées.

Et bien sûr, la plus grande partie de la journée est occupée par le dessin, la peinture, la musique, l'exercice physique.

Voilà, dans les grandes lignes, le programme des trois sections de la maternelle. Autour, il y a toutes les variantes possibles. Dans certaines écoles, en particulier rurales, les sections sont mélangées, et les activités sont communes aux différents âges, bien sûr adaptées à chacun d'eux.

Un des principes importants de l'école maternelle française et qui a d'ailleurs fait son succès, c'est que chaque maîtresse est complètement libre d'organiser les activités de la semaine en fonction de ses idées pédagogiques et du nombre de ses élèves.

Quelques difficultés de maternelle

L'enfant qui ne raconte rien en rentrant de l'école. Cela ne signifie pas automatiquement qu'il soit malheureux à l'école. Il considère peut-être pour le moment que c'est son domaine réservé. Ou bien, il est naturellement peu expansif. Ou encore, c'est sa manière de prendre du champ vis-à-vis de vous, de devenir grand. Assurez-vous auprès de sa maîtresse que tout va bien, et respectez sa discrétion.

L'enfant qui ne s'intéresse et ne participe à rien. Il est en petite section : n'est-il pas trop jeune ?

Il est plus grand : vous l'avez peut-être habitué à trop d'attentions ; maintenant, livré à lui-même, anxieux et craintif, il n'ose rien entreprendre seul ou avec d'autres.

De santé fragile, il a peut-être du mal à supporter le bruit et l'agitation d'une classe et a choisi de s'isoler.

Ou encore c'est sa manière d'attirer sur lui l'attention de sa maîtresse.

Il faut, sans dramatiser, essayer de sortir de cette situation, en ayant une bonne conversation avec la maîtresse.

L'année d'avance

Certains parents mettent leur enfant à l'école dès 2 ans pour qu'il puisse entrer au cours préparatoire un an plus tôt ; d'autres, dans le même but, demandent que leur enfant « saute » une année de maternelle.

C'est un faux calcul : quel que soit le temps que l'enfant ait passé en maternelle, ce qui compte c'est que l'enfant ait atteint un certain degré de maturité pour les acquisitions de base. Cette maturité, les enfants l'ont en général à 6 ans. C'est pourquoi 6 ans est l'âge légal d'entrée au CP. Mais de nombreux enfants, qui n'en sont pas moins normaux pour autant, n'atteignent cette maturité qu'à 6 ans et demi, 7 ans, voire même plus tard.

C'est vrai qu'il existe des enfants très précoces et équilibrés, qui révèlent un goût réel pour les apprentissages du CP, qui montrent qu'ils ont envie d'apprendre à lire, écrire, compter, et qu'ils en sont capables entre 5 et 6 ans. Les institutrices et les parents savent les reconnaître ; mais l'avis d'un psychologue est souhaitable, je dirais plus, nécessaire, car d'autres facteurs entrent en jeu pour savoir si un enfant est prêt pour prendre une année d'avance : il faut que l'enfant distingue bien sa droite de sa gauche, se situe dans le temps et dans l'espace, etc.

Il faut en plus que l'enfant ait acquis une certaine maturité, ce n'est pas toujours le cas. On en voit qui sont précoces sur le plan intellectuel mais encore bébés : ils ont plus besoin des jeux, de la liberté, de la spontanéité de la « maternelle » que de l'enseignement déjà rigide de l'école primaire.

Donc, sauf exceptions, l'année d'avance risque d'être plus une source de difficultés qu'un gain de temps. Les enfants le payent souvent au CM 1 ou à l'entrée en 6e, lors de certains paliers du programme.

Votre enfant
ne ressemble à aucun autre

Ainsi s'achève l'histoire des premières années. Mais votre enfant ressemble-t-il à ceux que nous venons de décrire ? S'il grandit dans de bonnes conditions (une famille stable, attentive et affectueuse), tout enfant parcourt le cycle que je viens de vous raconter. Mais alors, penserez-vous peut-être, à faire au même âge, ou à peu près, les mêmes gestes, les mêmes découvertes, les mêmes progrès, les enfants ne vont-ils pas tous se ressembler ? Non. Pour commencer, même dans leur berceau (nous en avons longuement parlé) ils sont déjà très différents les uns des autres. Car chacun d'eux arrive au monde nanti d'un gros bagage : l'héritage de deux familles. Et peu à peu on découvre que l'enfant tient tel trait de sa mère, tel autre de son père, quand il ne ramène pas au jour des particularités familiales très lointaines. Ainsi l'hérédité dessine-t-elle déjà à grands traits un caractère tant physique que moral.

Puis, sur cette base, tous les événements, toutes les circonstances de la vie de l'enfant viennent se conjuguer peu à peu pour former une personnalité. Qu'il habite la ville ou la campagne, qu'il ait une mère gaie ou mélancolique, qu'il soit enfant unique, seule fille au milieu de garçons, ou l'aîné de quatre, que ses parents soient bohèmes ou conformistes, qu'il vive dans un pays de soleil ou de brouillard, qu'il soit élevé par une grand-mère ou par sa mère, il n'y a pas un fait, pas un décor, pas une circonstance qui ne contribuera à former la personnalité de l'enfant.

Et ce que votre fierté vous fait penser tout bas, mais que vous n'osez pas dire tout haut, est vrai : votre enfant ne ressemble à aucun autre.

Un univers à deux

L'expérience montre que, lorsque des parents ont des jumeaux, ils se préoccupent d'abord du travail supplémentaire qu'entraîne cette double naissance.

Bien sûr, les jumeaux donnent double travail, et, lorsqu'ils sont les premiers-nés, c'est souvent affolant. Mais, passé le cap difficile des premières semaines, le stade d'organisation, aucun parent de jumeaux ne céderait sa place. Comme l'a dit une mère : « C'est deux tendresses à la fois et une famille d'un seul coup. Ça vaut bien la fatigue que ça coûte ! »

Mais c'est surtout au sujet de l'éducation qu'il y a quelques remarques à faire. En élevant des jumeaux, il faut tenir compte de leurs rapports particuliers ; c'est ce que je vous propose d'observer.

Un fait domine : le jumeau n'est jamais seul, qu'il soit à table, dans son bain ou en promenade, qu'il prononce ses premiers mots, ou qu'il découvre ses premiers jouets. A toutes ses activités, à toutes ses expériences et toutes ses découvertes, un autre assiste et participe, à la fois spectateur et complice. C'est le fait essentiel qui va influencer tout le comportement et le développement des jumeaux ; c'est compréhensible : imaginez-vous, vous-même, tout au long de la journée en train d'agir avec, à côté de vous, quelqu'un qui vous regarde, qui pense la même chose, qui découvre tout en même temps ! Ne croyez-vous pas que cela vous influencerait ?

C'est donc un univers à deux que les jumeaux découvrent et construisent tout au long de leurs premières années. Ils se sentent tellement solidaires que, lorsqu'on appelle l'un, tous les deux arrivent. Parfois même, ils s'inventent un seul prénom pour se désigner. Guy et Dominique, vingt-sept mois, s'appellent tous deux Tity, et répondent l'un pour l'autre. Ou, pour parler de lui-même, l'un des jumeaux dit « nous » [*].

La manière dont les jumeaux utilisent les pronoms témoigne de cette difficulté à se différencier l'un de l'autre : ils utilisent les pronoms mal et plus tard. Certains se disent « vous », entre eux, imitant l'entourage, qui s'adresse trop souvent aux deux en même temps. « Je », qu'ils disent plus tard que les enfants non jumeaux, ils le confondent souvent avec « tu ». Parfois, ils disent « moi tous les deux », ou, pour indiquer un objet qui appartient à l'un d'eux, « mon tien », « ton mien », bien au-delà de cinq ans, alors que les non-jumeaux disent « je » à trois ans, et dès cet

---

[*] Cités par René Zazzo, le grand spécialiste des jumeaux, dans son livre *Les jumeaux, le couple et la personne*, P.U.F.

âge disent « c'est à moi ». En somme, les vrais jumeaux se comportent longtemps en « nous » et non comme deux « je » distincts.

Cette difficulté à se distinguer se retrouve ailleurs. Regardez des jumeaux devant un miroir : tandis qu'à trois ans un enfant reconnaît sa propre image, le vrai jumeau * croit encore, à cinq ans, qu'il voit son frère dans la glace. Et, sur une photo où ils sont tous les deux, il leur arrive fréquemment de ne pas se reconnaî-tre.

Aux yeux de la psychologie, ces faits sont de la plus grande importance pour l'avenir de l'enfant. Renfermés dans leur univers, presque tous les jumeaux ont un langage secret, incompréhensible pour l'entourage **, dont ils conservent cer-tains termes parfois jusqu'à l'âge adulte. Se comprenant, se complétant, ils se suffisent à eux-mêmes, et ne font pas le même effort que les non-jumeaux pour comprendre leur entourage, ou pour être compris de lui. Or, c'est par cet effort qu'un enfant apprend à parler et fait des progrès.

La conséquence est que les jumeaux parlent plus tard. Et lorsque les parents n'y prennent garde, le retard peut s'aggraver.

Mais, dans la petite société qu'ils forment, les jumeaux s'organisent. Ils se répar-tissent très tôt les tâches, utilisent leurs talents respectifs : l'un est plus fort, l'autre plus adroit ; l'un assure le contact avec l'extérieur — c'est le « ministre des affaires

---

* Les « vrais jumeaux » sont ceux qui se ressemblent « comme deux gouttes d'eau » : ils proviennent du même œuf (voir *J'attends un enfant*).
** Les spécialistes appellent ce langage secret : la cryptophasie.

étrangères », comme dit un psychologue allemand —, l'autre est le « ministre de l'intérieur » : pour l'instant il répartit les jouets, plus tard il gérera la tirelire. Dans le cas de jumeaux de sexe différent, la fille est presque toujours le leader du couple. Parfois aussi, les rôles s'alternent. On voit un jumeau accomplir la punition imposée à son frère, ou mieux, des jumeaux se substituer l'un à l'autre pour assurer chacun la moitié de la sanction.

Ayant à tout instant un compagnon de jeu et de conversation qui le comprend et qu'il comprend, le jumeau a beaucoup moins besoin qu'un autre enfant de contact extérieur. C'est pourquoi il n'est pas sociable : il observe une attitude de retrait par rapport aux autres membres de la famille, même vis-à-vis de ses parents. Il devient timide et s'attache de plus en plus à l'autre.

A vivre ainsi en couple, étroitement liés l'un à l'autre dans tous les domaines, les jumeaux ne se plaignent pas de cette situation. Mais c'est en général aux approches de la puberté qu'ils se révoltent, qu'ils cherchent à se libérer (et c'est bon signe d'ailleurs : les jumeaux qui ne se rebellent pas sont ceux que cette vie de couple a littéralement asphyxiés). Ils se plaignent d'être confondus, surtout les filles. Comme disait l'une d'elles : « Je voudrais être seule et non pas toujours deux. »

Mais lorsque les parents n'ont pas préparé la séparation, celle-ci devient difficile, parfois impossible. Certains jumeaux n'arrivent jamais à se détacher, surtout chez les femmes. D'ailleurs, pour 100 célibataires non jumeaux, il y a 157 célibataires jumeaux, et, chez les femmes, pour 100 célibataires, il y a 179 célibataires jumelles.

Vous voyez donc dans leurs grandes lignes les caractéristiques du développement des jumeaux : ils ont de la peine à se dégager du couple qu'ils forment, à acquérir chacun une personnalité, à s'intégrer aux autres, et, plus tard, à faire leur vie séparément.

Maintenant, la plupart des parents savent qu'il faut tout faire pour favoriser la personnalité de chacun et préparer la séparation.

Pour les aider, voici quelques suggestions.

— Donnez-leur des prénoms bien distincts. A éviter : les prénoms jumelés (Odile-Cécile, Patrice-Fabrice, Victor-Hugo !). Efforcez-vous d'appeler chacun par son prénom, et évitez le plus possible l'expression « les jumeaux ». Elle sera de toute manière employée par l'entourage, mais c'est important que les parents au moins ne l'emploient pas.

— Essayez de les habiller différemment, car de porter tout le temps des vêtements identiques ne les aide pas à se différencier. Les jumeaux du même sexe sont encore souvent habillés de la même manière. Les jumeaux de sexe différent ont plus de chance car leurs vêtements sont en général différents.

Pour la layette, le plus simple est de choisir deux couleurs. D'ailleurs, au début, cela vous permettra de reconnaître vos jumeaux si vous avez une petite hésitation. Et cela rendra service à l'entourage qui a plus de peine à les différencier.

— Le plus tôt possible, couchez-les dans des lits différents et, de temps en temps, si vous le pouvez, dans deux pièces séparées.

— Dès le plus jeune âge, donnez-leur des jouets différents, et à chacun d'eux un tiroir pour les ranger.

— A partir de 3 ans, faites-leur faire l'expérience de la séparation : si vous devez vous absenter quelques jours, confiez-les à deux personnes différentes : l'un à sa marraine, l'autre à sa grand-mère par exemple.

Mais avant cette séparation, prenez des précautions car vos enfants ont tellement l'habitude de la vie à deux, que cela peut les perturber ; il faut donc bien les prévenir de ce qui va se passer.

— Ménagez-vous des moments avec chacun d'eux, pour qu'ils aient un contact plus personnel, qui les incite à s'exprimer ; et cela, dès les premières semaines de la vie, c'est important pour qu'ils se différencient.

— A éviter vraiment : le père qui s'occupe d'un jumeau, toujours le même, la mère de l'autre (ce qui est fréquent). Ou encore, le père qui s'occupe du garçon, la mère de la fille, ou inversement. Chacun des jumeaux a droit à ses deux parents.

— Ne vous forcez pas à donner à chacun des jumeaux le même sourire, le même biscuit, ou la même punition. C'est une contrainte inutile, qui renforcerait leur identité. Il faut, au contraire, les habituer tout jeunes à avoir chacun un objet différent, chacun une attention particulière. D'ailleurs, naturellement les jumeaux ont le sens du partage puisque, entre eux, ils partagent déjà tout.

En agissant ainsi, vous aiderez vos jumeaux à se différencier, à acquérir peu à peu l'autonomie qui leur permettra plus tard de se séparer.

Or, l'expérience prouve ceci : si des vrais jumeaux (ces jumeaux qui ont exactement la même hérédité) se trouvent séparés par des circonstances fortuites, ils arrivent à être aussi différents l'un de l'autre que peuvent l'être un frère et une sœur nés à des années d'intervalle.

En revanche, qu'arrive-t-il à des faux jumeaux si on leur fait mener exactement la même vie, cette vie « en double » décrite plus haut ? Ils finissent par avoir les mêmes intérêts, les mêmes opinions, les mêmes manies ; et pourtant leur hérédité est différente.

Qu'est-ce que cela signifie ? Que le milieu, la manière de vivre ont autant d'influence, si ce n'est plus, que l'hérédité.

L'hérédité, c'est l'ensemble des caractères physiques et intellectuels que les deux lignées de parents transmettent à leurs enfants, en un mot, c'est l'héritage. Le milieu, ce sont les personnes, les objets, le climat, le pays parmi lesquels nous vivons : aujourd'hui, dans telle région, parmi des gens d'une certaine catégorie sociale, d'une certaine culture, vous êtes dans votre milieu. Le milieu peut-il modifier les effets de l'hérédité ? Grâce à l'étude des jumeaux vrais donc soumis à la même influence héréditaire, on a pu répondre à cette question.

Les jumeaux vrais, issus d'une même cellule, d'un même œuf, lorsqu'ils sont séparés, acquièrent des personnalités bien distinctes. Au bout d'un certain nombre d'années de séparation, s'ils continuent à se ressembler par le physique, ils sont différents par le caractère, les goûts, la manière d'agir, etc. : en un mot, par la personnalité.

Cela dit, René Zazzo a pu faire une constatation très importante ; il y a un domaine où le fait de vivre ensemble détermine des différences chez les jumeaux, comme d'ailleurs chez toute personne vivant en couple : par exemple l'un se replie sur lui-même, l'autre s'extériorise de plus en plus, l'un est plus introverti, l'autre au contraire extraverti.

C'est ce que René Zazzo a appelé « l'effet de couple ». Et c'est ainsi que, par un effet paradoxal, de vrais jumeaux vivant ensemble peuvent être plus différents que des vrais jumeaux vivant séparément.

Toutes ces nuances montrent qu'il ne faut pas enfermer les jumeaux dans un cadre trop rigide.

Vos jumeaux arrivent au monde avec certaines ressemblances, et certaines tendances, mais, par la manière dont vous les élèverez, ou bien vous les rapprocherez encore plus — les empêchant ainsi d'avoir leur personnalité et leur destinée — ou bien vous leur permettrez de se développer en ayant chacun ses possibilités propres.

Si vous voulez en savoir plus, je vous conseille ces livres :
— *Le paradoxe des jumeaux*, de René Zazzo, le spécialiste cité plus haut dans ce chapitre ; une nouvelle édition revue et corrigée vient de paraître (éditions Stock) ;
— *Jumeau, jumelle*, J.-M. Alby, Casterman ;
— *Éloge de la différence*, Albert Jacquard, et *Moi et les autres*, Le Seuil.

L'éducation
silencieuse

CHAPITRE 6

Dans les pages qui suivent, j'aimerais attirer l'attention sur quelques points qui me tiennent à cœur : je pense par exemple à cette hâte excessive à voir les enfants progresser dans tous les domaines. J'aimerais aussi apporter quelques éléments de réflexion sur des sujets classiques, mais sur lesquels les parents se posent toujours des questions, je pense à la jalousie par exemple.

Et plutôt que de vous proposer un long chapitre, j'ai préféré présenter les sujets en autant de rubriques séparées n'ayant apparemment pas de lien entre elles si ce n'est que chacune d'elles vous parle de votre enfant.

Pour commencer, je voudrais réfléchir avec vous sur le but de l'éducation.

Qu'est-ce que l'éducation ?

Une des premières appréciations sur l'éducation se traduit par : « Oh, il est très bien élevé ! »

Traditionnellement, être bien élevé c'est dire, comme il faut, bonjour, bonsoir, merci ; c'est se tenir bien à table, savoir écouter sans interrompre, etc.

Un temps, on s'est moqué de ces conventions. Aujourd'hui, on y revient. Heureusement. Un enfant simplifie la vie des autres en se comportant comme un être social civilisé. Il se prépare aussi un avenir plus facile à une époque où tout passe par la communication. « Ne parle pas la bouche pleine. » Bien sûr qu'il faut le répéter.

L'éducation n'est pas que l'apprentissage de la politesse et des manières à table, mais c'est déjà beaucoup, et si j'en parle en premier, c'est pour me conformer au jugement traditionnel.

Essayer de définir l'éducation en quelques pages semble une impossible gageure. Ou alors il faudrait s'en tirer par une pirouette et dire comme Freud : « De toute manière, quoi que vous fassiez, vous ferez toujours mal. » Cela dispense de toute définition, de tout conseil.

Je ne partage pas ce pessimisme, mais je crois que la marge de manœuvre est faible : quoi qu'on lise, voie, ou entende, on élève en général ses enfants *comme* ou *contre*. Comme ou contre l'éducation reçue. On a été heureux enfant (et même pas nécessairement, on lit parfois des récits écrits avec tendresse, d'enfances qui ont été dures, mais où l'on s'est senti aimé), disons donc plutôt que si l'on se souvient avec émotion de l'éducation reçue, on élèvera ses enfants *comme*.

En revanche, si l'on a souffert, si l'on a trouvé ses parents injustes, on ressassera sans cesse les conduites – les principes – qui vous ont heurté et l'on élèvera ses enfants *contre*.

Bien sûr il y a des nuances. J'ai eu une enfance heureuse. Je me situe dans les *comme*, mais toute mon enfance je me suis juré que je ne dirai jamais à mes enfants la phrase que me répétait mon père chaque fois qu'il m'avait fait une recommandation : « De toute manière je sais que tu n'en feras qu'à ta tête. » De quoi décourager d'avance les bonnes intentions et donner des complexes pour longtemps...

Dans une certaine mesure, les parents sont donc conditionnés. Mais leur part de liberté, d'initiatives, ils en useront bien s'ils se rappellent quelques notions importantes.

D'abord, qu'élever un enfant c'est avant tout l'aider à se séparer de vous. Cela passe par des détachements successifs et qui commencent très tôt.

Naissance, sevrage, école, c'est peu à peu que l'enfant apprend à se passer de vous. Comme s'il sentait que son destin est de vous quitter, à peine sait-il faire deux pas, ce petit bébé, que déjà il s'irrite que vous lui donniez la main. A peine sait-il dire deux mots que déjà il crie : « Moi, plus bébé ! » Et dans ses propos revient comme un refrain : « Quand je serai grand... » C'est pour faire comme Papa, comme Maman, ou comme une grande sœur, qu'il a envie d'agir tout seul. Ce n'est pas un caprice s'il veut prendre sa timbale sans votre aide. Si, dans la rue, il veut vous lâcher la main, ou si demain il veut aller à l'école sans vous, son désir est normal. C'est d'ailleurs ce désir de grandir qui lui fait faire, jour après jour, des progrès.

Les parents ne sont pas toujours pressés de favoriser l'indépendance. Matériellement cela prend du temps : c'est plus vite fait de lacer soi-mêmes les chaussures que d'attendre que l'enfant y parvienne ; et psychologiquement, c'est souvent difficile pour une mère de supporter que son enfant essaie de se passer d'elle.

C'est pourquoi certaines femmes ont plusieurs enfants. « Je les aime bébés. » Sous-entendu, tout à moi.

En fait, la mère surchargée et omnipotente se plaint souvent tout haut et se réjouit tout bas... surchargée mais indispensable.

Il faut de la patience pour laisser un enfant faire ses essais. Mais chaque fois que l'enfant tente et réussit un geste d'indépendance, il est heureux. Et c'est à ce prix qu'il grandira,

Pour vous consoler, si vous êtes mélancolique à la pensée de ces détachements (et pourtant, songez-y, quelle indépendance gagnée pour vous aussi), je vous dirai mon intime conviction : plus tôt on laisse l'enfant partir, plus étroits, plus forts sont les liens qu'on conserve avec lui ; ce n'est pas une vision optimiste par principe : je l'ai maintes fois constaté.

Une idée reçue risque d'amener bien des déceptions : les parents croient généralement que lorsqu'une nouvelle acquisition est faite, elle est définitive, que le passage de l'état balbutiant de l'enfance à la perfection de l'âge adulte se fait par l'addition des conquêtes, des progrès. Ce n'est pas si simple ; un progrès dans un domaine amène souvent une rechute dans un autre, un retour en arrière ou un arrêt : l'enfant commençait à bien marcher ; soudain, il fait de gros progrès de langage, arrêt net des progrès de la marche. C'est un exemple vrai dans tous les domaines.

Le livre de géographie de Jérôme dit du Rhône : « Ce fleuve a un cours rapide et irrégulier. » La croissance ressemble au Rhône. Avançant par à-coups, franchissant des barrages, bondissant puis s'étalant, elle a une allure différente de celle qu'on lui prête. Sous prétexte que l'enfant grandit, il ne va pas tous les jours faire des progrès en sagesse, en intelligence et en obéissance. Il fera deux pas en avant, puis un en arrière ; il rencontrera de nombreux obstacles qui freineront sa course. C'est entre autres pour vous faire connaître ceux des premières années que j'ai écrit le chapitre 5.

Se détacher, mais pour aller où ?

Les parents ont souvent une idée au départ. Soit qu'ils aient eux-mêmes réussi leur vie professionnelle, et dans ce cas ils aimeraient que leur enfant en fasse autant, et plutôt un peu mieux. Soit qu'ils l'aient ratée, alors l'enfant est chargé d'apporter une compensation : cette responsabilité risque d'alourdir toutes ses études, et de le gêner vraiment.

Je vous parle carrière alors que votre enfant n'est même pas en maternelle, mais on rêve vite devant un berceau, convenez-en et patientez...

Guider un enfant cela ne veut pas dire au départ fixer le but, mais laisser son enfant grandir et peu à peu l'aider à réaliser son destin car il ne suffit pas d'être adulte pour être quelqu'un. L'homme ne sera lui-même que s'il réalise ses dons, ce pour quoi il est né : ingénieur ou artiste, commerçant ou comptable et, pour reprendre un mot fameux : « Bien élever un enfant, c'est lui permettre de devenir ce qu'il est. »

Si vous partiez seul pour une île déserte, quels livres prendriez-vous ? Le jeu amuse toujours. La Bible, Camus, tout Balzac ou, plus chic, un seul livre, profond et peu connu. Récemment, les pensées de Lao Tseu ont été plusieurs fois citées par des « personnalités ».

Selon le même procédé, j'imagine qu'on me demande quels sont pour moi les indispensables de l'éducation.

Aimer. Parler avec (j'ajoute *avec* sinon on pourrait comprendre *devant*, comme une de ses patientes citée par Françoise Dolto * : « Je parle sans arrêt, mais tu en as marre, hein ! Il m'a regardée pour la première fois depuis longtemps, et je me suis dit, il a bien raison, on va se parler un peu moins et peut-être on se regardera mieux ! »). Être très exigeant avec son enfant pour qu'il le soit avec lui-même. Savoir le laisser partir. Être son roc. Quel que soit son âge, le considérer comme une personne.

---

* Dans le *Cahier du nouveau-né* n° 7, Éd. Stock.

Pour moi, le minimum et l'essentiel.

Je regrette de n'être pas anglo-saxonne, je saurais donner plus de place au corps. « Tu seras un homme, mon fils. » Une rude vie de marin dont le vent burine le visage et l'âme. Pour les filles comme pour les garçons, des sports qu'on pousse à la limite sans broncher, etc. Cela me fait envie mais je ne sais pas vraiment en parler.

En guise de conclusion, je reviens au point de départ : aimer. Cela ne se fait pas sur commande, mais aimer ce n'est pas nécessairement le coup de foudre, rarement même ; l'amour vient de l'intérêt, de la compréhension, de la vie ensemble et des difficultés.

Quoi qu'il en soit, il me semble impossible d'élever un enfant sans amour.

Toujours plus vite. Vous vous occupez avec gentillesse et attention de vos enfants, avec compétence également, je le vois bien d'après vos lettres. Vous suivez leurs progrès, vous avez pour eux de l'ambition : vos enfants ont de la chance. Mais vous êtes souvent trop pressés. Vous voulez que vos enfants fassent des progrès rapides dans tous les domaines, et vous comparez toujours avec les enfants du voisin. Vous voudriez que le vôtre marche plus tôt, parle plus vite, grandisse plus rapidement, soit sage à l'âge où on est turbulent. Pourquoi être tellement obsédés par le temps ? Chaque enfant a son rythme : l'un a des dents à 6 mois, l'autre à 9 ; l'un marche à 9 mois, l'autre à 18. Un élève fait une bonne 6e à 10 ans, un autre seulement à 12. La puberté commence chez l'un à 9 ans, et chez l'autre à 15 ans ! Certains enfants doivent s'arrêter toutes les dix minutes lorsqu'ils révisent leurs leçons, d'autres peuvent rester attentifs vingt minutes. Ces rythmes, il est important de les respecter.

D'ailleurs, quelle importance cela peut-il avoir dans une vie d'avoir marché trois mois plus tôt, ou appris à lire un an plus tôt que les autres ? Pourquoi vouloir démarrer de plus en plus tôt alors que la vie devient de plus en plus longue ? En revanche, quelle responsabilité on prend en privant l'enfant de son enfance, car c'est bien ce qu'on fait en le pressant, en voulant brûler les étapes, en essayant à tout prix de sortir l'enfant trop tôt de son petit monde !

Il a 2 ans, il touche à tout, c'est normal, c'est ainsi qu'il découvre ce qui l'entoure. Il a 3 ans, il est turbulent : c'est normal, il se fait des muscles. Il a 4 ans, il n'a pas d'ordre : c'est normal à son âge. Il découvrira l'ordre lorsqu'il découvrira le calcul, à 7-8 ans. Votre enfant traîne, il a l'air de ne rien faire (chose qui agace prodigieusement les parents). Mais non il ne traîne pas, il observe ce qui l'entoure. Jean Rostand racontait que sa passion des sciences naturelles était née dans le jardin de Cambo où il passait des heures, immobile, à observer les insectes.

Laissez votre enfant suivre son rythme, laissez-le être un enfant, ne le pressez pas de faire des progrès. C'est ainsi qu'il se développera, et qu'il s'épanouira. En éducation, on croit souvent que tout progrès est le résultat d'un effort, ou des enfants, ou des parents. On ne compte pas assez sur le temps, et sur la nature. Or, dans chaque enfant, lentement, au fil des années, naturellement, tout un travail de maturation se fait : maturation physiologique, intellectuelle et affective.

Les observations dont je vous ai parlé au chapitre 5 sur la compétence du nouveau-né risquent d'accélérer dangereusement le mouvement « toujours plus vite » et ses conséquences néfastes.

Lorsqu'un congrès annonce : « Votre nouveau-né voit, entend, sent, goûte... », les médias transmettent : « Il est étonnamment éveillé, habile, agile et alerte. »

On en « rajoute » d'autant plus qu'on a si longtemps dit : le nouveau-né ne voit rien, n'entend rien, c'est juste un estomac ; ainsi le contraste est plus frappant...

Mais, alerté, le parent pressé traduit : s'il sait déjà tant, on peut lui apprendre le reste plus tôt. Le pas est franchi, par les Américains d'abord ; curieusement si en avance dans tant de sciences et si imprudents pour certaines conséquences.

Puis la nouvelle traverse l'Atlantique : « En Amérique ils savent les lettres à 18 mois. »

Une lectrice fascinée par la performance écrit : « Pourquoi ne parlez-vous pas dans votre livre des méthodes de lecture à 2 ans, mon bébé à 21 mois sait toutes ses lettres. » J'aurais pu lui répondre : « Votre bébé est en retard de trois mois sur le nourrisson américain... »

Donc dans les écoles pour bébés – il y en a de nombreuses aux États-Unis, les Better Babies Institutes – on apprend à compter, à reconnaître un Picasso d'un Toulouse-Lautrec, à jouer du violon dès deux ans, l'informatique, etc.

L'initiateur de ces méthodes précoces, Glen Domann, dit d'ailleurs qu'un bébé peut tout apprendre, il suffit de lui consacrer du temps. Facile : pour la lecture, par exemple, sur des grands cartons il y a des lettres ou des syllabes, il suffit de présenter chaque carton trois fois par jour un moment. N'importe quel bébé normalement doué les mémorisera très vite. Dans ses livres, Glen Domann propose d'apprendre à lire à son bébé, de lui apprendre les maths ; il propose aussi une méthode pour développer son intelligence.

Tout ça pour que les enfants réussissent plus vite. Une obsession.

Effectivement, il y a des bébés qui enregistrent, apprennent, retiennent tout très vite. Mais un beau jour ils ont mal à la tête, ils s'arrachent les cheveux (littéralement) et ne dorment plus. L'avance est perdue et l'enfant a besoin de tranquillisants. Quel parent conscient peut prendre ce risque ?

Un enfant a besoin d'être stimulé pour développer son intelligence, ses relations avec autrui, son affectivité, toutes ses capacités. On a toujours su que l'enfant, naturellement, a un grand appétit de vivre, mais que cet appétit il faut le nourrir en le stimulant. Il faut s'occuper de lui, s'intéresser à lui.

On savait aussi que l'enfant non stimulé perdait l'appétit, le sommeil et peu à peu le goût de vivre.

A la lueur des excès actuels – surtout américains pour le moment – on constate que l'hyperstimulation, que le « toujours plus tôt », « toujours plus vite » peuvent conduire à des troubles qui – paradoxalement d'ailleurs – sont souvent les mêmes que ceux qui naissent du manque d'intérêt de l'entourage. En effet, cela a été mis en évidence lors de récents entretiens de Bichat, l'enfant sous-stimulé en perd le boire, le manger, le sommeil, finit par être déprimé, exactement comme l'enfant qui est trop stimulé.

Dans ce sens, les observations sur la compétence du nouveau-né, si bénéfiques lorsqu'elles débouchent sur une meilleure relation parents-enfants, peuvent faire du tort à l'enfant lorsqu'elles incitent les parents à cette course à la précocité dès le jour de la naissance.

Les mêmes troubles peuvent apparaître chez un bébé ultra-sensible, que les stimulations dont on l'entoure excitent plus vite qu'un autre.

Alors, ni trop, ni trop peu ?

C'est vrai, la bonne mesure est à trouver pour chaque bébé. Mais on se rend vite compte soi-même de la dose de stimulation nécessaire et suffisante à chacun.

Caprices. Hier, en passant devant le magasin de jouets, l'enfant a fait un caprice. Il voulait le tricycle. – Viens, tu en auras peut-être un pour Noël. – Non, maintenant. – Viens. – Je le veux ! – Non. – Si. Cris, pleurs, enfant qui se roule sur le trottoir. Vous avez grondé, vous avez sévi. Vous avez bien fait.

Aujourd'hui, alors que vous le coiffez, l'enfant veut saisir la brosse. – Moi tout seul. – Mais non, laisse-moi faire. – Non, c'est moi. Cris, pleurs. Est-ce un caprice ?

Non. Le désir de l'enfant de se coiffer lui-même est normal. Pourquoi ne pas le laisser faire ?

Devant un caprice, avant de sévir, demandez-vous si le « caprice » mérite ce nom. On appelle un peu vite caprice ce qu'on ne comprend pas.

« Il ne comprend pas. » On ne parle pas assez *aux* enfants et beaucoup trop *devant* eux, de tout. « Cela n'a pas d'importance, il ne comprend pas. »

Si, beaucoup plus et beaucoup plus tôt que vous ne le croyez. La compréhension n'est pas en proportion avec la capacité de s'exprimer. Au contraire, elle la précède. C'est comme pour une langue étrangère. Certaines personnes qui n'en savent dire que quelques mots la comprennent pourtant couramment.

Et puis parler de tout devant un enfant sous prétexte qu'il ne comprend pas, c'est vraiment faire peu de cas de lui et le traiter comme un meuble.

L'agressivité : qualité ou défaut ? A certains stades de son développement, nous l'avons vu, l'enfant manifeste de l'agressivité : au moment de l'éducation de la propreté, il répond souvent par de l'agressivité aux exigences de son entourage ; autour de 2 ans, « non » est le mot-clé de ses colères et de ses scènes ; un peu plus tard, vers 3 ans, c'est en frappant du pied, l'air frondeur, qu'il refuse d'obéir...

Cette réaction de l'enfant n'est pas le signe d'un caractère autoritaire et difficile. Elle apparaît chaque fois que l'enfant doit franchir une étape importante de son évolution. Sa résistance, ses colères, ses refus dénotent une personnalité qui cherche à s'exprimer, à faire sa place entre ses parents.

L'agressivité traduit toujours un état de crise : la difficulté de l'enfant à s'adapter à de nouvelles contraintes, à abandonner certaines habitudes, mais elle exprime aussi le dynamisme et la vitalité d'une personnalité en progrès. La crise passée, l'étape franchie, tout rentre dans l'ordre, l'enfant ne s'oppose plus systématiquement et retrouve son équilibre. En ce sens, l'agressivité est un signe de bonne santé.

Mais si elle persiste, si elle devient habituelle, elle exprime un vrai malaise affectif. Dans ce cas, l'agressivité est un signal d'alerte pour les parents. Au lieu de conclure « Mon enfant devient méchant », il faut se rendre compte qu'il est malheureux et chercher pourquoi. Réagit-il à trop de sévérité ? Veut-il forcer l'attention d'une mère distraite ou d'un père trop occupé ? Est-il bouleversé par les disputes ? N'est-il pas jaloux ? Il faut trouver la cause avant que l'agressivité ne risque de gêner l'enfant dans ses relations avec son entourage.

Noël. C'est avant tout une fête religieuse. Si vous êtes croyant, raconter Noël ne vous posera pas de difficulté, vous saurez bien que dire. Si vous n'êtes pas croyant, et que vous avez envie de raconter Noël à vos enfants, je vous indique, ci-dessous, quelques livres que je trouve bien faits.

En vous écoutant, votre enfant se rendra bien compte que Noël est une des très belles histoires de l'humanité, une histoire qui a marqué le monde.

Réduire Noël à une distribution de jouets, c'est aussi triste que de le réduire à une dinde. L'esprit cotillon convient mieux au réveillon du jour de l'An.

Faut-il raconter des histoires de Père Noël ou non ? Écoutez, il y a tellement d'occasions de vous donner des conseils dans un livre qui concerne les enfants, de vous dire de faire ou ne pas faire, que, là, franchement, c'est à vous de décider. Cela fera partie de vos opinions personnelles, des traditions de la famille ; tout ce que je peux vous suggérer, c'est que si jamais votre enfant arrive de l'école en disant : « C'est le Père Noël qui apporte les jouets », ne dites pas brutalement : « Mais non, il n'existe pas. » Le Père Noël fait partie du folklore enfantin qu'on ne peut pas détruire sans faire attention. Je crois simplement que le Père Noël ne doit pas prendre le pas sur la signification ou, suivant ses convictions, sur le symbole que représente Noël.

Mais comment en est-on arrivé de la naissance du Christ au Père Noël ? Parce que cette naissance, comme dans toutes les familles, signifiait une très grande joie, et que toute grande joie s'accompagne de cadeaux. D'ailleurs, quelques jours plus tard, les rois mages sont aussi arrivés les bras chargés de présents.

Noël expliqué aux enfants, par Jean Vermeersch, Éd. Fleurus. *La fête, Noël*, illustrations de Catherine Gambier, Éd. Desclée de Brouwer. *Noël ! Noël !*, par Maïté Roche, Éd. Mame. *La Sainte Nuit*, par Selma Lagerlöf et Dominique Leclaire, Éd. Nord-Sud. *Noël Merveilles*, par Bernard Descouleurs et Christiane Gand, Nouvelles Éd. Mame.

Ces ouvrages sont charmants et bien illustrés. Mais ils ont curieusement un point en commun : les anges ont été censurés ! Plus un seul ange pour annoncer aux bergers la bonne nouvelle et apprendre au monde à chanter le *Gloria in excelsis Deo*... Les messagers de Dieu sont pourtant présents à chaque page de la Bible ou presque.

Par ailleurs, vous pouvez vous reporter aux sources, c'est-à-dire, à l'Évangile selon saint Luc.

Les jouets. Au moment de Noël, certains parents emmènent leurs enfants dans les magasins en leur demandant ce qui leur ferait plaisir. Mais cette abondance de jouets tourne la tête, et dans cette caverne d'Ali Baba, au milieu de tous ces trésors, il est impossible de choisir. Il est plus sage de considérer ces vitrines comme un spectacle, et de noter, à l'occasion, les réflexions des enfants. Elles vous guideront dans le choix que vous ferez pour eux.

Les jouets que vous avez donnés, même s'ils ont coûté cher, sont à eux. Si, d'avance, vous ne pouvez supporter l'idée de les voir s'abîmer, offrez-en d'autres.

La joie que procure un jouet n'est pas proportionnelle à son prix : c'est une évidence mais il est bon de le rappeler.

Si l'enfant ne construit pas son jeu de construction comme il est écrit sur la notice, laissez-le faire. Quand il s'installe dans son coin avec son jeu, monologuant, l'air absorbé, ne faites pas comme ces pères qui veulent à tout prix montrer à leurs fils comment on *doit* faire marcher l'auto mécanique. L'enfant tient beaucoup à être le premier à faire marcher son jouet ; il ne veut pas s'en dessaisir : tout cela est légitime.

Ne vous attendez pas à ce qu'il manifeste immédiatement son intérêt ou qu'il s'exclame en ouvrant le paquet : « Oh ! comme c'est joli ! Comme je suis content ! C'est justement ce que je voulais ! » Il est rare qu'un enfant apprécie tout de suite le jouet qu'il reçoit. Généralement, il commence par regarder celui de son frère ou de sa sœur. Mais, quelques jours plus tard, on le voit s'endormir avec le jouet et refuser de s'en séparer.

Que de jouets ! Il ne pourra jamais jouer avec tous ! Et les anciens ? Il va les oublier... Ici, faites preuve de prévoyance : mettez de côté ce que l'enfant délaisse.

Un jour, à l'occasion d'un chagrin, d'une rougeole, vous ressortirez le jouet délaissé hier, vous verrez comme il sera apprécié.

La conversation. Voici un petit jeu auquel vous pouvez vous livrer en société. Demandez à vos amis : « A votre avis, quel est le principal grief des adolescents d'aujourd'hui : parents trop sévères, manque de liberté, être trop couvés, ne pas voir assez ses parents, ne pas être assez gâtés ? Devinez ? » La réponse, la voici.

La majorité des adolescents regrette avant tout de ne pouvoir parler plus avec leurs parents, de ne pouvoir parler librement de tout. Cette indication me semble essentielle *. Les adolescents ne demandent pas avant tout plus de liberté, mais plus de conversations, plus de communication.

En quoi cela regarde-t-il vos enfants dont nous avons parlé tout au long de ce livre, ces enfants qui viennent de naître ou qui ont 3, 4 ou 5 ans ? Cela les regarde directement. Le besoin de communiquer est vital, littéralement : il naît avec la vie. On l'a tellement dit que c'est presque gênant de le répéter, pourtant c'est utile, cette banalité n'est pas encore connue de tous. Un enfant a besoin qu'on lui parle, dès les premières heures de la vie, à 2 ans, à 10 ou à 15, toujours ; pas de la même manière à ces différents âges, mais toujours. Et il a besoin qu'on l'écoute.

La communication c'est aussi un geste, un regard, un sourire. Puis, c'est une histoire lue, ou racontée, une promenade, un spectacle. Je ne vais pas vous donner des exemples, vous les découvrirez vous-mêmes.

« Parler, m'a dit un jour une mère, mais de quoi ? »

De quoi ? De tout, suivant les âges. Commencez par répondre aux questions. La curiosité d'un enfant est difficile à tarir, qu'il ait 3, 5 ou 10 ans. Causer avec un enfant, c'est lui manifester son intérêt. C'est une certaine manière de le considérer et de l'élever. C'est le contraire de : « Mange et tais-toi » ou de « Je n'ai pas le temps de t'expliquer » ou de « Tu comprendras plus tard ».

Plus tard, les enfants se taisent. A l'adolescence, repliés sur eux-mêmes, ils se renferment. Mais je peux vous promettre que si jusque-là vous avez gardé le contact, vous le maintiendrez même à travers les silences.

« A l'aide ! » En même temps que toutes les joies qu'elle apporte, la vie avec un enfant est en général parsemée de difficultés, plus ou moins grandes, de crises, voire de problèmes. Ils naissent au fil de la vie quotidienne car les parents imposent à l'enfant des contraintes, parce que l'enfant grandit et que ce seul fait crée des déséquilibres momentanés qui le pertubent, parce que parents et enfants ne se comprennent pas toujours, etc.

De ces difficultés, bon an, mal an, les parents se sortent. Ce livre est d'ailleurs là pour les aider, en particulier lorsqu'il raconte le développement psychomoteur et ce qui peut provoquer les crises. Les parents d'aujourd'hui sont en outre mieux informés de la psychologie de l'enfant par les innombrables travaux et recheches faits depuis 50 ans.

Mais il y a des difficultés devant lesquelles les parents se sentent démunis, incapables de trouver une solution à une crise qui se prolonge, à des tensions particulièrement aigües. Où trouver de l'aide ?

Jusqu'à ces dernières années, je n'ai pas souvent suggéré le recours aux spécialistes (psychologues, psychanalystes, psychiatres), parce que renvoyer a eux risquait, me semblait-il, de diminuer la confiance que les parents pouvaient avoir pour trouver eux-mêmes des solutions. A l'expérience, en général, cette crainte n'est pas fondée.

Une autre raison m'incitait à la réserve : la profession de « psy » n'étant pas réglementée, il y en avait qui se donnaient le titre sans avoir l'expérience. Et une certaine méfiance entourait la profession. La méfiance était accrue par le fait que lorsque vous suggériez d'aller consulter un « psy », bien des gens pensaient que cela impliquait automatiquement un désordre mental.

Les choses ont évolué, on peut toujours apposer librement sa plaque sur sa porte, mais dans une certaine mesure la profession a été règlementée. Et la confiance s'est faite plus grande.

Où trouver un psychologue sérieux ?

Si le médecin ou le pédiatre ne vous a pas donné d'adresse, vous pouvez en avoir une dans les C.M.P.P. (Consultations médico-psycho-pédagogiques). Dans ces centres (où les professionnels sont tous diplômés), il y a des consultations ; on pourra aussi vous y donner des adresses « en ville », si vous le désirez. Les conditions d'accueil dans les consultations psychologiques ont changé, et vous serez rassurés et mis en confiance par leur absence de médicalisation, de « psychiatrisation » ; en aucun cas on ne cherchera à se substituer à vous.

Mais dans quels cas s'adresser à un spécialiste ?

J'introduirais d'abord la notion de *durée* : si le symptôme ou le problème se prolonge trop, il ne faut pas hésiter à consulter. Par exemple, si un enfant ne veut pas s'endormir trois soirs de suite, ce n'est pas grave ; si cela dure trois semaines, une aide extérieure peut être utile. Il faut tenir également compte de la notion de *degré, d'intensité* : si les symptômes sont intenses, trop violents, là aussi il serait utile de consulter. Un enfant peut se mettre en colère, mais si, quand il le fait, il est au bord de l'évanouissement, cela doit alerter. On pourrait trouver d'autres exemples avec la nourriture ou les pleurs.

En conclusion : lorsque vous vous sentez dépassés par une difficulté, lorsqu'elle vous angoisse, n'oubliez pas qu'un spécialiste peut vous aider.

On ne l'entend jamais. « Mon enfant ? Un enfant parfait. On ne l'entend jamais. Toujours tranquille. Jamais une tache sur ses habits. Jamais une égratignure. »

Lorsque j'entends cela, je dis aux parents : « Soyez attentifs, normalement un enfant fait du bruit, fait des taches et s'écorche. »

« Trop dynamique à 3 ans, trop passif à 12 ». C'est souvent le reproche qu'on fait, à 9 ans d'intervalle, au même enfant. A 3 ans, ses initiatives dérangent, elles font du bruit, et puis elles ne correspondent pas à l'idée qu'on se fait en général d'un petit « qui-a-tout-à-apprendre » et dont la principale vertu est d'obéir en silence. A 3 ans, pour bien des parents, un enfant doit être calme, soumis, silencieux. Mais à 12, il doit être dynamique et autonome, montrer du caractère et de la personnalité : « C'est nécessaire, dans la vie. »

Il n'y a pas de miracle. La même éducation ne peut donner, à quelques années d'écart, des résultats si différents. On ne peut avoir si longtemps découragé les initiatives, et réclamer un beau jour que l'enfant en prenne.

Je voudrais m'arrêter une seconde pour parler d'un sujet qui me tient à cœur. Je crois que l'éducation qu'on donne en France est bonne dans bien des domaines,

---

* L'enquête qui nous l'a révélée a été faite à notre demande par la SOFRES, auprès de 1 000 jeunes de 15 à 20 ans. Cette enquête nous a apporté bien d'autres indications, mais celle-ci nous a semblé la plus importante.

mais dans celui de la responsabilité et de l'autonomie, elle est en retard sur l'éducation anglo-saxonne. Un enfant, en France, n'a le droit de rien faire, on arrête chacune de ses initiatives. Un enfant, en Amérique ou en Angleterre, a des responsabilités plus tôt et, en conséquence, acquiert plus vite son autonomie.

La preuve, aux États-Unis l'enfant est majeur à 16 ans. Rappelez-vous le tollé en France le jour où la majorité est passée de 21 à 18 ans !

L'apprentissage de la liberté.

16 mois, dans la rue, il veut vous lâcher la main pour marcher tout seul.
30 mois, il voudrait prendre un couteau pour couper seul sa viande.
4 ans, il veut traverser la rue sans vous.
6 ans, il veut revenir seul de l'école.
8 ans, il veut regarder la télévision le soir, avec les grands.
12 ans, il veut aller au cinéma avec les copains.
14 ans, il veut partir en vacances sans vous.

Et chaque fois vous vous demanderez s'il faut le laisser faire ou s'il faut encore attendre.

Pour votre enfant, c'est cela l'apprentissage de la liberté. Pour vous, parents, savoir quand il faut peu à peu lâcher la main, c'est difficile. Certains parents n'attendent pas que leur enfant veuille les lâcher ; ils le poussent en avant : « Il n'y a plus place dans le monde d'aujourd'hui pour les poules mouillées... Il faut savoir se débrouiller tôt... » Et l'on élève l'enfant à la dure. Il doit savoir nager avant les autres. Il doit pouvoir traverser la cour dans le noir. « Allez, avance ! N'aie pas peur ! Saute ! » Il saute, mais, s'il tombe et se fait mal, il n'aura plus confiance ni en lui ni en ses parents et se montrera de moins en moins entreprenant.

D'autres parents au contraire freinent : ils n'osent jamais lâcher la main. L'enfant veut faire un pas ? « Attention ! Tu vas tomber ! » Manger seul ? « Attention ! Tu vas te salir ! » On a peur qu'il ait peur. Il veut apprendre à nager ? On a peur qu'il se noie. C'est comme si ces parents craignaient de voir leur enfant grandir. L'enfant doit leur arracher sa liberté bribe par bribe ; acquise de la sorte, la liberté perd d'ailleurs son charme. Sans cesse retenu, l'enfant devient timoré, et peu à peu perd confiance en lui. Parfois, au contraire, il rêve du jour béni où il pourra vraiment partir, mais pour longtemps cette fois.

D'autres parents, enfin, ne poussent ni ne freinent ; ils laissent faire leur enfant : « Tu veux faire cela seul ! Qu'à cela ne tienne ! » Soit indifférence, soit inconscience. Résultat : l'enfant se croit abandonné.

Mais alors, comment savoir ? Quand dire oui ? Quand refuser ? Très délicat : il n'y a ni règles, ni recettes. Tout dépend de l'enfant. Le craintif, il faut le pousser en avant doucement – je ne dis pas le bousculer – l'aider à se détacher, et lui donner confiance : « Tu es grand, tu peux faire comme les autres. » Le casse-cou, il faut au contraire le retenir un peu, sinon il se cassera vraiment quelque chose. Celui qui est à mi-chemin, laissez-le avancer à son rythme, laissez-lui faire ce qui correspond à son âge. Pour le savoir, regardez autour de vous (et relisez le chapitre 5). Faites-lui confiance, et de loin, veillez. D'ailleurs, le laisser avancer tout en restant derrière lui, visible ou non, correspondra à son désir de sécurité. L'enfant le plus hardi, le plus indépendant, qui crie qu'il veut faire seul, n'en a pas moins besoin de vous. Il rêve d'explorer l'inconnu, mais, en même temps, veut être rassuré.

Et de temps en temps, donnez à votre enfant un peu de liberté sans qu'il vous la demande. Il a quatre ans ; tous les matins, vous l'accompagnez, main dans la main, jusqu'à la porte de l'école. Un jour, cinquante mètres avant l'école, s'il n'y a plus de rue à traverser, lâchez sa main, proposez-lui de finir seul sa route. Et vous verrez que ces cinquante mètres, il les parcourra sans se retourner.

Mères fatiguées, mères énervées. Vous êtes fatiguée, énervée, vous avez toutes les raisons de l'être. Levée tôt, couchée tard, travail à l'extérieur, travail à la maison, soins des enfants, courses, cuisine, ménage, pas de sport, pas d'air dans un appartement souvent trop petit, le tout en souriant : c'est ce qu'on attend d'une femme, d'une mère, d'une épouse. C'est éreintant, même à 20 ans.

Les statistiques confirment les faits. D'après une enquête du Pr Lestradet, les femmes les plus fatiguées sont celles qui ont des enfants de 18 mois à 3 ans. Donc n'ayez ni complexes ni culpabilité, cela vous fatiguerait encore plus.

Mais alors que faire ? Dans l'immédiat, au sommet de l'énervement, dire franchement à l'enfant, pour éviter une gifle qu'il n'aura pas méritée : « Je suis énervée, laisse-moi tranquille. » Croyez-moi, il comprendra, et vous verrez pour vous-même comme c'est parfois soulageant de pouvoir exprimer son énervement.

Si vous êtes fatiguée et si votre mari ne vous aide pas spontanément, faites-lui lire les pages d'Hubert Montagner * qui montrent que l'énervement de la mère retentit sur son enfant. Il faudrait, dans la pratique, que les maris partagent tous avec leur femme la charge de la maison, c'est loin d'être le cas.

Et tous les deux, par votre action politique, syndicale ou locale, il faudrait que vous obteniez peu à peu des améliorations des conditions de vie de la mère de famille. Par exemple, que la femme ait, pour un salaire identique, une heure de travail en moins par jour. Il faudrait multiplier les emplois à mi-temps, aménager les horaires. Les solutions ne manquent pas, ce qui manque c'est la conviction intime qu'un pays riche comme le nôtre doit dépenser plus d'argent pour améliorer la vie des parents, et tout d'abord des femmes, que pour la construction des autoroutes.

« Si je n'étais pas fatiguée, je serais considérée comme une paresseuse. » C'est ce que pensent certaines femmes. Pour elles, la mère de famille doit se sacrifier, faire des tartes et des ragoûts, briquer, brosser, frotter et surtout ne pas s'arrêter – ce qui la détendrait : une femme qui est chez elle doit s'occuper tout le temps pour rester conforme à l'image de la mère-devoir, de la mère-courage. Cette image est l'une des nombreuses dans lesquelles notre société enferme encore la mère de famille ; pour certains, elle est aussi la mère éternellement coupable de tout ce qui peut arriver à son enfant ; d'autres vont plus loin, elle ne peut être à la fois mère et femme, etc.

Ces mères, il y en a moins qu'hier, mais il en reste encore trop. Là, il s'agit de surmonter un état d'esprit, et c'est le rôle de l'entourage.

<u>L'enfant unique.</u> 6, 5, 4, 3, 2... Ce n'est pas un compte à rebours, c'est le rétrécissement de la moyenne des enfants dans les familles françaises depuis quelque cinquante ans. Alors pourquoi de 2, la moyenne actuelle – en fait on en est à 1,8 – pourquoi de 2 n'irait-on pas à 1 ? Un seul enfant, pourquoi pas ? Pour les familles ce serait moitié moins de souci, moitié moins de frais ; on pourrait ainsi mieux s'en occuper et lui donner plus de chances dans la vie ?

Mais du côté de l'enfant ce n'est pas toujours aussi simple.

D'abord, étant enfant unique, il est celui qui « essuie les plâtres », au fil des années, à chaque étape, sans que l'expérience du deuxième enfant qui relativise, dédramatise et simplifie, puisse faire contrepoids.

D'autre part, ses seuls compagnons en famille étant des adultes, l'enfant a tendance à vouloir se mettre toujours à leur niveau, à être comme un petit adulte en miniature : il intervient dans la conversation, il accapare l'attention lors des repas, et, par imitation de l'autorité des adultes, il devient souvent d'une exigence sans partage ; il demande une participation permanente à ses jeux, et son égocentrisme est vraiment exagéré. Et d'un autre côté, l'enfant unique est pris souvent et involontairement à témoin de difficultés qui le dépassent ; il peut alors se sentir responsable trop tôt, voire coupable, de discussions, de disputes dont il n'a pas toujours compris le sens.

L'arrivée de frères et sœurs atténue ces excès, distrait l'enfant de la vie de ses parents, lui fait retrouver des relations enfantines à sa mesure. Avoir des frères et des sœurs, c'est avoir des compagnons de jeu à domicile, c'est vivre dans le monde de l'enfance tout en profitant du monde des adultes. C'est apprendre le partage,

---

* Hubert Montagner, *L'enfant et la communication*, Éd. Stock.

faire l'apprentissage des différences, être confronté à des difficultés et des rivalités qui préparent à la vie d'adulte, mais qui sont aussi source de joie et d'amusement.

Post-scriptum. Cet article, je l'ai écrit pour la première édition de ce livre. Depuis j'ai reçu quelques lettres mécontentes :
« Je suis enfant unique, j'ai été heureuse. »
« Je n'ai qu'un fils, il est très épanoui. »
Moi aussi, j'ai rencontré des enfants uniques et heureux. Mais j'en ai vu également qui réclamaient un frère ou une sœur, et je connais des adultes qui longtemps ont regretté d'avoir été seuls !
Et j'ai si souvent entendu des parents hésiter. Un deuxième, pourquoi ? Et pourquoi pas ? Alors je n'ai pas résisté à l'envie de leur dire : n'attendez pas... On me pardonnera cette intrusion dans la vie des familles.

Bien sûr, il y a des parents qui auraient voulu un deuxième enfant et qui ne l'ont pas eu. Ce que je dis de l'enfant unique ne peut qu'aviver leurs regrets. Je suis profondément consciente de l'inégalité de la nature. Mais si on essaie à tout prix de protéger les sensibilités de chacun, on finirait par ne plus rien dire.

L'éducation religieuse. Un enfant commence à marcher vers un an, il apprend à parler entre 12 et 18 mois. A l'école chaque classe a son programme. Aussi on a tendance à lier chaque nouvel apprentissage à un certain âge.
L'éducation religieuse échappe à ce critère d'âge, même si le catéchisme des catholiques, l'école du dimanche des protestants, l'instruction religieuse des juifs ou des musulmans commencent à des âges précis selon les familles ; l'éducation religieuse c'est d'abord une imprégnation, un environnement.
Je dis cela pour répondre à la question : quand commencer l'éducation religieuse ?
Je réponds : au berceau, aujourd'hui, tous les jours.
Pour le chrétien, le juif, le musulman, la religion c'est une foi et aussi une pratique, des coutumes. Y associer l'enfant, même tout petit, c'est l'habituer tout naturellement à vivre dans cette foi. Je dis associer, ce n'est même pas aussi actif. Que l'enfant soit simple spectateur, c'est déjà un début. Même avant de comprendre, un enfant sera sensible à un changement de ton, d'habitude. Emmenez votre enfant au temple, à la mosquée, à la synagogue, à l'église, même un court instant. En Grèce, ma demi-patrie, on entre dans une église, on met un cierge, on fait une prière, on repart au marché, la foi est vraiment intégrée dans la vie quotidienne. Montrez à votre enfant des livres d'images qui racontent Jésus ou Yaveh ; faites-lui entendre une musique sacrée. Dites-lui sa prière avant qu'il ne puisse le faire lui-même. Et peu à peu votre religion entrera dans sa vie.
En matière d'éducation religieuse, s'il n'est jamais trop tard, il est vrai en même temps qu'il n'est jamais trop tôt pour commencer.

Des parrains et marraines. Vous êtes occupés à passer en revue vos parents, amis et connaissances, afin de trouver un parrain et une marraine à votre enfant. Si l'on attend surtout d'un parrain et d'une marraine qu'ils soient à vos côtés le jour du baptême, demandez-vous aussi, au moment de les choisir, quel rôle ils seraient capables de jouer s'il vous arrivait de disparaître. Ils auraient alors leur mot à dire sur l'éducation de votre enfant. Ont-ils vos idées ? Ont-ils les mêmes préoccupations spirituelles que vous ? Choisissez un parrain, une marraine capables de faire face, si nécessaire, à leur fonction.

Mais même vous étant là, les parrains et les marraines ont un rôle à jouer : leur jugement, leurs conseils désintéressés pourront vous être précieux dans les moments où des décisions importantes seront à prendre. Et pour l'enfant, s'il s'entend bien avec son parrain ou sa marraine, il pourra venir les voir le jour où il aura envie de parler à d'autres que ses parents. C'est pourquoi il est préférable que les parrains et les marraines soient des familiers de la maison.

Mère aujourd'hui. La France est un curieux pays.

— Elle déplore de n'avoir pas assez d'enfants : « Les berceaux de Marianne sont vides, la population se ride », constate-t-elle amèrement ; et dans les sondages la majorité des Français voudraient voir les courbes remonter.

— Elle fond d'émotion lorsqu'elle voit sur les murs quatre super bébés étaler leurs charmantes rondeurs et leurs yeux « grands ouverts sur la vie ». Comme l'ont dit les promoteurs d'une campagne récente : nous touchons la corde sensible, les Français aiment les bébés. C'est vrai, si l'enfant était roi dans les années 60, le bébé est devenu prince dans les années 80.

— Une science nouvelle est née, la « bébologie », dit une revue [*] qui lui consacre 240 pages écrites par les gens les plus sérieux : toute la gamme des psy, des ethnologues, des comportementalistes, toute la gamme des médecins, des sociologues, historiens, linguistes etc., en tout 45, créant pour leur plaisir une série de néologismes hardis qu'on n'est pas sûr de retrouver dans les dictionnaires : bébolâtrie, bébématique, bébéanalyse...

En France, on aime donc les bébés. Mais paradoxalement on ne s'intéresse pas à leur mère. En fait, on s'intéresse à elle de la conception à l'accouchement : on s'attendrit devant son ventre qui s'arrondit, mais le jour où, retour de la maternité, Bébé dans les bras, et le ventre plat, elle rentre chez elle, elle n'intéresse plus personne. A moins d'être une star : depuis quelque temps la vedette pouponnant se vend bien dans les magazines, mais l'image fait partie du show-biz, on ne s'intéresse pas plus à la vie de cette mère-là.

Cet intérêt pour le bébé et cette indifférence pour la mère préfigurent l'ère où l'on ne fera plus que des bébés dans des bouteilles, pris en charge à la sortie par des puéricultrices D.E.

Être mère aujourd'hui est devenu difficile, et pas toujours gratifiant. Du point de vue de sa place dans la société, il y a deux sortes de mère :
— celle qui reste au foyer,
— celle qui travaille à l'extérieur.
Et l'une et l'autre ont des problèmes.

La mère au foyer est mal vue, elle n'est aidée ni psychologiquement, ni matériellement, on lui reproche de se tenir à l'écart, de se contenter de petites tâches, d'humbles petits « boulots » : « torcher », laver, biberonner. Et lorsqu'elle veut sortir de sa maison, elle ne trouve personne pour garder son enfant.

La mère qui a un métier n'est guère aidée, mais au moins estimée, elle a la reconnaissance sociale : aujourd'hui pour une femme, se réaliser, c'est d'abord avoir un métier. Mais revenue chez elle, elle a ses 5 heures 25 de ménage quotidiennes [**] (trajets en plus), se couche tard, se lève tôt pour courir à la

---

[*] Sous le titre « Objectif Bébé » (*Autrement* n° 72).
[**] Chiffre qui ressort d'une enquête récente.

crèche, si encore elle en a trouvé une pas trop loin. Je ne poursuis pas la description, elle a été faite cent fois.

Alors, dans ces conditions, faut-il continuer à travailler ou s'arrêter ?

Pour certaines femmes la question ne se pose même pas : elles sont obligées de travailler pour des raisons financières, même lorsqu'elle rêvent d'une pause-bébé. Or certains métiers sont épuisants. Pour une caissière de grande surface, pour une ouvrière d'usine, l'idée de s'arrêter un temps près d'un bébé semble le bonheur et pas l'ennui profond.

Sous tous les gouvernements on évoque la possibilité d'un salaire : humiliant pour les uns, d'être payé à langer, impayable pour les autres avec notre économie en crise. Et personne n'a trouvé la solution. Peut-être parce qu'on ne l'a pas vraiment cherchée. (Mais je signale l'effort qui a été fait pour le troisième enfant puisque le parent qui s'arrête de travailler peut toucher jusqu'à 2 400 francs par mois, voir le chapitre 7.)

Un économiste naïf me disait pourtant que la solution était simple : si pendant un an (ou deux, le temps choisi) on donnait à Mme Dupont, salariée, l'indemnité de Mme Durand, chômeuse ; et qu'à Mme Durand on donnait la paie de Mme Dupont, personne ne sortirait un sou de plus ; Mme Dupont, serait heureuse de pouponner, Mme Durand réintégrerait pour un temps le monde du travail, reprendrait espoir et peut-être trouverait un emploi. Impossible, nous répète-t-on.

Pour les femmes à qui le choix est possible, à quel moment prennent-elles la décision de continuer à travailler ou de s'arrêter ?

Certaines mères font leur choix avant la naissance. D'autres « attendent de voir » comme si elles pressentaient qu'il est inutile de faire des plans que la venue de l'enfant pourrait bouleverser. C'est d'ailleurs ce qui se passe souvent : des mères qui avaient prévu d'arrêter leur travail, s'impatientent de le reprendre déjà au bout de quelques semaines ; d'autres qui avaient décidé de retravailler sentent leur résolution fondre au sourire de bébé.

C'est pourquoi j'ai toujours pensé qu'une bonne mesure serait de proposer à la mère un congé de 6 mois après la naissance qui lui permettrait de prendre la décision en connaissance de cause et tranquillement.

D'autres mères, enfin, hésitent et se demandent si, pour elle, pour le bébé, il vaut mieux rester à la maison ou repartir travailler au-dehors.

Parlons d'abord de la femme au foyer.

Vivre ces premières années plus près de ses enfants, les voir se développer jour après jour, voilà ce qu'elle y gagne surtout. Chaque année, dans tous les pays du monde, il paraît sur l'enfant de nouveaux livres, de nouvelles études. Partout savants, médecins, psychologues, dans des colloques, congrès, séminaires, se penchent sur les enfants, sur les bébés, sur les fœtus, étudient leur comportement, leur réaction avant, pendant, après la naissance, à l'école, à tous les âges. Être chez soi c'est avoir le temps de découvrir soi-même et tranquillement cet « objet d'étude », en apprendre plus sur sa psychologie qu'en lisant des manuels. C'est, en un mot, avoir l'intérêt de l'enfant et le plaisir en plus.

Être chez soi c'est aussi pouvoir organiser sa vie et son emploi du temps à sa guise. Pour l'enfant, c'est la stabilité, la permanence de l'entourage. Ce sont des nuits sans réveil brutal, ni trajets endormis vers la crèche.

Du côté des inconvénients : la solitude lorsque les amis travaillent et que la famille est loin. Et lorsqu'on veut sortir, à qui confier ses enfants quelques heures ? Les haltes-garderies manquent cruellement ; or être avec ses enfants 24 h sur 24 même lorsqu'ils sont les plus gentils, les plus intelligents, les plus souriants du monde c'est lourd pour la plus patiente des mères.

Et les amis ne facilitent pas le choix : « Vous verrez, vous allez consacrer vos journées au ménage et à la cuisine et, plus grave, vous allez compromettre une situation acquise. »

C'est vrai, il y a des risques. Quelle chance a le père de n'être pas confronté à ce choix : mon enfant ou mon métier.

Pour la femme qui travaille à l'extérieur, certains des avantages de sa vie correspondent aux inconvénients de la vie de la femme au foyer ; c'est normal, son métier lui apporte une ouverture sur le monde, la possibilité de participer à la vie sociale, des contacts qui enrichissent, et au minimum sortent de la vie ordinaire ; une protection sociale autonome, une retraite ; enfin le métier procure à la mère une indépendance financière.

Du côté des inconvénients : la femme au travail, si son mari ne l'aide pas, a cette double journée de travail abondamment décrite, de la peine à trouver une crèche, vit loin de ses enfants toute la journée, se sent frustrée de leurs progrès. A peine le temps de s'occuper d'elle-même.

Mais prendre la décision de mettre au monde un enfant – puisque actuellement l'événement n'est plus laissé au hasard – confère une responsabilité. La mère qui travaille doit s'organiser, si possible avec l'aide de son mari, pour répondre aux besoins affectifs de son enfant, à ses besoins de sécurité, de telle sorte qu'il ne souffre pas de son absence. Ce n'est pas toujours aisé ; c'est même une obligation difficile à remplir tous les jours. Pourtant le nombre de mères qui travaillent est en progression constante : il est passé de 28 % en 62 à 56 % en 82, c'est-à-dire qu'en 20 ans, il a doublé. Bien sûr, il y a plus de femmes actives avec un enfant qu'avec trois ; mais même dans ce cas les chiffres bougent : ils sont passés avec trois enfants de 25 à 35 % pour la même période.

Alors que décider ?

L'essentiel est de se laisser aller à ses envies sans être terrorisée par l'entourage ou le qu'en-dira-t-on.

Vous ne voulez pas interrompre votre métier ? Continuez-le, vous trouverez toujours du temps pour votre enfant si vous êtes consciente qu'il a besoin de vous, et vous de lui, d'ailleurs.

Concilier son métier et son (ou ses) enfant(s) est heureusement possible, la preuve, il y a, vous l'avez vu, de plus en plus de mères qui travaillent.

Vous préférez une pause ? N'hésitez pas, vous découvrirez que votre enfant en vaut la peine. Et ne vous culpabilisez pas, vous ne serez pas une marginale. Sur 100 mères, il y en a 26 qui ne travaillent pas à l'extérieur, avec un enfant, 36 avec deux enfants, et 64 avec trois enfants.

Il est important de choisir ce que l'on aime, c'est ainsi qu'on sera le plus épanouie ; l'enfant le ressentira et d'ailleurs tout l'entourage. Une mère qui est mécontente de sa vie ne peut y faire vraiment face.

Devant ce dilemme : comment s'arrêter un temps et être sûre de retrouver son emploi après ; comment faire une place suffisante à l'enfant en conservant son métier ? Il reste une troisième voie qui permet de concilier : c'est le travail à temps partiel (mais à condition que le père n'en profite pas pour en faire encore moins sous prétexte que sa femme a plus de temps, ce qui arrive hélas souvent...).

De nombreuses femmes aimeraient pouvoir travailler à temps partiel, mais la France est l'un des pays où ce travail est le moins répandu : il concerne seulement 7 % des salariés contre par exemple 25 % en Suède. Jusqu'à hier le temps partiel avait mauvaise presse, difficile à trouver, combattu par ceux qui y voyaient une cause supplémentaire de ségrégation des femmes sur le plan du travail, mal payé sauf rare exception, risquant enfin de diminuer les avantages sociaux acquis. Sur ce point, des dispositions ont été prises pour que celles qui travaillent à temps partiel ne soient pas lésées. Par ailleurs la situation de l'emploi et le chômage amènent quand même peu à peu à encourager le travail à mi-temps, comme d'autres formes de travail à temps partiel, ou bien des aménagements qui rendent la vie des femmes plus facile : par exemple, le travail à la carte, les horaires aménagés ou flexibles, mais ils ne sont encore appliqués que dans peu d'industries.

Il reste encore beaucoup à faire pour les mères !

En Amérique la situation des jeunes mères n'est pas plus facile qu'en France, il suffit de lire à ce sujet le livre de T. Berry Brazelton*. Mais pourquoi ne deviendrions-nous pas un modèle ? Nous nous enorgueillissons d'avoir ouvert aux femmes les portes de toutes les écoles, de leur avoir donné l'accès à tous les métiers, de leur fournir tous les moyens d'avoir un enfant quand elles le veulent, nous ne devons pas les laisser tiraillées entre l'enfant et le métier, les obliger à

---

* *A ce soir... comment concilier travail et vie de famille*, Éd. Stock.

choisir l'un pour ne pas perdre l'autre ou, lorsqu'elles veulent concilier les deux, les condamner à une vie difficile. Récemment j'ai lu dans un magazine féminin : « Les mères qui travaillent sont fatiguées, mais heureuses. » Toujours ? Pas sûr et pas toutes.

Les femmes ont une résistance surprenante, plus elles ont de travail, plus elles en font, mais passé l'intérêt de vous avoir sortie de chez vous, certains métiers sont plus fatigants que d'autres : ceux qui ennuient, ceux qui sont répétitifs, ceux qui requièrent une grande force physique, ceux qui demandent une attention de tous les instants.

Je rêve d'une société qui n'exigerait pas des mères des tours de force quotidiens, tours de force que la société accepte d'ailleurs sans broncher comme si elle voulait faire payer aux mères le fait d'avoir un métier...

Une société qui se veut avancée, qui se dit préoccupée par le sort des femmes et désireuse de leur permettre de s'épanouir, se doit de trouver des solutions nouvelles à ce qui est devenu aujourd'hui un problème de société.

Elle se doit de donner aux femmes le moyen d'élever convenablement ses enfants, et de choisir le mode de vie qui leur convient le mieux.

C'est une revendication légitime des femmes ; elle n'est hélas, guère entendue. C'est pourquoi j'ai écrit : *Il ne fait pas bon être mère par les temps qui courent...* [*]. Ce livre s'adresse aux femmes pour soutenir leur juste revendication, aux responsables du gouvernement pour attirer leur attention et leur suggérer quelques solutions. Il s'adresse également aux pères : ils ont une grande partie des clés en mains ; dans tous les cas le choix de la mère ne peut être facilité qu'avec leur aide efficace, active et quotidienne. Heureusement, cela commence quand même à entrer dans les mœurs.

Ne le faites pas vivre dans un monde imaginaire. Donner toujours à un enfant ce qu'il demande – une glace, un ballon ou un train –, crier au chef-d'œuvre devant un gribouillage, dire de lui, devant lui, qu'il est intelligent et beau, lever tous les obstacles, écarter toutes les difficultés, donner toujours un coup de pouce au hasard (quand on tire les rois, il tombe toujours sur la fève), dire « oui » pour éviter les scènes, faire tout à sa place – l'habiller, le laver –, ne jamais donner d'ordre, avoir peur d'exercer son autorité, c'est bâtir autour de l'enfant un monde imaginaire, le faire vivre dans un monde qui n'existe pas. Car demain, à l'école, il découvrira : une classe où il y a trente petits enfants comme lui et il sera stupéfait de ne pas en être le centre ; une maîtresse impartiale, et il sera bouleversé qu'elle ne montre pas plus d'enthousiasme devant ses pages de dessins ; des camarades qui joueront en observant les règles, et n'auront pas de raison de le laisser gagner ; des séances de gymnastique ou de sport où personne ne viendra lacer ses chaussures, or il ne savait pas le faire tout seul.

Il découvrira un monde où l'individu se heurte sans cesse à des interdits, à des hiérarchies et à des lois ; où la collectivité, en un mot, impose à l'individu ses exigences. Alors il vous en voudra de lui avoir tout caché, et de l'avoir si mal préparé à la vie.

Père aujourd'hui. En une génération, bien des choses ont changé dans les rapports du père avec la mère et avec l'enfant : à cause de la pilule, le père a dû abandonner le contrôle de la procréation ; avec l'avortement, la femme a pu décider – et ce sans que l'accord de l'homme soit nécessaire – d'interrompre une

---

[*] Éditions Stock.

grossesse ; et aujourd'hui, avec un spermatozoïde d'emprunt, la femme peut décider qu'en fait un père n'est pas nécessaire pour avoir et élever un enfant.

En même temps, le père a dû céder la moitié de l'autorité qu'il était jusqu'alors seul à détenir. Et bientôt il ne sera plus seul à donner son nom.

Ainsi, peu à peu, s'est effacée l'image classique du pater familias : le père est tombé du socle où il était installé depuis tant de siècles, avec des prérogatives souvent exagérées.

Ces changements avaient fait peu de bruit. Mais voilà que le jour où le père, appelé en renfort par une mère débordée qui travaillait de plus en plus à l'extérieur, s'est mis à s'occuper du bébé, c'était l'événement qui frappait le plus, c'est alors qu'on l'a baptisé « nouveau père ». Le changement des mœurs et des mentalités semblait plus important que le changement des lois et les progrès de la science.

L'habitude s'est vite prise : on a vu de plus en plus de pères pousser des landaus et changer leur bébé. Et s'étant mis à aider les mères, les pères se sont intéressés plus à l'enfant.

Jusque-là, ils ne savaient pas qu'un bébé pouvait être un interlocuteur : on leur avait tant dit qu'un bébé n'était intéressant que plus tard, qu'il avait peut être une âme, mais ni sens ni sensibilité, que les pères n'étaient pas bien préparés à s'occuper de leur bébé, même s'ils l'aimaient. Ils attendaient que l'enfant puisse parler pour établir avec lui un dialogue, et l'enfant restait dans le gynécée. Maintenant qu'on lui mettait le bébé dans les bras, le père découvrait que le dialogue pouvait commencer dès la naissance.

T.B. Brazelton parlant de la compétence du nouveau-né, de ses capacités d'échange, de ses besoins de dialogue, un film comme *Le bébé est une personne* ont été les vrais attachés de presse de l'enfant auprès des pères.

Les mères, elles, parce que l'enfant est inscrit dans leur corps et qu'elles ont toujours eu une connaissance intuitive de ses capacités, savaient depuis toujours la compétence du bébé pour nouer une relation avec ses parents.

Triomphe des médias, un autre film, *Trois hommes et un couffin*, montrait à quel point l'homme pouvait s'intéresser à l'enfant, même très petit.

C'est d'ailleurs une observation que chacun peut faire : dans les couples d'aujourd'hui bien des pères non seulement s'intéressent au bébé, mais lui donnent le biberon et le bain.

Au début, ils sont inexpérimentés, comme l'est une mère avec un premier-né, mais l'apprentissage se fait vite. Ils ne s'y prennent pas de la même manière – c'est très instructif à observer – et ainsi l'enfant enrichit ses expériences.

Quelle influence cette participation aura-t-elle sur l'enfant et sur le père ? Je vous en ai dit deux mots au chapitre 5. Je voudrais ajouter que cette transforma-tion du père s'est faite tranquillement sous nos yeux, naturellement. On ne parle d'ailleurs plus de nouveaux pères. Néanmoins, il y a encore différents modèles de papas. Avant, dans toutes les classes de la société, il y avait un type unique, pourvoyeur économique, détenteur de l'autorité, représentant la loi. Maintenant, il y a d'abord le père – moins fréquent mais résistant – qui veut en rester à l'image traditionnelle : sa femme est en général au foyer, gérant l'intérieur, tandis que lui se charge des relations extérieures, économiques et juridiques. Il y a des couples qui sont heureux de cette situation, de cette répartition des tâches, et ils n'ont pas envie d'en changer.

Mais parfois les femmes protestent, elles voudraient que le père participe plus à la vie de l'enfant. Faut-il pour autant pousser l'homme peu enclin à la participation à jouer ce rôle ? C'est délicat, ce n'est par certain. La participation

demande une spontanéité que ce père n'a pas trouvée dans son éducation. Mais s'il sait que des liens avec son enfant sont importants, on peut lui faire des suggestions ; le rapprochement sera certes plus difficile et plus long, il sera comme un apprentissage dans lequel l'enfant aura une large part et un rôle à jouer.

Après il y a le papa-poule, celui qui rêve d'être une autre maman : pour l'enfant, c'est trop ; il n'a pas besoin de deux mères, une lui suffit, mais il lui faut un père. Et les rôles ne sont pas interchangeables.

Deux parents, deux sexes différents, c'est nécessaire car chacun apporte à l'enfant d'autres gestes, un autre comportement, d'autres intérêts. C'est nécessaire aussi car pour son identification sexuelle l'enfant a besoin d'un modèle.

Il n'est pas non plus souhaitable que la relation père-enfant soit exclusive. L'enfant a besoin par rapport à son père – comme par rapport à sa mère – de « s'individuer », pour reprendre l'expression de Margaret Mahler [*], de se vivre comme une personne autonome qui va lentement vers son indépendance.

Un « papa trop poule » n'est pas meilleur pour l'enfant que la « trop bonne mère » dont parlait Winnicott [**]. L'enfant a besoin de s'épanouir, non pas dans un duo idyllique avec l'un ou l'autre de ses parents, mais dans un trio où chacun des adultes a son rôle à jouer.

Il y a enfin le père qui a assimilé la nouveauté et le partage avec sa femme : bébé à deux, pour tout et sans difficulté, avec cependant, au sein de l'association égalitaire, une répartition des rôles et des tâches. A court et à plus long terme, les effets sont positifs, pour l'enfant, plus éveillé, plus à l'aise, plus confiant, et pour le père, plus intéressé par son nouveau rôle, et plus conscient de ses responsabilités.

[*] Dans *La naissance psychologique de l'être humain*, Éd. Payot.
[**] Dans *L'enfant et sa famille* et *L'enfant et le monde extérieur*, Éd. Payot.

Avec des nuances, chaque père se rapproche d'un de ces modèles ; il n'empêche que la place du père dépend de celle que veut bien lui accorder la mère ; certaines sont ambiguës dans leur attitude. Elles voudraient tout du père : qu'il participe, mais pouvoir le critiquer s'il est maladroit ; qu'il partage avec elle l'autorité, mais s'il en manque pouvoir le lui reprocher ; qu'il l'aide, mais qu'elle reste celle qui sait tout faire ; qu'il s'occupe souvent du bébé, mais si l'enfant l'appelle lui d'abord et elle après, elle est jalouse.

Le père n'est rien sans la mère, c'est elle qui l'introduit auprès de l'enfant, comme le dit bien Aldo Naouri.

« C'est elle qui, désignant à l'enfant son père, fonde, fabrique ce père en même temps qu'elle introduit son enfant au monde du symbolique. Elle lui signifie, précisément, qu'elle, la mère, n'est pas tout pour cet enfant, qu'elle n'est que l'un des deux parents, qu'elle n'a pas la toute-puissance, mais qu'elle partage cette puissance avec le père à qui elle concède sur elle une forme de pouvoir qui contrebalance la forme du lien biologique qui la lie à son enfant. C'est quand cette première condition est satisfaite, et seulement alors, que le père pourra trouver sa place précise, s'il en a lui-même le désir » [*].

Un peu plus tard, c'est le père qui rendra l'enfant indépendant de sa mère : c'est lui qui empêchera la symbiose naturelle des premières semaines de la vie de tourner à la surprotection maternelle qui risque d'étouffer l'enfant.

Ainsi les rôles de la mère et du père seront différents et complémentaires.

On voit que le rôle du père est difficile :
● être proche de l'enfant sans se substituer, sans s'identifier à la mère ;
● s'occuper de lui sans être exclusif ;
● détacher l'enfant de sa mère après s'être rapproché de lui grâce à elle ;
● enfin, avec la mère, apporter à l'enfant l'autorité dont il a besoin.

Le rôle du père est délicat, il l'est plus encore lorsque les parents ne s'entendent plus et songent à divorcer. Dans 85 % des cas, encore aujourd'hui, c'est la mère qui a la garde de l'enfant. Cela explique peut-être le fait que, dans la majorité des cas, c'est la femme qui demande le divorce, puisqu'elle est presque sûre de garder les enfants.

C'est pourquoi les pères se regroupent pour défendre leurs droits. La revendication n'est pas seulement française, en Amérique existent aussi de nombreuses associations de soutien aux pères.

Les « complexes ». Avoir des complexes, c'est être dans une situation compliquée, complexe, difficile à dénouer. Certaines de ces situations sont des étapes que l'enfant doit franchir inévitablement (comme le complexe d'Œdipe) pour mûrir et passer à d'autres stades ; mais nous en gardons tous des points sensibles, des fragilités particulières, et certains pourraient être évités. Par exemple, il en est un qui est en partie due à l'éducation, c'est pour cela que nous vous en parlons ici : le complexe, le sentiment d'infériorité. C'est précisément à propos de lui que s'utilise habituellement l'expression « avoir des complexes ».

Le complexe d'infériorité fait les timides, les éternels découragés, les malades de l'échec, mais aussi leurs contraires (en apparence) : les hargneux, les hâbleurs, les condescendants, ceux qui se gonflent pour masquer aux autres le sentiment de leur insuffisance.

---

[*] Dans *L'école des parents*, n° 5-1985.

Ce sentiment permanent d'infériorité est souvent un handicap : celui qui en souffre se tient à l'écart, se sent incompris. Il apparaît comme insignifiant, vaniteux ou méprisant, alors que ce sont des réactions de défense de sa part.

Comment faire pour qu'un enfant développe sa confiance en lui-même ? En évitant de lui répéter sans cesse : « Tu n'y arriveras jamais », « Tu ne peux pas », « Tu ne sais pas ».

Et surtout en le laissant aller au bout de ses actes, en ne faisant pas les choses à sa place, en ne parlant pas à sa place ; il faut lui laisser le temps de s'exprimer, se donner le temps de lui répondre avec intérêt. Peu à peu, l'enfant prend confiance en lui, a des initiatives, la timidité ne s'enracine pas.

Mon enfant est-il heureux ? Le bonheur est à la mode. « Êtes-vous heureux ? Comment pourriez-vous être plus heureux, pensez-vous que l'on soit plus ou moins heureux aujourd'hui qu'hier, plus ou moins heureux aujourd'hui qu'on ne le sera demain ? »

Adolescents, couples, quadragénaires, 3e âge répondent docilement aux enquêteurs des sondages. Mais jamais personne n'a été et n'ira demander, et pour cause, à un nouveau-né, à l'enfant de un an ou deux : « Êtes-vous heureux ? Pouvez-vous l'être plus ou moins ? »

C'est à vous, parents, de vous poser la question : en cherchant à y répondre, on découvre parfois ce qui manque à l'enfant pour être épanoui. L'un des meilleurs moments pour faire votre petite enquête, c'est le soir. L'enfant est au lit. Il se détend, il ouvre son cœur et « se raconte » volontiers. N'attendez pas qu'il vous dise « je suis heureux » ou « je suis malheureux » : ces phrases ne font pas partie de son langage. Mais à travers ses propos, il y a de grandes chances que vous trouviez vous-même la réponse.

L'enfant prodige. Ne perdez pas votre sang-froid si l'on vous dit que votre enfant a du génie. Gardez précieusement cette révélation pour vous. N'en dites rien à vos amis ; qu'ils fassent la découverte eux-mêmes.

J'entendais un jour une jeune femme dire : « Véronique prend des leçons de piano. Son professeur dit qu'elle est exceptionnellement douée. Elle a la main potelée des grands artistes, et leur souplesse. »

Je m'enquis de l'âge de ce jeune prodige : elle avait cinq ans, elle en était à sa troisième leçon.

Les professeurs de piano, de dessin ou de danse ont tendance à féliciter les parents. C'est humain. Sans quelques encouragements, comment passer le cap des premiers gribouillages et les leçons ânonnées ? Et il est bien difficile de résister aux paroles flatteuses qui, à travers les fausses notes, font entrevoir Mozart. Et d'ailleurs, pourquoi pas ?

Que faire en présence d'une « scène » ? Si elle est à son début, une parade peut être efficace : la diversion. Dites ce qui vous passe par la tête, mais dites-le avec assez de conviction pour produire l'effet de surprise. « Oh ! une abeille !... » « Regarde la dame là-bas qui court... Où va-t-elle si vite ? » Si l'effet est réussi, la colère de l'enfant se dissipe : il cherche des yeux l'abeille, la dame. A vous d'exploiter la situation. « L'abeille est partie. Tu sais, les abeilles, quand elles piquent, laissent une petite épine dans la peau, etc. » « La dame a disparu. Elle a dû entrer dans la maison là-bas. Elle était en retard chez le docteur. » L'essentiel est que l'enfant oublie sa colère.

Une autre suggestion – quand les circonstances s'y prêtent – c'est le pari. Exemple : l'enfant ne veut pas se laisser habiller, ou bien il veut une autre culotte – celle qui n'est pas sèche – etc. Dites-lui : « Je parie que tu ne vas pas être prête avant ton frère (ou avant que l'aiguille du réveil soit arrivée ici). »

Vous découvrirez sûrement d'autres moyens pour arrêter une scène. Peut-être inattendus comme celui-ci. Emmanuel était très fâché. Je mis un disque pour le calmer. Peine perdue, jusqu'au moment où le disque, étant rayé, répéta sans arrêt la même mesure. L'effet fut magique. Emmanuel, médusé, arrêta net ses pleurs. Je mis soigneusement de côté le disque cassé.

Mais souvent la scène en arrive trop vite à un point où les petits moyens sont inefficaces. L'enfant est hors de lui. Il fait mine de vous battre. Eh bien, battez-vous avec lui. Le « match de boxe » réussit souvent. On feint de boxer ; l'enfant, au début, frappe de toutes ses forces ; puis cela devient un jeu ; et la scène se termine par des rires. Oh, pas tout de suite ; car l'enfant lutte contre son envie de rire. Il tient à sa colère, il fait tous ses efforts pour l'entretenir. Mais si vous savez encourager son envie de rire, il faudra bien que le rire ait le dernier mot.

Parfois, il est impossible de faire entendre raison à l'enfant. Le mieux est alors d'opposer le calme à la colère, de parler tout doucement ; enfin d'aller mouiller d'eau fraîche un gant de toilette et de le passer sur le front et les tempes de l'enfant. Il hurlera sans doute, mais cela lui fera du bien. En tout cas, il faut, dans ces crises, que l'enfant ne trouve en face de lui aucun obstacle qui entretienne sa combativité. Votre sang-froid, pas toujours facile à garder, désarmera sa colère. Et au moindre signe de détente, vos paroles apaisantes, et votre tendresse précipiteront la fin de la crise.

Il y a aussi la scène publique, catastrophique, humiliante pour les parents : dans un magasin, dans la rue, etc. Là, pas d'autre choix que le recours à la menace : « Tu seras puni à la maison. » Menacer un enfant est toujours pénible ; mais il est des circonstances où l'on n'a pas le choix des moyens.

Il y a enfin la scène qui doit cesser, sinon on manque le train, ou toute autre raison impérative. On peut promettre, pour un arrêt net des cris, une babiole de bazar. Méthode peu recommandée mais parfois utile.

Cela dit, devant la menace d'une scène, rappelez-vous ceci : *la nervosité est souvent contagieuse*. Votre enfant vous a peut-être senti nerveux – même si cette nervosité ne s'est pas manifestée à son endroit – et il est devenu nerveux par imitation. La première occasion a déclenché la scène. Les choses ne se passent pas toujours ainsi, mais quelquefois.

Il y a une surenchère à la colère. Votre enfant n'est pas sage ; vous lui faites une remarque : il devient insolent ; vous le grondez : il s'emporte ; vous vous emportez à votre tour : il crie ; vous criez : il hurle.

Ne créez pas cet engrenage. « Mais alors, me direz-vous peut-être, il faut tout laisser faire, ne pas gronder, ne pas sévir ? » Je ne dis pas cela. Mais mieux vaut une gronderie brève, après laquelle on parle d'autre chose, qu'un mécontentement qui dure.

Le silence a une vertu apaisante. Un enfant en colère ne crie pas longtemps si on ne lui répond pas.

Un dernier conseil : ne tentez pas de raisonner un enfant en colère. La colère étant une manière de déraisonner, le raisonnement n'a aucune prise sur elle. Au contraire, la surprise, le rire, le silence sont des remèdes appropriés. Et si l'enfant

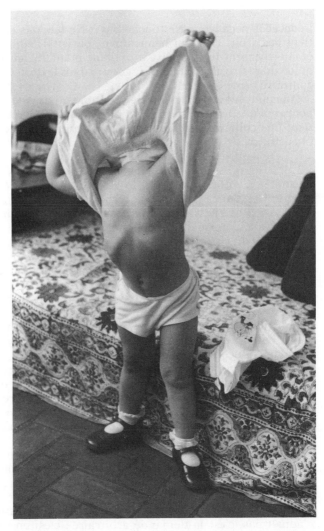

se met souvent en colère, si les scènes, au lieu de diminuer avec l'âge, s'amplifient et semblent s'installer, demandez-vous pourquoi. Dort-il suffisamment ? L'école n'est-elle pas trop fatigante ? Veut-il attirer votre attention parce que vous ne lui donnez pas assez de votre temps ? Réagit-il à trop de sévérité et d'exigence de votre part ? Est-il jaloux de son frère ou de sa sœur ? N'êtes-vous pas trop anxieux ou trop protecteurs ?

L'éducation-chantage. « Je suis triste, parce que tu n'es pas sage. » « Tu veux que je tombe malade. » « Si tu fais encore dans ta culotte, je ne t'aimerai plus ! » « Mange et je te donnerai une petite voiture. »

Les parents qui se livrent à de tels chantages n'ont pas réfléchi qu'ils créaient ainsi un dilemme. Ou bien leur enfant croit ce qu'ils lui disent, et rien n'est plus douloureux pour un enfant de perdre l'amour de ses parents ; ou bien l'enfant n'y attache plus d'importance, et ce sont eux qui ont perdu la confiance de leur enfant.

L'éducation négative. « Ne touche pas... Ne fais pas ça... Ne cours pas... Tu ne te tiens pas droit... » : pour beaucoup de parents, l'éducation est négative. L'enfant étant – pensent-ils – un être qui, d'une manière générale, fait le contraire de ce qu'on doit faire, il suffit, pour le mettre dans le droit chemin, de l'obliger à faire le contraire de ce qu'il fait.

Pourtant, à l'école, le maître n'enseigne pas que 2 et 2 ne font pas 5. Alors pourquoi à la maison ne pas adopter l'éducation positive ? « Voilà comment on tient une cuillère... Attends-moi pour traverser », etc. Ce serait plus logique, et plus efficace.

L'autorité. L'autorité fait partie de ces principes qui balancent au gré des générations, l'une est pour, la suivante est contre, justement pour s'opposer. C'est d'ailleurs ce que j'essaie de dire à ceux qui se plaignent du conflit des générations. Le conflit est normal, signe de santé. L'enfant qui grandit, à un certain âge s'oppose et dit non, pour montrer qu'il existe. De même les jeunes adultes un jour s'opposent à ce qui leur a été inculqué pour montrer qu'ils sont capables tout seuls d'élever leurs enfants. Mai 68 disait non à l'autorité, aujourd'hui serait plutôt pour.

Mais qu'est-ce au juste que l'autorité ? Savoir ce qui est utile pour le bien de l'enfant au physique comme au moral, être décidé à imposer sa volonté lorsqu'elle est juste, être ferme, ne pas céder aux supplications.

Aux parents qui craignent de se montrer fermes avec leurs enfants, à ceux qui ont mauvaise conscience de manifester leur autorité, à ceux qui craignent d'être moins aimés en exigeant quelque chose, nous disons ceci : pouvoir compter sur la fermeté de ses parents rassure un enfant, lui donne un grand repos d'esprit. Si pour la forme, il s'oppose, il n'en a que plus de respect. Cette autorité, non seulement il l'admet, mais il la recherche si elle fait défaut. Ainsi des enfants deviennent de plus en plus insolents, pour voir jusqu'où on les laissera aller. Car cette autorité est nécessaire pour leur équilibre.

De même si les parents sont incapables de maintenir une décision, s'ils cèdent aux supplications, l'enfant peut bien en être satisfait sur le moment, mais il n'aura pas de respect pour ses parents, il ne se sentira pas protégé par eux, il ne se sentira pas en sécurité.

Les exigences, l'enfant les admet si elles sont justes. En revanche, ce qu'il n'admet pas, c'est la demande arbitraire ; c'est en cela que l'autorité est bien différente de l'autoritarisme, qui, lui, est une volonté déterminée de ne jamais céder à l'enfant, même s'il a raison. Cette notion, « l'enfant doit obéir par principe parce qu'il est petit », ne peut amener qu'à la révolte justifiée de l'enfant, et un jour, dès qu'il pourra, à sa fuite.

A partir de quel âge l'enfant a-t-il besoin d'autorité ? Très jeune, il doit apprendre qu'il y a des choses permises, d'autres défendues (toucher une prise, traverser seul la rue, etc.).

C'est ainsi que peu à peu il apprendra à se maîtriser. S'il a le droit de faire tout ce qui lui plaît lorsqu'il est petit, il sera très difficile de lui imposer une règle plus tard. Il aura les plus grandes peines à vivre en société, ne fût-ce qu'à l'école, pour commencer. La non-directivité rend les choses plus faciles, plus agréables sur le moment. Mais, comme l'a dit Daniel Kipman, psychanalyste : « A manger son pain blanc trop tôt, il ne reste que le pain noir des conflits de l'adolescence, avec des jeunes adultes qui ne savent pas maîtriser leurs désirs car il n'ont pas appris à le faire. Les dés sont lancés trop tôt. »

L'autorité, pour garder toute sa valeur, doit s'adapter à l'*âge de l'enfant*. Il y a une époque où celui-ci subit l'autorité sans comprendre : s'il éloigne brusquement sa main de la prise de courant lorsque vous le grondez, c'est uniquement parce qu'il a confiance en vous. Dès qu'il commence à comprendre, il faut lui donner la raison de vos ordres ou de vos interdits. Il acceptera mieux d'obéir. Mais n'inventez pas chaque jour de nouvelles exigences sous prétexte que l'enfant grandit. Il finirait par ne plus obéir du tout. Fixez-vous quelques règles essentielles, et soyez indulgents pour le reste.

Tenez compte du caractère de l'enfant, et des circonstances. Par exemple, un enfant va d'habitude se coucher sans difficulté. Naît une petite sœur. Désormais, tous les soirs, c'est la scène pour se coucher. Sévir ? Il faut d'abord comprendre que l'enfant jaloux fait tout pour garder près de lui plus longtemps sa mère qu'il croit avoir perdue. Avant de sévir, il faut comprendre et rassurer.

Certains parents confondent autorité et sévérité. L'autorité ne se distribue pas à coup de gifles, ni d'éclats de voix. Elle est même d'autant mieux acceptée par l'enfant qu'elle ne s'accompagne pas régulièrement de ces manifestations.

Cela dit, une punition, si elle est juste, voire une fessée, si elle est méritée, n'ont jamais traumatisé un enfant. Elles n'entameront ni sa confiance, ni son affection, elles assainiront parfois mieux l'atmosphère que ces situations indéfinissables qui culpabilisent et les parents et les enfants parce que la sanction n'a pas été immédiate.

Il n'est pas toujours facile d'exercer son autorité sur un enfant. La tentation est souvent grande de le laisser faire. Mais ce n'est pas l'intérêt de l'enfant : il aura de la peine à s'affirmer s'il ne rencontre jamais d'opposition ; s'il n'apprend pas à surmonter une difficulté, il cherchera à tout prix à éviter le moindre obstacle. Je vous dirai autre chose : des parents qui savent manifester leur autorité sont des personnes qui contrarient parfois, mais sur qui on peut compter ; c'est important pour un enfant.

Voilà ce qu'il faut se rappeler le jour où l'on n'a pas du tout envie d'être ferme.

La sécurité. S'il fallait, parmi de nombreux besoins de l'enfant, choisir le plus important, je choisirais la sécurité.

Donner la sécurité à un enfant, c'est bien sûr lui donner à boire et à manger, s'assurer qu'il est à l'abri du froid, de la maladie, etc. La sécurité matérielle est indispensable à la survie. Mais se sentir en sécurité, pour un enfant, c'est bien plus encore.

Voyez ce nourrisson qu'un bruit soudain fait sursauter et qui se blottit instinctivement contre sa mère, ou ce bébé à la marche mal assurée dont la main se crispe sur la vôtre lorsqu'il reconnaît la blouse du docteur... Ce petit garçon qui cherche le regard de son père avant de se lancer pour la première fois sur le toboggan, ou cette petite fille qui s'assure que « vrai de vrai » vous viendrez la prendre à la sortie de l'école : que recherchent-ils tous ? Votre présence pour les réconforter, l'assurance qu'ils peuvent compter sur vous pour affronter la nouveauté. C'est cela, leur sécurité.

Selon son âge, le besoin de sécurité de l'enfant revêt d'ailleurs des formes différentes. Tantôt c'est de votre sang-froid et de votre égalité d'humeur dont il a le plus besoin. Tantôt c'est votre indulgence, votre compréhension ou votre expérience qui le rassureront. Plus tard, c'est peut-être à votre fermeté, voire

même à votre intransigeance qu'il en appellera pour se protéger de lui-même. Sûr de vous, sûr de votre affection, l'enfant est capable de toutes les audaces, il peut supporter le changement, la maladie, même la séparation.

D'ailleurs, vous avez vu la naissance de ce besoin de sécurité avec la reconnaissance des « tableaux » (voir le chapitre 5). Vous l'avez retrouvé au moment des habitudes du coucher où l'enfant a besoin, chaque soir, que dans le même décor, se reproduise le même cérémonial ; et tout au long du « Petit monde de votre enfant », vous avez pu constater ce besoin de sécurité ; il recouvre tous les autres, qu'ils soient physiques ou psychologiques ; on peut dire qu'il domine complètement la structure affective de l'enfant.

L'écueil, quand on écrit un livre pour les parents, c'est qu'immédiatement après leur avoir donné une information, on est tenté de la corriger par une restriction, mais c'est souvent inévitable. Par exemple, je voudrais ajouter ceci : pour se sentir en sécurité, votre enfant a besoin de vous ; cela ne veut pas dire qu'il faut être sur son dos 24 heures sur 24, et ne pas le lâcher d'une semelle, épiant le moindre de ses gestes : cela deviendrait vite, pour l'enfant, une insupportable surprotection.

La surprotection. Les parents ont naturellement tendance à protéger leur enfant : il est si petit, si fragile en apparence, et sa dépendance est totale. On a envie de répondre à ses pleurs, à son inconscience des dangers, à son ignorance des interdits qu'il ne peut pas encore connaître. Chacun a peur qu'il arrive quelque chose à son enfant : quand il dort, on vérifie qu'il respire bien, on s'inquiète à la moindre température, on craint la chute, l'accident.

Ces peurs sont le lot de tous les parents. Mais lorsqu'on se laisse envahir par elles, lorsque l'enfant devient une préoccupation de tous les instants, alors le poids de la surprotection et de l'angoisse s'abat sur l'enfant et l'étouffe.

A la surprotection, l'enfant peut réagir de différentes façons : ou il se renferme sur lui-même, n'ose plus rien faire, redoute toute nouveauté, tout changement, même amusants, comme un nouveau jeu ; ou l'enfant devient nerveux, agité, s'oppose à toute intervention, même justifiée, de l'adulte. Dans ce cas, les parents disent « il n'obéit à rien, on ne peut quand même pas le laisser tout faire », ne se rendant pas compte que ce sont eux qui ne le laissent rien faire...

Lorsqu'on élève un enfant, surtout lorsque c'est le premier et qu'on manque d'expérience, il est difficile de trouver la juste mesure. Mais si votre enfant correspond à l'une des descriptions faites plus haut, réfléchissez et posez-vous la question : ne le surprotégez-vous pas ?

Voyez au chapitre 5 s'il a des activités correspondant à son âge ; par exemple, ne devrait-il pas être sorti de son parc ? Voyez au chapitre « Jeux » ceux qui correspondent à ses intérêts du moment. Pensez aux bienfaits de l'eau : les enfants aiment jouer avec l'eau et cela les détend. Faites-le participer à vos activités le plus souvent possible : vous allez au marché, donnez-lui un petit porte-monnaie, vous êtes à la cuisine, donnez-lui une casserole et une cuillère en bois, etc.

Ainsi peu à peu votre enfant se rendra compte que vous le considérez comme un partenaire et non comme quelqu'un à qui il faut tout interdire de peur qu'il ne fasse tout mal. Et ce sera gagné.

La famille. On se pose sans arrêt des questions sur la famille : est-elle utile ou nuisible, enrichissante ou envahissante ?

Régulièrement, institutions, partis politiques et journaux font des sondages pour savoir la place que tient la famille dans le cœur des Français.

C'est normal qu'on se pose la question :

– les jeunes se marient de moins en moins, et vivent de plus en plus « avec » ;

– lorsqu'ils se marient, une fois sur trois ils divorcent (hier c'était une fois sur quatre) et après deux ans de mariage seulement... La vie de famille n'est plus ce qu'elle était, pour reprendre une expression devenue célèbre. Il suffit de voir ce que sont devenus les repas, traditionnels points de rencontre :

– après un petit déjeuner vite avalé, on part en courant pour le travail, la crèche ou l'école ;

– à midi, cantine pour chacun, et même les plus petits, sauf si la mère est encore au foyer ;

– quant au dîner où se retrouve la famille, il est trop souvent pris en silence pour laisser parler la télé, belle revanche du « mange et tais-toi ».

Le week-end, les vacances, les enfants devenus grands désirent les passer ailleurs, mais ce n'est pas neuf, ils l'ont toujours désiré, etc.

Eh bien cette famille, différente, dispersée, souvent réduite, les Français y tiennent. C'est ce qui ressort à une majorité écrasante de toutes les enquêtes. On a même l'impression qu'au milieu de l'incertitude actuelle, la famille est un refuge. Même si les jeunes parents voient leur rôle se répartir différemment à l'intérieur de la famille, même si la famille n'a pas pour eux le même sens que pour la génération précédente, ils ne mettent pas en cause l'institution.

La famille est nécessaire à l'enfant ; lorsqu'elle lui manque, il est malheureux. Et on peut remarquer que bien des délinquants et des déclassés n'ont pas eu une vie de famille normale.

Donc la famille tient bon, alors ne changeons pas son nom. Puisque les mots influencent à force d'être utilisés, je suggérerais de ne pas parler de famille *nucléaire* qui fait penser à une prochaine explosion, ni de *cellule familiale* qui évoque par trop une prison.

Le premier enfant. Dans les milieux les plus divers, les aînés se ressemblent : sérieux, perfectionnistes, souvent anxieux, parfois exclusifs, susceptibles, peu spontanés ; ou au contraire, colériques et désordonnés. Pourquoi ?

Parce qu'un premier enfant, on ne l'élève pas comme un deuxième ou un troisième. C'est avec le premier qu'on essaie tous ses principes éducatifs, qu'on fait ses expériences, qu'on applique à la lettre les recommandations faites.

Pour un premier enfant, on a peur de tout, qu'il ait trop chaud, trop froid, qu'il tombe. Alors, on le couve, on le protège anxieusement.

En même temps, on est pressé de le voir grandir. A peine entré à la maternelle, on pense à Polytechnique.

Ainsi pris par ces soucis, ces principes et ces projets, on n'a plus le temps de « profiter » de cet enfant. Et lui, qu'on presse de grandir, n'a guère le temps d'être un enfant.

Que dire de l'inconfort de sa situation lorsque s'annonce l'arrivée d'un cadet ! Lui, qui était le seul point de mire de la famille, se voit brusquement « détrôné ». Le voilà devenu « l'aîné », « le grand », celui à qui on va confier très vite la responsabilité du « petit ». C'est pourquoi, si jeune, il est souvent si sérieux !

Tout cela est inévitable, et les parents qu'on a déjà trop tendance à rendre responsables de tous les défauts de leurs enfants, il serait ridicule de leur reprocher aussi de vouloir trop bien faire. Mais nous avons vu beaucoup de parents qui nous ont dit : « Si seulement nous avions su, nous aurions été plus libéraux avec le premier. » Alors nous vous disons, à vous parents pour la première fois : « Essayez d'être moins tendus. Les principes, c'est nécessaire, mais appliquez-les avec souplesse. En un mot, essayez d'être plus décontractés. »

L'éducation sexuelle. L'éducation sexuelle, cela a été beaucoup dit mais il n'est pas inutile de le répéter, ne se réduit pas à une conversation pour apprendre aux enfants comment naissent les bébés, et comment ils sont conçus.

L'éducation sexuelle fait partie de la vie, de l'éducation tout court, dont elle n'est qu'un aspect. Elle commence à la naissance, et se poursuit des années, jusque et même après l'adolescence. Car l'éducation sexuelle doit répondre à plusieurs buts.

Il faut d'abord aider son enfant à prendre conscience du sexe auquel il appartient, et à s'y sentir à l'aise. Certains parents, déçus d'avoir une fille, la traitent comme un garçon, ou réciproquement, ce qui peut avoir de fâcheuses conséquences.

Ensuite lorsque l'enfant découvre – en général vers 3 ans – les différences anatomiques entre les sexes, il ne faut pas se choquer de cette découverte qu'il fait en regardant et en touchant ses organes génitaux, et éventuellement ceux de l'autre sexe. « Ne touche pas, c'est vilain », « Oh qu'il est vicieux » sont des réflexions déplacées. C'est culpabiliser l'enfant, et créer dès le départ un lien entre *sexe* et *interdit*. Et ne dites pas à votre petit garçon : « Si tu continues à te tripoter, on te coupera ton robinet ». C'est, hélas, une réflexion encore courante aujourd'hui qui peut inquiéter et culpabiliser pour longtemps un enfant.

Pendant longtemps, la masturbation a été condamnée et considérée comme nocive. Aujourd'hui, une approche différente de la sexualité a considéré la masturbation comme faisant partie du développement de l'enfant, et on estime qu'elle n'est donc pas à réprimer. Dans ces conditions, que faire lorsqu'on voit un enfant se masturber ? Ne pas le gronder, mais lui faire comprendre, ou lui dire, que ce sont des gestes intimes, personnels, qu'il n'a pas à faire devant tout le monde.

Puis, c'est l'image des parents qui aidera peu à peu le garçon à devenir un homme, la fille à devenir une femme. Pour les psychanalystes, c'est une des étapes essentielles du développement de l'enfant, vous l'avez d'ailleurs déjà vu au chapitre 5 : l'enfant grandit en cherchant à imiter l'adulte, en cherchant à s'identifier à lui, le garçon à son père, la fille à sa mère.

L'éducation sexuelle, c'est aussi la découverte de l'autre sexe, et de la relation entre un homme et une femme.

La connaissance de l'autre sexe se fait plus facilement dans les familles « panachées », dans les familles où il y a des frères et des sœurs.

La relation entre un homme et une femme, c'est à travers ses parents qu'un enfant la découvre. C'est eux qui lui donnent la première image du couple. On comprend comme il est souhaitable que cette image soit bonne : si l'enfant a sous les yeux un couple uni et heureux, une partie importante de son éducation sexuelle sera déjà faite. Comment vouloir expliquer à un enfant ce qui rapproche un homme et une femme, le plaisir qu'ils ont à être ensemble, le désir qu'ils peuvent avoir d'un enfant, si l'on donne en même temps un spectacle contraire ? Ce serait dire en paroles, et contredire par l'exemple.

Et l'initiation aux mystères de la vie ? Elle se fera au fur et à mesure que l'enfant posera des questions du genre : « Pourquoi je ne suis pas comme mon petit frère ? », « D'où viennent les enfants ? », « Où j'étais avant d'être née ? », ou même comme ce petit garçon de 4 ans : « Quand j'étais bébé, j'étais une fille ». Ces questions naîtront à l'occasion d'une image, d'un mot entendu, d'une maîtresse enceinte, d'une conversation avec un aîné, etc.

L'important c'est :
– De ne pas donner de réponse fausse qu'il faudra démentir plus tard (du genre « naissance dans un chou » ou « cigogne ») car l'enfant trompé une fois risque de ne plus vous croire ; mais de ne pas profiter de la question posée pour donner plus de détails que l'enfant ne vous en a demandés. D'ailleurs, de toute manière, il oubliera ce que vous lui avez dit et vous le redemandera trois jours plus tard.
– De ne pas se dérober par des « Tu es trop petit » ou « Tu ne peux pas comprendre » : il y a toujours une explication valable pour chaque âge ; et d'éviter l'air gêné, sinon l'on crée au départ une relation directe entre *sexe* et *curiosité malsaine*.
– Si vous êtes gêné, cela peut se comprendre, il n'est pas aussi facile de parler de sexe que de raconter une histoire, ou si vous êtes pris de court, dites simplement : « Repose-moi la question ce soir, j'aurai plus de temps pour y répondre. » Cela vous donnera le temps d'y réfléchir. Cela dit, il a paru tant de livres sur l'éducation sexuelle que vous trouverez pour tous les âges des exemples de réponses aux questions classiques.

Voici les livres que je vous conseille : *Neuf mois pour naître* de Catherine Dolto, éditions Hatier ; *La naissance*, d'Agnès Rosenthiel, éditions Centurion-Jeunesse ; *Le bébé de Julien* de A.M. Chapouton et N. Herrenschmidt, Le Centurion ; *Bébé* de F. Manuskin et R. Himler, École des loisirs.

Dans les livres sur l'éducation sexuelle, vous trouverez une expression qui vous choquera peut-être : **sexualité infantile.** Rien ne semble plus éloigné d'un enfant que la sexualité qui pour nous représente les relations entre adultes et les plaisirs des sens. Mais si l'on remplace le mot sexualité par le mot sensualité – qui en fait partie intégrante – tout s'éclaire : il est facile de voir qu'un enfant a des plaisirs des sens même lorsqu'il est tout petit. Regardez-le qui vient de naître : le goût, le toucher, l'odorat lui procurent des sensations délicieuses au moment de la tétée. Et au fur et à mesure qu'il grandira, il éprouvera d'autres sensations physiques agréables, par exemple lorsqu'il découvrira ses organes sexuels, il y trouvera grand plaisir.

La sexualité ne naît pas à l'âge adulte, elle s'éveille peu à peu, elle prend différentes formes, elle procède par étapes, comme l'intelligence. D'un adolescent qui résout un problème, on dit qu'il est intelligent. Le bébé qui remplit et vide une boîte trouve les bases de ce qui sera la soustraction et l'addition. Il est également intelligent, mais d'une manière différente qui l'achemine vers l'intelligence adulte. Il en est de même pour la sexualité, elle n'a pas chez l'enfant les mêmes manifestations ou les mêmes formes que chez l'adulte, mais elle est présente, et la sexualité adulte y trouve ses origines.

Éducation selon le sexe. A-t-on encore l'habitude d'élever différemment les garçons et les filles ? Cette seule question ferait rire Elena Belotti [*], car la réponse est évidemment oui. Pour elle, un enfant naît fille, mais la société le fait dix fois fille, et le bébé garçon est traité d'une manière différente : la mère le fait téter plus longtemps, elle est plus patiente avec lui, très tôt elle le dispense de ces tâches ménagères indignes de lui, etc. Les thèses de Elena Belotti sont parfois excessives, mais c'est compréhensible, en Italie les femmes sont moins libérées qu'en France, et l'homme – et son fils – est encore très privilégié. Ces thèses sont excessives aussi parce qu'elles sont agressives, mais pour changer les mentalités, il faut parfois choquer.

A quoi sert d'ouvrir tout grand les portes des écoles jusque-là réservées aux hommes, des Ponts aux Mines en passant par H.E.C. et l'école de l'Air, tout en continuant à donner aux filles une mentalité qui les rendra inaptes à ces carrières ? Et comment espérer qu'un jour les hommes partageront vraiment les tâches ménagères, si dans leur plus jeune âge, ils n'y ont pas été habitués comme les filles ?

Une petite sœur est née... ou un petit frère. Pour vous, parents, c'est la joie. Mais pour les aînés, pour le grand-frère ou la grande sœur, qu'est-ce que c'est ? C'est un événement nouveau et déroutant. Il va falloir partager non seulement ses jouets et son territoire, mais surtout l'affection de ses parents, ce qui est autrement précieux. C'est ainsi qu'une certaine anxiété s'instaure, associée à la jalousie, sentiment normal et inévitable dans une telle situation.

L'enfant peut exprimer cette jalousie plus ou moins violemment lorsque la grossesse commence à se voir, que les premiers achats, ou les préparatifs se font.

[*] Auteur de *Du côté des petites filles*, Éditions des Femmes.

L'enfant n'ose pas toujours montrer l'agressivité vis-à-vis du ventre de sa maman, mais souvent la reporte sur son entourage : petits camarades, poupées, voitures, petits soldats.

Après la naissance, certains enfants n'hésitent pas à dire : « Je ne veux plus du bébé, si on le jetait par la fenêtre. » Évidemment, il ne faut pas dramatiser, mais faire attention, et bien sûr ne pas punir.

Il est inévitable qu'un enfant soit jaloux. Le savoir va vous permettre de mieux aider l'enfant : en le préparant à l'arrivée du bébé, en l'associant aux préparatifs, en lui donnant un cadeau le jour de la naissance, et en suggérant aux autres personnes de la famille de faire pareil.

Et puis, il faut éviter deux erreurs qui pourraient avoir des conséquences importantes pour l'aîné : le changer de chambre pour installer le bébé, le mettre à l'école à l'époque de la naissance du second. Et si vous devez vous séparer de votre enfant pendant quelque temps, confiez-le à une grand-mère, à une tante, à des amis qu'il aime. Que ce départ soit une partie de plaisir, non un exil, sinon plus tard il pourrait vous reprocher amèrement de l'avoir écarté. Il ne faut pas que, au moment où il redoute que vous l'aimiez moins, il ait en même temps l'impression que vous vous débarrassez de lui. Car il souffrirait, et il en voudrait pour longtemps au cadet.

A ces recommandations classiques j'ajouterai ceci : parlez à votre enfant de ce bébé qui va naître en lui expliquant qu'il sera tout petit. Certaines difficultés avec l'aîné viennent du fait qu'il s'attend à avoir un compagnon de jeux et se trouve en face d'un nouveau-né vagissant dans un berceau, et il est parfois déçu. Montrez-lui des photos de lui-même, bébé, et il comprendra mieux qui l'on attend.

Et puis, s'il régresse, comprenez que c'est normal ; en voyant tout le monde en admiration devant le nouveau-né, il se dit : « Pour être admiré, faisons comme le bébé », alors il suce son pouce et remouille sa culotte. Il se comporte également ainsi pour essayer de retrouver cette époque si proche et si confortable, où c'était lui le petit bébé.

Si l'écart d'âge entre les deux enfants est de plus de deux ans, ce qui rendra le plus service à l'aîné, c'est de se sentir traité comme un grand. D'ailleurs du seul fait de la naissance, il est devenu l'aîné, c'est déjà une promotion, mais il faut l'accentuer. Par exemple, qu'il sorte avec son père pendant que sa mère est occupée avec le bébé ; qu'il continue régulièrement à voir ses amis, ou même des plus âgés. En un mot, qu'au lieu de vivre dans l'orbite exclusive de ce duo mère-nouveau-né qui ne peut que le faire souffrir et que le tirer en arrière vers son enfance, on l'aide à regarder devant, en favorisant le contact avec des plus grands.

Enfin, si la jalousie de l'aîné est naturelle au moment de la naissance d'un cadet, il faut savoir qu'elle est un sentiment fraternel habituel – banal – qui circulera à double sens de l'un à l'autre, tout au long de leur vie commune. Dans la vie familiale de tous les jours, le cadet aura souvent l'occasion d'être jaloux de son aîné. La rivalité jouera alors le rôle de frein ou de moteur pour l'un et pour l'autre, suivant les circonstances, et fera partie de l'expérience enrichissante de la fraternité.

C'est ainsi l'aîné qui inaugurera dans la famille tous les événements nouveaux, de la séance chez le coiffeur au cartable de l'école. Il vivra à chaque fois l'inquiétude d'une situation nouvelle, mais aussi la promotion qu'elle représente. Le cadet est souvent l'objet de moins d'exigences, on s'adresse moins à sa responsabilité ; en revanche, vivant, quoique plus jeune, les mêmes expériences que son aîné (par exemple regarder les mêmes émissions de télévision), il est plus éveillé, plus « dégourdi ».

Et dans la compétition inévitable qui se joue entre frères et sœurs, c'est le rôle des parents d'aider chaque enfant à utiliser les chances que lui donnent son âge et son rang dans la famille.

Cela dit, quoi que vous fassiez l'aîné est jaloux. On peut l'aider, on ne peut effacer sa réaction, ce n'est même pas souhaitable, il vaut mieux qu'elle s'exprime.

Je connais un petit garçon à qui on avait fait un cadeau chaque fois que sa petite sœur en recevait un, donné un baiser quasiment aux deux en même temps, vers qui on se tournait à tout instant pour montrer qu'on ne l'oubliait pas, etc. Un jour, quelqu'un ne put s'empêcher de lui dire : « Tu ne trouves pas qu'elle est mignonne. » Réponse : « Elle commence à me chauffer ma sœur ! »

Les grands-parents. Les grands-parents apportent une autre atmosphère, un autre point de vue, ils sont témoins d'une époque qu'ils racontent et qui fascine, car le passé lointain se lit dans les livres, mais le passé récent n'est pas encore écrit, et ceux qui ont la mémoire et du temps le racontent à la jeune génération. Et ce qui n'a pas de prix, c'est qu'ils en parlent à travers leur expérience personnelle et leur vie.

Grâce aux grands-parents, les enfants découvrent aussi que leurs parents ont eu leur âge, qu'ils ont eu une enfance et cela les passionne : « Raconte-moi des histoires de papa quand il était petit. » « C'est vrai que maman faisait des caprices ? » C'est également une manière pour les enfants de découvrir leurs racines.

Que pour vos enfants votre maison soit largement ouverte à vos parents, vous n'y trouverez qu'avantage. Car je vois autour de moi que les familles heureuses sont des familles complètes. Et les enfants trouvent auprès de leurs grands-parents l'oreille attentive que les parents n'ont pas toujours le temps de leur prêter, une oreille pour leurs confidences.

Post-scriptum : le courier reçu ces derniers temps m'apporte les nouvelles suivantes. On me dit de part et d'autre que la grand-mère disponible racontant des histoires est en voie de disparition – parce que la grand-mère d'aujourd'hui est encore jeune et travaille – et que si elle ne travaille pas, elle a encore envie de vivre sa vie, de voyager et pas tellement de s'occuper de ses petits-enfants. Dont acte, mais je maintiens que chaque fois que c'est possible, il faudrait que les grands-parents aient leur place dans la famille, tout le monde y trouverait son plaisir.

Les frustrations. Les parents vivent parfois dans la hantise que leurs enfants ne soient frustrés. Ils ont raison et tort.

Frustrer d'affection peut être grave pour un enfant, vous l'avez vu au chapitre précédent. Mais si un biberon est en retard, un jouet cassé, une dispute, même une sanction non méritée font de la peine à l'enfant dans l'immédiat, ces incidents n'ont aucune importance pour l'avenir, croyez-moi.

Au contraire, l'enfant a besoin de découvrir peu à peu que tout n'est pas facile. Et s'il vit dans une atmosphère de sécurité, il peut très bien supporter des « bleus affectifs ».

Le divorce. Dans tous les sondages, qu'ils soient de droite ou de gauche, faits auprès de très jeunes ou de moins jeunes, commandés par des quotidiens ou des hebdomadaires, les résultats se rejoignent dans un grand cri d'amour : « Famille je vous aime. »

Et cela ne date pas d'aujourd'hui. (Je vous en ai d'ailleurs déjà parlé.) Pendant ce temps, on s'intéresse de plus en plus au développement précoce de l'enfant, à ses besoins d'attachement à son entourage. A la télévision, un film qui n'est ni un western ni un film de variété, est vu par dix millions de personnes. Son titre, *Le bébé est une personne*, dit son sujet : montrer la personnalité du bébé, ses capacités d'attachement, la richesse de ses interactions avec l'entourage, leur pauvreté lorsque celui-ci est défaillant, la nécessité d'une continuité dans le milieu qui l'aime, le stimule et l'élève.

Et pourtant, dans le même temps, le nombre de divorces augmente d'année en année :
— trois fois plus aujourd'hui qu'hier ;
— chaque année 150 000 enfants de plus sont ballottés entre les deux foyers, etc.

On tient à la famille, on a la preuve que l'enfant a besoin d'elle, mais on ne craint pas de la défaire, et souvent même très tôt. Dans 25 % des cas, avant quatre ans ; les chiffres désolent.

Encore dans un sondage récent, 66 % des personnes interrogées pensent qu'il est bien que le divorce soit plus facile (il l'est depuis 1977), alors que 60 % des mêmes personnes pensent que le divorce est un handicap pour l'enfant.

Je dis à Danielle Rapoport ma difficulté à comprendre le paradoxe : comment peut-on à la fois tant apprécier la famille, tant s'intéresser aux besoins de l'enfant, et prendre si souvent une décision contraire à leur intérêt ?

Devrait-on accepter comme inéluctable cette progression des chiffres, car déjà on annonce pour demain qu'ils seront en hausse. Ne peut-on ?... Ne pourrait-on ?...

Si je pose la question à Danielle c'est qu'elle voit à longueur de journée des couples en difficulté et essaie de les aider.

Pour elle, lorsqu'un divorce est décidé, rien ne peut l'empêcher. Parfois même un an de plus exaspère les parents et détériore encore plus les relations. La seule porte de sortie, me dit-elle, c'est d'expliquer aux parents : « Si vous avez échoué dans votre vie de couple, essayez de réussir votre vie de parents, de préserver pour votre enfant une certaine unité, c'est-à-dire l'image de parents qui ne soient pas en conflit ; essayez pour l'enfant de séparer relations conjugales difficiles et relation parentale positive. » C'est difficile pour les parents, dit Danielle Rapoport, mais lorsqu'ils comprennent que l'enfance va passer vite, qu'il ne sert à rien de se déchirer, dans l'intérêt de l'enfant, ils parviennent à trouver des attitudes communes.

Lorsque les parents prennent conscience que s'ils s'approprient trop l'enfant, et même l'enlèvent à l'autre, plus tard leur enfant leur demandera des comptes, recherchera celui qui lui a manqué et bien souvent quittera celui qui a été trop possessif, alors les parents cessent de s'engluer dans le présent et surtout d'y bloquer l'enfant. Mais cet effort nécessite un oubli de soi-même, une ouverture à l'avenir de l'enfant et une tolérance vis-à-vis du partenaire qui peut être difficile à réaliser ; souvent un tiers (psychologue, pédiatre, etc.) peut intervenir positivement mais, ajoute Danielle Rapoport, il faut du temps : un an, voire deux ans, à raison de plusieurs consultations.

Vous venez d'accoucher, votre bébé a huit jours, vous vous demandez en quoi cet article sur le divorce peut bien vous concerner.

Il ne s'agit pas de vous qui êtes tendrement penchés, ensemble, sur un berceau, mais du bébé qui est dedans, car je fais une suggestion qui concerne son avenir.

Pour endiguer cette montée du divorce qui, comme une marée grondante, engloutit sur son passage espoir, amour, avenir, il faudrait raconter les enfants aux enfants, les avertir qu'un enfant n'est pas un objet mais une personne. On le dit aujourd'hui mais pour beaucoup c'est trop tard.

Il y a deux âges favorables pour parler : au premier, l'occasion s'offre d'elle-même, au deuxième il faut prendre l'initiative.

Vers 5-6 ans, l'enfant se penche – déjà – sur son passé, il veut savoir ; « Raconte-moi quand j'étais petit. » Son enfance le fascine. Il est inlassable à l'entendre raconter.

A la puberté, lorsqu'on parle de sexualité, la question de l'enfant est au centre des explications, le spermatozoïde c'est fait pour, la pilule c'est fait contre. Même si à cet âge l'adolescent ne pose pas tellement de questions sur l'enfant, en allant un peu plus loin, puisque tout s'enchaîne, conception, embryon, fœtus, nouveau-né, nourrisson, c'est facile de parler de l'enfant et de ses besoins. Même s'ils n'ont rien demandé, il est rare que les jeunes n'écoutent pas avec intérêt, car l'histoire qu'on leur raconte rejoint la leur.

J'ai souvent rencontré, à l'âge adulte, de ces jeunes que le souvenir de ces récits avait marqués. Et je crois qu'ils divorceront moins facilement, ou s'ils le font, ils tiendront compte de la fragilité de leurs enfants, et de ce que leurs enfants sont en droit d'exiger.

En tout cas, pourquoi ne pas essayer de modifier la tendance au divorce puisqu'il est bien connu qu'il laisse toujours une blessure à l'enfant, au lieu de rapporter comme un fait de société folklorique, et à la limite pittoresque, que bien des enfants ont quatre parents et huit grands-parents ! Ils n'en demandent pas tant, les pauvres, deux leur suffisent largement.

Le bilinguisme. Jusqu'à une époque récente, les chercheurs ne se sont guère intéressés au bilinguisme, aux effets de l'apprentissage précoce et simultané de deux langues par le tout jeune enfant. Les seuls à s'en être préoccupés étaient les parents et les enseignants. Ils n'avaient pas de théorie mais une pratique quotidienne qui leur faisait considérer le bilinguisme comme un danger, une source d'angoisse chez le petit enfant, de retard dans l'apprentissage du langage, une cause de difficultés scolaires. De là une série de conseils recommandant la prudence : « A laisser trop tôt votre enfant parler deux langues, il n'en saura bien aucune, et de toute manière il sera en retard. » On n'y allait pas par quatre chemins à l'époque : on conseillait à la mère étrangère, vivant en France, d'apprendre suffisamment bien le français pour le parler à ses enfants et qu'ils ne soient pas gênés à l'école, effort difficile mais nécessaire...

Je me suis fait l'écho de ces recommandations car elles émanaient des seules sources existant à l'époque, c'est-à-dire dans les années 1970.

Depuis, tout a radicalement changé à la faveur des événements : les frontières se sont ouvertes, l'internationalisation des relations humaines a mis au premier plan la nécessité de parler d'autres langues ; des millions de gens ont émigré, remplissant les écoles d'enfants qui parlaient autrement et qui, pour s'intégrer, devaient apprendre la langue du pays d'accueil ; l'ampleur du mouvement, le nombre de personnes concernées mettaient le bilinguisme au nombre des

préoccupations pédagogiques ; les chercheurs s'y sont intéressés, ils ont fait des travaux, des observations et tiré des conclusions.

Le bilinguisme, de danger est devenu bienfait et source de nombreux avantages : parler deux langues et très tôt développe l'intelligence, la créativité, les relations sociales, dit-on maintenant.

En fait, ce qui est principalement en contradiction entre hier et aujourd'hui, c'est l'âge auquel l'enfant peut commencer à parler deux langues à la fois : faut-il attendre qu'il ait atteint un certain âge, ou faut-il le plonger dès le départ dans un bain linguistique ? Dans la majorité des cas, sauf exceptions que vous verrez, on opte pour cette dernière solution.

Plusieurs combinaisons sont possibles entre la nationalité du père, celle de la mère et le pays de résidence.

Prenons d'abord le cas de parents de *nationalités différentes* : vivre en Grèce avec un père français et une mère grecque ; vivre en France avec un père algérien et une mère française.

Quelle langue les parents vont-ils parler à leur enfant ? Chacun la sienne ou uniquement celle du pays ?

Dans ce dernier cas, l'un des parents aurait à se forcer car parler à son enfant une langue autre que la sienne n'est pas naturel qu'il s'agisse du père ou de la mère. Notre langue maternelle vient spontanément à nos lèvres lorsque nous parlons à notre bébé, lorsque nous le berçons ou lorsque nous lui chantons des comptines.

Or, bonne nouvelle, la théorie d'aujourd'hui s'accorde au désir des parents : chacun n'a qu'à parler sa langue, l'enfant s'en arrangera très bien. C'est le revirement dont je parlais plus haut.

De fait, on observe généralement que si on s'adresse à l'enfant dans les deux langues, il passe facilement de l'une à l'autre, que la gymnastique lui devient familière et qu'il acquiert par ce jeu une grande souplesse ; on a même l'impression qu'il jongle avec les mots, que connaître deux langues l'amuse.

Finalement on constate que l'enfant bilingue est plus créatif, et que d'avoir à sa disposition deux langages et deux modes de pensée enrichit à tous points de vue sa personnalité. Voyez, on est loin des dégâts redoutés autrefois !

Donc, en général, les choses se passent bien et suivant ce schéma. Mais il peut y avoir des difficultés dans un cas :

– le père et la mère veulent chacun que sa langue soit la bonne et l'enfant se trouve coincé face à un choix qu'il ne peut pas faire, ne voulant peiner ni son père ni sa mère ;

– ou bien, la mère, française, trouve que la langue du père, le turc par exemple, est trop difficile à apprendre, qu'elle n'ira jamais dans le pays. Dans ces conditions l'enfant refusera également de parler la langue du père.

Que se passe-t-il lorsque les parents sont de *même nationalité* mais vivent à l'étranger. Par exemple : deux Français aux États-Unis ; deux Portugais ou deux Marocains en France.

Soit l'enfant va à la crèche et ainsi très jeune il est en contact avec une deuxième langue ; nous l'avons vu, cela ne pose pas de problème.

Soit l'enfant est élevé dans sa famille, il ne va à l'école que vers trois ou quatre ans ; il découvre une autre langue en même temps qu'un autre milieu et qu'une autre vie sociale.

Certes les premiers contacts peuvent être difficiles, mais l'enfant a heureusement d'autres moyens de communiquer : par le regard, le geste, le sourire, et normalement l'apprentissage se fait bien.

Ce qui cependant peut faire problème, c'est lorsque la langue d'origine est peu considérée.

En effet, lorsqu'un enfant sait que le maître et ses amis apprécient sa langue maternelle, il a envie d'apprendre une deuxième langue pour parler facilement avec eux.

En revanche, lorsque l'enfant se rend compte qu'on n'a pas de considération pour sa langue d'origine, pire qu'on la considère comme un handicap, cet enfant a du mal à apprendre une deuxième langue ; il peut même être freiné pour progresser dans sa langue maternelle. C'est ce qui arrive dans certaines écoles avec les enfants d'immigrés.

Dans ce cas il est important que l'instituteur ou l'institutrice valorise la langue d'origine de l'enfant : plus cette langue maternelle sera riche, plus la deuxième langue sera développée ; les professeurs l'ont souvent remarqué.

Parfois enfin, les familles souhaitent faire apprendre à leur enfant très jeune, une autre langue que le français pour lui donner un atout supplémentaire dans ses études. Il est recommandé dans ce cas d'attendre l'âge de 4-5 ans.

Car lorsque le bilinguisme est imposé à l'enfant, il ne le vit pas spontanément comme dans sa famille. Et il a plus de peine à s'y mettre. Il vaut donc mieux attendre qu'il ait une bonne connaissance de sa propre langue maternelle, qu'il aime la parler, qu'il soit bien socialisé.

Et on choisira une méthode attrayante basée sur le jeu, on ne brusquera pas l'enfant s'il se trompe, ce qui ne ferait que le bloquer. Mais si l'enfant manifeste une opposition à cette nouvelle langue, on n'en reprendra l'apprentissage que vers 6-7 ans.

Quelles que soient les raisons qui font que votre enfant est bilingue, au début il fera des mélanges : c'est normal. Dans chaque langue, pour un même objet, l'enfant connaît un ou deux mots : par exemple, en français, pour automobile, *voiture* ou *toto*, en anglais, *car*. Dans la conversation spontanément il emploie l'un *ou* l'autre de ces mots, il mélange, il n'a pas la maturité pour se rendre compte qu'il s'agit de deux langues. Il les différenciera peu à peu, aidé par ses parents.

A partir de trois ans, en général, il passera d'une langue à l'autre sans problème. Trois ans est en quelque sorte un âge clé, c'est pourquoi autrefois on conseillait de n'introduire la deuxième langue qu'à cet âge.

Au cours de l'apprentissage des deux langues, l'enfant peut manifester certains troubles comme de bégayer par exemple. Ce trouble, sans gravité, et passager, disparaît spontanément ; il peut aussi bien apparaître chez un enfant qui ne parle qu'une langue, il n'est pas dû au bilinguisme.

C'est une des conclusions importantes des travaux actuels. Les progrès dans l'acquisition du langage se font à la même vitesse chez l'enfant qui parle une langue que chez celui qui en parle deux en même temps. Et si l'enfant parle plus tard, le bilinguisme n'est pas à incriminer, la cause est à chercher ailleurs.

On a constaté cependant quelques cas où l'enfant bilingue s'est arrêté purement et simplement de parler. Ceci est rare, mais doit être mentionné. L'origine du mutisme est due le plus souvent aux conditions particulières d'apprentissage de la langue : comme Aurélie, grondée, car elle ne s'exprimait pas assez bien, à quatre ans, dans les deux langues ; comme Antoine, bloqué devant un choix qu'il n'arrivait pas à faire, et qui ne voulait déplaire ni à son père ni à sa mère qui désiraient chacun le voir mieux parler sa langue, nous l'avons dit plus haut. Antoine n'a reparlé que lorsque les parents prirent conscience de ce qu'ils demandaient à l'enfant, et qu'ils le plaçaient devant un choix impossible.

Enfin, une dernière remarque : à ne pas pratiquer une langue apprise très jeune, on en perd l'usage, et l'on est surpris de voir par exemple des enfants français, habitant Londres pendant plusieurs années et s'exprimant couramment en anglais, six mois après leur retour en France avoir perdu en grande partie l'acquis. En fait, il serait bon, afin que l'enfant garde ses connaissances, de le replonger régulièrement dans cette seconde langue, soit en l'inscrivant dans une école bilingue, soit en lui trouvant des amis de langue anglaise, soit en l'envoyant de temps en temps dans le pays où il a vécu. Mais d'ailleurs tout cela est valable également chez les adultes.

Petite bibliographie pour en savoir plus
- *Le bilinguisme précoce* de Renzo Titone, Charles Dessart Éditeur.
- *Bilingualité et bilinguisme* de J.F. Hamers et M. Blanc, Éd. P. Mardaga.
- « Bilinguisme », dans *L'école des parents* n° 2-1974 ; n° 10-1980.

Il ignore le futur, il ne connaît que le présent. « Tout à l'heure, tu auras du chocolat », ou « Demain tu iras au cirque. » Il retient « chocolat », « cirque », mais « tout à l'heure », « demain », pour lui, n'ont aucun sens. Vous l'avez vu au chapitre 5, la notion de temps est une des plus longues à acquérir.

Moralité : pour éviter les déceptions, les pleurs, ne parlez que de l'immédiat. (Cela ne va pas à l'encontre de ce que nous disons au chapitre 5. Lorsqu'il s'agit d'un événement important dans la vie de l'enfant, là il faut l'annoncer, car même si l'enfant ne réalise pas bien ce qui peut lui arriver, il l'a inconsciemment enregistré et cela a été dit.)

Il y a une autre notion que l'enfant acquiert tard, c'est la valeur de l'argent. lorsqu'on lui dit : « Je ne peux pas te donner cette voiture, c'est trop cher », cela n'a pas de sens pour le petit enfant : cela commencera à en avoir un lorsque l'enfant fera la différence entre le « mien » et le « tien », qu'il pourra échanger ses jouets, et surtout lorsqu'il commencera à compter.

L'enfant maltraité. En France, environ 50 000 enfants par an sont victimes de sévices ou de délaissement. Pour le grand public, l'enfant maltraité est un enfant battu, un enfant qui n'a rien à manger. C'est aussi un enfant qui a le malheur d'appartenir à un milieu défavorisé. Mais les professionnels de l'enfance (et notamment l'Organisation Mondiale de la Santé) ont élargi depuis plusieurs années la notion de maltraitance au délaissement, à la carence de soins et de relations. Ils ont en plus insisté sur le fait qu'il pouvait y avoir des enfants maltraités dans tous les milieux : il peut arriver à n'importe quel père, n'importe qu'elle mère de « passer à l'acte » et de maltraiter leur enfant.

On connaît mieux maintenant les caractéristiques de ces parents, ce qui permet d'améliorer la prévention et de les aider plus efficacement : car, dans ce domaine, qui dit « enfant en souffrance » dit « parent en souffrance ».

Qui sont ces parents ?
● Des mères très jeunes ou immatures, proches de leur adolescence, dont la grossesse n'a pas été désirée ; ou qui ont de grandes difficultés avec le père de l'enfant : abandon, brutalité, infidélité, etc.
● Des personnalités particulièrement vulnérables dont la dépression n'est pas toujours manifeste, mais qui ne vont pas supporter les pleurs du bébé, ses demandes, et qui se sentiront comme menacées par la fragilité de l'enfant. Tout en l'aimant, ces parents le rejettent, soit avec des gestes violents, soit par des attitudes d'abandon qui mettent en danger tout le développement de l'enfant.
● Des parents qui n'ont eux-mêmes pas eu une enfance sécurisante, qui revivent et « répètent » ce qu'ils ont vécu. Ces adultes n'ont pas forcément été battus lorsqu'ils étaient enfants, mais ils n'ont pas été aimés et ont gardé de leurs parents une image frustre et brutale, ou froide et angoissante ; leurs parents ont été incapables de les aider à former une personnalité stable et de les préparer à devenir parents à leur tour. Beaucoup même ont été placés dans des conditions traumatisantes qui n'ont pas été cicatricées à l'âge adulte.

Ces grandes difficultés de relations entre parents et enfants peuvent se retrouver dans tous les milieux.

Voici deux cas : Jacqueline, fille d'avocat, ne supporte pas que son bébé ait peu d'appétit, et, lasse de le forcer, s'en désintéresse et le laisse seul une grande partie de la journée. Paul, fils d'ingénieur, n'admet pas que son bébé pleure et ne peut s'empêcher de le brutaliser.

Dans ces deux cas, les parents de cette mère, de ce père, n'avaient eu aucun investissement affectif, aucune relation chaleureuse avec eux dans leur petite enfance : « Mes parents ne m'aimaient pas, j'ai été très gâtée mais très malheureuse », disait Jacqueline. « J'étais terrorisé par mon père qui, pourtant, n'a jamais levé la main sur moi, mais je n'ai aucun souvenir de tendresse de la part de mes parents. Ne me séparez pas de mon fils, je ne veux pas qu'il souffre ce que j'ai souffert, aidez-moi plutôt à changer. » C'est ce que disait Paul.

D'autres facteurs peuvent conduire aux mauvais traitements :
— vivre dans des conditions de logement invivables (par exemple 5 personnes dans 11 m², nous l'avons vu) ;
— avoir un enfant adultérin qui rappelle une filiation qu'on voudrait oublier ;
— élever l'enfant d'un autre conjoint ;
— avoir été séparé de son enfant dans les premières semaines de vie ; c'est pourquoi aujourd'hui on cherche à rapprocher le plus possible les parents de leur enfant prématuré ou malade, pour que les liens d'attachement se créent.

Parfois la frontière est fragile entre l'affection et les mauvais traitements, et les causes de dérapage sont multiples. Si un jour vous sentez que vous-même, que votre conjoint, dérivez vers ce type de relations avec votre enfant, ou si vous êtes déjà « passé à l'acte », consultez sans tarder ceux qui pourraient vous aider : le pédiatre, ou la consultation de P.M.I. la plus proche, ou la consultation hospitalière de pédiatrie (ouverte 24 heures sur 24), ou le juge pour enfants : n'ayez pas peur de cette appellation et du fait qu'il siège au Tribunal, son rôle est de protéger votre enfant, mais aussi de vous protéger en faisant appel à des équipes particulièrement formées à cet égard. Enfin, pour l'enfant plus grand, vous pouvez aussi vous adresser au C.M.P.P. (consultation médico-psycho-pédagogique). Toutes ces adresses vous seront fournies par la Mairie.

Bibliographie :
— Dans *Naître et ensuite*, Cahier de nouveau-né n° 1, les articles de Léon Kreisler : *La genèse de l'attachement maternel et ses avatars*, et de Pierre Straus et Dominique Girodet : *Le syndrome du jeune enfant maltraité*.
— *Du cri au silence*, d'Elisabeth Adjiski, édité par le Ctnerhei, 2, rue Auguste Comte, 92173 Vanves.
— *L'enfant violenté*, de Michelle Rouyer et Marie Drouet, Éditions du Centurion.
— *L'enfant maltraité*, de Pierre Straus, Dominique Girodet, Éditions de Fleurus.

« Tout est joué à 3 ans. » « Tout dépend de vous ». Ce genre de phrases qu'affectionnent les chercheurs de sensations me semble redoutable. Si je parle de ces affirmations, c'est parce qu'elles sont fréquentes et rencontrent beaucoup de crédit. Bien sûr, de l'éducation de la petite enfance dépend en partie le comportement de l'adolescent.

Mais tout n'est pas joué pour autant à 3 ans. L'enfant est, par définition, un être en formation, donc un être qui change ; il change sous l'effet de son caractère, de son hérédité, du milieu, sous l'effet des circonstances, de votre influence, de celle des maîtres qui eux-mêmes changent. Cette interaction ne cesse de se poursuivre pendant toute l'enfance et l'adolescence.

Non, rien n'est définitivement joué à 3 ans. Le croire serait tuer l'espoir et l'espérance, serait nier selon ses convictions ou l'homme et son pouvoir, ou Dieu et sa grâce. Ce serait vraiment à désespérer. Lorsque je parle avec des jeunes parents, je leur dis : « Certes, les premières années sont importantes, mais, jusqu'à la mort rien n'est jamais vraiment joué. »

« Tout dépend de vous » me semble faux également, et peut-être plus grave. Ainsi les parents auraient la possibilité de faire de leurs enfants des saints ou des bandits, des génies ou des cancres ? Si cela était vrai, dans une même famille tous les enfants élevés avec les mêmes principes se ressembleraient. Si cela était vrai, milieu, caractère, circonstances, rien ne compterait ?

« Tout est joué à 3 ans », « Tout dépend de vous », ces phrases sont caractéristiques d'une littérature qui affectionne la dramatisation du genre « 12 heures vitales », « 6 mois décisifs », « l'année cruciale », etc. Mais en éducation les mots

ont une résonance particulière. Les phrases en cause peuvent rendre malheureux les parents qui se croient éternellement coupables.

Post-scriptum. J'ai gardé mon titre initial « Tout est joué à 3 ans ». En fait, je devrais le rajeunir. Avec la compétence du nouveau-né, la course à la précocité s'est faite plus âpre. Exemple lu dans la presse sur cinq colonnes : « On en est sûr, avant de naître votre bébé comprend tout. » On n'est pas obligé de le croire.

Ce qui me semble plus grave, c'est de dire : « C'est à la naissance que se joue l'attachement. » Que penseront les femmes qui ont eu leur enfant par césarienne avec anesthésie générale ? Que diront les parents de prématurés ? Que pensera le père absent à l'accouchement ? Alors ce sera peut-être l'angoisse d'avoir manqué un début qu'on décrit comme si important.

Or, comme le disait René Dubos [*], une des possibilités les plus remarquables de l'être humain, c'est sa capacité d'adaptation.

L'éducation silencieuse. Rien n'est plus délicat que de donner des conseils sur l'éducation. Ils ont un caractère général qui s'accorde mal avec l'infinie variété des enfants et des parents. J'aimerais pourtant en risquer un dernier.

Ne vous faites pas trop d'illusion sur la valeur de vos paroles : ce n'est pas ce que vous direz à votre enfant qui le marquera le plus, mais ce que vous ferez en sa présence ; ce ne sont pas vos ordres ni vos défenses qui le formeront, mais la manière dont vous vivrez, vos occupations, vos préoccupations, vos goûts, les conversations que vous aurez devant lui, le cadre dans lequel vous le ferez vivre, votre humeur, votre sourire, vos attentions pour les uns et les autres, vos lectures, les journaux qui seront posés sur la table et les disques que vous écouterez, les émissions de télévision que vous regarderez.

Sans s'adresser directement à l'enfant, sans émettre de grands principes, mais en vivant sous ses yeux, on lui apprend l'essentiel de ce qu'il doit savoir. Et si les faits sont en contradiction avec les paroles, ce sont les faits qui priment. L'éducation qui marque le plus, c'est l'éducation silencieuse.

[*] Dans *Courtisons la terre* et *Chercher*, Éd. Stock.

L'enfant élevé par sa mère seule

Les circonstances font qu'aujourd'hui un certain nombre de jeunes femmes mettent au monde un enfant en sachant qu'elles l'élèveront seules, au moins pendant un certain temps.

Il y aurait beaucoup à dire sur l'éducation d'un enfant élevé par sa mère seule. Dans le cadre de ce livre, nous ne pouvons traiter complètement le sujet, mais voici quelques remarques qui nous semblent importantes.

Tout enfant pense à son père. La première remarque concerne le père. Bien sûr il est absent physiquement et matériellement, mais que vous le vouliez ou non, il va jouer un rôle important et dans votre vie et dans celle de votre enfant : d'abord parce que, comme vous, il est à l'origine de la naissance ; ensuite parce que ce père existe ; enfin parce que cet homme, qu'il ait ou non compté sentimentalement pour vous, votre enfant vous rappellera sans cesse son existence. J'ajoute que pour votre enfant, son père jouera un rôle important dans la mesure où tout enfant pense à son père.

Et un enfant sent bien que son père joue un rôle dans les préoccupations de sa mère, que ce rôle soit négatif ou positif, que sa mère le regrette ou non.

C'est pourquoi, malgré peut-être le drame de l'abandon, malgré des griefs souvent justifiés, malgré un désir parfaitement conscient de le tenir à l'écart, ou malgré une indifférence plus ou moins profonde, la mère doit s'efforcer d'offrir et de conserver à son enfant une image acceptable du père. Faire naître et entretenir chez un enfant une haine farouche du père absent peut avoir des conséquences graves. Il peut en être de même si la mère passe le père complètement sous silence et n'y fait jamais référence. Or, la recherche de son origine paternelle peut s'instaurer très précocement chez un enfant, et le poursuivre tout au long de sa vie d'adulte. Cela d'autant plus que les questions qu'il se pose à sa manière et à chaque étape de son développement seront restées sans réponse.

Si, à travers les réponses, l'enfant a senti à ce sujet la haine ou la dépression de sa mère (« Tu ne peux pas savoir ce qu'il m'a fait souffrir », « Je ne m'en remettrai jamais », « Ton père était ignoble », ou à certaines occasions : « Tu ne vas pas me faire ce que ton père m'a fait »), il risque de s'instaurer en cet enfant, à travers la personne de ce père imaginaire, un rejet ou une crainte des hommes en général. L'enfant peut aussi se dévaloriser lui-même, ou craindre l'hérédité : « Mon père était caractériel, ou raté », « Mon père était brutal, j'ai peur de tenir de lui », « Mon père a abandonné ma mère, j'ai peur qu'il m'arrive la même chose. »

C'est donner à l'enfant une fausse idée des relations entre un homme et une femme, et peut-être compromettre l'avenir affectif et sexuel d'une fille comme d'un garçon. La mère doit donc préserver autant que possible l'image du père de l'enfant. Certes, il ne s'agit pas de cacher les difficultés et les réalités, mais de les transmettre à l'enfant de telle manière qu'il n'en porte pas la responsabilité, que ces difficultés et réalités n'entravent pas le déroulement de sa propre vie et ses relations avec les autres. Autrement dit, l'enfant a le droit de savoir que son père n'était pas parfait, mais il n'y est pour rien et cela ne doit pas interférer dans sa vie quotidienne ni dans son propre avenir.

Véronique, 2 ans, ne veut pas s'endormir seule, et se réveille souvent la nuit. Depuis quelque temps, sa maman la prend dans son lit car elle-même est insomniaque et reconnaît qu'elle dort mieux quand elle a « son bébé contre elle ».

La mère ne veut plus voir le père de Véronique, ni qu'il voie son enfant. « Ce serait trop facile dit-elle. J'ai probablement tort, mais je ne peux pas m'empêcher de me venger ainsi du mal qu'il nous a fait. »

En fait les parents sont en instance de divorce, car le père lors d'une période difficile, étant au chômage, s'est drogué, a vendu des objets leur appartenant à tous les deux, et l'enfant a assisté à des scènes pénibles. Cela n'empêche pas le père de Véronique d'être très attaché à sa fille, et de souhaiter la voir. Véronique sursaute souvent le soir lorsqu'elle entend du bruit dans l'escalier, pensant que son père arrive, et souvent elle le réclame la nuit. Pourtant la mère de Véronique ne veut plus que le père et l'enfant se revoient.

Il faudra plusieurs entretiens avec le pédiatre et une assistante sociale pour que des relations moins tendues se rétablissent dans le trio. Le divorce sera prononcé, mais Véronique reverra régulièrement son père, et les troubles du sommeil de la mère et de l'enfant disparaîtront.

Ces remarques en amènent une autre. C'est un réflexe naturel, pour la mère, qui vit seule avec son enfant, de se replier sur lui. Instinctivement, elle a tendance à entourer son enfant d'un amour exclusif, en partie pour remplacer le père, en partie pour combler sa solitude. Or, en installant son enfant au centre d'un univers à deux, sans le savoir la mère crée chez lui un besoin exagéré d'elle qui le rend vite exigeant et incapable de se passer de ses soins et de sa présence.

C'est le rôle de toute mère d'amener jour après jour son enfant à exister loin d'elle, puis sans elle. Préparer à son enfant un avenir d'homme, de femme autonome, c'est l'aimer non pour soi, mais pour lui-même. Entreprise difficile, pour celle qui est seule avec son enfant. Elle devra profiter de toutes les occasions pour élargir son univers. Dès les premiers mois, une bonne crèche permettra au nourrisson d'être mêlé à d'autres enfants et confié à d'autres adultes.

Elle doit aussi donner à son enfant l'occasion de rencontrer des hommes avec qui il pourra établir des rapports de confiance et d'affection, ce qui peut être le cas d'un oncle, d'un parrain, d'un grand-père, de voisins, d'amis.

Les relations de la mère avec sa famille. Une mère célibataire doit garder le contact avec sa famille sauf, bien entendu, si celle-ci prétend l'empêcher d'élever elle-même son enfant et d'en être seule responsable. Si l'effort doit venir d'elle, qu'elle se dise que cet effort en vaut la peine : en oubliant sa rancune, elle offre à son enfant la chance d'avoir une famille, des grands-parents, des oncles, des tantes...

Plus tard, l'école maternelle, les organismes de loisirs et de vacances (sports, colonies) viendront encore agrandir l'univers de l'enfant. De son côté, la mère qui a la tâche d'élever seule son enfant aura avec cet enfant des échanges d'autant plus équilibrés que sa vie à elle sera plus largement ouverte sur l'extérieur.

La mère seule et sa vie professionnelle. Si une mère a pour premier devoir de s'occuper de son enfant, elle doit également, et dans l'intérêt même de son enfant, s'occuper d'elle-même. Exercer une profession qui corresponde à ses capacités, par exemple, permet d'obtenir une autonomie financière qui procure non seulement un sentiment de sécurité, mais aussi une certaine assurance d'elle-même, une « valorisation » à ses propres yeux.

En acquérant une compétence professionnelle dont plus tard son enfant sera fier, la mère célibataire aura, en outre, l'occasion de nouer des relations amicales qui l'aideront à assumer ses responsabilités de chef de famille. Puisque l'équilibre d'une mère rejaillit toujours sur son enfant, penser à soi, veiller à sa santé, chercher son épanouissement dans son métier, dans un sport, auprès d'amis, c'est encore aimer son enfant, c'est aussi lui permettre de s'épanouir.

Lorsqu'il a une sécurité suffisante et que sa mère a trouvé son équilibre, un enfant construit son petit monde comme tous les enfants de son âge : il passe par les mêmes stades ; il y a des progrès, des retours en arrière, il y a des étapes paisibles, d'autres tumultueuses. Mais il faut signaler une réaction fréquente de la mère lorsqu'elle se trouve seule : elle a tendance à dramatiser. Et devant un enfant agressif, elle perd souvent son calme, d'autant plus qu'elle croit facilement que cette agressivité est dirigée contre elle, qu'elle est une sorte de reproche.

Il ne faut pas que cette mère oublie qu'à certains âges, l'agressivité est au contraire un signe de santé, de progrès, qu'elle est l'explosion d'une personnalité qui peu à peu s'exprime. Si la mère seule en face de son enfant sait rester calme, la crise passée, elle verra son enfant lui exprimer à nouveau sa tendresse, et sa confiance.

Ces quelques suggestions sont un peu sommaires : en trois pages, il est impossible de traiter convenablement la question. Il n'y a pas de livres qui traitent l'ensemble du problème, mais il en existe un excellent sur *Les mères célibataires démunies*, de Roland-Ramzi Geadah, E.S.F. Ce livre est consacré aux mères célibataires défavorisées et appartenant à des milieux socioculturels différents. Il peut donc intéresser les professionnels mais aussi des lectrices.

Je vous signale l'existence de « Allô Parents Seuls » (créé par Inter Service Parents) qui informe, renseigne et aide *.

* Paris : 43.48.28.28 ; Bordeaux : 56.81.12.19 ; Colmar : 89.24.25.00 ; Grenoble : 76.87.54.82 ; Lyon : 78.85.92.31 ; Metz : 87.74.49.69 ; Strasbourg : 88.35.26.06.

Mémento
pratique

CHAPITRE 7

Parents, vous avez des droits : remboursements, allocations, aides diverses. Mais vous avez aussi des obligations. Pour vous aider à vous y reconnaître dans les uns et les autres, voici, exposé aussi clairement que possible, ce que vous devez savoir de : la déclaration de naissance, le congé du père après la naissance, la Sécurité sociale, les Prestations familiales, l'Aide sociale (allocations spéciales), enfin les crèches, garderies, maisons maternelles, aides familiales, etc.

La déclaration de naissance. Dès la naissance de votre enfant, le médecin ou la sage-femme vous remettra un certificat attestant la naissance de votre enfant. Votre mari – ou une autre personne –, muni du livret de famille et de ce certificat, déclarera à la mairie de la commune où a eu lieu l'accouchement, la naissance de votre enfant. L'enfant sera alors inscrit sur le livret de famille. Les mères célibataires peuvent également obtenir à la mairie un livret de famille. Les services de la mairie doivent remettre un carnet de santé pour l'enfant en enregistrant la naissance. Cette déclaration doit être faite dans les trois jours qui suivent la naissance.

Passé ce délai, l'officier d'état civil n'a plus le droit de dresser l'acte de la naissance avant qu'un jugement du tribunal ne soit intervenu, ce qui entraîne des formalités longues et coûteuses. Une déclaration faite en retard peut, en outre, entraîner un emprisonnement de quatre jours à six mois et une amende (plus les frais).

La personne qui déclarera la naissance demandera en même temps quatre fiches d'état civil, qui seront nécessaires pour les démarches ultérieures : allocations familiales, etc.

Le congé du père après la naissance. Le père a droit à trois jours de congé payé à l'occasion de la naissance de son enfant ; mais attention : obligatoirement dans les quinze jours qui précèdent ou qui suivent cette naissance. Il aura ainsi le temps de faire les différentes démarches qu'implique la venue au monde d'un enfant. Le père a également droit à trois jours de congé lors de l'adoption d'un enfant, trois jours à prendre dans les quinze jours qui précèdent ou suivent l'arrivée au foyer de l'enfant.

La Sécurité sociale

Elle vous a aidée à couvrir une grande partie des frais de la naissance ; elle va vous aider, après l'accouchement, à surveiller la santé de votre enfant, et la vôtre.

Les avantages consentis font partie de l'Assurance Maternité, que vous connaissez bien pour en avoir déjà bénéficié pendant votre grossesse. Les avantages – détaillés dans le carnet de maternité – sont les suivants :

Pour la maman :

– Des indemnités journalières permettant aux femmes, personnellement assurées sociales, de se reposer pendant les dix semaines qui suivent l'accouchement.

– Le remboursement de l'examen obligatoire que la maman doit passer après la naissance.

Les consultations supplémentaires, nécessitées par l'état de la maman, sont remboursées aux conditions ordinaires, de même que les médicaments.

Pour le bébé :

– Le remboursement des examens médicaux auxquels l'enfant doit être soumis, même s'il est en parfaite santé. Ces examens médicaux sont au nombre de 9 au cours de la première année, de 3 au cours de la deuxième année, et de 2 par an jusqu'à six ans. Un certificat de santé est établi pour trois examens : ceux du 8e jour, du 9e ou 10e mois et du 24e ou 25e mois. Pour ces 3 examens, le médecin remet une attestation aux parents qui doivent l'envoyer à la Caisse d'Allocations Familiales : le paiement des allocations familiales et des autres allocations dépend de l'envoi de ces attestations.

– Des primes (dans certains départements), lorsque ces examens sont faits aux dates indiquées. Si votre enfant tombe malade, les visites médicales supplémentaires et des médicaments vous seront remboursés aux conditions ordinaires (dans ce cas vous utiliserez une feuille de maladie).

– La prise en charge des prématurés aux conditions définies plus loin.

Qui peut bénéficier de ces avantages ?

Toute personne résidant en France peut bénéficier des remboursements de la Sécurité sociale :

– soit qu'elle appartienne à un régime obligatoire par elle-même ou parce qu'elle est à la charge d'un assuré social : épouse, fille ou concubine ;

– soit qu'elle adhère à *l'assurance personnelle*. Cette assurance est gérée par le régime général d'assurance des travailleurs salariés qui donne tous renseignements utiles pour y adhérer.

Ce qu'il faut faire pour bénéficier des avantages de la Sécurité sociale

● Renvoyer à votre Caisse, dans les 48 heures qui suivent l'accouchement, le feuillet correspondant du carnet de maternité (que vous avait remis votre centre de Sécurité sociale quand vous aviez déclaré votre grossesse), signé par le médecin ou la sage-femme, accompagné d'un certificat d'accouchement délivré par l'établissement dans lequel a eu lieu votre accouchement.

Si vous avez droit à une *indemnité de repos*, vous enverrez à votre Caisse l'attestation d'arrêt de travail remplie par l'employeur (attestation qui se trouve dans le carnet de maternité).

Pour plus de détails sur le repos après l'accouchement, voyez plus loin, je vous en parle longuement.

● Passer aux dates indiquées les examens médicaux obligatoires tant pour la maman que pour l'enfant. Les examens médicaux peuvent être passés soit chez un médecin, soit dans un centre agréé ou dans un établissement de soins agréé. L'examen postnatal doit être fait par un médecin et non une sage-femme. Le bébé peut, dès la naissance, être inscrit dans un centre de P.M.I. : les consultations sont gratuites, et vous pourrez y amener votre bébé régulièrement pour toutes les visites.

● Envoyer aux dates prescrites les feuillets du carnet de maternité à votre Caisse. Le carnet de maternité comprend différents feuillets correspondant à tous les actes médicaux donnant lieu à un remboursement par la caisse de S.S., et aux formalités que vous devez accomplir pour bénéficier d'avantages tels que le repos de maternité. Si vous passez la visite dans un centre, vous remettrez le feuillet destiné à la S.S. au Centre lui-même.

● Après chaque visite, envoyez un feuillet à la S.S., l'autre à la Caisse d'Allocations Familiales (vous verrez plus loin pourquoi).

Attention : Si vous passez une visite supplémentaire, ne manquez pas de faire remplir par le médecin une feuille de maladie ordinaire pour que la consultation vous soit remboursée par la Sécurité sociale.

Le congé après l'accouchement

Le congé postnatal est de 10 semaines. Vous percevrez alors l'indemnité journalière de maternité (84 % de votre salaire jusqu'au plafond de la Sécurité sociale).

Votre repos doit être effectif, des contrôles à domicile ont lieu. Vous pouvez prendre un repos moins long, mais pour toucher les indemnités journalières de repos, il faut que vous arrêtiez votre travail au moins huit semaines en tout. Les indemnités journalières perçues correspondent au nombre de jours d'arrêt de travail.

Cas où le congé peut être prolongé

– Accouchement avant la date prévue.

– Naissance du 3e enfant (ou plus) : le congé postnatal est prolongé de 8 semaines, il est donc de 18 semaines.

– Naissance de jumeaux : le congé est prolongé de deux semaines *.

– Hospitalisation de l'enfant : si l'enfant est encore hospitalisé 6 semaines après sa naissance, la mère peut reprendre son travail et utiliser la suite de son congé lorsque l'enfant sera de retour à la maison. Mais il faut pour cela que la mère ait déjà pris un congé ininterrompu de 8 semaines, dont 6 après la naissance.

A noter :

● Les *mères adoptives* ont droit à 10 semaines de congé de maternité à partir du jour où l'enfant est arrivé au foyer (et 18 semaines à partir du 3e enfant).

● Il existe une *allocation en faveur des agricultrices*. Cette allocation peut être versée pour 56 jours maximum, plus 14 jours en cas de grossesse pathologique, plus 14 jours en cas de grossesse multiple. Le montant est de 52,50 F par heure, avec un maximum de 420 F par jour. Si au foyer, il y a 2 enfants à charge, l'indemnité est égale au coût réel du remplacement. Les caisses de la mutualité sociale agricole vous donneront toutes les précisions.

● Pour les femmes exerçant une *profession libérale, artisanale, ou commerçante*, ou bien pour les conjointes non salariées collaboratrices d'un membre d'une profession libérale, d'un commerçant ou d'un artisan, deux allocations existent maintenant.

---

* Si une mère d'un enfant a des jumeaux, son congé postnatal sera donc de 18 semaines (puisqu'elle a 3 enfants), plus 2 semaines (puisqu'elle a des jumeaux).

– *L'allocation de repos maternel* est destinée à compenser partiellement la diminution entraînée par la maternité ou l'adoption d'un enfant :
maternité : le maximum est de 4 730 F ;
adoption : le maximum est de 2 365 F.

– *L'indemnité de remplacement* est destinée à compenser les frais engagés en cas de remplacement dans l'activité professionnelle ou au foyer par du personnel salarié. Le montant maximum est de 4 730 F (maternité) et 2 365 F (adoption). Elle ne peut être versée plus de 28 jours.

Pour avoir plus de détails sur les conditions précises qui sont exigées, renseignez-vous auprès de votre organisme conventionné.
A noter : l'allocation de repos maternel peut être complétée par l'indemnité de remplacement.

> – L'employeur ne peut licencier une salariée * lorsque la grossesse a été médicalement constatée, et pendant les 14 semaines suivant l'accouchement. D'autre part, le licenciement d'une salariée est annulé (sauf s'il est prononcé pour l'un des motifs exposés dans la note) si, dans un délai de 15 jours à compter de sa notification, l'intéressée envoie à son employeur (par lettre recommandée avec A.R.), soit un certificat médical justifiant qu'elle est enceinte, soit une attestation justifiant l'arrivée à son foyer, dans un délai de 8 jours, d'un enfant placé en vue de son adoption.

La mère peut, à l'expiration de son congé de maternité, ne pas reprendre son travail. Plusieurs possibilités lui sont offertes suivant l'endroit où elle travaille.

● Dans le secteur public, les fonctionnaires – et les agents communaux – peuvent obtenir un congé sans solde pendant trois ans. A la fin de ce congé, la mère sera réintégrée dans son emploi. Par ailleurs, les fonctionnaires (et pas seulement les mères de famille) peuvent demander de travailler à mi-temps ; mais c'est un droit qu'on n'est pas obligé de leur accorder, cela dépend de l'organisation du service.

● Dans le secteur privé, deux cas peuvent se présenter :

1. Le congé parental d'éducation : il peut être accordé pour un an, renouvelable deux fois, à temps complet ou à mi-temps. On peut passer d'une option à l'autre au bout d'un an. Les parents peuvent prendre ce congé (sans solde) ensemble, ou bien l'un après l'autre. À l'expiration de ce congé, le (ou la) salarié retrouvera son emploi précédent, ou un emploi similaire. Le parent n'est pas obligé de prendre ce congé à la suite du congé de maternité, mais dans les 3 ans suivant le congé de maternité (ou d'adoption).

* Sauf faute grave de l'intéressée – non liée à l'état de grossesse –, ou si la salariée arrive au terme d'un contrat à durée déterminée, ou si l'employeur est dans l'impossibilité de continuer à l'employer pour un motif étranger à la grossesse, à l'accouchement ou à l'adoption.

Formalités : la mère et le père doivent prévenir leur employeur de leur intention de prendre ce congé par lettre recommandée avec A.R., et ce au moins quinze jours avant l'expiration du congé de maternité (2 mois si le congé parental ne suit pas le congé de maternité).

Conditions à remplir : pour bénéficier du congé parental d'éducation, il faut avoir travaillé pendant un an au moins dans l'entreprise.

Une restriction : dans une entreprise de moins de 100 salariés, l'employeur peut s'opposer au congé parental ou au travail à mi-temps s'il estime que cela peut être préjudiciable à la bonne marche de l'entreprise.

Les parents adoptifs ont les mêmes droits s'ils adoptent un enfant de moins de trois ans.

2. La démission assortie d'une priorité de réembauchage : elle concerne le parent qui ne réunit pas les conditions pour bénéficier du congé parental d'éducation.
Formalités : la mère doit prévenir son employeur de son intention de ne pas reprendre son travail ; elle le fera par lettre recommandée avec A.R. quinze jours avant la fin de son congé de maternité ou d'adoption.

Le père doit également prévenir son employeur par lettre recommandée. Il doit démissionner dans les deux mois qui suivent la naissance ou l'arrivée de l'enfant au foyer. Dans l'année suivant sa démission, il bénéficie d'une priorité de réembauchage.

Important : pour la mère comme pour le père, la priorité de réembauchage n'est pas une certitude de réembauchage ; il faut qu'il y ait un poste libre dans l'entreprise.

Remboursements

● *Frais d'accouchement et de séjour :* les remboursements varient suivant l'endroit où vous avez accouché :
1° à l'hôpital : l'intégrité des frais est réglée directement par la Caisse à l'hôpital ;
2° dans une clinique conventionnée : ces cliniques ont passé une convention spéciale avec la Caisse de Sécurité sociale suivant laquelle les frais de séjour – et dans certains cas les honoraires de l'accoucheur – sont réglés directement par la Caisse de Sécurité sociale à la clinique ;
3° dans une clinique agréée : forfait pour les honoraires de l'accouchement et les frais pharmaceutiques ; forfait également pour les frais de séjour, la différence entre le remboursement de la Sécurité sociale et le prix effectif du séjour étant à la charge de l'assurée.

Le séjour à l'hôpital ou en clinique ne doit pas dépasser 12 jours. Si une prolongation du séjour est justifiée médicalement, les frais en sont remboursés par l'assurance maladie ;
4° à domicile : remboursement des frais médicaux et pharmaceutiques sous forme de forfaits.

● *Césarienne :* l'intervention chirurgicale est remboursée à 100 % du tarif de la S.S.

● *Visites médicales :* si vous ne les avez pas passées gratuitement dans un Centre, elles vous seront remboursées au tarif officiel de la Caisse. De plus, vous pouvez recevoir une prime dont le montant est variable suivant les Caisses, par examen médical passé dans les délais prescrits.

● *Médicaments :* remboursement, au tarif de la Caisse (à condition que vous colliez les vignettes sur les feuilles de maladie), des médicaments prescrits en cas de maladie.

A noter : pendant les 4 derniers mois de la grossesse, le ticket modérateur est supprimé pour tous les soins dispensés aux femmes enceintes, autrement dit, les remboursements sont à 100 %

● *Prématurés :* les soins spéciaux nécessités par leur naissance avant terme sont remboursés à 100 %. Il en est de même pour les nouveau-nés hospitalisés le premier mois. Le lait maternel donné aux prématurés est pris en charge par la Sécurité sociale à 100 %. Les laits médicamenteux ne sont pas remboursés.

Les prestations familiales

Les prestations familiales, qui se décomposent en plusieurs allocations, ont pour but d'aider les familles à subvenir aux besoins de leurs enfants. Vous trouverez ci-dessous les conditions à remplir pour bénéficier de chacune de ces différentes allocations. Toutefois une condition leur est commune : *habiter en France métropolitaine.* A noter : dans les départements d'outre-mer, il faut se renseigner car certaines prestations n'existent pas, ou leur montant est différent.

Le montant respectif de ces différentes allocations varie suivant le salaire de base à partir duquel elles sont calculées (le montant du salaire de base est fixé 2 fois par an par décret). Les prestations familiales sont payables chaque mois.

L'allocation au jeune enfant

Cette allocation concerne les enfants conçus à partir du 1er janvier 1985. Elle est versée dès le 4e mois de grossesse :
● *Sans conditions de ressources* jusqu'au 3e mois de l'enfant pour chaque enfant né ou à naître (9 mensualités).
● *Avec conditions de ressources* du 4e mois de l'enfant jusqu'à son 3e anniversaire. Mais une seule allocation est versée par famille même si elle compte plusieurs enfants de moins de trois ans.
Cette allocation est versée jusqu'à ce que le dernier ait atteint l'âge de trois ans.
Seul cumul possible : en cas de naissance multiple, l'allocation sera versée jusqu'au 6e mois de chaque enfant. Un rappel sera fait des mensualités qui n'ont pas été versées avant la naissance.

Formalités
– Déclarer votre grossesse dans les 15 premières semaines à votre Caisse d'Assurance Maladie et à votre Caisse d'Allocations familiales.
– Avant et après la naissance, passer les examens médicaux obligatoires pour vous et votre enfant.

Ressources
Pour continuer à bénéficier de cette allocation à partir du 4e mois de l'enfant, le revenu net imposable (revenus de 1986) ne doit pas dépasser au 1er juillet 1987 :
– pour un couple avec 1 enfant : 78 791 F

– pour un couple avec 2 enfants : 94 549 F
– pour un couple avec 3 enfants : 113 459 F
– par enfant supplémentaire : 18 910 F.

En cas de double activité (ou pour une personne seule) vous avez droit à un abattement de 25 335 F sur vos ressources.

Montant
Il est de 781 F par mois.

L'allocation parentale d'éducation

Cette allocation est versée aux familles à partir du 3e enfant dont l'un des parents n'exerce plus d'activité professionnelle et jusqu'à ce que le plus jeune enfant ait atteint l'âge de 3 ans.

Conditions
– Avoir à charge au moins trois enfants dont un de moins de 3 ans.
– Avoir exercé une activité professionnelle pendant deux ans (8 trimestres), d'une façon consécutive ou non, dans les dix ans qui précèdent la naissance, l'adoption ou l'accueil de l'enfant à charge.
– Faire la demande d'allocation dans les 3 ans qui suivent la fin du congé de maternité, ou d'adoption ; ou dans les 3 ans qui suivent la naissance ou l'adoption de l'enfant.

Durée

Cette allocation est versée, sans condition de ressource, jusqu'au 3ᵉ anniversaire de l'enfant.

Cumul

● Cette allocation n'est pas cumulable pour un même ménage evec une autre allocation parentale d'éducation.

● Elle n'est pas non plus cumulable avec l'allocation jeune enfant versée à partir de la naissance de l'enfant.

Montant

Cessation d'activité à temps plein : 2 424 F par mois ;
Cessation d'activité à mi-temps : 1 212 F par mois ;
Le parent bénéficiaire de l'allocation conserve ses droits aux prestations de l'assurance maladie.

Si vous habitez Paris depuis trois ans :

– Même si vous n'avez pas exercé d'activité professionnelle, vous pouvez obtenir une allocation de congé parental d'éducation pour la naissance ou l'adoption d'un troisième enfant, ou la naissance ou l'adoption d'un enfant gravement handicapé même s'il est le premier ou le deuxième enfant.

– Cette allocation n'est pas cumulable avec l'allocation de congé parental d'éducation de la caisse d'Allocations familiales.

Montant : 2 000 F par mois jusqu'au 3ᵉ anniversaire de l'enfant.

Ressources : sans condition de ressources. Renseignez-vous à la mairie de Paris.

Le complément familial

Conditions à remplir :

● Avoir un enfant de moins de 3 ans conçu avant le 1-I-1985, ou au moins 3 enfants à charge, et ne pas bénéficier de l'allocation au jeune enfant.

● Avoir des ressources qui ne dépassent pas un certain plafond. Le revenu net imposable (revenus de 1986) ne doit pas dépasser au 1ᵉʳ juillet 1987 :

– pour un couple ayant un revenu et un enfant : 78 791 F ;

– pour un couple ayant un revenu et 2 enfants : 94 549 F.

Par enfant en plus on ajoute 18 910 F.

Un couple ayant 2 revenus, ou bien une personne seule, ont droit à un abattement de 25 335 F sur leurs ressources.

Montant. Il est de 708 F.

L'allocation familiale

C'est une prime mensuelle versée aux personnes ayant la charge de 2 enfants au moins.

Cette allocation est versée jusqu'à ce que les enfants aient 16 ou 18 ans s'ils sont en apprentis-sage avec une rénumération inférieure à une somme définie par les Caisses d'Allocations, ou jusqu'à 20 ans s'ils continuent leurs études.

A noter : les enfants de 17 ans, à la recherche d'un premier emploi, continuent à donner droit aux allocations familiales, à condition qu'ils soient inscrits à l'Agence Nationale pour l'Emploi.

Qui peut en bénéficier ?

● Toutes les personnes exerçant une activité professionnelle normale (salariés ou assimilés, et également employeurs et travailleurs indépendants).

● Les personnes justifiant d'une impossibilité de travailler (malades non assurés sociaux, pères de famille effectuant leur service militaire, et d'une manière générale, toute personne apportant par tous moyens la preuve de son impossibilité de travailler) ; les femmes seules élevant au moins deux enfants ainsi que les personnes recevant, pendant leur période d'inactivité, des indemnités, rentes ou pensions, en remplacement d'une rémunération, sont présumées par la loi être dans l'impossibilité de travailler.

● Peuvent également bénéficier de cette allocation, les étudiants poursuivant leurs études, à condition qu'ils puissent justifier de leur impossibilité de travailler.

Conditions à remplir : Au moins 2 enfants à charge. Que ces enfants, s'ils ont moins de 2 ans, soient soumis aux examens médicaux obligatoires.

Formalités. Dès la naissance de l'enfant qui vous donne droit à l'allocation familiale, adressez à votre Caisse les pièces officielles constatant la naissance de l'enfant : bulletin de naissance, fiche d'état civil.

Montant.

Pour 2 enfants : 32 % du salaire de base,
            soit 544,06 F ;

pour 3 enfants : 73 % de ce salaire,
            soit 1 241,13 F ;

pour 4 enfants : 114 % de ce salaire,
            soit 1 938,20 F ;

pour 5 enfants : 155 % de ce salaire,
            soit 2 635,27 F.

A partir du 6ᵉ enfant, on ajoute 41 %,
            soit 697,07 F.

Dans les familles comportant 2 enfants, le cadet bénéficie d'une majoration de 9 % (soit 153,02 F) à partir de 10 ans, et de 16 % (soit 272,03 F) à partir de 15 ans. Dans les familles de 3 enfants et plus, chaque enfant, y compris l'aîné, bénéficie d'une majoration de 9 % à partir de 10 ans et de 16 % à partir de 15 ans. Ceci jusqu'à l'âge de 20 ans si les enfants continuent leurs études.

Les allocations pour les enfants handicapés

Voir au chapitre 4, à l'article *l'enfant handicapé* (p. 250).

L'allocation de parent isolé

Cette allocation est destinée à garantir un revenu familial minimum à toute personne qui se trouve subitement seule pour assumer la charge d'un ou plusieurs enfants, ou qui se trouve en état de grossesse.

Conditions :
– avoir un ou plusieurs enfants à charge (si la mère vit dans sa famille, elle est présumée assumer la charge des enfants dont elle a la garde), ou être enceinte. Les enfants peuvent être légitimes, naturels ou reconnus.
Les femmes enceintes doivent avoir déclaré leur grossesse, et subir dans les délais les examens prénatals.
– vivre seul : c'est-à-dire être célibataire, veuf, séparé, divorcé, abandonné et ne pas vivre maritalement ;
– avoir des ressources inférieures à un minimum garanti. Par mois, ce minimum est de :
2 550,27 F pour une femme enceinte sans enfant ;
3 400 36 F pour une personne seule ayant un enfant à charge ;
• par enfant en plus on ajoute : 850,09 F.

Montant. Le montant de l'allocation versée est égal à la différence entre les sommes indiquées et les ressources personnelles. Il varie donc d'un bénéficiaire à l'autre.

Durée. L'allocation sera versée au maximum pendant douze mois, mais cette durée pourra être prolongée jusqu'à ce que le dernier enfant ait atteint l'âge de 3 ans. Le montant de l'allocation sera révisé tous les trois mois en fonction des revenus du trimestre écoulé.

L'allocation de soutien familial

Cette allocation remplace l'allocation d'orphelin.

Qui peut en bénéficier ?
Les personnes qui assument la charge :
– d'un enfant orphelin de père et/ou de mère ;
– d'un enfant dont la filiation n'est pas établie légalement à l'égard de ses parents ou de l'un d'eux ;
– d'un enfant dont les parents (ou l'un d'eux) ne font pas face à leurs obligations d'entretien ou de versement d'une pension alimentaire [*].

Condition à remplir.
Résider en France.

Montant. Les taux sont fixés en pourcentage de la base mensuelle de calcul des Allocations familiales : 30 % (soit 510,05 F) pour un enfant orphelin de

[*] En cas de versement partiel d'une pension alimentaire, vous pouvez recevoir une allocation de soutien familial différentielle.

père et de mère, 22,5 % (soit 382,54 F) pour un enfant dont la filiation n'est établie qu'à l'égard de sa mère.

L'allocation de rentrée scolaire

Cette allocation peut être attribuée aux ménages et personnes bénéficiant d'une des prestations précédentes.

Qui peut en bénéficier ? Chaque enfant à charge qui aura 6 ans avant le 1er février suivant la rentrée scolaire.

Conditions à remplir. Pour la rentrée 1987, il fallait que les revenus nets imposables de l'année 1986 ne dépassent pas 75 541,52 F (plus 17 201,90 F par enfant à charge).

Montant. Il est actuellement de 340,03 F. Il s'agit d'un versement unique qui est fait au plus tard le 31 octobre.

Les allocations logement

Signalons que le fait de bénéficier d'une des prestations familiales énumérées peut permettre dans certaines conditions de bénéficier de l'allocation logement (mais les ménages avec un enfant à charge qui ne perçoivent pas d'allocation peuvent néanmoins obtenir l'allocation logement). Cette allocation est une prestation qui s'ajoute aux prestations familiales proprement dites. Elle peut atteindre 75 % du loyer payé par l'allocataire, à condition que le loyer et les ressources du ménage ne dépassent pas un certains plafonds.
Les ménages sans enfants peuvent bénéficier de cette allocation les 5 premières années de leur mariage à condition que lès époux n'aient pas dépassé l'un et l'autre 40 ans au moment du mariage.

Il ne nous est pas possible de donner ici tous les renseignements sur les conditions et formalités à remplir pour bénéficier de cette allocation, ainsi que des différentes formes qu'elle peut prendre (aide personnalisée au logement par exemple). Mais vous pourrez trouver tous renseignements sur l'allocation logement à votre Caisse d'Allocations familiales.

L'allocation de déménagement

Cette allocation concerne uniquement les familles de trois enfants dont le dernier enfant n'a pas dépassé son premier anniversaire.

Le supplément de revenu familial

Il concerne les personnes qui assument la charge de 3 enfants au moins, et dont les ressources sont supérieures à un plancher fixé à 1 345 fois le S.M.I.C. en vigueur au 1er juillet de l'année de référence, sans dépasser le revenu minimum familial. Autrement dit, pour bénéficier du supplément de revenu familial, il faut (au 1er juillet 1987) avoir des ressources annuelles comprises entre 32 023 F et 38 650 F, majorées de 6 000 F par enfant à charge au-delà du 3e.

Condition : avoir une activité salariée.

Montant : 210 F par mois.

L'allocation d'assistante maternelle

Cette prestation est versée aux personnes (qu'elles soient salariées ou fonctionnaires) employant une assistante maternelle.

Conditions à remplir :
– être employeur d'une assistante maternelle agréée ;
– lui confier toute la journée la garde d'un ou plusieurs enfants de moins de 3 ans ;
– faire partie du régime général des Allocations familiales, ou avoir bénéficié d'une prestation entourant la naissance ;
– avoir versé à l'URSSAF les cotisations sociales dues en tant qu'employeur d'une assistante maternelle.

Montant. Il est de 1 300 F par trimestre et par enfant gardé.

L'allocation de garde à domicile

Cette prestation est versée aux familles ou à une personne seule qui emploient à leur domicile une personne pour garder un ou plusieurs enfants. Il est possible pour 2 (ou 3) familles de se réunir chez l'une d'elles pour faire garder leur enfant.

Conditions. Il faut que le ou les parents travaillent et que l'enfant ait moins de trois ans.

Ressources. Sans conditions de ressources.

Montant. Il s'agit du remboursement des charges sociales (charges salariales et patronales) de la personne engagée dans la limite de 2 000 F par mois.

Cette allocation peut être accordée pour une jeune fille au pair.

Les renseignements que nous donnons sur les formalités à accomplir pour bénéficier des Allocations familiales, ainsi que sur la manière de les percevoir, s'appliquent à la région parisienne. Quoiqu'ils soient dans les grandes lignes valables pour toute la France, dans certaines caisses départementales les formalités et modes de paiement sont un peu différents. Les parents dépendant de ces caisses trouveront auprès de celles-ci tous renseignements nécessaires.

Si les formalités peuvent légèrement varier d'un département à l'autre, le taux permettant de calculer le montant des Allocations familiales est le même pour toute la France.

L'aide sociale

Une femme enceinte ou une mère (célibataire ou non) peut obtenir une *allocation d'aide sociale* ou *un secours*.

C'est une allocation mensuelle accordée aux personnes qui ne disposent pas de ressources suffisantes pour subvenir à leurs besoins, ou pour couvrir les frais de soins qu'exige leur état de santé.

S'il s'agit d'une difficulté passagère, on peut obtenir un secours.

Formalités
Voir la mairie.

Montant
Il varie suivant les cas, en fonction des ressources de l'intéressée.

Crèches, assistantes maternelles, aides familiales, etc.

Si vous travaillez, vous pouvez confier votre enfant soit à une assistante maternelle (c'est le nouveau nom des nourrices) qui le prend chez elle, soit le mettre dans une crèche.

Vous voulez le mettre dans une crèche. Vous pouvez vous adresser au service social de votre mairie, qui vous donnera des adresses de crèches. Mais il faut penser à s'en occuper avant la naissance car les places sont limitées. Les crèches ont pour objet de garder, pendant la journée, durant le travail des parents, les enfants bien portants ayant moins de 3 ans accomplis. Les enfants y reçoivent tous les soins qu'exige leur âge. Une surveillance médicale est assurée régulièrement dans ces établissements. Le prix est fonction des ressources des parents. Il varie de 0 à 110 F par jour dans la région parisienne, mais dans certains départements le prix peut être plus élevé.

A côté de ces crèches collectives, il commence à y avoir maintenant des *crèches familiales*. Il s'agit d'un regroupement d'assistantes maternelles agréées, dirigées par une puéricultrice. Les assistantes maternelles reçoivent l'enfant dans leur logement, mais la mairie les aide pour l'achat de l'équipement (lits, jouets, etc.). Les parents ne paient pas directement l'assistante maternelle, mais la directrice, et le tarif est dégressif suivant les revenus. La mairie vous indiquera où vous adresser.

Le service social de la mairie vous indiquera également si dans votre quartier existent des *crèches parentales*. Ces crèches sont organisées et gérées par les parents qui participent eux-mêmes à la garde des enfants, avec le soutien d'une personne qualifiée.

Les halte-garderies accueillent de façon *discontinue* les enfants de moins de 6 ans.

Vous voulez le confier à une assistante maternelle. Vous trouverez des adresses auprès du service social de votre mairie. Si vous confiez votre enfant à l'une de ces personnes pour plus de huit jours, vous devez en faire la déclaration à votre mairie. La personne qui prend votre enfant chez elle doit également le déclarer. Elle est tenue à certaines formalités, qui sont une garantie que votre enfant est bien soigné et qu'il vit dans un milieu sain. L'assistante maternelle doit passer régulièrement des visites médicales. Elle reçoit la visite régulière d'une assistante sociale. Elle peut garder jusqu'à 3 enfants à la fois. Enfin, le B.C.G. est obligatoire pour tout enfant gardé en nourrice.

A titre d'indication, le prix d'une assistante maternelle (à Paris) est de 90 à 120 F par jour. Le minimum est de 55,68 F par jour pour huit heures au moins, et de 6,96 F par heure pour une garde de moins de huit heures par jour. Ces chiffres sont valables pour toutes les régions.

L'assistante maternelle a droit à un congé payé, à un délai-congé et une indemnité compensatrice en cas de retrait de l'enfant. Elle a droit également à une indemnité pour absence anormale de l'enfant (sauf s'il est malade). Cette indemnité est égale à la moitié au moins de la rémunération minimum.

Les centres maternels sont des établissements qui offrent un logement aux mères avec leur enfant. A ces centres sont adjoints des crèches où le bébé est gardé dans la journée pendant que la mère travaille, et cela jusqu'à ce que l'enfant ait 3 ans. La participation financière demandée est en général fonction de la situation financière de la mère.

Ces établissements sont réservés en priorité aux mères isolées, sans ressources et sans logement.

Les aides familiales sont des personnes qui ont reçu une formation pour pouvoir remplacer momentanément une mère de famille dans l'impossibilité de s'occuper de son foyer. Elles viennent à domicile, s'occupent du ménage et des enfants. On ne peut pas leur demander de faire de gros travaux. Pour les trouver, il faut s'adresser au service social de la mairie, ou à la Caisse d'Allocations familiales.

Pour les personnes qui gardent des enfants au domicile des parents, il n'y a pas de réglementation particulière. On doit leur appliquer la loi de médecine du travail comme pour tous les salariés, c'est-à-dire : une visite médicale, avec radioscopie lorsqu'on les engage ; une visite annuelle ensuite pour les personnes âgées de plus de 18 ans ; pour les moins de

18 ans, une visite médicale chaque trimestre. Cette surveillance médicale doit être effectuée par des services médicaux du travail. Dans la pratique, cette réglementation n'est pas encore imposée aux employeurs de gens de maison. Mais nous vous rappelons qu'il y a grand intérêt à faire passer ces visites à toute personne qu'on engage pour s'occuper d'un bébé.

La retraite de la mère de famille

Avantages accordés aux mères de famille salariées :
– Pour les mères qui travaillent, chaque enfant élevé pendant neuf ans avant leur 16e anniversaire leur donne une bonification de 2 années par enfant.
– Pour une mère de 3 enfants, le montant de la retraite est augmenté de 10 %.
– Les mères ayant élevé au moins trois enfants, qui ont 30 ans d'assurance sociale et qui justifient de 5 années de travail manuel au cours des 15 dernières années précédant leur demande, peuvent obtenir à partir de leur 60e année leur pension au taux prévu à 65 ans.

Allocation versée aux mères de 5 enfants qui n'ont pas été salariées :
Cette allocation concerne les conjointes, veuves, séparées, divorcées d'un salarié ou d'un retraité ancien salarié.

Il faut :
● être âgée de 65 ans (60 ans en cas d'inaptitude au travail) ;
● Être française, ou appartenir à un pays ayant passé une convention avec la France ;
● résider en France ;
● avoir élevé pendant 9 ans au moins avant leur 16e anniversaire, 5 enfants de nationalité française ;
● ne pas être titulaire d'une retraite de sécurité sociale ;
● ne pas dépasser un certain plafond de ressources (assez bas).

Assurance vieillesse des mères de famille

Les Caisses d'Allocations familiales affilient à l'assurance vieillesse certaines personnes. Cette assurance concerne soit la personne seule (homme ou femme), soit dans un couple celui :

– qui n'a pas d'activité professionnelle ;

– qui perçoit le complément familial, ou l'allocation au jeune enfant, ou l'allocation parentale d'éducation ;

– qui assume la charge d'un enfant de moins de 3 ans ou de 3 enfants.

Conditions de ressources :

– *Pour les femmes isolées*, mères d'un enfant de moins de 3 ans, ou d'au moins 3 enfants : leurs ressources ne doivent pas dépasser un plafond fixé à 2130 fois le taux horaire du SMIC, majoré de 25 % par enfant à charge.

– *Pour les mères de famille :* si elles ont un enfant de moins de 3 ans, le plafond est le même que pour les femmes isolées ; si elles ont au moins 3 enfants à charge, le plafond est le même que pour le complément familial.

N'hésitez pas à vous renseigner auprès de la Caisse pour toute situation un peu particulière.

Index

Chère lectrice, cher lecteur,
En écrivant ce livre, j'ai eu sans cesse un désir : essayer avec vous de résoudre les questions petites ou grandes, qui peuvent se présenter pendant les premières années de l'enfance. J'espère avoir réussi.
Avant de vous quitter, je voudrais vous demander une faveur. Vous savez sans doute que chaque année je mets « J'élève mon enfant » à jour. J'aimerais connaître vos critiques ou vos suggestions pour en tenir compte dans ma prochaine édition.
Je vous remercie d'avance pour votre réponse.

à renvoyer à
Laurence Pernoud – Éditions Pierre Horay
22 bis Passage Dauphine
75006 – Paris

Nom : _____

Adresse : _____

_____

Prénoms de l'enfant : _____

Date de naissance : _____

Est-ce votre premier enfant : _____

_____
_____
_____
_____
_____
_____
_____
_____
_____
_____
_____
_____
_____

Cette nouvelle édition de J'élève mon enfant
a été réalisée sous la direction artistique
de l'atelier des éditions Pierre Horay

d'après une mise en page
de Daniel Leprince

avec des dessins de
Joseph Gillain : *338, 343, 355, 362, 363, 373, 380, 381, 388, 396, 397, 408 ● Noëlle*
Herrenschmidt : *26, 27, 30 à 37, 42, 43, 65, 73, 165, 167, 168, 171, 175, 177, 179, 219,*
239, 243, 311, 317 ● Danièle Molez : 181 à 188 ● Christiane Neuville : 142 à 146

et des photographies de
Anne-Marie Berger : *170, 193, 199, 424, 477 ● Régine Billot : 426 ● A. Borlant : 326 ●*
Cabrol-Kipa : *25, 152, 203, 428, 482 et couverture de l'ouvrage ● Richard Frieman :*
87, 383 ● Pascale L. R. : 406, 434, 445 ● Paf international-Laurent Bianquis : 51 ●
« Parents » : 306 ● Petit Format-Françoise Aubier : 451, 472 ● Petit Format-G.
Bouyer : *413 ● Petit Format-Claude Edelmann : 68 ● Petit Format-M.H. Quinton : 75*
● Petit Format-Pascale Roche : 98 ● Petit Format-Valérie Winkler : 166 ● Valérie
Winkler : *13, 22, 41, 45, 49, 57, 63, 78, 85, 99, 101, 106, 116-117, 141, 149, 169, 173,*
197, 314, 321, 323, 333, 376, 421, 425, 431, 440, 442, 455, 459, 462, 467, 469, 480 et
pages de garde

Achevé d'imprimer le 15 février 1988 sur les presses de l'imprimerie Hérissey à Évreux
pour le compte des éditions Pierre Horay éditeur à Paris

Imprimé en France – Dépôt légal 1er trimestre 1988 – N° d'éditeur : 800 – N° d'imprimeur : 44232